Wachten op woensdag

Van Nicci French verscheen eveneens bij uitgeverij Anthos

Het geheugenspel
Het veilige huis
Bezeten van mij
Onderhuids
De rode kamer
De bewoonde wereld
Verlies
De mensen die weggingen
De verborgen glimlach
Vang me als ik val
Verloren
Tot het voorbij is
Wat te doen als iemand sterft
Medeplichtig
Blauwe maandag
Dinsdag is voorbij

Nicci French

Wachten op woensdag

Vertaald door
Irving Pardoen en
Caecile de Hoog

Anthos | Amsterdam

ISBN 978 90 414 2325 2 (gebonden)
ISBN 978 90 414 1631 5 (paperback)

Oorspronkelijke titel *Waiting for Wednesday*
Oorspronkelijke uitgever Michael Joseph
Omslagontwerp Marry van Baar
Omslagillustratie © Cristina Matei [Bittersweetvenom]
Kaart binnenwerk © Maps Illustrated, 2013
Foto auteurs Annemarieke van den Broek

Verspreiding voor België:
Veen Bosch & Keuning uitgevers n.v., Antwerpen

Voor Pat en John, nogmaals met genegenheid

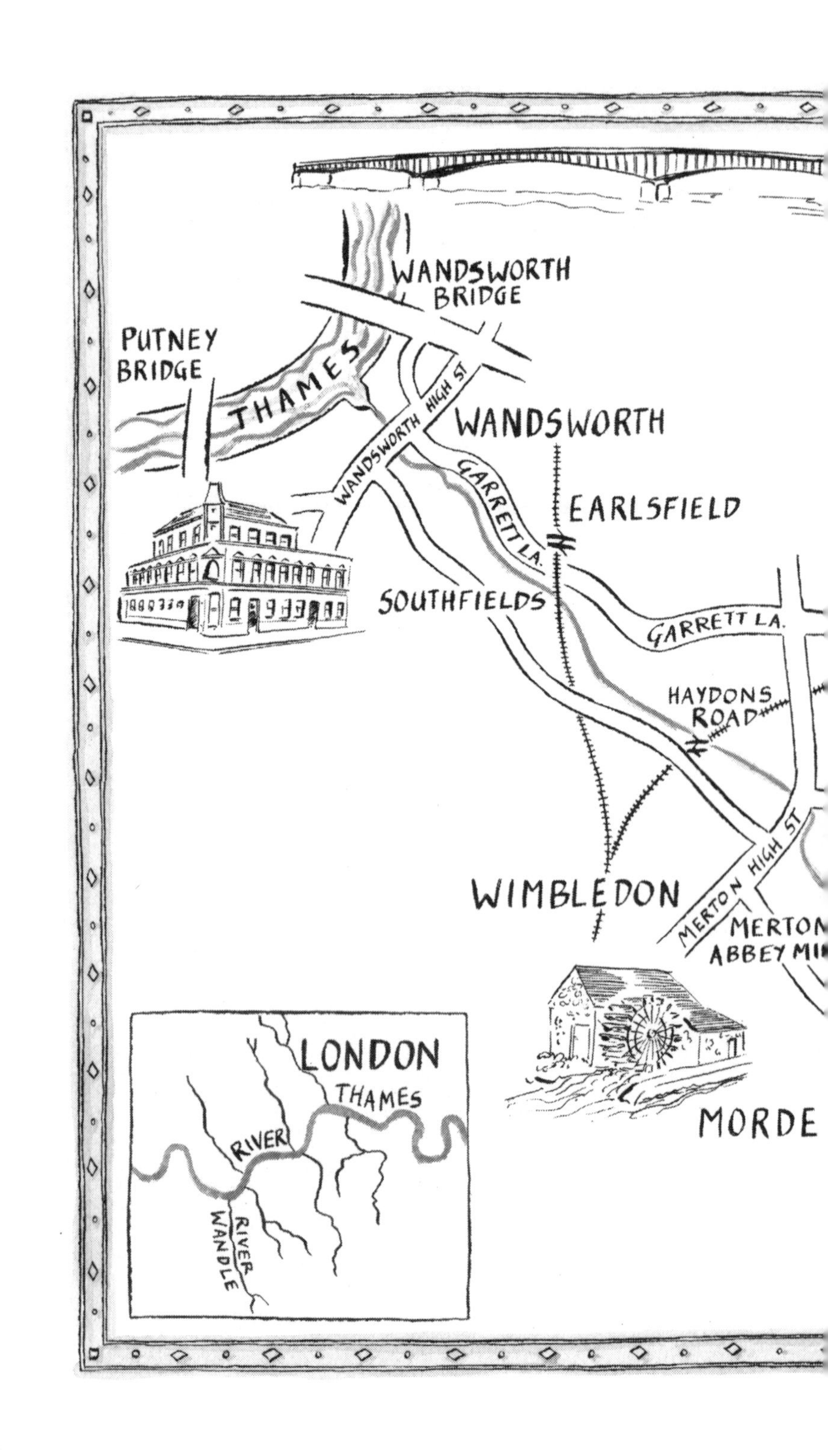
WANDSWORTH BRIDGE
PUTNEY BRIDGE
THAMES
WANDSWORTH HIGH ST
WANDSWORTH
GARRETT LA.
EARLSFIELD
SOUTHFIELDS
GARRETT LA.
HAYDONS ROAD
MERTON HIGH ST
WIMBLEDON
LONDON
THAMES
RIVER
RIVER WANDLE

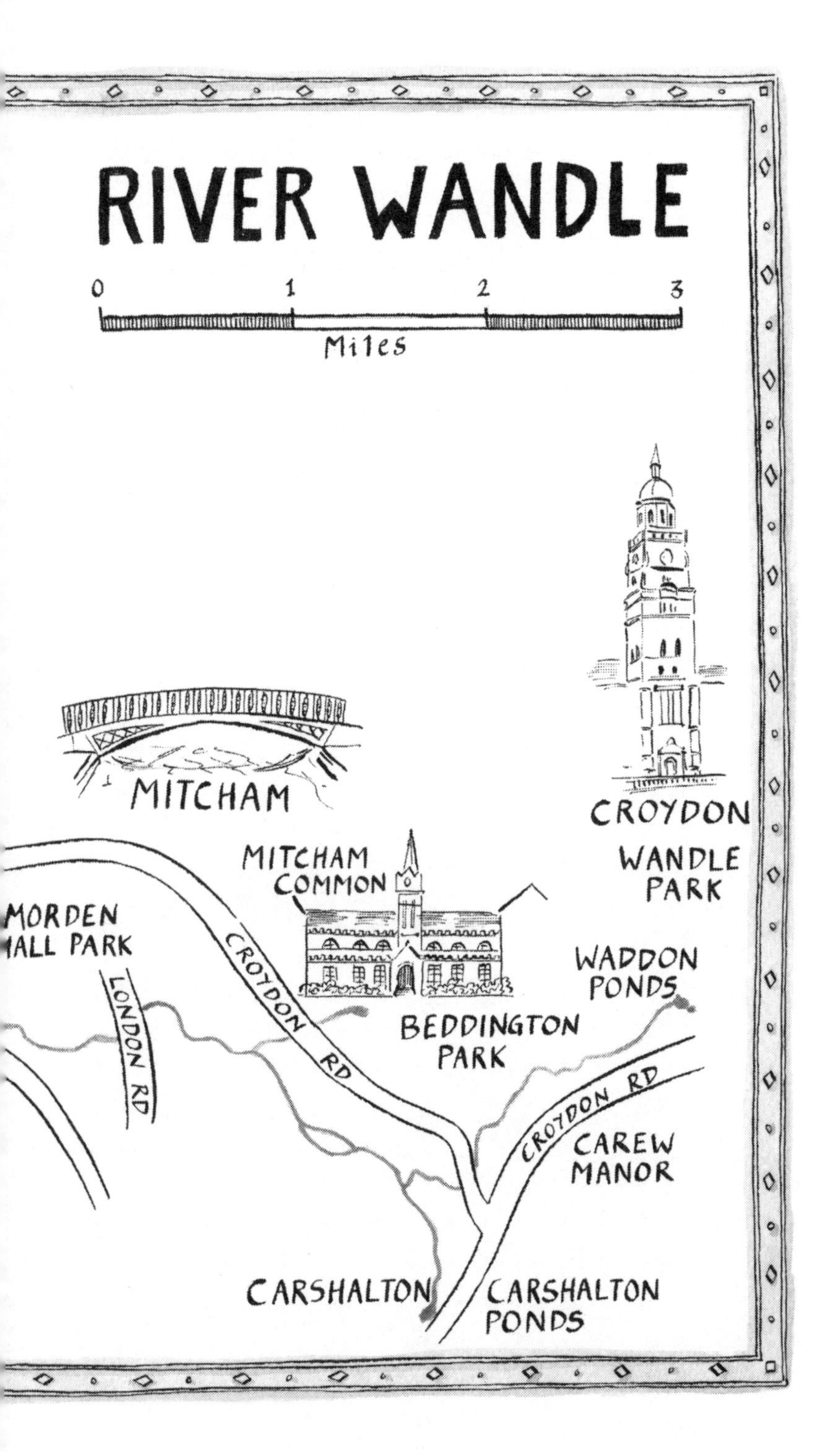
RIVER WANDLE
0
1
2
3
Miles
MITCHAM
CROYDON
MITCHAM COMMON
WANDLE PARK
MORDEN HALL PARK
CROYDON RD
WADDON PONDS
LONDON RD
BEDDINGTON PARK
CROYDON RD
CAREW MANOR
CARSHALTON
CARSHALTON PONDS

I

Niets wees erop dat er iets mis was. Het was een gewoon rijtjeshuis op een gewone woensdagmiddag in april. De tuin was lang en smal, net als bij alle andere huizen in de straat. De tuin aan de linkerkant werd al jarenlang verwaarloosd en stond vol brandnetels en kreupelhout, met tegen het huis aan een plastic zandbak vol modderig water en een goal voor kinderen, op z'n kant. De tuin aan de andere kant was verhard met tegels en grind; er stonden terracotta potten met planten, stoelen die de eigenaar 's winters opgeklapt in de schuur opsloeg en onder een zwart zeil een barbecue, die voor de zomermaanden naar het midden van de patio zou worden gereden.

Deze tuin had echter een gazon, dat net voor de eerste keer dit jaar was gemaaid. Aan een oude, kromme appelboom schitterden witte bloesems. De rozen en struiken in de perkjes waren zo kort gesnoeid dat het kale takken leken. Bij de keukendeur stonden rijtjes oranje tulpen. Onder het raam lag een losse gymschoen met dichtgeknoopte veters, en er stonden lege bloempotten, een plateautje voor de vogels met wat graankorrels erop en een voetenschraper met daarnaast een paar lege bierflesjes.

De kat liep de tuin door, nam er de tijd voor en bleef bij de deur met opgeheven kopje staan, alsof hij ergens op wachtte. Toen glipte hij behendig door het kattenluikje naar binnen en ging de keuken in met de betegelde vloer, de tafel – groot genoeg voor minstens zes mensen – en het uit Wales afkomstige dressoir, dat eigenlijk te groot was voor de ruimte en bezaaid lag met aardewerk en andere dingen: tubes uitgedroogde lijm, rekeningen nog in de envelop, een kookboek opengeslagen bij een recept voor zeeduivel met gekonfijte citroen, een opgerold paar sokken, een biljet van vijf pond en een haarborsteltje. Aan een ijzeren rek boven het fornuis hingen pannen. Op een plankje stonden een stuk of tien kookboeken, naast de gootsteen een mandje met groenten en in de vensterbank een vaas met bloemen die al wat begonnen te hangen, op de tafel lag een open schoolboek. Aan de muur hing een wit bord met daarop in rode viltstift een klussenlijstje. Op een van de werkbladen lag het restant van een snee geroosterd brood en daarnaast stond een kop thee.

De kat stak zijn kopje behoedzaam in zijn etensbak en at wat droge brokjes, streek met een voorpoot over zijn snuit en liep toen door de deur die altijd openstond de keuken uit, verder het huis in, langs het wc'tje links de twee treden op. Hij ontweek de scherven van een glazen kom en liep om de leren schoudertas heen die in de gang lag. De tas lag ondersteboven en de inhoud was verspreid over de eiken vloerplanken. Lippenstift en poeder, een geopend pakje zakdoekjes, autosleutels, een haarborstel, een blauw agendaatje met een pen eraan, een pakje paracetamol, een opschrijfboekje met een spiraalrug. Even verderop een opengevallen zwarte portefeuille met los eromheen een paar klantenkaarten (Wegenwacht, British Museum). Aan de crèmekleurige muur een scheefhangende ingelijste reproductie van een oude Van Gogh-tentoonstelling, en op de vloer lag een kapotte lijst met een grote familiefoto: een man, een vrouw en drie kinderen, breed glimlachend.

De kat koos zijn weg tussen de voorwerpen door en liep naar de huiskamer aan de voorkant van het huis. In de deuropening lag een uitgestrekte arm. De hand was mollig en stevig, met kortgeknipte nagels en een gouden ring om de ringvinger. De kat snuffelde eraan en likte even aan de pols. Hij zette zijn voorpoten op het in een hemelsblauwe blouse en zwarte werkbroek gestoken lichaam en groef snorrend in de zachte buik. Hij probeerde aandacht te krijgen door kopjes te geven tegen het hoofd met het warmbruine haar dat al wat grijs aan het worden was en losjes in een wrong was opgestoken. In de oorlelletjes staken kleine gouden knopjes. Om de hals hing een dun kettinkje met een medaillon. De huid rook naar rozen en nog iets anders. De kat streek met zijn lijf langs het gezicht en kromde zijn rug.

Even later gaf hij het op en sprong hij op de leunstoel om zich te wassen, want zijn vacht was dof en plakkerig geworden.

Dora Lennox liep langzaam van school naar huis. Ze was moe. Het was woensdag en het laatste uur had ze algemene natuurwetenschap gehad, na schooltijd gevolgd door een repetitie van de swingband. Ze speelde saxofoon – slecht, met schelle tonen, waar de muziekleraar niet al te zwaar aan leek te tillen. Ze had zich er alleen voor opgegeven omdat haar vriendin Cam haar ertoe had overgehaald. Cam leek echter nu niet meer haar vriendin te zijn en smiespelde en giechelde met andere meisjes, die geen beugel hadden, niet mager en verlegen waren, maar brutaal en goed gevormd, en die bh's van zwarte kant droegen en lipgloss en een heldere oogopslag hadden.

Dora's rugzak, zwaar van alle boeken, stootte tegen haar rug, de koffer met het muziekinstrument schuurde langs haar scheenbeen en de plastic draagtas, die uitpuilde van het kookgerei en een blik aangebrande scones die ze die ochtend bij de kookles had gemaakt, was gescheurd. Ze was blij hun auto in de buurt van het huis te zien staan. Dat betekende dat haar moeder thuis was. Ze hield er niet van om thuis te komen in een leeg huis, waar alle lichten uit waren en in alle kamers zo'n drukkende stilte hing. Haar moeder wekte alles tot leven: de vaatwasser bromde, misschien had ze een cake in de oven staan of op zijn minst was er een blik koekjes en stond er water op voor thee, wat alles bij elkaar een indruk gaf van geordende activiteit die Dora geruststellend vond.

Terwijl ze het hek opendeed en het korte tegelpad op liep, zag ze dat de voordeur openstond. Was haar moeder haar net voor geweest? Of haar broer Ted? Ze hoorde ook een geluid, een pulserend elektronisch geluid. Toen ze dichterbij kwam, zag ze dat het matglazen ruitje naast de deur kapot was. Er zat een gat in het glas, dat naar binnen toe gebogen was. Terwijl ze deze merkwaardige situatie in ogenschouw nam, voelde ze iets aan haar been. Ze keek naar beneden. De kat streek langs haar been, en Dora zag dat hij een roestkleurige vlek op haar nieuwe spijkerbroek achterliet. Ze liep het huis in en zette haar spullen neer. In de gang lagen glasscherven van het ruitje. Dat zou hersteld moeten worden. Het was in elk geval niet haar schuld. Ted zou het wel gedaan hebben. Hij brak altijd van alles – bekers, glazen, ruiten. Alles wat kapot kon. Ze rook ook iets. Er was iets aangebrand.

'Mam, ik ben thuis!' riep ze.

Er lag nog meer op de vloer – de grote foto van het gezin, haar moeders tas, allerlei dingen slingerden er rond. Alsof er een storm door het huis was gegaan, die van alles had losgerukt en in het rond had gesmeten. Dora ving een korte blik van zichzelf op in de spiegel boven het tafeltje: een smal, wit gezicht, dunne bruine vlechten. Ze liep door naar de keuken, waar de geur het sterkst was. Ze deed de oven open, waaruit de rook als hete adem naar buiten bulkte en haar een hoestbui bezorgde. Ze pakte een ovenwant, haalde de bakplaat boven in de oven eruit en zette die op het fornuis. Er lagen zes verschrompelde en verkoolde zwarte schijfjes op. Daar had je niets meer aan. Haar moeder maakte soms koeken voor na school. Dora sloot de oven en draaide het gas uit. Ja, zo was het gekomen. De oven was niet uitgezet en de koekjes waren aangebrand. Mimi was, geschrokken van het alarm en de rook, gaan rondrennen en had van alles omgegooid en kapotgemaakt. Maar waarom waren de koekjes aangebrand?

Ze riep nog een keer. Op de vloer in de deuropening zag ze de hand met de gekromde vingers. Toch bleef ze roepen, maar zonder nog van haar plaats te komen. 'Mama. Ik ben thuis.'

Al roepend liep ze de gang weer in. De deur naar de voorkamer stond op een kier. Ze duwde hem open en ging naar binnen.

'Mama?'

Het was gek, maar het eerste wat ze zag, waren spetters rode verf op de muur en op de bank en grote klodders op de vloer. Toen sloeg ze haar hand voor haar mond en hoorde ze een kreun door haar keel omhoogkomen en vervolgens in die verschrikkelijke kamer uitgroeien tot een langgerekte schreeuw, die maar doorging en doorging en niet meer wilde ophouden. Ze drukte haar handen op haar oren om het maar niet te hoeven horen, maar nu klonk het binnen in haar. Het was geen verf, maar bloed, een stroom van bloed en een donkere, heel donkere plas bij dat wat aan haar voeten lag. Een uitgestrekte arm, om de pols een horloge dat nog de tijd aangaf, het lichaam van een vrouw die haar vertrouwd was, gekleed in een blauwe blouse en een zwarte broek, een schoen half uit. Dat alles kende ze. Maar het gezicht was geen gezicht meer, omdat ze maar één oog had en de mond kapot was en met gebroken tanden geluidloos naar haar schreeuwde. De hele zijkant van het hoofd lag open en was een en al bloed, kraakbeen en bot, alsof iemand het totaal had willen vernietigen.

2

Het huis stond in Chalk Farm, een paar straten verwijderd van het drukke Camden Lock. Voor de deur stonden een ambulance en enkele politieauto's. Om het huis hing al afzetlint. Een paar voorbijgangers waren stil blijven staan en keken toe.

Rechercheur Yvette Long dook onder het afzetlint door en keek naar het huis, een laatnegentiende-eeuwse twee-onder-een-kapwoning met een kleine voortuin en een erker. Ze stond op het punt naar binnen te gaan toen ze hoofdinspecteur Malcolm Karlsson uit een van de auto's zag stappen. Ze besloot op hem te wachten. Hij maakte een ernstige, wat afwezige indruk, totdat hij haar opmerkte en toeknikte.

'Ben je al binnen geweest?'

'Ik kom net aan,' zei Yvette. Ze zweeg even en flapte er toen uit: 'Grappig om je te zien zonder Frieda.'

Karlssons gelaatsuitdrukking verhardde. 'Dus je bent blij dat ze ons niet komt helpen.'

'Ik eh... Zo bedoelde ik het niet.' Yvette hakkelde.

'Ik weet dat je moeite had met haar aanwezigheid,' zei Karlsson, 'maar het is geregeld. De baas heeft besloten dat ze weg moest, en in het gedoe bij de ontknoping is ze bijna om het leven gekomen. Is dat soms wat je grappig vindt?'

Yvette bloosde en gaf geen antwoord.

'Heb je haar nog opgezocht?' vroeg Karlsson.

'In het ziekenhuis.'

'Dat is niet genoeg. Je moet met haar praten. Maar ondertussen...'

Hij gebaarde naar het huis, en ze gingen naar binnen. Het was er druk, met mensen in overalls en met handschoenen en plastic overschoenen. Ze spraken op gedempte toon of zwegen. Karlsson en Yvette trokken hun overschoenen en handschoenen aan en liepen de gang door, langs een handtas op de vloer, langs een foto in een kapotte lijst, langs een man die met een kwastje vingerafdrukken veiligstelde, de huiskamer in, waar felle lampen waren opgesteld.

De lampen waren op de dode vrouw gericht alsof het een toneelvoorstelling betrof. Ze lag op haar rug. Ze had één arm uitgestrekt, de andere lag naast haar, de hand half tot een vuist gebald. Ze had bruin haar, dat grijs begon te worden. Haar mond was open geramd, waardoor ze de uitdrukking van een radeloos dier leek te hebben, en vanaf de plek waar hij stond en op haar neerkeek, zag Karlsson tussen de afgebroken tanden een vulling glinsteren. Aan de andere kant van haar gezicht was de huid glad, maar het wil weleens gebeuren dat de dood rimpels gladstrijkt, de kenmerken die het leven heeft achtergelaten verwijdert en die van hemzelf toevoegt. In haar hals had ze de rimpels van iemand van middelbare leeftijd.

Haar rechteroog was open en staarde omhoog. De linkerkant van het hoofd van de vrouw was ingeslagen en kleverig van het bloed, met stukjes bot eraan. Het beige tapijt om haar heen was doordrenkt van het bloed, dat over de vloer en op de dichtstbijzijnde muur gespat was, waardoor de nette huiskamer veranderd leek in een abattoir.

'Ze heeft harde klappen gehad,' mompelde Karlsson terwijl hij overeind kwam.

'Een inbreker,' zei een stem achter hem. Karlsson keek om. Iets te dichtbij stond daar een rechercheur. Hij was nog heel jong en had een pukkelig gezicht, met daarop een wat ongemakkelijke glimlach.

'Hè?' zei Karlsson. 'Wie ben jij?'

'Riley,' zei de rechercheur.

'Je zei iets.'

'Een inbreker,' zei Riley. 'Hij is op heterdaad betrapt en toen heeft hij haar een ram verkocht.'

Toen Riley Karlssons gelaatsuitdrukking zag, verdween zijn glimlach. 'Ik dacht hardop,' zei hij. 'Ik probeerde positief te zijn. En proactief.'

'Proactief,' zei Karlsson. 'Ik dacht dat het onze taak was een onderzoek in te stellen op de plaats delict, op zoek te gaan naar vingerafdrukken, haren en vezels en de nodige getuigenverklaringen op te nemen, voordat we concluderen wat er is gebeurd. Als jij dat tenminste goedvindt.'

'Ja, meneer.'

'Mooi.'

'Chef.' Chris Munster was de kamer binnengekomen, maar bleef naar het lichaam staan kijken.

'Wat kunnen we nu al zeggen, Chris?'

Het kostte Munster enige moeite om zijn aandacht weer op Karlsson te richten. 'Je went er nooit aan,' zei hij.

'Probeer het toch maar,' zei Karlsson. 'De familie heeft er niets aan als jij hun lijden op je neemt.'

'Oké,' zei Munster, en hij consulteerde zijn opschrijfboekje. 'Haar naam is Ruth Lennox. Ze werkte als wijkverpleegkundige bij de gemeente. U weet wel, langsgaan bij oude mensen en jonge moeders en zo. Vierenveertig jaar, getrouwd, drie kinderen. De jongste dochter heeft haar rond halfvijf gevonden toen ze uit school kwam.'

'Is ze hier?'

'Boven, met de vader en de twee andere kinderen.'

'Enig idee van het tijdstip van overlijden?'

'Na het middaguur, vóór zes uur.'

'Daar hebben we niet veel aan.'

'Ik herhaal alleen maar wat dokter Heath heeft gezegd. Het was warm in huis, zei hij, het was een warme dag, de zon stond op de ramen. Het is niet exact te zeggen.'

'Juist. En het moordwapen?'

Munster haalde zijn schouders op. 'Iets zwaars, zei dokter

Heath. Met een scherpe rand, maar geen mes.'

'Oké,' zei Karlsson. 'Zijn er vingerafdrukken genomen van de familie?'

'Ik zal het nagaan.'

'Is er iets gestolen?' vroeg Yvette.

Karlsson keek haar even aan. Het was sinds ze binnen was de eerste keer dat ze iets zei. Ze klonk nog onzeker. Hij was waarschijnlijk te hard tegen haar geweest.

'De man verkeert in shock,' zei Munster. 'Maar het lijkt erop dat ze haar portemonnee hebben leeggehaald.'

'Ik moet maar eens met ze gaan praten. Boven, zei je?'

'De eerste deur boven aan de trap, naast de badkamer. Melanie Hackett is bij ze.'

'Oké,' zei Karlsson. 'Vroeger werkte hier in de buurt ene Harry Curzon bij de recherche. Hij zal inmiddels wel met pensioen zijn. Kun je zijn nummer voor me achterhalen? Op het wijkbureau zullen ze hem wel kennen.'

'Wat wilt u van hem?'

'Hij kent de wijk. Hij kan ons misschien een hoop moeite besparen.'

'Ik zal mijn best doen.'

'En ga eens met de jonge Riley hier praten. Hij denkt nu al te weten wat er gebeurd is.' Karlsson keek Yvette aan en gebaarde dat ze hem naar boven moest volgen. Voor de deur bleef hij staan luisteren. Hij hoorde helemaal niets. Aan dit deel van zijn werk had hij een hartgrondige hekel. Vaak kreeg hij als brenger van het slechte nieuws de schuld, terwijl de mensen zich tegelijkertijd aan hem vastklampten omdat ze een soort oplossing van hem verwachtten. En nu had hij te maken met een heel gezin. Drie kinderen, had Munster gezegd. Arme stakkers. Zo te zien was ze een aardige vrouw geweest, dacht hij.

'Klaar?'

Yvette knikte, en hij klopte drie keer en deed toen de deur open.

De vader zat op een draaistoel heen en weer te bewegen. Hij had zijn jas nog aan en om zijn hals een katoenen sjaal. Zijn gezicht met de zware kaakpartij zag wit en hij had rode vlekken op zijn wangen, alsof hij net uit de kou binnen was gekomen. Hij knipperde telkens met zijn ogen alsof er stof in zat, likte aan zijn lippen en trok aan een oorlelletje. Op de vloer aan zijn voeten lag, in foetushouding, de jongste dochter – degene die Ruth Lennox had gevonden. Ze lag te hikken, te kokhalzen, te snuiven en te slikken. Ze klonk als een gewond dier, vond Karlsson. Hij kon niet zien hoe ze eruitzag, alleen dat ze mager was en bruin haar had, in slordige vlechten. De vader legde in een hulpeloos gebaar zijn hand op haar schouder, maar trok die toen weer terug.

De andere dochter, zo te zien vijftien of zestien, zat tegenover hen, haar benen onder zich gevouwen en haar armen om zichzelf heen geslagen, alsof ze zich zo warm en zo klein mogelijk wilde maken. Ze had kastanjebruine krullen en het bolle hoofd van haar vader, met volle, rode lippen en sproeten om haar neus. De mascara rond een van haar blauwe ogen was uitgelopen, maar rond het andere oog niet, wat haar iets gekunstelds, clownachtigs gaf, maar toch zag Karlsson meteen dat ze aantrekkelijk was, iets wat zelfs met de uitgelopen make-up en haar krijtbleke gezicht niet te verbergen was. Ze droeg een kastanjebruine korte broek over een zwarte panty en een T-shirt met een logo dat hem niets zei. Ze staarde Karlsson aan toen hij binnenkwam en beet verwoed op haar onderlip.

De jongen zat met zijn knieën tot aan zijn kin opgetrokken in de hoek, het gezicht verscholen onder een dichte, donkerblonde haardos. Af en toe rilde hij hevig, maar hij keek niet op, zelfs niet toen Karlsson zich voorstelde.

'Ik vind het afschuwelijk voor u allen,' zei Karlsson. 'Maar ik ben hier om te helpen en moet u een aantal vragen stellen.'

'Waarom?' fluisterde de vader. 'Waarom zou iemand Ruth willen vermoorden?'

Hierop maakte het oudste meisje een onwillekeurig geluid en snikte.

'Uw jongste dochter heeft haar gevonden,' zei Karlsson zacht. 'Is het niet?'

'Dora. Ja.' Hij veegde met de rug van zijn hand over zijn

mond. 'Wat zal dat voor haar gaan betekenen?'

'Meneer Lennox,' zei Yvette, 'er zijn mensen die u kunnen helpen met de...'

'Russell, heet ik. Niemand zegt meneer Lennox.'

'We moeten van Dora horen wat ze heeft gezien.'

Het hoopje mens op de vloer bleef maar jammeren en kreunen. Yvette keek hulpeloos naar Karlsson.

'Je vader mag erbij zijn,' zei Karlsson, zich vooroverbuigend naar Dora. 'Of als je liever met een vrouw wilt praten en niet met een man, dan...'

'Ze wil het niet,' zei het oudste zusje. 'Hebt u het niet gehoord?'

'Hoe heet jij?' vroeg Karlsson.

'Judith.'

'En hoe oud ben je?'

'Vijftien. Maakt dat wat uit?' Ze keek Karlsson met haar staalharde blauwe ogen aan.

'Wat er gebeurd is, is afschuwelijk,' zei Karlsson. 'Maar we moeten alles weten, willen we de dader kunnen opsporen.'

De jongen wierp ineens zijn hoofd naar achteren. Moeizaam kwam hij overeind en hij ging met zijn lange, slungelige lijf bij de deur staan. Hij had de grijze ogen van zijn moeder. 'Ligt ze er nog?'

'Pardon?'

'Ted,' zei Russell Lennox op geruststellende toon, terwijl hij naar hem toe liep en zijn hand uitstak. 'Ted, het is oké.'

'Mijn moeder.' De jongen bleef Karlsson aankijken. 'Ligt ze er nog?'

'Ja.'

De jongen rukte de deur open en rende de trap af. Karlsson rende achter hem aan, maar kwam te laat. Het gebrul schalde door het huis.

'Nee, nee, nee,' schreeuwde Ted. Hij zat op zijn knieën naast het lichaam van zijn moeder. Karlsson sloeg zijn arm om de jongen heen, hielp hem overeind en voerde hem de kamer uit.

'Rustig maar, Ted.'

Karlsson draaide zich om. Door de voordeur was een vrouw binnengekomen. Ze was stevig gebouwd, achter in de dertig, met kort, donkerbruin haar in een ouderwets knotje, en ze droeg een tweedrok die tot de knie reikte en droeg tegen haar borst iets mee in een gele draagband. Karlsson zag dat het een klein baby'tje was, bovenaan stak het kale hoofdje naar buiten en aan de onderkant de twee voetjes. De vrouw keek Russell met heldere oogopslag aan. 'Ik ben meteen gekomen,' zei ze. 'Wat een afschuwelijke, afschuwelijke toestand.'

Ze liep naar Russell toe, die ook zijn zoon naar beneden was gevolgd, en drukte hem langdurig tegen zich aan, wat bemoeilijkt werd en niet anders kon dan op armlengte door de baby tussen hen in. Russell keek hulpeloos over haar schouder. Zij keek om naar Karlsson.

'Ik ben Ruths zus,' zei ze. Het pakket op haar borst maakte een beweging en gaf een zucht. Onder het slaken van keelgeluiden klopte ze erop.

Ze had de opgewonden kalmte over zich die mensen soms vertonen bij calamiteiten. Karlsson had het eerder gezien. Rampen trokken mensen aan. Familie, vrienden, buren kwamen bijeen om te helpen, hun medeleven te betuigen of gewoon om er op een bepaalde manier bij te horen, om zich te warmen aan de afschuwelijke gloed die ervan uitging.

'Dit is Louise,' zei Russell. 'Louise Weller. Ik heb de familie gebeld. Voordat ze het van anderen zouden horen.'

'We zijn bezig met een getuigenverklaring,' zei Karlsson. 'Het spijt me, maar ik geloof niet dat u hier nu hoort te zijn. Er heeft hier een misdrijf plaatsgevonden.'

'Onzin. Ik ben hier om te helpen,' zei Louise resoluut. 'Het gaat om mijn zus.' Ze zag bleek, afgezien van de rode vlekken op haar jukbeenderen. 'Mijn twee andere kinderen zitten in de auto. Ik zal ze zo meteen halen en ergens neerzetten waar we geen last van ze hebben. Maar vertel me eerst eens: wat is er gebeurd?'

Karlsson aarzelde even en haalde toen zijn schouders op. 'U krijgt van mij een paar minuten. Als u klaar bent, kunnen we praten.'

Hij liep met hen de trap op en wenkte toen Yvette dat ze met hem mee moest gaan, de kamer uit. 'Om het nog erger te maken,' zei hij, 'zullen ze een paar dagen hun huis uit moeten. Kun je dat aan ze duidelijk maken? Tactvol? Misschien kunnen ze bij de buren of bij vrienden in de buurt terecht.' Hij zag Riley de trap op komen.

'Er is iemand voor u, hoofdinspecteur,' zei hij. 'Hij zegt dat u hem kent.'

'Wie is het?' vroeg Karlsson.

'Dokter Bradshaw,' zei Riley. 'Hij ziet er niet uit als een politieman.'

'Dat is hij ook niet,' zei Karlsson. 'Hij is een soort expert. Trouwens, wat maakt het uit hoe hij eruitziet? We kunnen hem maar beter zijn gang laten gaan en hem de kans geven waar voor zijn geld te krijgen.'

Toen Karlsson de trap af liep en hij Hal Bradshaw in de gang zag staan wachten, zag hij wat Riley bedoelde. De man oogde beslist niet als een rechercheur. Hij droeg een grijs pak met lichtgele accenten en een wit overhemd met het bovenste knoopje los. Het viel Karlsson vooral op dat hij reebruine suède schoenen en een grote bril met een dik montuur droeg. Hij knikte Karlsson toe met een blik van herkenning.

'Hoe weet u hier nou weer van?' vroeg Karlsson.

'Het is een nieuwe afspraak. Ik kom het liefst langs als het nog maar pas gebeurd is. Hoe sneller ik erbij ben, des te meer ik kan doen.'

'Daar weet ik anders niks van,' zei Karlsson.

Bradshaw leek er geen aandacht aan te besteden. Hij keek bedachtzaam om zich heen. 'Is uw vriendin er niet?'

'Welke vriendin?'

'Dokter Klein,' zei hij. 'Frieda Klein. Ik verwachtte haar hier te zien rondsnuffelen.'

Hal Bradshaw en Frieda Klein hadden meegewerkt in hetzelfde onderzoek, waarbij het maar een haar had gescheeld of Frieda was erbij omgekomen. In het appartement van een gestoorde vrouw, Michelle Doyce, was het naakte en in een gevorderd stadium van ontbinding verkerende lijk van een man gevonden. Bradshaw was ervan overtuigd geweest dat Michelle Doyce de man had vermoord. Frieda had in de onsamenhangende zinnen van de vrouw echter iets concreets gehoord, een vaag tasten naar de realiteit. Geleidelijk hadden zij en Karlsson de identiteit van de dode man weten te achterhalen: hij was een oplichter geweest, die veel slachtoffers had gemaakt, die allen motieven hadden gehad om wraak te nemen. Frieda's manier van werken – onorthodox en intuïtief – en haar wijze van handelen, die soms obsessief en destructief leek, waren bij de laatste bezuinigingsronde reden geweest om verder af te zien van haar diensten. Maar dat was kennelijk niet genoeg geweest voor Bradshaw. Door haar had hij een modderfiguur geslagen en nu wilde hij haar kapotmaken. Dit alles bedacht Karlsson, maar toen hij dacht aan de dode vrouw die daar op een paar meter afstand lag en aan het rouwende gezin, slikte hij zijn boze woorden in.

'Dokter Klein werkt niet meer voor ons.'

'O ja,' zei Bradshaw opgewekt. 'Dat is ook zo. Die vorige zaak is niet zo goed afgelopen, hè?'

'Het hangt ervan af wat u met "niet zo goed" bedoelt,' zei Karlsson. 'We hebben drie moordenaars te pakken gekregen.'

Bradshaw trok een gezicht. 'Als je als adviseur van de politie in een messengevecht verzeild raakt en dan een maand op de intensive care moet doorbrengen, is dat niet bepaald een doorslaand succes. Volgens mij tenminste niet.'

Karlsson wilde iets zeggen, maar weer bedacht hij waar hij was.

'Dit is niet de juiste plaats om dat te bespreken,' zei hij koel. 'Er is een moeder vermoord. Haar gezin zit boven.'

Bradshaw stak een hand op. 'Zullen we ophouden met praten en doorlopen?'

'Ik was niet degene die praatte.'

Bradshaw liep de huiskamer in en snoof diep, alsof hij de geur in de kamer wilde beoordelen. Hij liep naar het lichaam van Ruth Lennox, behoedzaam de plas bloed ontwijkend. Hij keek in Karlssons richting. 'Weet u, onhandig optreden op een plaats delict en daar aangevallen worden kun je niet betitelen als het oplossen van een misdaad.'

'Hebben we het nu weer over Frieda?' zei Karlsson.

'Haar fout is dat ze er emotioneel bij betrokken was,' zei hij. 'Ik heb gehoord dat ze naar bed is geweest met de man die gearresteerd is.'

'Ze is niet met hem naar bed geweest,' zei Karlsson kil. 'Ze heeft contact met hem gezocht. Omdat ze hem wantrouwde.'

Bradshaw keek Karlsson met een lachje aan. 'Zit dat u dwars?'

'Ik zal u zeggen wat mij dwarszit,' zei Karlsson. 'Het zit mij dwars dat u blijkbaar een competentiestrijd voert met Frieda Klein.'

'Ik? Nee, nee, nee. Het is alleen bezorgdheid om een collega die de weg kwijt lijkt te zijn.' Hij trok een meelevend gezicht. 'Ik heb erg met haar te doen. Ik hoorde dat ze depressief is.'

'Ik dacht dat u hier de plaats delict kwam bekijken. Als u een oude zaak wilt bespreken, moeten we ergens anders naartoe.'

Bradshaw schudde zijn hoofd. 'Vindt u dit niet net een kunstwerk?'

'Nee, dat vind ik niet.'

'We moeten proberen te bedenken: wat wil hij uitdrukken? Wat wil hij aan anderen duidelijk maken?'

'Misschien moet ik u gewoon maar uw gang laten gaan,' zei Karlsson.

'Ik stel me voor dat u denkt dat dit een gewone inbraak was die uit de hand is gelopen.'

'Ik probeer te vermijden dat we te snel conclusies trekken,' zei Karlsson. 'We zijn bezig met het verzamelen van bewijsmateriaal. Theorieën komen eventueel later.'

Bradshaw schudde weer zijn hoofd. 'Dat is verkeerd om. Zonder een theorie zijn alle gegevens slechts chaos. Je eerste indruk is heel belangrijk.'

'En wat is uw eerste indruk?'

'Ik zal schriftelijk rapport uitbrengen,' zei Bradshaw, 'maar ik wil wel vast een tipje van de sluier oplichten. Een inbraak is nooit alleen maar een inbraak.'

'Dat moet u me uitleggen.'

Bradshaw maakte een breed gebaar. 'Kijk eens om u heen. Bij een inbraak is sprake van binnendringen in een huis en schending van de privacy. Maar deze man heeft zijn woede geuit jegens een heel deel van het leven dat voor hem afgesloten was, aspecten van het leven die te maken hebben met het bezit van onroerend goed, familiebanden en sociale status. En toen hij deze vrouw tegenkwam, verpersoonlijkte ze alles wat hij niet kon krijgen – ze was zowel welgesteld als begerenswaardig, ze was moeder en echtgenote. Hij had kunnen weglopen, hij had haar simpelweg een klap kunnen geven, maar hij liet een boodschap voor ons achter, zoals hij ook een boodschap had voor háár. De wonden werden toegebracht in haar gezicht, niet op het lichaam. Kijk naar de bloedspatten op de muur, die zo totaal niet in verhouding staan tot wat bij een inbraak onvermijdelijk is. Hij heeft letterlijk geprobeerd een uitdrukking van haar gezicht te wissen, een blik van superioriteit. Hij heeft de kamer opnieuw ingericht met haar bloed. Het was bijna een soort liefdesbetuiging.'

'Een vreemd soort liefdesbetuiging,' zei Karlsson.

'Daarom moest het zo woest toegaan,' zei Bradshaw. 'Als het hem niets had kunnen schelen, had hij niet zoiets extreems hoeven doen. Dan zou het niet uitmaken. Dit heeft emotionele intensiteit.'

'Dus naar wie zijn we dan op zoek?'

Bradshaw deed zijn ogen dicht voordat hij iets zei, alsof hij iets zag wat niemand anders kon zien.

'Blank,' zei hij. 'Begin tot halverwege de dertig. Stevig gebouwd. Ongehuwd. Zonder vaste woon- of verblijfplaats. Geen vaste baan, geen vaste relatie. Geen familiebanden.' Hij haalde zijn telefoon tevoorschijn en richtte de lens in verschillende richtingen op de ruimte.

'U moet wel zorgvuldig omgaan met die beelden,' zei Karlsson. 'Ze komen vaak onwillekeurig op internet terecht.'

'Ik ben hiertoe gemachtigd,' zei Bradshaw. 'U zou mijn contract eens moeten inzien. Ik ben forensisch psycholoog. Dit is mijn werk.'

'Oké,' zei Karlsson. 'Maar volgens mij moeten we nu weg. De technische recherche moet het nu overnemen.'

Bradshaw liet zijn telefoon in zijn jaszak glijden. 'Uitstekend. Ik ben klaar. O, tussen haakjes, wenst u dokter Klein namens mij het beste. Zegt u maar dat ik veel aan haar denk.'

Terwijl ze wegliepen, kwamen ze Louise Weller tegen, die het huis weer in ging. Ze droeg de baby nog steeds in een draagzak, maar nu had ze ook een jongetje bij zich, die haar hand vasthield. Vlak daarachter liep een iets ouder meisje te stampen, even gedrongen als zij. Ze droeg een roze nachtjapon en duwde een speelgoedkinderwagen met een pop erin voor zich uit, maar desondanks deed ze Karlsson onwillekeurig denken aan Yvette.

Louise Weller knikte hem kordaat toe. 'Als familie moet je solidair zijn,' zei ze, en als een generaal aan het hoofd van een onwillig leger marcheerde ze met haar kinderen het huis in.

3

Om vijf voor halfvier 's ochtends, toen het geen nacht meer was, maar ook nog geen dag, werd Frieda Klein wakker. Haar hart bonsde, ze had een droge mond en het zweet parelde op haar voorhoofd. Ze had moeite met slikken en zelfs met ademhalen. Alles deed pijn: haar benen, haar schouder, haar ribben, haar gezicht. Oude blauwe plekken speelden op en pulseerden. Even hield ze haar ogen gesloten, en toen ze ze opendeed, voelde ze hoe de duisternis haar omsloot en zich in alle richtingen verspreidde. Ze draaide haar hoofd naar het raam. Ze wachtte totdat woensdag voorbij zou zijn, tot het licht zou komen en de dromen zouden vervagen.

Toen kwamen de golven, de ene na de andere, en elke golf erger dan de vorige. Ze rezen omhoog, stortten over haar heen en trokken haar onder water, waarna ze haar uitspuwden en weer overleverden aan de volgende. Ze drongen tot in haar door, sloegen door haar lichaam en haar geest heen, en ze waren ook buiten haar. Terwijl ze daar lag, wazig wakend, raakten de herinneringen vermengd met vervagende dromen. In de duisternis glansden gezichten, handen strekten zich naar haar uit. Frieda probeerde vast te houden aan wat Sandy had gezegd, elke nacht weer, en zich los te maken van het tumult dat in haar was binnengedrongen: *Het is voorbij. Je bent veilig. Ik ben bij je.*

Ze stak haar hand uit naar de plek waar hij had moeten liggen. Maar hij was teruggegaan naar Amerika. Ze was met hem meegegaan naar de luchthaven, had geen traan gelaten en had haar zelfbeheersing niet verloren toen hij haar met een gekweld gezicht in zijn armen nam om afscheid te nemen. Ze had in de vertrekhal gekeken hoe hij de gate door ging, totdat zijn lange gestalte niet meer te zien was. Ze had hem nooit verteld hoe weinig het had gescheeld of ze had hem gevraagd te blijven of ermee ingestemd om mee te gaan. De intimiteit van hun laatste paar weken samen, toen ze zich had laten verzorgen en zich ervan bewust was geweest hoe zwak ze was, had gevoelens bij haar gewekt die ze nooit eerder had gehad. Het zou te gemakkelijk zijn om die weer weg te laten zakken in de vergetelheid. Het was niet de pijn van het gemis die ze vreesde, maar de geleidelijke vermindering van die pijn, waarna de vrijgekomen ruimte weer gevuld zou worden met de drukte van het alledaagse leven. Soms tekende ze in haar studeerkamertje op zolder met een zacht potlood zijn portret, waardoor ze zich weer de precieze vorm van zijn mond herinnerde, de rimpeltjes die met het ouder worden in zijn huid waren achtergebleven, de blik in zijn ogen. Dan legde ze het potlood neer en liet ze de herinneringen aan hem door zich heen stromen, als een trage, diepe, onderhuidse rivier.

Even stond ze zichzelf toe zich te verbeelden dat hij naast haar lag – hoe het zou voelen om haar hoofd om te draaien en hem daar te zien. Maar hij was weg, en zij was alleen in een huis dat ooit had aangevoeld als een knus toevluchtsoord, maar dat de laatste paar weken – sinds de aanval die bijna haar dood had betekend – kraakte en fluisterde. Ze luisterde: haar eigen hartslag en dan, ja, geritsel bij de deur, een zacht geluid. Ach, het was de kat maar, die door de kamer sloop. In dit voorportaal van de hel, tussen de nacht en de dag, vond Frieda hem weleens een sinister wezen – zijn twee vorige baasjes waren dood.

Was ze ergens wakker van geworden? Ze had een vaag gevoel dat ze in haar slaap iets had gehoord. Niet het geraas van het verkeer in de verte, dat in Londen nooit ophoudt. Iets anders. In huis.

Frieda ging rechtop zitten en luisterde, maar hoorde niets, behalve de zachtjes ruisende wind. Ze zwaaide haar benen uit bed, voelde hoe de kat spinnend langs haar kuiten streek, en ging toen staan, nog zwak en misselijk van de nachtelijke verschrikkingen. Er was iets, ze wist het zeker, beneden was iets. Ze liep naar de overloop, ging toen voetje voor voetje de trap af, zich aan de leuningen vasthoudend. Halverwege bleef ze staan. Het huis dat ze zo goed kende was haar ineens vreemd, vol donkere plekken en geheimen. In de gang bleef ze weer staan en luisterde ingespannen, maar er was niets, niemand. Ze deed het licht aan en knipperde, plotseling verblind, met haar ogen. Toen zag ze het: op de deurmat lag een grote bruine envelop. Ze bukte zich en raapte hem op. Met grote letters stond haar naam erop geschreven: Frieda Klein. Een streep schuin eronder doorkruiste de n op het eind.

Ze keek naar het handschrift. Ze herkende het en begreep dat hij in de buurt was – buiten op straat, dicht bij haar huis, dicht bij haar toevluchtsoord.

Koortsachtig trok ze een joggingbroek, een T-shirt en een regenjas aan. Haar blote voeten stak ze in de laarzen die bij de voordeur stonden. Ze pakte de sleutel van de haak en ging de duisternis in, voelde de koele aprilwind in haar gezicht, een zweem van regen. Frieda keek links en rechts het onverlichte, met kinderkopjes geplaveide straatje door, maar er was niemand te zien, en zo snel als het ging met haar pijnlijke lijf strompelde en rende ze afwisselend de straat door, waar de lantaarns lange schaduwen wierpen. Ze keek om zich heen. Welke kant zou hij op zijn gegaan: naar het oosten of het westen, het noorden of het zuiden, in de richting van de rivier of de andere kant op, de wirwar van straatjes in? Of stond hij ergens in een portiek? Ze sloeg links af en haastte zich over het natte trottoir, binnensmonds vloekend om haar onvermogen zich snel te verplaatsen.

Toen ze in een bredere straat kwam, zag Frieda in de verte iets, een logge gestalte, haar kant op komen – onmiskenbaar een mens, maar groter en vreemder dan een mens kan zijn. Het leek een figuur uit haar nachtmerries. Met een hand op haar hart wachtte ze, terwijl de figuur steeds dichterbij kwam, om ten slotte over te gaan in de gedaante van een langzaam voorttrappende fietser met tientallen, honderden plastic zakken aan zijn fiets. Ze kende hem, zag hem bijna elke dag wel een keer. Hij had een woeste baard en felle ogen en fietste traag maar vastberaden door. Slingerend reed hij langs, met nietsziende ogen door haar heen kijkend, als de Kerstman in een nachtmerrie.

Het had geen zin. Dean Reeve, haar stalker en haar prooi tegelijk, kon inmiddels overal zijn. Zestien maanden geleden had ze een rol gespeeld bij zijn ontmaskering als ontvoerder en moordenaar, maar hij had aan zijn aanhouding weten te ontkomen en zelfmoord gepleegd. Maar twee maanden geleden had ze ontdekt dat hij niet dood was: de man die zich onder een brug over een kanaal had opgehangen was zijn identieke tweelingbroer Alan, die patiënt van haar was geweest. Dean liep nog steeds ergens rond, waakte over haar, beschermde en bedreigde haar tegelijkertijd. Hij was degene die haar het leven had gered toen ze met een mes werd aangevallen door een gestoorde jonge vrouw. Mary Orton, de oude dame die Frieda had willen redden, was toen wel gedood. Hij was als een gedaante uit haar afschuwelijkste dromen uit de schaduw getreden en had haar teruggehaald uit de duisternis. Nu liet hij haar weten dat hij nog steeds over haar waakte, haar verafschuwde beschermer. Ze voelde zijn blik op haar gericht vanuit verborgen hoeken en gaten, vanuit gordijnplooien of door deuren die op een kier stonden. Zou dat altijd zo blijven?

Ze liep terug naar huis, deed de deur open en ging naar binnen. Ze pakte de envelop weer en liep ermee de keuken in. Ze wist dat ze niet meer zou kunnen slapen, dus zette ze voor zichzelf een pot thee, en pas toen dat gedaan was, ging ze aan de keukentafel zitten en schoof ze haar vinger onder de gomrand van de envelop. Ze haalde het stugge vel papier tevoorschijn dat erin zat en legde dat op tafel. Het was een potloodtekening, of beter gezegd een abstract patroon. Het leek een beetje op een schematische weergave van een ingewikkelde roos, zevenkantig en volmaakt symmetrisch. De rechte lijnen waren duidelijk langs een liniaal getrokken, en toen Frieda aandachtiger keek, zag ze plekken waar fouten waren uitgegumd.

Ze bleef een tijdje met een grimmige blik zitten kijken naar de afbeelding die voor haar lag en schoof toen het papier voorzichtig weer in de envelop. Ze voelde woede in zich oplaaien als een vuur, en dat vuur was wat haar betrof welkom. Het was beter om door vuur verteerd te worden dan door angst verstikt. Ze bleef dan ook in de vlammen zitten, onbeweeglijk, totdat het ochtend werd.

Vele kilometers daarvandaan schonk Jim Fearby voor zichzelf een glas whisky in. De fles was nog voor minder dan een derde gevuld. Tijd om een nieuwe te kopen. Het was net als met benzine. Zorg dat je tank nooit voor minder dan een kwart vol is. Je kunt zonder komen te zitten. Hij haalde het oude krantenknipsel uit zijn portefeuille en streek het glad op de balie. Het was geel aan het worden en viel door het vele open- en dichtvouwen bijna uit elkaar. Hij kende het artikel uit zijn hoofd. Alsof het een talisman was. Hij zag het voor zich als hij zijn ogen dichtdeed.

Monster 'wellicht nooit meer op vrije voeten'

— JAMES FEARBY

Er speelden zich gisteren dramatische taferelen af bij Hattonbrook Crown Court toen George Conley tot levenslange gevangenisstraf werd veroordeeld voor de moord op Hazel Barton. Rechter Lawson zei het volgende tegen Conley (31): 'Het is een gruwelijke misdaad. U hebt wel schuld bekend, maar u hebt geen berouw getoond. Ik ben dan ook van mening dat u nog steeds een gevaar vormt voor vrouwen en dat uw vrijlating wellicht altijd risico's zal inhouden.'

Toen rechter Lawson bevel gaf Conley weg te brengen, klonken vanaf de publieke tribune uitroepen van de familie van het slachtoffer. Voor het gerechtsgebouw zei Clive Barton, Hazels oom, tegen de pers: 'Hazel was ons mooie, lieve kind. Ze had haar hele leven nog voor zich, en dat heeft hij haar afgenomen. Ik hoop dat het leven voor hem een hel zal zijn.'

Hazel Barton, een blonde scholiere van achttien, werd in mei van dit jaar langs de weg gevonden nabij haar ouderlijk huis in het dorp Dorlbrook, waar ze woonde. Ze was gewurgd. George Conley is gearresteerd in de buurt van de plaats van de misdaad. Er werden sporen van hem op haar lichaam aangetroffen. Binnen enkele dagen bekende hij.

Na afloop condoleerde inspecteur Geoffrey Whitlam de familie Barton: 'We kunnen alleen maar gissen welke kwellingen ze heeft doorgemaakt. Ik hoop dat het grondige onderzoek en de snelle behandeling van de zaak enigszins bijdragen aan de verwerking.' Hij bracht ook hulde aan zijn collega's: 'Ik ben van mening dat George Conley een gevaarlijke zedendelinquent is. Hij hoort achter de tralies, en ik wil mijn team ervoor bedanken dat ze hem daar hebben weten te krijgen.'

Naar verluidt liep Hazel Barton daar alleen maar omdat haar bus niet was gekomen. Een woordvoerster van FastCoach, de vervoerder die de busdiensten ter plaatse verzorgt, verklaarde: 'Hazel Bartons familie kan verzekerd zijn van onze oprechte deelneming. We doen alles om een effectieve dienstverlening ten behoeve van onze klanten in stand te houden.'

Onder de kop boven het artikel stonden twee foto's. De eerste was de vrijgegeven politiefoto van Conley. Hij had een groot hoofd met een vlekkerig gezicht, op zijn voorhoofd zat een blauwe plek en hij loenste. De andere was een familiefoto waar Hazel Barton op stond. Deze moest tijdens een vakantie genomen zijn, want ze droeg een T-shirt en achter haar was de zee te zien. Ze lachte alsof de fotograaf net een grap had gemaakt.

Zorgvuldig las Fearby zijn zeven jaar oude artikel door, waarbij hij zijn wijsvinger langs de regels liet gaan. Hij nipte van zijn whisky. Bijna elk woord in het artikel was onwaar. FastCoach bood zijn klanten geen effectieve dienstverlening. Het waren trouwens geen klanten, het waren passagiers. Whitlams onderzoek was niet grondig geweest. Zelfs zijn eigen naam boven het artikel leek fout – alleen zijn moeder had hem vroeger James genoemd. En de kop – die hij niet had geschreven en nooit geschreven zou hebben, zelfs niet in die tijd – deugde al helemaal niet. Die arme, oude Georgie Conley was van alles, maar hij was geen monster, en nu het leek erop dat hij zou worden vrijgelaten.

Fearby vouwde het knipsel zorgvuldig dicht en stopte het weer in zijn portefeuille, achter zijn perskaart. Een dierbaar aandenken.

4

Toen Sasha donderdagochtend om kwart voor negen aankwam, was Frieda net klaar met het besproeien van de planten op haar kleine patio. Ze droeg een spijkerbroek en een beigegrijze trui en had kringen onder haar ogen die dieper en donkerder leken dan normaal.

'Slechte nacht gehad?' vroeg Sasha.

'Nee.'

'Ik weet niet of ik je moet geloven.'

'Wil je koffie?'

'Hebben we tijd? Ik heb nog een kwartier bij de parkeermeter, maar we moeten voor halftien bij het ziekenhuis zijn, en het is vreselijk druk in de stad.'

Sasha had erop gestaan een dag vrij te nemen om Frieda naar haar vervolgafspraak met de specialist en vervolgens naar de fysiotherapeut te brengen.

'We gaan niet naar het ziekenhuis.'

'Waarom niet? Hebben ze afgezegd?'

'Nee, ik.'

'Waarom heb je dat gedaan?'

'Ik moet iets anders doen.'

'Je moet naar de dokter, Frieda. En naar de fysio. Je was er heel erg aan toe. Je was bijna dood. Je kunt niet zomaar alle nazorg afzeggen.'

'Ik weet wat de dokter zal zeggen: dat ik vooruitgang boek,

maar dat ik er nog niet aan moet denken om weer aan het werk te gaan, want dat het op dit moment nog mijn werk is om te zorgen dat ik goed herstel. Je weet wat wij als artsen tegen onze patiënten zeggen.'

'Dat klinkt wel wat negatief.'

'Kan zijn, maar ik heb iets belangrijkers te doen.'

'Wat is er belangrijker dan genezen?'

'Ik vond dat ik het je beter kan laten zien dan het tegen je zeggen. Tenzij je alsnog naar je werk wilt.'

Sasha zuchtte. 'Ik heb een vrije dag, en die wil ik graag met jou doorbrengen. Kom maar op met die koffie.'

De weg werd smaller en ging over in een laan met bomen, die net in de knop stonden. Frieda zag de sleedoorn. Ze keek strak voor zich uit: sommige dingen veranderen, en andere dingen blijven hetzelfde. Maar jij blijft nooit dezelfde – je ziet alles met andere ogen, zodat zelfs het meest bekende iets vreemds en spookachtigs krijgt. Dat huisje met het rieten dak en de modderige vijver vol eenden ervoor, dat stuk weg dat je ineens tussen een lappendeken van akkers naar beneden ziet kronkelen, die boerderij met zijn graanschuur en dat modderige veldje met koeien, die rij spichtige populieren in de verte. Zelfs de lichtval op dit platte land en de vage zeelucht.

Het was druk op de begraafplaats. De meeste grafstenen waren oud en groen van het mos, en de erin uitgehouwen opschriften waren vaak niet meer te lezen. Sommige waren echter splinternieuw, met bloemen erop en duidelijk leesbaar de geboorte- en sterfdatum van de beminde en betreurde dode.

'Een hele massa doden,' zei Frieda, meer tegen zichzelf dan tegen Sasha.

'Waarom zijn we hier?'

'Ik zal het je laten zien.'

Ze bleef staan voor een bewerkte steen en wees. Sasha boog zich voorover en ontcijferde de naam: Jacob Klein 1943-1988, diepbetreurde echtgenoot en vader.

'Is dat je vader?' vroeg ze. Ze bedacht dat Frieda hem als tiener dood had aangetroffen en probeerde zich de pijn voor te stellen waar deze eenvoudige steen door de jaren heen voor had gestaan.

Frieda knikte zonder haar blik ervan af te wenden. 'Ja. Dat is mijn vader.' Ze deed een stapje achteruit en zei: 'Kijk eens wat daar is ingegraveerd, boven zijn naam.'

'Heel mooi,' zei Sasha zonder overtuiging toen ze de symmetrische voorstelling had bekeken. 'Heb jij die uitgekozen?'

'Nee.' Ze stak haar hand in haar tas en haalde er een dik stuk papier uit, hield dat voor zich omhoog en liet haar blik heen en weer gaan tussen de tekening en de voorstelling op de steen. 'Wat zie je?'

'Het is hetzelfde,' zei Sasha.

'Ja, hè? Precies hetzelfde.'

'Heb jij die gemaakt?'

'Nee.'

'Wie dan?'

'Die is me toegestuurd. Gisterochtend.'

'Ik snap het niet.'

'Hij is in de kleine uurtjes onder mijn deur door geschoven.'

'Waarom?'

'Dat is de vraag.' Frieda praatte nu tegen zichzelf, niet tegen Sasha.

'Wil je me vertellen wat er aan de hand is?'

'Dat heeft Dean gedaan.'

'Dean? Dean Reeve?'

Sasha wist van Dean Reeve, de man die een jongetje had ontvoerd en die Frieda tegen haar wil had weggerukt uit de beslotenheid van haar veilige spreekkamer, weg van de merkwaardige geheimen van de geest. Zijzelf had Frieda geholpen met een DNA-test die had bevestigd dat Deans vrouw Terry dezelfde was als Joanna, het kleine meisje dat twee decennia eerder spoorloos was verdwenen. Frieda was ervan overtuigd geraakt dat Dean Reeve, van wie de politie aannam dat hij dood was, nog in leven was. Hij was nu Frieda's onzichtbare stalker. De dode die over haar waakte en die haar nooit zou laten gaan.

'Ja, Dean Reeve. Ik herken zijn handschrift – dat heb ik een keer gezien op een verklaring die hij op het politiebureau had afgelegd. Maar zelfs als dat niet het geval was geweest, zou ik weten dat hij het was. Hij wil dat ik weet dat hij dingen heeft ontdekt over mijn familie. Hij weet van de dood van mijn vader. Hij is hier geweest, waar wij nu staan, waar mijn vader ligt.'

'Je vader is begraven op een kerkhof, maar ik dacht dat jullie joods waren,' zei Sasha.

Ze zaten in een eethuisje met uitzicht op zee. Het was eb, en langpotige zeevogels liepen behoedzaam pikkend over de glanzende slikken. Ver weg op zee schoof een containerschip zo groot als een stad langs de horizon. In het restaurantje was verder niemand, net zomin als op het kiezelstrand. Sasha had het gevoel alsof ze was meegetroond naar het einde van de wereld.

'O ja?'

'Ja. Zijn jullie dat dan niet?'

'Nee.' Toen aarzelde Frieda even, waarna het haar duidelijk moeite kostte om te zeggen: 'Mijn grootvader was joods, maar mijn grootmoeder niet, dus zijn kinderen waren niet joods, en ik natuurlijk ook niet. En mijn moeder,' voegde ze er droog aan toe, 'is heel beslist niet joods.'

'Leeft ze nog?'

'Ja, tenminste als mijn broers niet vergeten zijn tegen me te zeggen dat ze dood is.'

Sasha knipperde met haar ogen en boog zich voorover.

'Bróérs?'

'Ja.'

'Je hebt er meer dan een?'

'Ik heb er twee.'

'Je hebt het ooit eens over David gehad. Ik wist niet dat er nog een was.'

'Het deed er nooit toe,' zei Frieda.

'Deed er niet toe? Een broer?'

'Je weet van David omdat hij de ex van Olivia is en de vader van Chloë.'

'Ik snap het,' mompelde Sasha, die zo wijs was niet bij haar aan te dringen en bedacht dat ze in het afgelopen uur meer over Frieda te weten was gekomen dan tijdens hun hele vriendschap.

Ze prikte in haar gepocheerde ei en keek hoe de dooier opwelde en toen leegliep op haar bord. 'Wat ga je doen?' vroeg ze.

'Ik heb nog niet besloten. En trouwens, heb je het niet gehoord? Hij is dood.'

Op de terugweg zei Frieda bijna niets. Toen Sasha vroeg waar ze aan dacht, kon ze geen antwoord geven. 'Weet ik niet,' zei Frieda. 'Niet echt.'

'Dat zou je als antwoord van een van je patiënten niet accepteren.'

'Ik ben nooit zo'n goede patiënt geweest.'

Toen Sasha was weggereden, deed Frieda open en ging haar huis in. Binnen schoof ze het kettinkje op de voordeur en de grendel dicht. Ze liep de trap op naar haar slaapkamer. Ze trok haar jas uit en gooide die op het bed. Ze zou een lang, warm bad nemen, en dan zou ze naar haar studeerkamertje op zolder gaan en een tekening maken – zich concentreren, maar zonder aan iets te denken. Ze dacht aan de begraafplaats, de desolate kustlijn. Ze trok haar trui over haar hoofd en begon haar blouse open te knopen, maar toen hield ze op. Ze had iets gehoord. Ze wist niet zeker of het geluid van binnen kwam of dat het een veel harder geluid buiten was, ver weg. Ze hield zich muisstil. Ze ademde niet eens. Daar hoorde ze het weer, een licht schrapend geluid. Het was in huis en vlakbij, op dezelfde verdieping. Ze voelde een trilling. Ze dacht aan de voordeur beneden, met het kettinkje en de grendel. Ze probeerde het in gedachten te timen: naar beneden rennen, frunniken aan het kettinkje. Nee, dat redde ze niet. Ze dacht aan de mobiele telefoon in haar zak. Zelfs als ze een gefluisterde boodschap kon doorgeven, wat had ze daar dan aan? Het zou tien minuten, een kwartier kosten voordat iemand hier kon zijn, en dan stond hij of zij voor een afgesloten, vergrendelde voordeur.

Frieda voelde haar hart bonzen. Ze dwong zichzelf om langzaam te ademen, de ene ademtocht na de andere. Ze telde langzaam tot tien. Ze keek de kamer rond of ze zich kon verstoppen, maar het was hopeloos. Ze had te veel lawaai gemaakt bij het binnenkomen. Ze pakte een haarborstel van haar kaptafel. Een hopeloos klein ding. Ze tastte in de zak van haar jas en voelde een pen. Die omklemde ze stevig. In elk geval was hij scherp. Het leek haar het ergste wat ze ooit had moeten doen, maar voetje voor voetje schoof ze haar slaapkamer uit, de overloop op. Het zou maar een paar seconden duren. Als ze de trap af kon komen zonder de treden te laten kraken, dan...

Weer klonk er geschraap, nu harder, en ook nog iets anders, een soort gefluit. Het kwam van de andere kant van de overloop, uit de badkamer. Het fluiten ging door. Frieda luisterde een paar tellen, liep er toen op af en duwde tegen de deur van de badkamer, zodat die openzwaaide. Eerst had ze het gevoel dat ze in de verkeerde kamer of het verkeerde huis was. Niets stond op zijn plaats. Er waren gipsplaten en leidingen te zien en het vertrek leek gigantisch groot, veel groter dan in haar herinnering. En in de hoek stond een voorovergebogen gestalte ergens aan te trekken om het los te krijgen.

'Josef,' zei ze zwakjes. 'Wat is er aan de hand?'

Josef was een goede vriend van haar – een bouwvakker uit Oekraïne, die op een onwaarschijnlijke manier in haar leven was gekomen, namelijk doordat hij door haar plafond naar beneden stortte terwijl ze met een patiënt aan het werk was. Maar hij had zich niet laten wegsturen en was haar zeer toegedaan. Hij schrok en glimlachte enigszins op zijn hoede. 'Frieda,' zei hij. 'Ik had je niet gehoord.'

'Wat doe je hier? Hoe ben je binnengekomen?'

'Ik heb sleutel die je me gaf.'

'Maar die sleutel had ik je gegeven om de kat te voeren toen ik weg was, niet hiervoor.' Ze gebaarde. 'En wat is dit?'

Josef kwam overeind. Hij had een enorme waterpomptang in zijn hand.

'Frieda. Je was er slecht aan toe. Als ik naar je kijk, zie ik dat je verdrietig bent en pijn hebt en dat het moeilijk voor je is.' Frieda wilde iets zeggen, maar Josef gaf haar geen kans. 'Nee, nee, wacht.

Het is moeilijk om je te helpen, maar ik ken je. Ik weet dat als je verdrietig bent, je urenlang in heel warm bad ligt.'

'Nou, niet úrenlang,' zei Frieda. 'Maar waar ís mijn bad? Ik wilde er net in gaan.'

'Je bad is weg,' zei Josef. 'Terwijl jij weg was met vriendin Sasha, hebben mijn vriend Stefan en ik bad weggehaald en naar vuilstort gebracht. Het was een slecht plastic bad, en het was klein, niet goed om in te liggen.'

'Het was prima om in te liggen,' zei Frieda.

'Nee,' zei Josef beslist. 'Het is weg. Ik heb veel geluk. Ik werk bij een huis in Islington. Hij betaalt veel, veel geld. Hij haalt alles weg uit huis, gooit het in vier containers en zet dan nieuwe dingen erin. Hij gooit veel mooie dingen weg, maar mooiste is een groot ijzeren bad. Toen ik bad zag, dacht ik aan jou. Is perfect.'

Frieda bekeek de badkamer wat beter. Waar haar bad ooit had gestaan, waren nu de muur en de vloer zichtbaar. Ze zag gebarsten tegels, kale vloerplanken en een gapende leiding. Josef zelf zat onder het stof, zijn donkere haar leek ermee bestrooid. 'Josef, je had het me moeten vragen.'

Josef spreidde hulpeloos zijn armen. 'Als ik had gevraagd, had je nee gezegd.'

'Daarom had je het me ook moeten vragen.'

Josef hief zijn handen, de palmen naar boven. 'Frieda, jij beschermt alle andere mensen, en soms lijd je daardoor pijn. Wat jij eens moet doen, is jezelf door anderen laten helpen.' Hij bekeek Frieda wat beter. 'Waarom hou je je pen zo?'

Frieda keek naar beneden. Ze hield nog steeds de pen als een dolk in haar vuist. 'Ik dacht dat er een inbreker was,' zei ze. En weer dwong ze zichzelf diep adem te halen. Het was goed bedoeld, bedacht ze. 'Nou ja, en hoe lang duurt het om mijn oude bad weer precies zo terug te zetten?'

Josef keek bedenkelijk. 'Dat is probleem,' zei hij. 'Toen we bad van de muur en van de buizen en klemmen loshaalden, gaf dat grote scheuren. Dat bad was waardeloos. In elk geval ligt het nu op de vuilstort.'

Frieda fronste haar wenkbrauwen. 'Dit is waarschijnlijk min

of meer crimineel, wat je hebt gedaan, maar afgezien daarvan: wat nu?'

'Het mooie bad staat nu in werkplaats van een andere vriend, die Klaus heet. Is geen probleem. Maar hier...' Hij gebaarde met zijn waterpomptang naar de ravage en slaakte een zucht. 'Dit is probleem.'

'Hoe bedoel je, een probleem?' zei Frieda. 'Het is jóúw werk.'

'Nee, nee,' zei Josef. 'Dit is...' Hij zei iets in zijn eigen taal. Het klonk minachtend. 'De aansluiting op de leiding hier is erg slecht. Erg slecht.'

'Het werkte anders altijd prima.'

'Dat was gewoon geluk. Een beweging van het bad en...' Hij maakte een veelzeggend gebaar dat een chaotische, rampzalige overstroming verbeeldde. 'Ik zal hier een goede aansluiting maken en de muur en de tegels op de vloer vernieuwen. Dat wordt mijn cadeau aan jou, en dan heb jij een bad waar je gelukkig in kunt zijn.'

'Wanneer?' vroeg Frieda.

'Ik zal doen wat gedaan moet worden,' zei Josef.

'Ja, maar wanneer ga je het doen?'

'Het zal een paar dagen duren. Echt maar heel weinig.'

'Ik was van plan om nu een bad te nemen. De hele weg naar huis heb ik daaraan gedacht, aan hoe het zou zijn en hoe ik daaraan toe was.'

'Het zal de moeite van het wachten waard zijn.'

Frieda, mijn liefste, ik zit in mijn werkkamer en denk aan jou. Wat ik ook doe, wie ik ook spreek, ik denk aan jou. Als ik college geef en er een woordenstroom uit mijn mond komt, ben ik grotendeels met mijn gedachten bij jou. En ook als ik een gesprek voer, een ui snij of over Brooklyn Bridge loop, ben jij er. Het is als een pijn die niet overgaat en waarvan ik niet wil dat hij overgaat. Ik wilde zeggen dat ik me niet meer zo heb gevoeld sinds ik een tiener was, maar ik heb dit gevoel zelfs als tiener nooit gehad! Ik vraag me af wat ik hier doe, terwijl het mijn levenswerk is om jou gelukkig te maken. Ik hoor je zeggen dat het niet om geluk gaat, dat je niet weet wat dat woord betekent – maar ik weet wel wat dat woord betekent: geluk is voor mij bemind worden door Frieda Klein.

Je klonk vanavond door de telefoon een beetje verstrooid. Vertel me alsjeblieft waarom. Vertel me alles. Denk aan onze wandeling langs de rivier. Denk aan mij. Sandy xxxxxxx

5

Commissaris Crawford fronste zijn wenkbrauwen. 'Hou het kort,' zei hij. 'Ik heb een vergadering.'

'Komt het ongelegen?' vroeg Karlsson. 'Ik heb van tevoren nota bene nog gebeld dat ik kwam.'

'We moeten tegenwoordig allemaal op alles beknibbelen.'

'Daarom wilde ik het met je hebben over Bradshaw.'

Het gezicht van de commissaris betrok nog meer. Hij stond op, liep naar het raam en keek uit over St. James's Park. Hij keek Karlsson aan. 'Wat vind je van het uitzicht?'

'Heel bijzonder,' zei Karlsson.

'Het is een van de voordelen van deze baan,' zei de commissaris. Hij veegde een paar stofjes van de mouw van zijn uniform. 'Je zou hier vaker moeten komen. Misschien ga je dan het licht zien.'

'In welk opzicht?'

'Wat het leiden van een strakke organisatie betreft,' zei de commissaris. 'Samenwerken met anderen.'

'Ik dacht dat het bij ons ging over het oplossen van misdaden.'

De commissaris deed een stap bij het raam vandaan in de richting van Karlsson, die nog bij het grote houten bureau stond. 'Daar moet je bij mij niet mee aankomen,' zei hij. 'Bij het politiebedrijf gaat het over politieke invloed, en dat is altijd al zo geweest. Als ik bij de minister van Binnenlandse Zaken niet in zijn kont kan kruipen om de middelen los te krijgen die jij over de balk gooit, kun jij geen misdaden oplossen, jullie geen van allen.

Ik weet dat het moeilijk is, Mal, maar het zijn moeilijke tijden en we moeten allemaal offers brengen.'

'In dat geval ben ik best bereid om dokter Hal Bradshaw te offeren.'

De commissaris keek hem scherp aan. 'Je had het over de telefoon al over hem. Heeft hij iets verkeerds gedaan?'

'Ik kwam hem tegen op de plek van de moord in Chalk Farm. Hij dook ineens op.'

'Zo is dat geregeld,' zei de commissaris. 'Ik ken zijn manier van werken. Hoe sneller hij ter plaatse is, des te nuttiger kan hij voor ons zijn.'

'Ik vind zijn aanwezigheid storend,' zei Karlsson.

'Heeft dat iets te maken met die dokter Klein?'

'Hoezo?'

'Klein en Bradshaw zaten in elkaars vaarwater. Een van hen moest weg. We hebben het uitgebreid overlegd. Feit is dat die Klein van jou niet is opgeleid in de forensische geneeskunde.'

Karlsson zweeg een paar seconden. 'Volgens mij,' zei hij, 'hebben we met Bradshaw een kat in de zak gekocht.'

'Wacht even,' zei de commissaris. Hij liep naar zijn bureau en drukte op een knop. Hij boog zich voorover. 'Laat hem binnen.'

'Wat is dit?' zei Karlsson.

'Ik hou niet van achterbaks gedoe,' zei de commissaris. 'Dit soort dingen moet je openlijk tegen elkaar kunnen zeggen.'

Karlsson draaide zich om toen een jonge agent de deur opende en Hal Bradshaw binnenkwam. Karlsson voelde zijn wangen gloeien van woede en hoopte dat het niet te zien zou zijn. Toen hij het minieme lachje op het gezicht van Bradshaw zag, moest hij zijn blik afwenden.

'Mal,' zei de commissaris. 'Ik geloof niet in geroddel. Zeg eens tegen dokter Bradshaw wat je net tegen mij hebt gezegd.'

De drie mannen stonden midden in de kamer van de commissaris ongemakkelijk bij elkaar. Karlsson had het gevoel dat hij in de val was gelopen.

'Ik wist niet dat praten met mijn baas geroddel was,' zei hij, 'maar ik ben blij dat ik me nu eens duidelijk kan uitspreken.' Hij keek Bradshaw aan. 'Ik vind dat uw aanwezigheid geen bijdrage levert aan het onderzoek.'

'Op grond waarvan?'

'Op grond van het feit dat ik ervoor verantwoordelijk ben.'

'Dat is niet genoeg,' zei de commissaris. 'Dokter Bradshaw heeft een goede naam. Hij werkt mee aan het programma *Today*.'

'Ik vind niet dat hij op kosten van de samenleving ingeschakeld zou moeten worden.'

Bradshaw keek de commissaris aan en slaakte een zucht. 'Volgens mij is dit een probleem waar u samen uit moet zien te komen,' zei hij.

'Nee,' zei de commissaris. 'Ik wil het hier en nu geregeld hebben.'

'Ik denk dat mijn cv voor zichzelf spreekt,' zei Bradshaw. 'Het lijkt mij dat het echte probleem is dat meneer Karlsson meent dat een psychotherapeute die hij bij toeval heeft ontmoet goed werk zou kunnen doen door bij wijze van een soort hobby profielen op te stellen.'

'Zullen we ons tot uw cv beperken?' zei Karlsson.

'Beslist,' zei Bradshaw. 'Ik ben hier omdat commissaris Crawford mijn werk kent en mij persoonlijk heeft aangesteld. Als u daar bezwaar tegen hebt, is dit het moment om het te zeggen.'

'Oké,' zei Karlsson. 'Ik heb in de zaak van Michelle Doyce kennisgemaakt met uw vaardigheden in het opstellen van profielen. U zat er helemaal naast met uw analyse van de plaats delict, en uw uitspraken over de identiteit van de moordenaar sloegen nergens op. De hele opsporing zou tot niets hebben geleid als Frieda Klein er niet was geweest.'

'Het is geen exacte wetenschap,' zei Bradshaw.

'Niet zoals u het doet, nee,' zei Karlsson. 'Frieda Klein had het niet alleen bij het juiste eind, ze is daardoor zelfs bijna vermoord. Nota bene nadat ze in feite door ons de laan uit was gestuurd.'

Bradshaw snoof. 'Van horen zeggen weet ik dat het ongeval dat haar overkomen is te wijten was aan fouten van uw eigen mensen. Ik heb misschien mijn tekortkomingen, maar ik heb nog nooit een psychiatrische patiënt doodgestoken.' Hij deed snel een stap achteruit toen hij zag dat Karlsson zijn rechterhand omhoogstak.

'Rustig, Mal,' zei de commissaris.

'Frieda heeft voor haar leven gevochten,' zei Karlsson. 'En ze heeft aangetoond wat een idioot u bent.' Hij keek Crawford aan. 'Hij heeft het steeds over zijn cv. Dat zou je eens moeten nagaan. Voor zover ik weet, is Bradshaw heel goed in het opstellen van profielen van misdadigers nadat ze gepakt zijn. Aan Frieda Klein hadden we meer toen we nog naar ze zochten.'

Crawford keek de twee mannen aan.

'Het spijt me, Mal, maar ik wil dat dokter Bradshaw aan de zaak blijft meewerken. Zoek maar een manier om samen te werken. Dat was het.'

Karlsson en Bradshaw liepen samen de kamer van de commissaris uit. Zonder iets te zeggen kwamen ze bij de lift, wachtten, stapten in en lieten zich naar de begane grond brengen. Pas bij het uitstappen zei Bradshaw iets. 'Heeft Frieda u hiertoe aangezet?' vroeg hij.

'Waar hebt u het over?'

'Als ze mij wil beschadigen,' zei hij, 'zal ze het beter aan moeten pakken.'

Ze zagen allemaal dat Karlsson een afschuwelijk humeur had. En dat het vertrek waar de commandopost was gevestigd werd geschilderd, maakte het er niet beter op. De bureaus waren afgedekt met lakens. Karlsson wierp een blik in een aantal verschillende kamers, maar die waren al in gebruik genomen door andere functionarissen of stonden vol met meubels en computers die daar zolang waren gestald. Ten slotte ging hij met Yvette, Munster en Riley een paar verdiepingen naar beneden en de kantine in. Riley dumpte een stapel dossiers op een tafel, waarna ze allemaal in de rij gingen staan voor koffie of thee. Munster en Riley kochten elk een koffiebroodje. Karlsson keek afkeurend.

'Nu we hier toch zijn,' zei Munster.

'Ik heb niet ontbeten,' voegde Riley eraan toe.

'Zolang je de dossiers maar niet kleverig maakt,' zei Karlsson.

'We kunnen er maar beter aan wennen,' zei Yvette terwijl ze plaatsnamen aan een tafeltje bij het raam, in de hoek van de kantine. 'Als de bezuinigingen worden doorgevoerd, zullen degenen onder ons die nog over zijn vechten om kantoorruimte.'

'Het nieuwe werken,' zei Riley.

'Wat is dat?' Karlsson fronste zijn wenkbrauwen.

'Het moderne kantoor. Niemand heeft nog een eigen bureau. Het idee is dat je alleen ruimte in beslag neemt wanneer je die nodig hebt.'

'En je spullen dan?' zei Munster. 'Je paperclips en je koffiebeker?'

'Die bewaar je allemaal in een kluisje. Een beetje zoals op school.'

'Niet op mijn school,' zei Munster. 'Als je daar iets in je kluisje achterliet, werd het opengebroken en werden je spullen gejat.'

'Zeg, zijn jullie eindelijk klaar?' onderbrak Karlsson hen.

'Wacht even,' zei Munster. 'Komt Bradshaw ook?'

'Hij heeft vandaag iets anders,' zei Karlsson.

'Zeker een televisieoptreden,' zei Yvette.

Karlsson keek haar even aan. 'Begin jij maar,' zei hij.

'De situatie is min of meer hetzelfde als toen jullie op de plaats delict waren. We hebben er rechercheurs op uitgestuurd om links en rechts in de straat mensen te spreken, en ook nog een paar om daar de komende twee of drie middagen door te brengen, voor het geval er mensen langskomen die daar rond die tijd vaker zijn. Er zijn geen bijzonderheden.'

'Vingerafdrukken?' zei Karlsson.

'Tientallen,' zei Yvette. 'Maar er woont een gezin in dat huis, dus er lopen de hele dag mensen in en uit. De afdrukken van de familie worden eruit geschift, maar het is een hopeloze zaak als we het aantal afdrukken niet kunnen beperken.'

'Het wapen?' vroeg Karlsson.

'Hebben we niet gevonden.'

'Hebben jullie wel gezocht?'

'Binnen het redelijke.'

'De ochtend erna is het huisvuil opgehaald,' zei Munster. 'Op de middag zelf hebben een paar rechercheurs een voorlopig onderzoek ingesteld, maar we hadden te weinig mensen.'

'Ik weet eigenlijk niet waarom ik erover begin,' zei Karlsson. 'Maar ik vraag het toch maar: bewakingscamera's?'

'Niet in de straat zelf,' zei Yvette. 'Het is een woonwijk, daar hangen ze niet. We hebben beelden van een paar camera's op Chalk Farm Road, maar die hebben we nog niet bekeken.'

'Waarom niet?'

'Het gaat om een periode van drie of vier uur, er komen massa's mensen langs op weg naar Camden Lock en we weten niet wat we zoeken.'

Het was even stil. Karlsson zag een glimlach op het gezicht van Riley. 'Valt er wat te lachen?' vroeg hij.

'Niet echt,' zei Riley. 'Het is anders dan ik had verwacht.'

'Is dit je eerste?'

'Moord, bedoelt u? Ik heb eens te maken gehad met een lijk in de buurt van Elephant and Castle. Maar toen hebben ze de dader al op de plaats delict gepakt.'

'Wat is daar nou voor grappigs aan?' vroeg Karlsson. Hij draaide zich weer om naar Yvette. 'Waarom was die vrouw thuis, die Ruth Lennox?'

'Het was haar vrije middag. Haar man zei dat ze op zo'n dag normaal gesproken gaat winkelen of klusjes in huis doet.'

'Afspraken met vriendinnen?'

'Soms.'

'Die dag?'

Yvette schudde haar hoofd. 'Hij heeft ons haar agenda laten zien. Er stond niets bij die dag.'

'Hoe is het gezin eraan toe?' vroeg Karlsson.

'Ze zijn in shock. Toen ik ze sprak, leken ze wel verdoofd. Ze logeren bij vrienden een paar deuren verderop.'

'En hoe is het met de echtgenoot?'

'Hij is niet het type dat veel laat merken,' zei Yvette, 'maar zo te zien is hij er kapot van.'

'Heb je hem gevraagd waar hij was op het moment dat zijn vrouw werd vermoord?'

'Hij zei dat hij om vier uur een afspraak had met ene Lorraine Crawley, van de boekhouding bij het bedrijf waar hij werkt. Ik heb haar gebeld, en ze heeft het bevestigd. Het gesprek heeft ongeveer een halfuur, drie kwartier geduurd, waardoor het zeer onwaarschijnlijk is dat hij thuis zijn vrouw had kunnen vermoorden en weer op tijd weg had kunnen zijn voordat zijn dochter uit school kwam.'

'Onwaarschijnlijk?' zei Karlsson. 'Dat is niet genoeg. Ik zal zelf nog eens met hem gaan praten.'

'Verdenkt u hem?' vroeg Riley.

'Als er een vrouw wordt vermoord en er is een echtgenoot of een vriend in de buurt, dan is dat iets om rekening mee te houden.'

'Maar luistert u nou eens,' zei Munster. 'Zoals u zelf hebt gezien, heeft dat meisje glasscherven naast de voordeur gevonden, terwijl de deur openstond.'

'Zat de deur meestal op het nachtslot?' vroeg Karlsson.

'Niet als ze thuis waren,' zei Yvette. 'Volgens de echtgenoot dan.'

'En?'

'Toen hij gekalmeerd was en rondgekeken had, zei hij dat er uit een la in het dressoir in de keuken een zilveren bestekset was gestolen. En een achttiende-eeuwse zilveren theepot, die op een plank in het dressoir stond. En dat geld uit haar portemonnee, natuurlijk.'

'Is er nog meer meegenomen?'

'Niet dat we weten,' zei Yvette. 'Boven hadden ze sieraden liggen, maar daar is niemand aan geweest.'

'En...' begon Riley, maar zweeg toen.

'Wat?' vroeg Karlsson.

'Niets.'

Karlsson dwong zichzelf op wat vriendelijker toon te praten. 'Ga door,' zei hij. 'Als je een idee hebt, zeg het dan. Ik wil alles horen.'

'Toen ik het lijk zag, had ze mooie oorbellen in en een halsketting om, dat wilde ik zeggen.'

'Dat klopt,' zei Karlsson. 'Goed.' Hij keek weer naar Yvette. 'En? Wat denken we ervan?'

'Ik zal niet zeggen dat je niet met de echtgenoot moet gaan praten,' zei Yvette, 'maar de toestand op de plaats delict lijkt verklaarbaar als je aanneemt dat er ingebroken was en dat de dader gestoord werd. Hij gaat naar de keuken en pakt het bestek, waarna hij in de huiskamer op mevrouw Lennox stuit. Er volgt een handgemeen, waarbij zij de fatale klap oploopt. Hij vlucht in paniek.'

'Of mevrouw Lennox is vermoord door iemand die ze kende,' zei Karlsson, 'en die de inbraak vervolgens in scène heeft gezet.'

'Dat kan,' zei Yvette stijfjes.

'Maar het is niet erg waarschijnlijk. Je hebt gelijk. Dus we hebben het volgende: zo te zien een inbraak, een dode vrouw, geen getuigen, vooralsnog geen vingerafdrukken en geen forensisch materiaal.'

'En die oude rechercheur van u?' vroeg Munster.

'Ik denk dat we hem nodig hebben,' zei Karlsson.

Harry Curzon had iets van een verdwaalde golfer, zoals hij daar op het trottoir voor huize Lennox stond. Hij droeg een rood windjack met daaronder een geruite trui, een lichtgrijze katoenen broek en bruine suède schoenen. Hij was te dik en droeg een bril met een zwaar montuur.

'En, hoe bevalt het pensioen?' vroeg Karlsson.

'Ik snap niet dat ik er zo lang mee heb gewacht,' zei Curzon. 'Hoe lang moet jij nog? Jaartje of zeven, acht?'

'Iets langer!'

'Kijk eens om je heen welke kant het op gaat. Het is tegenwoordig een en al productiviteit en administratie waar het om draait. En kijk mij nou. Zesenvijftig jaar en een volledig pensioen. Toen je me belde, was ik op weg naar de Lee om een dagje te gaan vissen.'

'Klinkt goed.'

'Het ís goed. Maar vertel eens, wat kan ik voor je doen, voordat ik mijn plan alsnog uitvoer en jij weer teruggaat naar je bureau?'

'Er is een moord gepleegd,' zei Karlsson. 'Maar er was ook sprake van inbraak. En jij hebt hier gewerkt.'

'Achttien jaar lang,' zei Curzon.

'Ik dacht dat je me misschien zou kunnen adviseren.'

Terwijl Karlsson Curzon rondleidde door het huis, praatte de oude man honderduit. Karlsson vroeg zich af of hij van al die dagen vissen en golfen werkelijk zoveel genoot als hij voorgaf.

'Het is niet meer in de mode,' zei Curzon.

'Wat niet?'

'Inbreken. 'In de jaren zeventig stalen ze tv-toestellen, camera's, horloges en klokken, in de jaren tachtig video- en stereo-installaties, en in de jaren negentig dvd-spelers en computers. Het heeft een paar jaar geduurd, maar toen werd het inbrekersvolkje ineens wakker. Een dvd-speler kost ongeveer hetzelfde als een dvd, maar de mensen gaan de straat op met een telefoon en een iPod en waarschijnlijk ook nog een laptop die stuk voor stuk meer waard zijn dan wat ze thuis hebben staan. Wat heeft het voor zin om nog te gaan inbreken en het risico te lopen dat je daar een aantal extra jaren voor moet zitten, terwijl je de mensen ook op straat kunt beroven, wat spulletjes oplevert die je kunt verkopen?'

'Ja, inderdaad,' zei Karlsson.

'Probeer maar eens een dvd-speler te verpatsen aan een louche handelaar in tweedehands goederen. Ze lachen je in je gezicht uit. Met tuingereedschap ligt dat anders, dat is nog wel verkoopbaar. Er is altijd vraag naar een heggenschaar.'

'Is in dit geval niet relevant,' zei Karlsson. 'Dus jij denkt dat het geen inbraak was?'

'Het ziet er in mijn ogen wel uit als een inbraak,' zei Curzon.

'Maar kan die niet in scène zijn gezet?'

'Dat kun je van bijna alles zeggen. Maar als je dat zou willen doen, zou je volgens mij eerder aan de achterkant een ruitje inslaan. Dan heb je minder kans om gezien te worden door nieuwsgierige buren. En dan zou je ook wat spullen hebben meegenomen uit de kamer waar het lijk lag.'

'Dat dachten wij ook zo ongeveer,' zei Karlsson. 'We zijn dus op zoek naar een inbreker, en jij hebt verstand van inbrekers.'

Curzon trok een grimas. 'Ik zal je een paar namen geven. Maar die inbraken waren voornamelijk drugsgerelateerd, en junkies komen en gaan. Het is anders dan vroeger.'

'Toen je nog je eigen, vertrouwde buurtinbreker had?' Karlsson glimlachte.

'Lach niet. We kenden allemaal onze plaats.'

'Wat ik had gehoopt,' zei Karlsson, 'is dat jij door de plaats delict te bekijken de inbreker zou kunnen herkennen aan zijn specifieke kenmerken. Heeft niet elke inbreker zijn eigen stijl?'

Curzon trok weer een gezicht. 'Er is hier geen sprake van specifieke kenmerken. Hij heeft een ruitje ingeslagen, de deur opengedaan en is binnengekomen. Allemaal heel elementair. Het enige kenmerk hier is dat de dader een echte idioot is. Dat zijn de ergste, behalve wanneer je ze op heterdaad betrapt.' Hij zweeg even. 'Maar ik bedenk net iets. Er zijn hier in de buurt een paar winkeltjes waar ze snuisterijen en zo verkopen, goedkoop spul meestal, maar niet altijd. We hebben Tandy op de hoek van Rubens Road, en aan de Crescent zit Burgess and Son. Laten we maar zeggen dat ze daar niet al te veel vragen stellen als je er zilverwerk te koop aanbiedt. Laat iemand daar de komende dagen maar eens in de etalage gaan kijken. Misschien zien ze iets. En dan kun je daarop afgaan.'

Karlsson had zijn twijfels. 'Als je iemand hebt vermoord, ga je met je buit toch zeker niet naar de juwelier om de hoek?'

Curzon haalde zijn schouders op. 'Die sukkels zijn verslaafd, het zijn geen bankdirecteuren. Burgess and Son is iets verder weg. Misschien dat de dader zichzelf heel slim vindt dat hij daar naartoe is gegaan. Het is in elk geval het proberen waard.'

'Bedankt,' zei Karlsson.

Op weg naar buiten legde Curzon zijn hand op Karlssons arm. 'Kan ik jou niet verleiden om eens naar de baan te komen? Om je te laten zien wat je mist?'

'Ik ben niet zo'n golfer. Eigenlijk helemaal niet.'

'Of om eens mee te gaan vissen. Je zou niet geloven hoe rustgevend dat is.'

'Ja.' Karlsson knikte. Hij hield ook niet van vissen. 'Ja, dat zou mooi zijn. Als deze zaak is afgehandeld misschien. Om het te vieren.'

'Ik krijg bijna een schuldgevoel,' zei Curzon. 'Dat ik jou wil laten zien wat je mist.'

'Ga er met Russell Lennox naartoe, als hij denkt dat hij het aankan,' zei Karlsson tegen Yvette. 'Kijk of hij iets herkent.'

'Oké.'

'En neem de jonge Riley mee.'

'Prima.' Yvette aarzelde even, en toen Karlsson zich omdraaide om te vertrekken, flapte ze eruit: 'Mag ik je iets vragen?'

'Natuurlijk.'

'Vind je dat het mijn schuld is?'

'Jouw schuld? Wat?' Hij wist natuurlijk wel wat – al vanaf het moment dat Frieda na het bloedbad bij Mary Orton op de vloer was gevonden, had Yvette van hem willen horen dat hij het haar vergaf, dat hij geruststellend zou zeggen dat het niet echt haar schuld was.

'Dat ik haar bezorgdheid niet serieus heb genomen. Al die dingen.' Yvette slikte. Ze had een knalrode kleur gekregen.

'Dit is er niet bepaald het goede moment voor, Yvette.'

'Maar...'

'Het komt nu niet gelegen,' zei hij. Zijn vriendelijkheid was erger dan een boze reactie. Ze voelde zich als een klein kind tegenover een vriendelijke maar strenge volwassene.

'Nee. Sorry. Tandy en Burgess and Son.'

'Precies.'

Frieda haalde haar telefoon uit het hoesje en keek ernaar. Haar ogen waren geïrriteerd van vermoeidheid en haar lichaam voelde hol en tegelijkertijd loodzwaar aan. Het graf in Suffolk leek nu niet meer dan een droom – een verwaarloosd stukje grond waar het gebeente van een trieste man rustte. Ze dacht aan hem, de vader die ze niet had kunnen redden. Ze herinnerde zich hoe zijn hand aanvoelde in de hare, ze dacht aan de geur van tabak en van kruidnagels van zijn aftershave. Aan zijn hopeloosheid. Aan zijn zware lichaamsbouw. En aan Dean Reeve, die daar ook naast hem had gestaan, met die glimlach.

Klepperend kwam de kat door het kattenluikje naar binnen. Ze keek naar hem, ze staarden elkaar aan. Toen liep ze, nog met de telefoon in haar hand, langzaam de trap op – traplopen was nog moeilijk – en ging op haar bed zitten. Ze keek uit het raam naar de zachtgrijze avondlucht die over de stad neerdaalde, waardoor die weer mysterieus werd. Ten slotte tilde ze de telefoon op en toetste het nummer in.

'Hallo,' zei ze.

'Frieda!' De warmte in zijn stem was onmiskenbaar.

'Hallo.'

'Ik heb veel aan je gedacht.'

'Waar ben je nu?'

'Op mijn werk. Het is hier vijf uur vroeger dan bij jou.'

'Wat heb je aan?'

'Een grijs pak. Wit overhemd. En jij?'

Frieda keek naar haar kleren. 'Een spijkerbroek en een beigebruine trui.'

'En waar ben jij?'

'Ik zit op mijn bed.'

'Ik wou dat ik ook op je bed zat.'

'Heb je goed geslapen?'

'Ja. Ik heb gedroomd dat ik aan het schaatsen was. Jij ook?'

'Of ik gedroomd heb dat ik schaatste?'

'Nee! Of je goed geslapen hebt.'

'Gaat wel.'

'Niet, dus.'

'Sandy?' Ze wilde hem vertellen hoe haar dag geweest was, maar er kwamen geen woorden in haar op. Hij was te ver weg.

'Ja, mijn lieve schat, Frieda.'

'Wat vind ik dit toch afschuwelijk.'

'Hoe bedoel je?'

'Dit alles.'

'Dat je je zwak voelt, bedoel je?'

'Dat ook.'

'Dat ik hier zit?' Er viel een korte stilte. 'Wat is dat voor geluid? Onweert het daar?'

'Hè, wat?' Frieda keek om zich heen, en toen drong het tot haar door. Ze hoorde het zelf al bijna niet meer. 'Er wordt hier een nieuw bad geplaatst.'

'Een nieuw bad?'

'Het was eigenlijk niet mijn idee. Het was zelfs helemaal niet mijn idee. Het is een cadeautje van Josef.'

'Klinkt goed.'

'Het bad is er nog niet. Tot nu toe is er alleen nog maar een hoop getimmer en geboor. Overal ligt stof. Onder andere op een paar overhemden – die jij hier hebt achtergelaten.'

'Weet ik.'

'Net als wat keukenspullen en een paar boeken naast het bed.'

'Dat is omdat ik terugkom.'

'Ja, ja.'

'Frieda, ik kom terug.'

6

'Spreek ik met hoofdinspecteur Karlsson?'

'Ja, spreekt u mee.'

'Met agent Fogle van het bureau Camden. Ik heb hier een meneer Russell Lennox zitten.'

'Russell Lennox?' Karlsson knipperde met zijn ogen. 'Waarom in godsnaam?'

'Hij is betrokken geweest bij een vechtpartij.'

'Dat snap ik niet. Waarom zou hij betrokken zijn bij een vechtpartij? De vrouw van die arme man is net vermoord.'

'Hij schijnt zich misdragen te hebben en schade te hebben veroorzaakt. Bij Burgess and Son.'

'Aha.'

'Hij heeft een ruit kapotgeslagen, en dan heb ik het nog niet eens over een aantal porseleinen voorwerpen waarvan de winkelier lijkt te denken dat die behoorlijk wat waard zijn. En bovendien gedroeg hij zich enigszins agressief.'

'Ik kom eraan. Maar doe een beetje kalm aan met hem, wil je?'

Russell Lennox zat in een verhoorkamertje met zijn handen gevouwen op het tafeltje voor zich uit te kijken en knipperde af en toe met zijn ogen, alsof hij de dingen helderder wilde zien. Toen Karlsson binnenkwam met de agent die hem had gebeld, draaide Lennox zijn hoofd om. Even leek het erop dat hij de hoofdinspecteur niet herkende.

'Ik ben gekomen om u naar huis te brengen,' zei Karlsson, terwijl hij zich op de stoel tegenover hem liet zakken. 'U weet dat u vervolgd zou kunnen worden voor een vechtpartij, vernieling en nog zo het een en ander?'

'Kan me niet schelen.'

'Zou dat uw kinderen verder helpen?'

Lennox staarde alleen maar naar de tafel en gaf geen antwoord.

'Dus u bent teruggegaan naar Burgess and Son?'

Lennox knikte kort. 'Ik kon het niet uit mijn gedachten zetten. En trouwens, hoe moet ik mijn tijd doorbrengen? Ruths zus Louise is bij de kinderen en zij hebben er geen behoefte aan om bij alle ellende ook nog eens te zien hoe overstuur ik ben. Ik ben er dus gewoon maar eens langsgelopen om het na te gaan. En toen zag ik die vork liggen.'

'Eén vork?' zei Karlsson weifelend.

'Die hebben we van Ruths peetmoeder gekregen toen we trouwden. Ik gaf er niet veel om en ik keek er eigenlijk nooit meer naar om, maar bij deze was een van de tanden gebogen. Daar herkende ik hem aan. Judith werd altijd boos als zij die aan tafel kreeg. Ze zei dat hij in haar tandvlees prikte. Ik ben naar binnen gegaan en heb gevraagd om hem te mogen bekijken. Toen liep het uit de hand.' Hij keek op naar Karlsson. 'Ik ben niet gewelddadig.'

'Daar kunnen de meningen over verschillen,' zei Karlsson.

Jeremy Burgess, de eigenaar van Burgess and Son, was een kleine, magere man met de behoedzaamheid van iemand die er al jarenlang in slaagde nooit ergens op betrapt te worden. Karlsson boog zich over de toonbank vol medailles, oude kettingen, sigarettenkokers, gedeukte snuifdozen, vingerhoedjes, zilveren kistjes, glinsterende oorbellen en overmaatse manchetknopen. Hij pakte de vork met de gebogen tand en legde die op het glas.

'Waar komt deze vandaan?' vroeg hij.

Burgess haalde zijn schouders op. 'Dit soort kleine dingen betaal ik altijd contant.'

'Ik moet het weten, meneer Burgess.'

'Ik ben hier degene die gemolesteerd is. Wat doet u daaraan? Ik probeer alleen maar mijn zaak te runnen.'

'Mond houden,' zei Karlsson. 'Ik weet wat voor zaak u hebt. Als de politie hier in de buurt er geen aandacht aan besteedt, moet zij dat weten. Maar hier gaat het om een bewijsstuk in een moordzaak, en als u niet meewerkt, zal ik het u heel lastig maken.'

Burgess keek ongemakkelijk naar de twee vrouwen die aan de andere kant van de winkel over een schuiflade met ringen gebogen stonden. Hij boog zich voorover en dempte zijn stem. 'Ik ben een gewone zakenman,' zei hij.

'Als u mij een naam geeft, zal ik weggaan. Anders stuur ik een aantal van mijn mensen hiernaartoe om alles stuk voor stuk te bekijken.'

'Billy.'

'Billy, en hoe heet hij verder?'

'Billy. Jong, donker haar, mager. Dat is alles wat ik weet.'

Curzons stem viel steeds weg. Hij legde uit dat de ontvangst bij de rivier slecht was. 'Hunt,' zei hij. 'Billy Hunt.'

'Ken je hem?'

'We kennen Billy allemaal.'

'Heeft hij een strafblad?'

'Diefstal, drugsbezit en nog zo het een en ander.'

'Geweld?'

'Hij is een beetje een watje, onze Billy,' zei Curzon, 'maar het zou kunnen dat hij aan lager wal is geraakt. Nog lager, bedoel ik.'

Karlsson zette Riley erop. Curzon had geen adres of telefoonnummer van Billy Hunt, maar een paar politiemensen die zich bezighielden met de drugsscene in de buurt zouden wel meer weten. Ze bleken Hunt al een tijdje niet gezien te hebben, maar een van hen herinnerde zich dat hij ooit achter een kraampje bij Camden Lock had gestaan, waar hij spullen van ijzerdraad verkocht. Kandelaars, hondjes voor op de schoorsteenmantel. De kraam was weg, maar een vrouw die er had gewerkt, verkocht nu warme soep aan de andere kant van de markt, bij het kanaal. Ze kende Billy zelf niet, maar de man die toen de kraam met de ijzerdraadsculpturen dreef woonde in een flat in Summertown. Hij was doorgaans 's nachts op pad en sliep overdag. Ze moesten verscheidene keren op de voordeur bonzen (de klopper ontbrak en de bel leek geen geluid te maken) voordat er een vrouw opendeed, die hem, op hun verzoek, wakker zou maken. Hij had Billy al een paar weken niet gezien, maar hij wist te vertellen dat hij een vaste bezoeker was van een eethuisje in High Street en in de pub ernaast als hij geld had.

In het eethuisje leek niemand hem te kennen, maar toen Riley in de pub zijn legitimatiebewijs toonde aan de bleke jonge vrouw achter de bar, wees ze naar twee mannen die aan een tafeltje zaten te drinken. Ja, zij kenden Billy Hunt wel. Ja, een van hen had hem vandaag nog gezien. Waar ze over hadden gesproken? Stelde niet veel voor. Alleen elkaar even gegroet. Waar het was? De andere pub. Welke andere? Die aan Kentish Town Road, de gothkroeg, die met die schedels.

Riley liep Camden High Street in en trof Munster voor metrostation Camden Town, waar hij de auto had geparkeerd. Hij ging naast hem in de auto zitten.

'Wat is het plan?' vroeg hij.

'Het plan?' zei Munster. 'Hem opsporen. En dan met hem praten.'

'Gaan we hem aanhouden?'

'We gaan eerst met hem praten.'

Hij zette de auto al aan de kant voordat ze bij het café kwamen. Munster keek naar de zwarte gevel en schudde afkeurend zijn hoofd.

'Als kind hield ik van heavy metal,' zei Riley. 'Ik zou het hier tof hebben gevonden.'

'Als kind?' zei Munster. 'Nou ja. Weten we hoe hij eruitziet?'

Twee jonge vrouwen, van top tot teen gehuld in zwart leer, beiden met geschoren hoofd en verscheidene piercings, zaten buiten aan een tafeltje.

'Nou, daar zit Billy Hunt niet bij,' zei Riley vrolijk. 'Tenzij Billy een meisje is.'

Aan het andere tafeltje zat een man alleen met een sigaret en een groot, halfvol glas bier. Hij was mager en bleek, droeg zijn donkere haar in een kuif en was gekleed in zwarte jeans en een verkreukeld grijs jasje.

'Dat zou hem kunnen zijn,' zei Munster.

Ze stapten uit en liepen naar hem toe. Hij had hen niet in de gaten totdat ze vlakbij waren.

'We zijn op zoek naar een zekere William Hunt,' zei Munster.

'Alleen mijn moeder noemt me William,' antwoordde de man. 'En dan nog alleen als ze boos op me is.'

De twee rechercheurs gingen aan het tafeltje zitten.

'Billy dan,' zei Munster. 'We hebben ene Jeremy Burgess gesproken. Hij heeft een juwelierszaak hier even verderop.'

Hunt drukte zijn sigaret uit op tafel, pakte een andere uit een pakje en stak die bijna koortsachtig geconcentreerd aan. 'Ik ken hem niet.'

'William,' zei Munster. 'Nu word ík boos op je.' Hij haalde een computeruitdraai uit zijn zak en streek die op het tafeltje glad. 'Hij zei dat jij hiermee binnenkwam en dat hij het van jou heeft gekocht.'

Hunt draaide het papier een halve slag en bekeek het. Munster zag dat ook zijn handen en vingers dun en bleek waren. De nagels waren afgekloven, maar toch waren ze vuil en vlekkerig. 'Ik weet het niet,' zei hij.

'Hoe bedoel je, je weet het niet?' zei Munster. 'Kun je al dit achttiende-eeuwse zilver niet goed zien of zo?'

'Geef je me een biertje?'

'Nee, ik ben niet van plan een biertje voor je te betalen. Wat denk je dat dit is?'

'Als je informatie wilt, moet er voor mij iets tegenover staan.'

Munster keek naar Riley en toen weer naar Hunt. Riley glimlachte. Munster niet. 'Je bent geen potentiële informant, maar een verdachte. Als je geen antwoord geeft, kunnen we je meteen aanhouden.'

Hunt woelde door zijn haar, waardoor het nog meer overeind ging staan. 'Elke keer als iemand iets mist, komen mensen als jullie me lastigvallen,' zei hij op zeurderige toon. 'Vinden jullie het gek dat ik dan een slechte naam krijg?'

Munster keek hem vol ongeloof aan. 'Heb je het soms over degene die telkens wordt veroordeeld voor mishandeling en het doorverkopen van gestolen spullen? En nu we het er toch over hebben, deze spullen raken niet zomaar uit zichzelf vermist. Die worden gejat door mensen als jij. Ga niet met ons dollen, Billy. We hebben het een en ander over jou gehoord. Je bent aan de drugs en je steelt om je verslaving te bekostigen.'

Hunt nam een slok bier, gevolgd door een langgerekte trek van zijn sigaret. Hij keek Riley aan, die zat te grijnzen. 'Ik weet niet wat er zo grappig is,' zei hij. 'Ik ben pas begonnen toen ik in de lik zat. Daar is meer stuff dan buiten op straat. En dan die lul, die Burgess. Iedereen valt me lastig en als je alles gehad hebt, krijg je ook nog eens te maken met die Burgess met zijn klotezaak. Waarom laat iedereen hem zijn gang gaan?'

'Billy,' zei Munster. 'Hou je kop. Waar had je dat zilver vandaan?'

Hunt zweeg even. 'Van een man. Hij had wat spulletjes, wat zilver. Hij had heel dringend geld nodig, dus ik heb hem er wat voor gegeven en het doorverkocht aan Burgess. Einde verhaal.'

'Heb je hem gevraagd waar hij het vandaan had?'

'Nee, dat heb ik niet. Ik ben verdomme *The Antiques Roadshow* niet.'

'Hoe heet hij?'

'Weet ik niet. Dave, geloof ik.'

'Dave,' zei Munster. 'En verder?'

'Weet ik niet. Ik ken hem eigenlijk nauwelijks.'

'Waar woont hij?'

'Aan de andere kant van de rivier, denk ik. Maar ik weet het niet zeker.'

'Dave. Zuid-Londen,' zei Munster. 'Zou kunnen. Weet je hoe je met hem in contact kunt komen?'

'Zo werkt het niet. Je komt de mensen tegen. Je ziet ze af en toe. Je weet hoe het gaat.'

'Ja, dat weet ik,' zei Munster. 'En nu we het er toch over hebben, kun je me zeggen waar je woensdag was?'
'Welke woensdag? Afgelopen?'
'Ja. De zesde.'
'Ik was de stad uit. Naar Brighton. Een paar dagen weg.'
'Is er iemand die dat kan bevestigen?'
'Ik was daar met een vriend.'
'Hoe heet hij?'
'Zijn naam?' vroeg Hunt. Traag drukte hij zijn sigaret uit en stak een andere aan. 'Ian.'
'Achternaam?'
'Het was altijd alleen maar Ian.'
'En kun je ons zijn adres geven?'
Hunt keek weifelend. 'Ik heb het ergens genoteerd. Dat hád ik tenminste. Het was bij een vriend van Ian. Maar daar zul je Ian niet vinden. Hij verkast nogal eens.'
'Om mensen aan het werk te houden zeker,' zei Munster.
'Ja, zijn vrienden.'
'Ik verbaas me er zelf over dat ik de moeite neem om het je nog te vragen,' zei Munster, 'maar heb je Ians telefoonnummer?'
'Hij stond in mijn telefoon. Ik weet alleen niet precies waar die is.'
'Je snapt toch wel wat we willen, hè?' zei Munster. 'Je hebt het vast weleens eerder bij de hand gehad. We willen dat je ons in contact brengt met iemand die kan zeggen: "Ja, ik was woensdag met Billy Hunt in Brighton." Is er zo iemand?'
'Zo gaat het niet,' zei Hunt. 'Dit is een kwestie van... Waar het hier om gaat... is dat ik... anders ben dan jij. Of dan jij,' voegde hij eraan toe met een blik naar Riley, die in gedachten leek. 'Jullie wonen in een mooi huis, jullie hebben allerlei verzekeringen en jullie krijgen een waterrekening met je naam erop.'
'Een waterrekening?' zei Munster.
'En jullie hebben allemaal aardige vrienden met wie je uit eten gaat. Jullie zorgen allemaal voor elkaar en jullie kunnen aantonen waar jullie op elk uur van de dag waren. Jullie hebben een baan en een pensioen, en als jullie op vakantie gaan, worden jullie gewoon doorbetaald.'

'Waar heb je het in godsnaam over?'

'We zijn niet allemaal zoals jullie. Lees je geen kranten? Sommige mensen hebben de grootste moeite om rond te komen.'

'Nou moet je ophouden,' zei Munster. 'Dat kan me allemaal niks schelen. Je zegt niks concreets. Heb je een adres?'

'Snap dat dan, daar heb ik het juist over. Mensen als jij hebben altijd een adres.' Hunt zette met zijn vingers denkbeeldige aanhalingstekens om het woord 'adres'.

'Oké, laten we het simpel houden. Waar heb je vannacht geslapen?'

'Vannacht?' zei Hunt peinzend. 'Weet ik niet. Ik slaap bij verschillende mensen, bij vrienden. Ik ben op zoek naar iets voor vast.'

'Zoals je op zoek bent naar een baan?' zei Munster.

'Zoiets, ja.'

'Nog één ding,' zei Munster. 'En dit is niet meer dan een formaliteit, zodat mijn collega dat in zijn opschrijfboekje kan noteren.'

'Wat dan?'

'Het is toch niet zo dat je dat zilver gestolen hebt op Margaretting Street nummer drieënzestig?'

'Nee, dat is niet zo.'

'Oké,' zei Munster.

'Zijn we dan nou klaar?' vroeg Hunt.

'Nee, dat zijn we niet. Ik heb er genoeg van. Je gaat met ons mee.'

'Waarom?'

'Nou, om te beginnen heb je al toegegeven dat je gestolen waar hebt aangenomen en verkocht.'

'Ik wist niet dat het gestolen was.'

'Als je de wet kent, weet je dat dat er niet toe doet.'

'Ik heb jullie alles verteld wat ik weet.' Hunt ging van verontwaardiging steeds harder praten. 'Als jullie nog meer willen weten, neem dan gewoon contact met me op.'

'We hebben alleen net vastgesteld dat je geen adres hebt en dat je je telefoon kwijt bent.'

'Geef me gewoon je kaartje,' zei Hunt. 'Dan neem ik contact met jullie op.'

'Dat zou ik wel willen,' zei Munster. 'Ik heb alleen het gevoel dat het met jou net zo zal gaan als met je vrienden Dave en Ian en dat je nogal lastig te vinden zult zijn. Dus ga je met ons mee, of moeten we je arresteren?'

'Ik ga wel mee. Heb ik niet goed meegewerkt? Heb ik niet al jullie vragen beantwoord? Ik wil alleen mijn glas leegdrinken. En even naar de wc.'

'Dan gaan we met je mee.'

'Ik kan straks ook wel gaan,' zei Hunt. Hij nam een slok van zijn bier. 'Vinden jullie het niet lekker om buiten te zitten? Komt door de opwarming van de aarde, hè? Dat we in Londen buiten kunnen zitten drinken. Alsof je aan de Middellandse Zee zit.'

'Met schedels,' zei Riley.

Hunt tuurde ernaar omhoog. 'Ik hou niet van die schedels. Ik word er somber van.'

7

'Geen drugs,' zei Olivia. 'Vanzelfsprekend geen drugs.'

'Mam,' zei Chloë.

'En geen sterke drank. Heb je dat tegen iedereen gezegd: geen sterke drank? Als iemand sterke drank meeneemt, zal die in beslag worden genomen en dan kunnen ze door hun ouders worden opgehaald.'

'Dat heb je nou al een miljoen keer gezegd.'

'Heb je een lijstje van alle mensen die komen?' vroeg Olivia. 'Dan kan die vriend van Frieda ze bij binnenkomst afvinken.'

'Ik heb geen lijstje.'

'Hoe weet je dan wie er komen?'

'Zo gaat het toch niet, mam,' zei Chloë. 'Alsjeblieft, zeg.'

'Maar je moet toch weten hoeveel mensen er komen.' Het bleef even stil. 'Nou?'

'Min of meer.'

'Nou ja, hoeveel ongeveer dan? Tien? Vijftig? Duizend?'

'Daar hebben we het al over gehad. We hebben het er al een miljoen keer over gehad.'

'Dit is geen grapje, Chloë. Heb je gehoord van dat tienerfeestje in Hart Street vorig jaar? De vader wilde een paar indringers aanpakken, en toen heeft een van hen hem met een mes gestoken. Het heeft hem een nier gekost, Chloë.'

'Wat wil je nou? Je zei dat ik het feestje mocht geven. Als het niet mag, zeg het dan. Dan zeggen we het af. Heb je dan je zin?'

'Van mij mag je best dat feestje geven,' zei Olivia. 'Het is tenslotte je verjaardag. Maar ik wil dat je ervan geniet. En je geniet er niet van als er mensen ziek worden, of als er gevochten wordt en het huis vernield wordt.'

'Dat zal niet gebeuren.'

'En geen seks.'

'Mam!'

'Wat nou?'

'Ik vind dit zó gênant.'

Olivia stak haar hand uit en streek langs Chloë's wang. 'Je ziet er trouwens prachtig uit.'

Chloë bloosde en mompelde iets.

'Er zijn chips en nootjes en een heleboel pakken vruchtensap,' zei Olivia. 'Wat ik je duidelijk wil maken, Chloë, is dat jullie het allemaal veel leuker zullen hebben als jullie niet zo dronken worden dat je niet meer op je benen kunt staan. Jullie kunnen met elkaar praten en... en dansen en zo...'

'O, mam...'

'Maar echt dronken worden, niet meer op je benen kunnen staan en kotsen, dat vindt niemand leuk. Dan wordt het onprettig. Ik bedoel, Frieda, zeg jij ook eens wat. Ben ik een ouwe zeur?'

Frieda stond bij het raam naar de tuin te kijken. Langs het grindpad stonden onaangestoken kaarsen in jampotjes. Er werd aangebeld.

'O god,' zei Olivia. 'Nu al?'

'Ik doe wel open,' zei Frieda.

Ze liep naar de voordeur en deed open. 'Josef! Je bent net op tijd.'

Josef was niet alleen. Naast hem stond een man die nog langer en forser was dan hij. Hij droeg een spijkerbroek en een leren jasje. Hij had lang krullend haar, dat hij in een paardenstaart droeg.

'Dit is Stefan,' zei Josef. 'Hij komt uit Rusland, maar we zullen toch aardig voor hem zijn.'

Frieda schudde Stefan de hand, en hij glimlachte voorzichtig naar haar. 'U bent Frieda? Ik heb over u gehoord. U krijgt een mooi bad. Het is groot en van ijzer, net als in een oude film.'

'Ja, ik heb ook over u gehoord,' zei Frieda. 'U hebt Josef geholpen mijn mooie oude bad weg te halen.'

'Het was een slecht bad,' zei Stefan. 'Goedkope rotzooi. Het viel zo uit elkaar...', hij knipte met zijn vingers, '... toen we het weghaalden.'

'Nou, allebei bedankt dat jullie dit doen. Al zit het me wel dwars dat ik het nog steeds zonder bad moet stellen.'

Josef keek bezorgd. 'Ja, Frieda, ik moet met je praten. Er is klein probleem.'

'Wat voor probleem?'

'Meer problemen met leidingen. Maar we praten later. Ik regel het.'

'Weet je, ik heb hier moeten douchen terwijl ze bezig waren met de voorbereidingen van het feest,' zei Frieda. 'Ik heb hier een handdoek mee naartoe moeten nemen.' Ze onderbrak zichzelf. 'Maar het is aardig van jullie. Kom maar gauw binnen. Kan ik iets te drinken voor jullie halen?'

'Nu nemen we sap.' Josef tikte op zijn jaszak. Er zat kennelijk een fles in. 'Aan eind van de avond vieren we het samen.'

Olivia gaf Josef en Stefan een hele reeks instructies, die ze voortdurend aanpaste en uitbreidde. Ondertussen ging met tussenpozen de deurbel en kwamen er steeds meer jongeren binnen. Frieda bekeek het allemaal vanaf de zijlijn, alsof het een toneelstuk of een bijeenkomst van een exotische stam was. Opeens zag ze een bekend gezicht, en ze riep uit: 'Jack! Wat doe jij hier?'

Jack was onder supervisie van Frieda in opleiding tot psychotherapeut. Ze kende hem goed, maar ze was verrast hem in deze omgeving te zien. Ook hij leek verrast en kreeg een dieprode kleur, die hem niet stond. Zelfs naar zijn eigen normen was hij uitgedost in bizarre en niet bij elkaar passende kleren – een roze met groen gestreept rugbyshirt met daaroverheen een oud, mottig smokingjasje en een flodderige ribfluwelen broek.

'Chloë heeft me uitgenodigd,' zei hij. 'Het leek me wel leuk. Ik had alleen niet gedacht jou hier te zullen zien.'

'Ik was net aan het weggaan.'

'Zie ik daar Josef?'

'Hij is vanavond de uitsmijter.'

Na een minuut of twee keek Josef over Olivia's schouder haar kant uit met een flauwe glimlach om zijn lippen, die een smeekbede om hulp uitdrukte. Frieda liep de kamer door en tikte Olivia op de arm. 'Kom, we gaan eten.'

'Ik moet nog even een paar dingen nagaan.'

'Nee, dat hoef je niet.'

Frieda liep met de nog protesterende Olivia de gang in, hielp haar in haar jas en trok haar mee de voordeur uit. Terwijl ze het trapje af liepen keek Olivia bezorgd om. 'Ik kan me niet aan de indruk onttrekken dat ik mensen binnenlaat die ik buiten had moeten sluiten.'

'Nee,' zei Olivia tegen de kelner. 'Ik hoef niet te proeven. Schenk maar lekker vol. Dank u, en laat u de fles maar staan.' Ze pakte het glas. 'Proost.' Ze nam een slok. 'Jezus, daar was ik wel aan toe. Zag je hoe ze elkaar allemaal omhelsden toen ze binnenkwamen? Alsof ze terugkwamen van een wereldreis. En zodra ze klaar zijn met knuffelen en krijsen, zijn ze meteen in de weer met hun mobiele telefoons. Ze zijn op een feestje, maar op de een of andere manier moeten ze meteen mensen spreken die niet op het feestje zijn of op weg zijn naar het feestje. Of misschien gaan ze na of er ergens anders een leuker feestje aan de gang is.' Ze nam nog een slok. 'Waarschijnlijk zijn ze bezig een algemene oproep uit te sturen aan de jeugd van heel Noord-Londen om het huis te komen afbreken.' Ze gaf Frieda een por. 'Op dit moment hoor jij te zeggen: "Nee, nee, het komt wel goed."'

'Het komt wel goed,' zei Frieda.

Olivia wenkte de kelner. 'Zullen we een heel stel kleine gerechtjes bestellen?' zei ze. 'Dan kunnen we van alles wat nemen.'

'Kies jij maar.'

Olivia bestelde voldoende voor drie of vier stevige eters en nog een fles wijn. 'Ik ben een grote huichelaar,' zei ze toen de kelner weg was. 'Eigenlijk ben ik bij zo'n feestje bezorgd dat Chloë maar een fractie zal doen van wat ik allemaal uithaalde toen ik haar leeftijd had. Of jonger zelfs. Zij is zeventien. Als ik denk aan de feestjes van toen ik vijftien was, veertien... Naar de letter van de wet was het strafbaar. Er hadden mensen voor veroordeeld kunnen worden. Bij jou was dat vast niet anders. David heeft me weleens het een en ander verteld.'

Frieda's gezicht verstrakte. Ze nipte van haar wijn, maar zei niets.

'Als ik denk aan de dingen die ik soms uithaalde...' vervolgde Olivia. 'Nou ja, het was toen tenminste niet zo dat de mensen je filmden met hun mobiele telefoons en dat op internet zetten. Dat is het verschil. Toen wij tieners waren en je deed wat, was het klaar als het achter de rug was, dan hoorde het tot het verleden. Nu worden ze gefilmd en worden die filmpjes via de telefoon verstuurd en op Facebook gezet. De mensen beseffen niet dat ze voor altijd en eeuwig aangesproken kunnen worden op hun gedrag. Bij ons was dat niet zo.'

'Dat is niet waar,' zei Frieda. 'Er werden toen ook wel mensen beschadigd. Of ze werden zwanger.'

'Ik was helemaal niet van plan om zwanger te worden,' zei Olivia. 'Ik kon nog maar net lopen toen ik van mama al aan de pil moest. Ik zeg niet dat ik een totaal doorgedraaid kind was, alleen... Als ik terugdenk aan een aantal beslissingen die ik toen heb genomen, tja, dan zou ik toch wel graag willen dat Chloë het beter doet.' Ze vulde haar wijnglas bij. Frieda hield haar hand op het hare. 'Maar in sommige opzichten is Chloë, denk ik, volwassener dan ik op haar leeftijd was. En ik weet wat je nu gaat zeggen.'

'Wat ga ik dan zeggen?'

'Je gaat zeggen dat als ik minder volwassen was dan Chloë, ik wel volslagen debiel moet zijn geweest.'

'Dat is niet wat ik wilde zeggen,' zei Frieda.

'Wat dan?'

'Ik wilde zeggen dat het aardig van je was om dat van je dochter te zeggen.'

'We zullen zien,' snoof Olivia. 'Inmiddels is het huis waarschijnlijk afgebroken.'

'Je hoeft je echt geen zorgen te maken.'

'Ik weet niet naar wat voor soort feestjes jij ging,' zei Olivia. 'Ik was eens op een feestje – ik was met Nick Yates op de slaapkamer van de ouders, en tegen de tijd dat we het voor de tweede keer hadden gedaan, hadden ze beneden de piano in de tuin gezet om er daar op te spelen, waarna ze hem vergeten waren en het was gaan regenen. Mijn god. Nick Yates.' Olivia kreeg een afwezige blik in haar ogen. Toen werd het eten gebracht.

'Het spijt me.' Olivia schepte haar bord vol met de verschillende gerechten. 'Je moet trouwens deze garnalen eens proberen. Je zou er een moord voor plegen. Maar ik praat steeds over mezelf en mijn problemen en over hoe slecht ik vroeger was. Ik heb jou niet eens gevraagd hoe je je voelt. Het moet allemaal heel verschrikkelijk zijn geweest, dat weet ik. Hoe voel je je? Heb je nog pijn?'

'Valt wel mee.'

'Ben je nog steeds onder behandeling?'

'Ik moet alleen nog op controle,' zei Frieda. 'Af en toe.'

'Het was vreselijk, afschuwelijk,' zei Olivia. 'Eerst dacht ik dat we je zouden verliezen. Weet je, een paar dagen geleden heb ik daar nog een nachtmerrie over gehad. Ik moest huilen toen ik wakker werd. Echt huilen.'

'Volgens mij was het voor anderen erger dan voor mij.'

'Vast niet,' zei Olivia. 'Maar ze zeggen dat als je iets echt vreselijks meemaakt, het niet meer als echt aanvoelt – alsof het een ander overkomt.'

'Nee,' zei Frieda bedachtzaam, 'het voelde echt wel alsof het mij overkwam.'

Op de terugweg naar huis liep Olivia onvast. Frieda pakte haar arm.

'Ik kijk of ik rook zie,' zei Olivia. 'Zie jij rook?'

'Hè?'

'Als het huis echt in brand stond,' zei Olivia, 'zouden we nu rook moeten zien, niet? Boven de daken uit. En brandweerwagens met loeiende sirenes.'

Toen ze de hoek om sloegen en Olivia's straat in liepen, zagen ze de voordeur openstaan en mensen in en uit lopen. Er klonk een harde elektronische beat met dreunende bassen, en er knipperden lichten. Toen Frieda dichterbij kwam, zag ze een stel mensen op de stoep zitten roken. Een van hen keek op en glimlachte.

'Dat is Frieda, hè?'

'Stefan, zie ik het goed?'

'Ja,' zei hij, alsof hij zich vrolijk maakte over iets. 'Frieda, wil je een sigaret?'

Olivia slaakte een woeste kreet, baande zich een weg langs de mensen op de traptreden en liep het huis in.

'Nee, dank je,' zei Frieda. 'Hoe is het gegaan?'

Stefan haalde zijn schouders op. 'Oké, denk ik. Rustig feestje.'

Een van de jongens naast hem lachte. 'Ze waren geweldig, Josef en hij.'

'Hoezo?' Frieda ging op de trap naast hen zitten.

'Er kwam hier een stel figuren die Chloë niet kende. Ze begonnen vervelend te doen. Maar Josef en Stefan hebben ervoor gezorgd dat ze weggingen.'

Frieda keek naar Stefan, die een nieuwe sigaret aanstak met de oude. 'Je hebt ervoor gezorgd dat ze weggingen?'

'Het stelde niks voor,' zei Stefan.

'Het stelde wel wat voor,' zei een van de andere jongens. 'Het stelde heel wat voor.'

Ze lachten, en een van de jongens zei iets tegen Stefan in een taal die ze niet verstond. Hij zei iets terug en keek haar toen aan.

'Hij leert een grappig soort Russisch op school,' zei hij. 'Ik geef hem les.'

'Waar is Josef?'

'Bij een jongen,' zei Stefan. 'Een jongen die niet goed is geworden.'

'Hoe bedoel je, "niet goed"? Waar zijn ze?'

'Op de wc boven,' zei Stefan. 'Hij was ziek. Erg ziek.'

Frieda rende het huis in. De vloer van de gang voelde kleverig aan onder haar voeten en er hing een walm van rook en bier. Ze wurmde zich langs een stel meisjes. Voor de dichte deur van de wc stond een groepje mensen.

'Is hij daar?' vroeg Frieda aan niemand in het bijzonder.

Plotseling stond Chloë daar. Ze had gehuild. Haar mascara was uitgelopen. Achter haar drentelde Jack heen en weer. Zijn haar stond in pieken overeind en hij had vlekken in zijn gezicht.

'Ze konden hem niet wakker krijgen,' zei ze.

Frieda probeerde de deur. Hij was op slot. Ze klopte.

'Josef, ik ben het,' zei Frieda. 'Doe open.'

Er klonk een klik en de deur ging open. Naast hem stond een jongen over de toiletpot gebogen. Josef draaide zich met een verontschuldigende glimlach om. 'Hij was al bijna zo toen hij hier aankwam,' zei hij.

'Is hij aanspreekbaar?' vroeg Frieda. Josef keek niet-begrijpend. 'Ik bedoel, kan hij praten? Kan hij je zien?'

'Ja, ja, prima. Alleen ziek. Heel, heel ziek. Is nog een tiener.'

Frieda wendde zich tot Chloë. 'Het is goed met hem,' zei ze.

Chloë schudde haar hoofd. 'Het is niet goed met Ted,' zei ze. 'Niet goed. Zijn moeder is dood. Ze is vermoord.'

Weet je wat, laten we deze zomer ergens heen gaan – ergens waar we geen van beiden ooit zijn geweest. Al kan ik me jou eigenlijk nergens anders voorstellen dan in Londen. Daar heb ik je ontmoet, en dat is de enige plaats waar ik je heb meegemaakt. Kom je weleens ergens anders? Verder van huis dan Heathrow heb ik je nooit gezien, en dat moet voor jou een toonbeeld zijn van een door de mens geschapen hel. Je hebt een hekel aan vliegtuigen en je houdt niet van stranden. Maar we zouden de trein naar Parijs kunnen nemen of kunnen gaan wandelen in Schotland. Je houdt ervan om 's nachts door de straten te dwalen, maar hou je ook van andere manieren van wandelen, met een kaart erbij en picknicken? Ik ken je, maar er zijn zoveel dingen die ik niet van je weet. Daar heb ik over nagedacht. Maar we hebben nu veel tijd om van alles te ontdekken, nietwaar Frieda? Bel me gauw – Sandy xxxxxx

8

'Mag ik een kop thee?' vroeg Billy Hunt. 'Ik wil een kop thee en ik wil een advocaat. Thee met melk en twee suiker, en een advocaat die net zo lang naast me blijft zitten als dat jullie me verhoren.'

Munster keek Riley aan. 'Je hebt het gehoord, hè?' zei hij.

Riley verliet de verhoorkamer.

'En een advocaat,' zei Hunt.

'Wacht.'

Ze bleven zwijgend zitten totdat Riley terugkwam. Hij zette het piepschuimen bekertje op tafel voor Hunt neer, met twee zakjes suiker en een plastic roerstaafje. Langzaam en zeer geconcentreerd scheurde Hunt de zakjes open, goot de inhoud in de thee en roerde die om. Hij nipte van de thee.

'En een advocaat,' herhaalde hij.

Er stond een digitale recorder op tafel. Munster boog zich voorover om die in te schakelen. Terwijl hij de datum van die dag en de namen van de aanwezigen noemde, keek hij naar het apparaat om te controleren of het lampje knipperde. Altijd moest je erop bedacht zijn dat hij misschien niet goed werkte. Zaken liepen soms stuk op dit soort kleinigheden.

'Je wordt verhoord wegens de verdenking van handel in gestolen goederen. Ik maak je erop attent dat je niets hoeft te zeggen, maar dat alles wat je zegt als bewijsmateriaal tegen je kan worden gebruikt. Ook als je zwijgt, kan dit feit voor de rechtbank van belang zijn.'

'Weet je het zeker?' vroeg Hunt.

'Ja, ik weet het zeker,' zei Munster. 'Ik doe dit soort dingen waarschijnlijk nóg vaker dan jij.'

Hunt trommelde met zijn vingers op tafel. 'Ik zal wel niet mogen roken.'

'Nee, dat mag je niet.'

'Ik kan niet denken als ik niet rook.'

'Je hoeft niet te denken. Je moet alleen een paar vragen beantwoorden.'

'En waar blijft mijn advocaat?'

'Ik stond op het punt je te informeren dat je recht hebt op juridische bijstand, en dat als je niemand hebt om je te vertegenwoordigen, wij dat voor je kunnen regelen.'

'Fuck, natuurlijk heb ik niemand om me te vertegenwoordigen. Dus ja, regel dat. Ik wil hier een advocaat naast me hebben zitten.'

'Zo werkt dat niet meer,' zei Munster. 'Bezuinigingen. Dat zeggen ze tenminste tegen ons. Wij kunnen je een telefoon bezorgen en een telefoonnummer.'

'Is dat alles?' Hunt leek verbijsterd. 'Geen sigaretten en geen advocaten?'

'Je kunt er telefonisch een te spreken krijgen.'

'Oké,' zei Hunt. 'Haal maar een telefoon.'

Het duurde twintig minuten voordat Billy Hunt klaar was met zijn telefoongesprek. Munster en Riley kwamen de kamer weer in, en de recorder werd weer aangezet.

'Zo,' begon Munster. 'Je hebt met je advocaat overlegd.'

'Het was een slechte verbinding,' zei Hunt. 'Het grootste deel van wat ze zei kon ik niet verstaan. Ze had ook een accent. Volgens mij was Engels niet haar moedertaal.'

'Maar ze heeft je wel juridisch advies gegeven?'

'Noem je dat juridisch advies? Waarom kan ik geen echte advocaat krijgen?'

'Als dat een probleem voor je is, kun je er in het Lagerhuis vragen over laten stellen. Maar zo werkt het systeem nu eenmaal.'

'Waarom is dat raam dichtgetimmerd?'

'Omdat iemand er een baksteen door heeft gegooid.'

'Kunnen jullie het niet laten maken?'

'Dat is volgens mij niet jouw probleem.'

'En die kamer aan de voorkant is ook al zo'n puinhoop. Jullie zijn als volgende aan de beurt,' zei hij. 'Dan zullen jullie op zoek moeten naar een echte baan, net als wij allemaal.'

'Je hebt nu officieel juridische bijstand,' zei Munster. 'Zou je hier eens naar willen kijken.' Hij schoof een vel papier over tafel.

Hunt bekeek het met een verbaasde uitdrukking op zijn gezicht. 'Wat is dit?' vroeg hij.

'Een inventarislijst.'

'Wat is dat?'

'Een lijst van gestolen voorwerpen. Waaronder, zoals je zult zien, de zilveren vorken die jij hebt verkocht. Kun je je nog andere dingen herinneren?'

Hij schudde zijn hoofd. 'Sorry,' zei hij. 'Ik had alleen die vorken.'

'Afkomstig van Dave,' zei Munster.

'Klopt.'

'De spullen die we hebben teruggehaald, maakten deel uit van een grotere buit,' vervolgde Munster. 'Maar de rest heb jij nooit gezien?'

'Klopt.'

'En het enige verband tussen jou en deze diefstal is ene Dave, wiens achternaam je niet weet, van wie je denkt dat hij aan de andere kant van de rivier woont en met wie je op geen enkele manier contact kunt opnemen.'

Hunt schoof ongemakkelijk op zijn stoel. 'Je weet hoe het is,' zei hij.

'En je enige alibi voor de dag van de inbraak zou gegeven kunnen worden door een zekere Ian, ook zonder achternaam, die op dit moment op reis is. En die onbereikbaar is.'

'Het spijt me,' zei Hunt.

'Met andere woorden,' zei Munster, 'je kunt ons niets vertellen wat we kunnen nagaan, afgezien van de dingen die we al weten.'

'Jullie zijn van de politie,' zei Hunt. 'Ik weet niet wat jullie wel of niet kunnen nagaan.'

'Als je ons in contact zou brengen met degene van wie je dat zilver had, zouden we natuurlijk serieus kunnen overwegen om de aanklacht tegen jou te laten vallen.'

'Dan zou ik niets liever willen dan jullie met hem in contact brengen.'

'Met Dave?'

'Ja. Maar ik kan het niet.'

'Kun je ons eigenlijk überhaupt wel iets vertellen?'

'Weet ik niet,' zei Hunt. 'Vraag maar.'

'Waar heb je de afgelopen nacht doorgebracht? Dat kun je ons toch in elk geval wel zeggen.'

'Ik slaap nu eens hier, dan weer daar,' zei Hunt. 'Ik heb geen vaste stek.'

'Je kunt maar op één plaats tegelijk slapen. Waar heb je vannacht geslapen?'

'In de flats bij Chalk Farm. Daar woont een vriend van me, een vriend van een vriend. Hij is er niet. Hij laat mij daar pitten.'

'Wat is het adres?'

'Kan ik me niet herinneren.'

'Breng ons er dan heen.'

Het was een kort ritje, en toen liepen ze met z'n drieën – Munster, Riley en Hunt – het terrein op van een vervallen en verwaarloosd flatgebouw. Ze gingen de trap op. Op de derde verdieping bleef Munster staan, leunde tegen de balustrade en keek uit op de William Morris-flat. Ze waren nu in de John Ruskin-flat. Verderop stonden huizen die zelfs nu meer dan een miljoen pond waard waren, maar hier was een op de drie of vier flats dichtgetimmerd in afwachting van renovatie, die waarschijnlijk opgeschort was totdat er geld voor was. Hunt liep langs de reling en bleef staan. Hij haalde een sleutel uit zijn jaszak en opende een voordeur.

'Stop,' zei Munster. 'Niet naar binnen gaan. Jij wacht hier buiten met collega Riley.'

Hij ging naar binnen en werd meteen weer herinnerd aan de dagen dat hij pas bij de politie was, toen hij een groot deel van zijn tijd op dit soort locaties had doorgebracht. Er hing een muffe, vochtige lucht van voedsel dat ergens stond te bederven. Het was de geur van onverschilligheid, van hopeloosheid. Hij herkende het allemaal. Het groezelige linoleum, de smoezelige bank en stoelen in de huiskamer – alles was vies en oud, met uitzondering van de grote, nieuwe flatscreentelevisie. In de keuken stond de gootsteen vol met vuile borden en op het gasstel stond een vettige braadpan. Hij zocht iets wat hier niet bij paste, iets wat anders was dan de gebruikelijke rommel, maar het leek erop dat hij dat niet zou vinden. Had Hunt alles weggedaan? Hij moest misschien een aantal rechercheurs langs sturen voor een echte huiszoeking. Als hij ze tenminste kon krijgen. Want Hunt had gelijk gehad: er was bezuinigd op juridische bijstand, en nu was de politie aan de beurt. Maar toen hij de badkamer in liep, zag hij daar eindelijk iets. Hij trok zijn plastic handschoenen aan. Het was te groot voor een van de zakjes waarin ze bewijsmateriaal bewaarden. Hij riep Riley en Hunt naar binnen.

'Wat moet dat ding hier?'

'Het is een tandwiel,' zei Riley. 'Het ziet eruit alsof het thuishoort in een of andere grote, oude machine.'

Het was even stil.

'Waarom zou het niet in een badkamer mogen staan?' zei Hunt. 'Het ziet er mooi uit. Het glimt. Het is decoratief.'

'Het staat hier niet omdat je het zo decoratief vond,' zei Munster. 'Je was het aan het schoonmaken. Waar heb je zoiets nou vandaan? Zo'n ding kom je niet elke dag tegen.'

'Het was van die vent.'

'Dave?'

'Ja.'

'Waarom heb je er niets over gezegd?'

'Het stond niet op jullie lijstje.'

'Waarom was je het aan het schoonmaken?'

'Zodat het mooi zou glimmen als ik het verkocht.'

'We zullen zien,' zei Munster.

Toen Munster terugkwam met het tandwiel, hield Karlsson het even in zijn handen, draaide het om en voelde hoe zwaar het was. Toen liep hij naar Russell Lennox, die slap en passief in een leunstoel zat en met bloeddoorlopen ogen voor zich uit staarde.

'Meneer Lennox,' zei hij, het tandwiel omhooghoudend – het voelde door zijn handschoen heen koud aan. 'Herkent u dit voorwerp?'

Russell Lennox staarde zonder iets te zeggen verscheidene seconden naar het tandwiel. Het bloed leek uit zijn lippen weggetrokken.

'Is dat...' Hij zweeg en zette zijn duim en wijsvinger op de brug van zijn neus. 'Is dat het ding waarmee ze vermoord is?'

'Dat denken we, ja. Maar u hebt het niet genoemd bij de opsomming van de gestolen goederen.'

'Nee. Het was me niet opgevallen dat het weg was. Het was gewoon maar zo'n ding dat we op de schoorsteenmantel hadden staan. Ruth heeft het jaren geleden eens uit een container gevist. Zij zei dat het er opgepoetst wel mooi uit zou zien, maar Ted en ik meenden van niet.' Zijn gezicht vertrok en hij moest zichtbaar moeite doen om zichzelf in bedwang te houden. 'Weet u het zeker?'

'Er zat bloed van uw vrouw aan.'

'Juist, ja.' Russell Lennox wendde zich af. 'Ik wil er niet meer naar kijken.'

Munster zette de recorder weer aan. 'We hebben het een en ander gedaan,' zei hij. 'Het ziet er nu iets anders uit. Dit is je laatste kans om mee te werken. Waar heb je dat tandwiel vandaan?'

Hunts blik schoot heen en weer tussen Riley en hem. 'Dat zei ik al. Van Dave.'

'Oké. Genoeg van die onzin.' Munster stond op en ging de kamer uit. Hunt keek Riley aan. 'Heb ik iets verkeerds gezegd?'

'Hij is boos,' zei Riley. 'Je moet hem niet boos maken.'

'Hou verdomme je kop,' zei Hunt. 'Is dit een of andere truc, zodat ik ineens ga denken dat jij mijn vriend bent?'

'Ik zeg het maar even.'

Enkele ogenblikken later kwam Munster de kamer weer in, met Karlsson bij zich. Hij trok een stoel bij, waarna ze beiden gingen zitten. Munster legde een dichtgeslagen bruin kartonnen dossier op tafel en keek Hunt aan. 'Ik wil even opmerken dat hoofdinspecteur Karlsson inmiddels bij het verhoor aanwezig is,' zei hij. 'William Hunt, de volgende keer dat je bloed van een moordwapen wilt wassen, zou ik het in de vaatwasser stoppen. Als je het onder de kraan afspoelt, blijft er altijd wat zitten. Zoals bij jou het geval was.'

'Ik weet niet waar je het over hebt.'

'Russell Lennox heeft het voorwerp herkend. Ze hadden het op de schoorsteenmantel staan, als een soort kunstwerk. Een groot, zwaar kunstwerk. Drie dagen geleden is het gebruikt bij de fataal afgelopen mishandeling van ene Ruth Lennox. Er is aangetoond dat jij voorwerpen in je bezit hebt gehad die zijn weggenomen van de plaats delict. Het moordwapen is gevonden in de flat waar jij verbleef. Je hebt erkend dat je geprobeerd hebt het schoon te maken. Je vingerafdrukken zitten erop. We gaan je in staat van beschuldiging stellen voor de moord op Ruth Lennox, en voor inbraak. William Hunt, heb je daar iets op te zeggen? Het maakt het voor ons allemaal een stuk makkelijker als je gewoon toegeeft wat je gedaan hebt, en als je een verklaring aflegt, zal de rechter dat weten te waarderen.'

Er viel een lange stilte.

'Die Dave bestaat niet echt,' zei Hunt.

'Natuurlijk bestaat die Dave niet,' zei Munster. 'En?'

'Oké,' zei hij. 'Ik was de inbreker.'

Weer een stilte.

'En Ruth Lennox?'

'Jullie geloven me toch niet,' zei Hunt.

'Jou geloven?' zei Munster. 'Vanaf het begin heb je niets anders gedaan dan glashard liegen. Geef het nou maar gewoon toe.'

Weer viel er een stilte, nu zelfs nog langer. Riley had de indruk dat Hunt een zware afweging aan het maken was.

'Ik heb daar ingebroken,' zei hij ten slotte. 'Maar ik heb haar niet vermoord. Ik geef toe, ik heb ingebroken, ik heb die spullen uit de keuken meegenomen. Maar ik ben maar heel even binnen geweest. Het alarm ging af, dus ik had haast. Ik ben de huiskamer in gegaan, en toen ik haar op de grond zag liggen, ben ik er meteen vandoor gegaan.'

'Je bent er niet meteen vandoor gegaan,' zei Munster. 'We hebben het voorwerp gevonden waarmee ze is vermoord.'

'Dat heb ik opgeraapt, op weg naar buiten.'

Karlsson stond up. 'Je geeft toe dat je ter plaatse bent geweest. En je hebt de hele tijd gelogen. Deze keer ga je de bak in.' Hij knikte naar Munster. 'Regel jij het papierwerk.'

9

Het boren was opgehouden, maar daarvoor was getimmer in de plaats gekomen, dat niet alleen hard klonk, maar ook het hele huis deed trillen. Frieda zette thee voor Josef, zodat het een paar minuten stil zou zijn. Josef ging op de trap zitten en vouwde zijn grote, vuile handen om de beker.

'Dit is al met al een goed huis,' zei hij. 'De muren zijn goed, prima bakstenen. Geef me een halfjaar en ik haal alle rommel weg, alle gipsplaten en...'

'Nee, nee, ik wil het niet eens horen!'

'Wat niet?'

'Een halfjaar. Daar schrik ik van.'

'Ik zeg het alleen maar. Het zijn maar woorden.'

'Oké, en nu we dan toch alleen maar zitten te praten: ik dacht dat je zei dat je een nieuw bad ging plaatsen. En nou hoor ik veel gehamer, en de badkamer ziet eruit alsof hij gesloopt wordt, maar van een bad is niets te zien.'

'Het is allemaal prima. Ik doe alles, ik regel alles perfect. En dan, uiteindelijk, zet ik bad erin. Klik, klik. Net zo makkelijk.'

Ineens klonk er een snerpend elektronisch deuntje van een oude popsong die Frieda niet precies kon plaatsen. Josefs telefoon lag naast haar op tafel. Ze pakte hem op. Er knipperde een naam op het scherm – Nina. Ze reikte hem de telefoon aan, maar toen hij de naam zag, schudde hij zijn hoofd.

'Is dat iemand die je uit de weg gaat?' vroeg Frieda.

Josef werd zenuwachtig. 'Iemand die ik af en toe spreek. Maar ze belt maar en ze belt maar.'

'Het is meestal het beste om tegen mensen te zeggen wat je voelt,' zei Frieda. 'Maar ik ga je niet adviseren, althans niet voor zover het om andere dingen gaat dan het afmaken van de badkamer.'

'Goed, goed,' zei Josef. Hij gaf zijn beker aan Frieda en ging weer naar boven.

Toen ze weer alleen was, nam Frieda twee paracetamols met water. Toen bekeek ze de e-mails van haar werk weer. De meeste berichten verwijderde ze of negeerde ze gewoon, maar er was er een bij van Paz, van het instituut waar ze regelmatig voor werkte. Paz vroeg of Frieda haar wilde bellen. En er was nog een mailtje waarover ze aarzelde. Het was afkomstig van ene Marta, die schreef namens haar goede vriend Joe Franklin, een patiënt van Frieda. Ze verontschuldigde zich – Joe wist niet dat ze schreef en ze had er een vervelend gevoel bij – maar ze wilde weten of Frieda enig idee had wanneer ze weer aan het werk zou gaan. Joe wilde niet naar de therapeut die Frieda had aanbevolen en was er slecht aan toe. Hij was al verscheidene dagen zijn bed niet uit gekomen.

Frieda dacht aan haar huisarts en haar vrienden, die er allemaal op stonden dat ze nog zeker een aantal weken niet zou gaan werken. Ze dacht aan Joe Franklin, tegenover haar in de spreekkamer, het hoofd in de handen, terwijl de tranen over zijn vingers liepen. Ze fronste haar wenkbrauwen en e-mailde hem: 'Beste Joe, ik kan je morgen, dinsdag, op het gebruikelijke tijdstip ontvangen als dat jou ook uitkomt. Laat het me weten. Groeten, Frieda Klein.'

Toen pakte ze de telefoon en belde ze The Warehouse, zoals het instituut heette. Paz nam op en informeerde meteen naar haar gezondheid, zoals iedereen tegenwoordig deed. Het was een soort barrière, waar ze keer op keer weer overheen moest zien te komen.

'Reuben maakt zich zorgen om je,' zei Paz. 'Wij allemaal.'

Reuben was de man die The Warehouse had opgericht. Toen

hij nog jong was, was hij een charismatische vertegenwoordiger geweest van een nieuwe vorm van therapie, en ook Frieda's supervisor. De laatste tijd was hij er niet al te best aan toe, en hij was behoorlijk gedesillusioneerd.

'En?'

'Ik wilde weten hoe het met je was. Iemand heeft ons gebeld. Hij vroeg jou te spreken. Als patiënt, bedoel ik. Ik heb gezegd dat je ziek was.'

'Paz, kun je in hemelsnaam eens ophouden mijn medische gegevens van de daken te schreeuwen?'

'Maar hij drong zo aan. Hij klonk wanhopig.'

'Ik zal hem wel bellen.'

'Weet je het zeker, Frieda?'

'Dat ik niet werk is juist het probleem.'

Hij heette Seamus Dunne. Toen Frieda zijn nummer had ingetoetst, nam hij meteen op. Ze noemde haar naam. 'Komt het gelegen?'

'Jazeker.' Hij klonk ineens gespannen.

'U wilde bij mij langskomen?'

'Ja. Inderdaad. Ik denk – ik heb het gevoel dat het dringend is. Dus graag zo snel mogelijk.'

'Hoe komt u aan mijn naam?'

'Een kennis van me heeft u aanbevolen,' zei Seamus. 'Hij was zeer over u te spreken.'

'We kunnen een afspraak maken voor een oriëntatiegesprek,' zei Frieda. 'Dan kunt u bepalen of ik wel of niet de juiste persoon voor u ben en kan ik vaststellen of ik denk dat ik u kan helpen. Oké?'

'Goed.'

'Kunt u morgenochtend om elf uur?'

'Ja.' Even bleef het stil. 'Ik denk dat u mij heel interessant zult vinden.'

Frieda voelde een vervelende hoofdpijn opkomen. Arrogant. Geen goed begin.

Seamus Dunne was een keurige, slanke jongeman met gelijkmatige gelaatstrekken en glanzend donkerblond, glad achterovergekamd haar. Hij droeg een donker, getailleerd jasje, een zwarte ribfluwelen broek en een paars overhemd dat glinsterde in het lamplicht. Frieda vroeg zich af hoe lang hij bezig was geweest zich op hun ontmoeting voor te bereiden. Hij had een stevige maar enigszins klamme handdruk en een wat norse, nadrukkelijke manier van spreken. Als hij glimlachte, leek die glimlach geen relatie te hebben met wat hij zei. Hij noemde haar iets te vaak bij haar naam.

'Nou, dokter Klein, hoe pakken we dit aan?' vroeg hij, nadat hij tegenover haar was gaan zitten en zijn handen op zijn knieën had gelegd.

'Ik zou graag het een en ander van je willen weten, en dan zou ik willen horen waarom je hier bent.'

'Wat wilt u weten? Leeftijd, beroep, van die dingen die je op een formulier invult?'

'Oké.'

'Ik ben zevenentwintig. Ik heb een commerciële baan in de marketing, waar ik heel goed in ben. Ik kan mensen ertoe overhalen dingen te kopen waarvan ze niet eens wisten dat ze die wilden hebben. U keurt dat misschien af, dokter Klein, maar zo zit de wereld nou eenmaal in elkaar. Je moet niet uitzoeken wat mensen nodig hebben en daarin voorzien, je moet behoeften bij ze kweken en daar dan aan voldoen.'

'Woon je in Londen?'

'Ja. In Harrow.'

'Vertel eens iets over je familie.'

'Mijn vader is overleden toen ik zeventien was. Ik vond het niet erg. Ik had toch niks aan hem en hij moest mij altijd hebben. Ik was blij toen hij doodging. Met mijn moeder is het een ander verhaal. Ze is dol op me. Ik ben de benjamin van de familie. Ik heb twee oudere zussen en ben een nakomertje. Ze doet nog steeds mijn was, niet te geloven, hè? En ik ga elke zondag bij haar langs voor het middageten. Lekker met z'n tweetjes.'

'Woon je alleen?'

'Dat wisselt. Ik woon graag alleen. Ik word daar niet eenzaam van, en ik heb veel vrienden.' Hij zweeg, keek op, glimlachte even naar haar en keek toen naar zijn handen. 'En vriendinnen. Ik schijn bij vrouwen in de smaak te vallen. Ik weet hoe ik ze gelukkig kan maken.'

'En doe je dat ook?'

'Wat?' Hij schrok even.

'Ze gelukkig maken?'

'Ja. Dat zei ik. Voor een tijdje, maar ik wil geen vastigheid, weet u. Ik ben niet het type van de trouwe minnaar. Ik hou van afwisseling, opwinding. Ik hou ervan mijn hart te voelen bonzen. Als kind had ik de gewoonte om te gaan stelen, alleen maar voor de kick. Vindt u dat schokkend?'

'Zou ik dat schokkend moeten vinden?'

'Weet ik niet. Hoe dan ook, met vrouwen is het hetzelfde. Ik hou van het begin, van de jacht. Daarom ben ik ook goed in mijn werk. Ik krijg er een kick van om mensen ervan te overtuigen dat ze dingen moeten kopen die ze niet nodig hebben. Ik krijg er een kick van als vrouwen mij willen. Alleen bij mijn moeder ben ik rustig en gewoon.'

Frieda keek hem onderzoekend aan. Hoewel het in de kamer tamelijk koel was, had hij zweetdruppels op zijn voorhoofd. 'Als je je leven zo prettig vindt, waarom kom je dan bij mij?'

Seamus ging rechtop zitten en haalde diep adem. 'Ik hou ervan om macht te hebben over mensen.' Ze zag hem slikken, en toen hij verderging, sprak hij langzamer, alsof hij elk woord van tevoren overdacht. 'Ik herinner me bijvoorbeeld dat ik als kind altijd mijn vaders haar knipte. Mijn vader was een grote man, veel groter dan ik ben, en stevig gebouwd. Hij had een dikke nek en brede schouders, en naast hem voelde ik me heel klein. Maar op gezette tijden liet hij zijn haar door mij knippen, en dan deed hij zijn ogen dicht terwijl ik die scherpe schaar in mijn handen had.' Hij zweeg even, alsof hij aan iets terugdacht. 'Ik herinner me nog de vochtigheid van het haar en de geur ervan. Ik weet nog hoe ik mijn vingers erin duwde en de huid eronder voelde. Het rook naar hem. Als hij me zijn haar liet aanraken, voelde ik dat hij mij macht over zichzelf gaf. Ik hoor nog steeds het geluid van de schaar. Ik had hem kunnen vermoorden met die schaar. Ik had macht over hem, en dat maakte dat ik me sterk en teder tegelijk voelde. Hem verzorgen met iets waarmee ik hem zou kunnen verwonden.'

Hij dwong zichzelf om op te kijken en keek Frieda in de ogen. Hij weifelde even. 'Sorry, heb ik iets verkeerds gezegd?'

'Waarom vraag je dat?'

'U lijkt – ik weet het niet – verbaasd?'

'Ga door,' zei ze. 'Wat wou je zeggen?'

'Ik had de gewoonte om dieren pijn te doen,' zei hij. 'Dat gaf me hetzelfde gevoel. Meestal kleine dieren – vogels, insecten. Maar soms ook weleens katten, en één keer een hond. En nu vrouwen.'

'Je houdt ervan om vrouwen pijn te doen?'

'Zij houden er ook van. Meestal.'

'Je bedoelt dat je ze in seksueel opzicht pijn doet?'

'Natuurlijk. Het hoort toch allemaal bij de seks – pijn en lust, pijn doen en genot bezorgen, laten zien wie de baas is? Maar nu – nou ja, nu heb ik een vrouw ontmoet. Danielle. Ze zegt dat ik te ver ben gegaan. Ik heb haar bang gemaakt met wat ik deed. Ze zegt dat ze me niet meer wil zien, tenzij ik hulp zoek.'

'Je bedoelt dat je hier bent omdat dat moest van Danielle?'

'Ja.'

'Echt?'

'Gelooft u me niet?'

'Ik vind het interessant om te horen hoe je jezelf omschrijft als iemand die graag mensen in zijn macht heeft. Maar je doet wat Danielle heeft gezegd, je gaat in op haar bezorgdheid en je handelt ernaar.'

'Ze denkt dat ik iets zou kunnen doen... nou ja, iets waardoor ik in de problemen kom. En dan meer dan het doden van een kat. Ze heeft gelijk. Dat denk ik ook.'

'Zeg je nou dat je bezorgd bent dat je iemand ernstig zou kunnen verwonden?'

'Ja.'

'En is dat alles wat je me te vertellen hebt?'

'Alles? Is het niet genoeg?'

'Zijn er, afgezien van de dingen die Danielle zorgen baren, iets waar jij het mee eens bent, nog andere dingen die je dwarszitten?'

'Nou.' Hij schoof heen en weer in zijn stoel, keek weg en weer terug. 'Ik slaap niet goed.'

'Ga verder.'

'Ik slaap goed in, maar dan word ik weer wakker. Soms is dat geen probleem, maar het gebeurt ook dat ik dan zeker weet dat ik niet meer zal kunnen slapen. Dan lig ik maar te piekeren over van alles.'

'Van alles?'

'U weet wel. Kleinigheden kunnen om drie uur 's nachts heel groot lijken. Maar iedereen heeft weleens periodes dat hij niet kan slapen. En ik ben mijn eetlust een beetje kwijt.'

'Je eet niet goed?'

'Dat is niet de reden waarom ik hier ben.' Hij leek ineens boos. 'Ik ben hier vanwege mijn neiging tot gewelddadigheid. Ik wil dat u me daarbij helpt.'

Frieda zat kaarsrecht in haar rode fauteuil. Het zonlicht stroomde door het raam het vertrek in waar zij tegen haar patiënten zei dat ze haar alles konden vertellen, werkelijk alles. Ze had pijn in haar ribbenkast en aan haar been.

'Nee,' zei ze ten slotte.

'Pardon?'

'Ik kan je niet helpen.'

'Ik snap het niet. Ik vertel dat ik in staat ben om iemand ernstig letsel toe te brengen, en dan zegt u dat u me niet kunt helpen.'

'Dat is juist. Ik ben er niet de geschikte persoon voor.'

'Waarom niet? U bent gespecialiseerd in dit soort dingen – dat heb ik van horen zeggen. U hebt verstand van mensen zoals ik.'

Frieda dacht aan Dean Reeve, de man die een klein meisje had ontvoerd en van haar zijn onderdanige echtgenote had gemaakt, die een jongetje had ontvoerd en had geprobeerd van hem zijn zoon te maken, en die door Frieda's onachtzaamheid een jonge vrouw had opgesloten en vermoord, alleen omdat zij hem in de weg liep. Dean Reeve, die nog in leven was, met zijn milde glimlach en zijn oplettende blik. Ze dacht aan het mes waarmee ze was aangevallen.

'Hoe zijn die dan, mensen zoals jij?' vroeg ze.

'U weet wel – mensen die slechte dingen doen.'

'Heb jij slechte dingen gedaan?'

'Nog niet. Maar ik voel ze in me leven. En ik wil ze niet naar buiten laten.'

'Dat is een paradox,' zei Frieda.

'Hoezo dan?'

'Het feit dat je mij om hulp vraagt suggereert misschien dat je die niet echt nodig hebt.'

'Ik weet niet wat u bedoelt.'

'Je maakt je zorgen over je gewelddadigheid, over een gebrek aan empathie. Maar je doet wat Danielle wilde. En je zoekt hulp. Dat getuigt van inzicht.'

'Maar dat martelen van dieren dan?'

'Dat zou je niet moeten doen. Maar je zei dat het lang geleden was. Dus: niet meer doen.'

Het was even stil. Hij keek verward. 'Ik weet niet wat ik moet zeggen.'

'Wat dacht je van "Bedankt voor het gesprek"?' zei Frieda.

Seamus vertrok, en Frieda ging bij het raam staan en liet haar blik rusten op de bouwput aan de overkant van de straat. Vroeger hadden daar huizen gestaan, totdat met een sloopkogel de muren aan puin waren geslagen, de stenen tot stof verpulverd waren en er bulldozers en bouwkranen het terrein op waren gekomen. Een tijdje lang was het een bouwput geweest, met bouwketen en mannen met helmen die thee dronken. Er waren borden neergezet waarop de te realiseren bouw van een nieuw kantoorpand werd aangekondigd. Maar toen werd het werk stilgelegd – het was immers crisis. De mannen met hun bulldozers waren vertrokken, al was er midden op het terrein nog één kleine kraan blijven staan. Daar waar het puin had gelegen, waren onkruid en struikgewas omhooggeschoten, en nu was het een woest stukje grond. Er speelden kinderen, en soms sliepen er daklozen. Af en toe zag Frieda vossen rondzwerven in het struikgewas. Het zou kunnen dat het zo bleef, had ze gedacht, om de mensen eraan te herinneren dat zelfs in een grote stad als Londen sommige zaken zich aan alle beheersbaarheid onttrekken en onvoorspelbaar zijn, dat er zomaar overal brandnetels en wilde planten wortel konden schieten, en zelfs hier en daar een paar groentesoorten, niet kapot te krijgen restanten uit de tuinen die aan de vernietiging prijsgegeven waren.

Nee, ze kon Seamus Dunne niet helpen, al bleef het beeld van de zoon die zijn vaders haar knipte haar bij en zag ze voor zich hoe de glimmende schaar open- en weer dichtging.

Liefste Frieda, ik begrijp heel goed dat je op dit moment geen plannen kunt maken. Maar maak geen plannen zonder mij, oké? Ik heb vandaag enkele zeer paarse schilderijen bekeken, en ik heb een paar potten met kruiden voor op het balkon gekocht – al weet ik niet of ze de ijzige wind, die als een mes door deze stad snijdt, zullen overleven. Ik denk dat je het hier geweldig zou vinden. Je kunt jezelf in elk geval verliezen in alle drukte en vreemdheid van alles. Er zijn dagen dat ik meen een glimp van jouw gezicht in de mensenmassa's te ontwaren. Die bepaalde manier waarop je je kin opheft. Een rode sjaal. Dan springt mijn hart op. Al heb ik mensen om me heen die ik graag mag, ik voel me hier eenzaam zonder jou. Liefs, Sandy xxxxx

10

Jim Fearby gaf het nooit op: zijn vasthoudendheid was zijn talent en tevens zijn kwelling. Hij kon er niets aan doen, hij was ermee behept.

Toen hij tien was had hij op een schoolreisje eens een demonstratie gezien hoe je vuur kunt maken zonder lucifers. Het had er eenvoudig uitgezien zoals de man in het legerjasje het deed: een bord waarin een inkeping was gemaakt, een lange stok, een handvol droog gras en schors, een minuut of wat de stok tussen twee handpalmen rollen, totdat het hout begon te gloeien en het nestje ontbrandde, en dan zachtjes de vlam aanblazen. Een voor een probeerden alle leerlingen uit de klas het ook, en een voor een faalden ze. Toen Fearby weer thuis was, rolde hij urenlang een stokje tussen zijn handpalmen, totdat ze er pijn van deden en hij blaren kreeg. Dag na dag hurkte hij neer in hun tuintje, totdat hij pijn in zijn nek kreeg en zijn handen rood zagen, maar op een dag begon een stukje hout onder de punt van de stok te gloeien.

Fearby's moeder, inmiddels allang dood, had altijd behoorlijk trots gezegd dat ze niemand kende die zo vasthoudend was als haar zoon. Zijn vrouw had het stijfkoppigheid genoemd. 'Je bent net een pitbull,' zei ze. 'Je kunt gewoon niet loslaten.' Zijn collega-journalisten zeiden hetzelfde, soms met bewondering, soms sceptisch of zelfs met minachting, en onlangs nog hoofdschuddend: die ouwe Jim Fearby met zijn ideeën altijd. Het kon Fearby niet schelen wat ze dachten. Hij rolde met zijn stokje en wachtte totdat het hout ontbrandde en vlam vatte.

Zo was het ook gegaan met George Conley. Niemand anders had zich druk gemaakt over Conley, hij werd maar nauwelijks beschouwd als een medemens. Maar Fearby, die dag in dag uit aanwezig was geweest bij zijn rechtszaak, had iets in hem gezien. Het was de passiviteit die hem had geraakt: Conley was als een geslagen hond die wachtte op de volgende klap. Hij begreep niet wat hem overkwam, maar het verbaasde hem evenmin. Hij was waarschijnlijk zijn hele leven al gepest en uitgescholden, het ontbrak hem aan de hoop die je nodig hebt om terug te vechten. Fearby gebruikte nooit woorden als 'rechtvaardig' – die waren voor een oude broodschrijver als hij te hoogdravend – maar het leek hem onbillijk dat dit trieste hoopje mens niemand zou hebben die voor hem opkwam.

De eerste keer dat Jim Fearby George Conley in de gevangenis bezocht, lang geleden, in 2005, had dat hem nachtmerries bezorgd. Her Majesty's Prison Mortlemere, in de Theemsdelta in het graafschap Kent, was niet zo beroerd, en Fearby wist niet precies wat hij er nou het meest beklemmend aan vond. Misschien de gelaten, vermoeide blikken van de vrouwen en kinderen in de wachtruimte. Hij had hun accenten beluisterd; ze waren uit het hele land afkomstig. Of de geur van vocht en ontsmettingsmiddel – waarbij hij zich steeds maar had afgevraagd welke geuren door het ontsmettingsmiddel gecamoufleerd moesten worden. Maar – en hij schaamde zich bijna – het lag vooral aan de sloten, de tralies, de hoge muren en het prikkeldraad. Hij voelde zich als een kind dat nooit goed had begrepen wat een gevangenis is. De echte straf is dat de deuren op slot zijn en dat je niet naar buiten kunt wanneer je wilt.

Tijdens het proces was de beklagenswaardige Conley verbijsterd geweest, bijna verdoofd, door alle aandacht voor zijn zaak. Toen Fearby hem voor het eerst in de gevangenis sprak, had hij er bleek en verslagen uitgezien. 'Dit is nog maar het begin,' had Fearby tegen hem gezegd, maar het leek erop dat hij hem nauwelijks had gehoord.

Fearby had op zijn wegenkaart gezien dat Mortlemere naast

een vogelreservaat lag. Na het bezoek had hij zijn auto daar neergezet en had hij over een pad langs het water gewandeld, vooral met de bedoeling de ranzige gevangenislucht door de koude noordenwind weg te laten blazen. Maar hij raakte de geur niet kwijt, en die nacht en vele nachten daarna had hij gedroomd van deuren, ijzeren balken, sloten en verloren sleutels, van opgesloten zijn en proberen een blik op de buitenwereld te werpen door glas dat zo dik was dat er behalve wazige vormen niets te zien was.

In de jaren daarna, terwijl hij zijn artikelen schreef en ten slotte zijn boek, *Blind Justice,* had hij Conley bezocht in gevangenissen verspreid over heel Engeland, in Sunderland, in Devon, aan de M25. Nu Fearby een bezoek aan hem bracht in HMP Haston in de Midlands, lette hij nauwelijks op de omgeving. De parkeerplaats, de registratie, de entree via een aantal deuren, het was allemaal routine geworden, en eerder irritant dan traumatisch. Het gevangenispersoneel kende hem, ze wisten waarvoor hij kwam, en doorgaans stonden ze sympathiek tegenover hem – tegenover Fearby en tegenover Conley.

In de loop der jaren had Fearby gehoord van gevangenen die de gevangenis gebruikten als een soort opleidingsinstituut. Ze hadden er leren lezen, of ze hadden er hun middelbareschooldiploma of een academische graad behaald. Maar Conley was steeds dikker, bleker, treuriger en moedelozer geworden. Zijn donkere haar was vettig en futloos geworden, naast een van zijn ogen had hij een lang, hoekig litteken, ontstaan doordat hij een keer aangevallen was terwijl hij in de rij voor het middageten stond. Dat was aan het begin van zijn straf geweest, toen hij voortdurend bedreigd en uitgescholden was. Ze botsten in de gangen tegen hem op, er werd met zijn eten geknoeid. Uiteindelijk werd hij ter bescherming van zichzelf in eenzame opsluiting geplaatst. Maar naarmate er meer vragen rezen, was er geleidelijk aan iets veranderd en was de campagne van start gegaan, voornamelijk op initiatief van en gestimuleerd door Jim Fearby. Zijn medegevangenen lieten hem meer met rust en deden vervolgens ronduit vriendelijk tegen hem. In de afgelopen jaren hadden zelfs de gevangenbewaarders schoorvoetend sympathie voor hem gekregen.

Fearby ging tegenover Conley zitten, zoals hij vele malen eerder had gedaan. Conley was zo dik dat zijn bloeddoorlopen ogen bijna schuilgingen in de vlezige openingen in zijn gezicht. Hij krabde dwangmatig over de rug van zijn linkerhand. Fearby dwong zichzelf om te glimlachen. Alles ging goed. Ze waren aan de winnende hand. Ze zouden allebei blij moeten zijn.

'Is Diana nog langs geweest?' vroeg hij.

Diana McKerrow was de advocaat die Conleys zaak voor het hoger beroep had overgenomen. Aanvankelijk had Fearby nauw met haar samengewerkt. Hij kende immers beter dan wie ook alle zwakke schakels en alle betrokkenen. Maar toen de zaak vorderde, was ze opgehouden hem te bellen. En zij was steeds moeilijker te bereiken. Fearby had geprobeerd zich er niet aan te storen. Wat telde, was het resultaat, nietwaar? Dat had hij zichzelf voorgehouden.

'Ze heeft gebeld,' zei Conley, Fearby niet rechtstreeks aankijkend.

'Heeft ze iets gezegd over het hoger beroep?' Fearby praatte langzaam, ieder woord apart uitsprekend, alsof hij het tegen een klein kind had.

'Ja, ik geloof van wel.'

'Het is alleen maar goed nieuws,' zei Fearby. 'Ze weten de bijzonderheden van het ontoelaatbare verhoor.' Conleys gelaatsuitdrukking veranderde niet. 'Toen de politie je oppakte, hebben ze je niet volgens de regels verhoord. Ze hebben je niet gewaarschuwd. Ze hebben de gang van zaken niet uitgelegd zoals had gemoeten. Ze hadden geen oog voor je...' – Fearby onderbrak zichzelf. Aan het tafeltje naast hen zaten een man en een vrouw zwijgend tegenover elkaar – '... bijzondere behoeften. Dat zou op zichzelf al genoeg zijn. Maar als we ook de omstandigheden van je alibi in aanmerking nemen waar het Openbaar Ministerie aan voorbij is gegaan...'

Fearby zweeg. Hij zag aan de lege blik in Conleys ogen dat hij zijn aandacht niet meer had.

'Je hoeft niet te verzanden in details,' zei Fearby. 'Ik wilde alleen naar je toe komen om je te zeggen dat ik weet wat je al die jaren hebt doorgemaakt. Al dat gedoe, al die ellende. Ik weet niet hoe je het hebt klaargespeeld. Maar je hoeft het nog maar even vol te houden. Nog even sterk zijn, en het komt goed. Hoor je wat ik zeg?'

'Het komt goed,' zei Conley.

'Er is nog iets anders,' zei Fearby. 'Ik wilde je zeggen dat het goed zit, maar het zal ook moeilijk worden. Als iemand voorwaardelijk wordt vrijgelaten, wordt hij daar maandenlang op voorbereid. Dan gaan ze met je de deur uit, weet je, in het park wandelen, uitstapjes naar het strand. En als je dan weg mag, kom je in een huis van de reclassering, waar ze op je letten. Daar heb je weleens van gehoord, hè?' Conley knikte. Het was Fearby niet duidelijk of hij echt begreep wat hij had gezegd. 'Maar voor jou zal het niet zo zijn. Als het hof je veroordeling tenietdoet, ben je op hetzelfde ogenblik vrij man en kun je zo de deur uit lopen. Dat zal moeilijk zijn. Daar moet je je op voorbereiden.'

Fearby wachtte op een reactie, maar Conley leek alleen verward. 'Ik ben hier vandaag naartoe gekomen om je te zeggen dat ik je vriend ben. Zoals ik altijd ben geweest. Als je vrij bent, wil je misschien je verhaal vertellen. Er zullen veel mensen geïnteresseerd zijn in wat je hebt meegemaakt. Het is een ouderwetse geschiedenis van tragedie en overwinning. Ik heb verstand van dat soort dingen, en je moet jouw kant van het verhaal over het voetlicht zien te brengen, want als je dat niet doet, doen anderen het voor je. Ik kan je daarbij helpen. Ik heb jouw kant van het verhaal al vanaf het begin verteld, toen niemand anders je wilde geloven. Ik ben je vriend, George. Als je hulp wilt bij het vertellen van wat je is overkomen, kan ik je die geven.' Fearby zweeg, maar er kwam nog steeds geen reactie. 'Hoe is het nu met je? Kan ik iets voor je doen?'

Conley haalde zijn schouders op. Fearby nam afscheid en zei dat hij contact zou opnemen. Vroeger zou hij naar huis zijn gereden, hoe laat het ook was, maar sinds zijn vrouw hem in de steek had gelaten en de kinderen uit huis waren, nam hij het ervan. Er werden veel grappen gemaakt over hotels bij de tankstations langs autosnelwegen, maar ze bevielen hem wel. Hier kon hij goedkoop terecht. Tweeëndertig pond vijftig, gratis parkeren, koffie en thee op de kamer, kleurentelevisie, schoon. Afgezien van het papieren dekje op de wc-pot wees niets erop dat er ooit iemand anders was geweest.

Hij had de gebruikelijke bagage bij zich: zijn koffertje, zijn laptop en de tas met dossiers. De echte dossiers lagen thuis, waar ze een groot deel van zijn werkkamer in beslag namen. Dit waren de dossiers die hij nodig had om dingen op te zoeken: de namen, nummers en feiten waar het wezenlijk om ging, een paar foto's en verklaringen. Zoals altijd was het eerste wat hij deed het paarse dossier van lopende zaken uit de tas halen en dat openslaan op het bureautje naast de kleurentelevisie. Terwijl het water in de piepkleine witte plastic waterkoker warm begon te worden, pakte hij een leeg vel gelinieerd papier, schreef bovenaan datum en tijdstip van het gesprek en noteerde alles wat er was gezegd.

Toen hij klaar was, maakte hij een kop oploskoffie en haalde een koekje uit de plastic verpakking. Op dat moment dacht hij terug aan zijn eerste bezoek aan Conley in Mortlemere. 'Dit is het begin,' had hij gezegd, 'niet het einde.' Hij keek naar het dossier. Hij dacht aan de kamer vol dossiers thuis. Hij dacht aan zijn echtgenote, aan de ruzies, de stiltes en het einde van zijn huwelijk. Het leek plotseling te zijn, maar het bleek dat Sandra al maanden bezig was geweest het voor te bereiden, een nieuw appartement te zoeken, te overleggen met een advocaat. 'Wat ga je doen als het afgelopen is?' had ze gevraagd, niet doelend op hun huwelijk, maar op deze zaak, toen ze nog over dergelijke dingen praatten. Het was meer een beschuldiging dan een vraag geweest. Omdat nooit iets echt afgelopen was. Hij had bedacht dat hij een nieuwe editie van zijn boek zou kunnen uitbrengen als Conley vrijkwam. Maar nu voelde dat niet goed. Het boek was niet meer dan een aaneenrijging van negatieve overwegingen: waarom dit niet was gebeurd, waarom dat niet waar was, waarom dit misleidend was.

De vraag was nu een andere, en een nieuwe: als George Conley Hazel Barton niet had vermoord, wie dan wel?

II

'In noordelijke landen,' zei Josef, 'drinken ze allemaal hetzelfde.'

'Hoe bedoel je, drinken ze allemaal hetzelfde?'

Josef was met Frieda in zijn oude busje op weg naar Islington omdat Olivia in bijna hysterische toestand had gebeld om te zeggen dat de wastafel in de badkamer boven tijdens het feestje van de muur was gerukt en dat ze die gerepareerd wilde hebben. Dringend. En dat ze nooit, nooit meer tieners in huis zou laten. Josef was bereid geweest de badkamer even in de steek te laten om Olivia te helpen. Emotioneel had Frieda daarop merkwaardig verscheurd gereageerd. Josef onderbrak de gratis opknapbeurt van haar badkamer om haar schoonzus te gaan helpen. Maar niet gratis – daar zou Frieda een stokje voor steken, al moest ze het zelf betalen. Aan de andere kant, hij was voortdurend bij haar thuis, waardoor haar huis niet meer van haar leek. En elke keer als ze in de ruimte keek die haar badkamer was geweest, leek er eerder sprake te zijn van achteruitgang dan van vooruitgang.

'In het zuiden drinken ze wijn en blijven ze overeind. In het noorden drinken ze heldere vloeistoffen en vallen ze om.'

'Je bedoelt dat ze drinken om dronken te worden.'

'Om zorgen te vergeten, pijn niet te voelen en aan de duisternis te ontkomen.'

Josef maakte een slinger om een man te ontwijken die met een grote gele koptelefoon op onbezorgd de straat op liep.

'En waren er op dit feestje veel mensen die heldere vloeistoffen dronken en omvielen?'

'Ze leren het te jong.' Josef liet een diepe, sentimentele zucht horen. 'Even braken, en je kunt weer door.'

'Dat klinkt onheilspellend.'

'Nee, nee. Dit is gewoon het leven. De mensen vechten, ze dansen, ze kussen en houden elkaar vast, ze praten over dromen, ze maken dingen kapot en ze braken.'

'En dat alles in een paar uur tijd.'

'Chloë heeft het niet zo leuk gehad.'

'Echt niet?'

'Ze probeerde steeds maar de rommel op te ruimen. Niemand zou moeten opruimen voordat een feest afgelopen is. Alleen glasscherven wel.'

Josef stopte voor Olivia's huis, en ze stapten uit. Olivia deed al open voordat Frieda had aangebeld. Ze droeg een herenkamerjas en keek dramatisch.

'Ik kon niet anders dan naar bed gaan,' zei ze. 'Het is overal zo'n puinhoop.'

'Het was daarvoor al een behoorlijke puinhoop,' zei Frieda. 'Je zei dat je wat extra rommel niet zou merken.'

'Ik had het mis. Het is niet alleen de wastafel. Mijn blauwe lamp is stuk. Mijn kruiwagen is kapot omdat ze wilden kijken hoeveel mensen je erin kunt vervoeren – wat blijkbaar een ideetje was van je vriend Jack. Hoe oud is hij eigenlijk? Ik dacht dat hij volwassen was, geen peuter. Mijn mooie jas is weg, en er zit een brandgat in Kierans lievelingshoed, die hij hier heeft laten liggen toen hij vertrok.' Kieran was haar welwillende, geduldige vriend, of inmiddels misschien haar ex. 'De buren hebben geklaagd over het lawaai en alle flessen die in hun tuin zijn gegooid, en iemand heeft tegen mijn siersinaasappelboompje in de hal geplast.'

'Ik zal sowieso de wastafel repareren,' zei Josef. 'En de kruiwagen misschien ook.'

'Dank je wel,' zei Olivia hartstochtelijk.

'Laat hem de wastafel niet meenemen, hoor,' zei Frieda.

'Hè?'

'Is een grapje,' zei Josef. 'Is een grapje tegen mij van Frieda.'

'Het spijt me, Josef, zo bedoelde ik het niet.' Ze bekeek de kruiwagen. 'Hoeveel konden erin?'

Olivia begon nerveus te giechelen. 'Een belachelijk aantal, een stuk of zeven. Staand. Nog een geluk dat er geen doden bij zijn gevallen.'

Hoewel het al dagen geleden was, voelde de vloer nog plakkerig aan onder hun voeten. De schilderijen aan de muur hingen scheef. Er hing een zoete geur van alcohol en Frieda zag dat er vieze vlekken op het verfwerk zaten en dat de traploper smoezelig was.

'Het is net als in zo'n plaatjesboek voor kinderen: zoek de verborgen voorwerpen,' zei Olivia, en ze wees naar een glas in een schoen. 'Ik vind steeds de meest onmogelijke dingen.'

'Bedoel je condooms?' vroeg Josef.

'Nee! O god, er is misschien van alles gebeurd waar ik geen weet van heb.'

'Nee, nee, is in orde. Ik ga naar boven.' Hij liep met grote stappen de trap op, zijn tas in de hand.

'Laten we iets drinken,' zei Olivia, terwijl ze voorging naar de keuken. 'Sorry! Ik wist niet dat je al thuis was uit school.'

Chloë zat aan tafel met tegenover haar een slungelige, onverzorgd uitziende figuur met een vettige, donkerblonde haardos, sportschoenen met losse veters en een afgezakte spijkerbroek om zijn smalle heupen. Toen hij zijn hoofd omdraaide, zag Frieda een mager, bleek gezicht met holle ogen. Hij zag er gekweld en afgepeigerd uit. Ted – de jongen die de laatste keer dat ze hem zag had staan kokhalzen boven de wc-pot. De jongen die net zijn moeder had verloren. Hij keek haar aan, en er verschenen rode vlekken op zijn wangen. Hij mompelde iets onsamenhangends, boog zich nog verder over tafel en verborg zijn gezicht half achter een hand. Zijn nagels waren tot op het vel afgekloven. Op zijn dunne pols had hij een kleine tatoeage – of, wat waarschijnlijker was, een pentekening.

'Hallo, Frieda,' zei Chloë. 'Ik had je niet verwacht. We hebben vandaag geen scheikunde, hoor.'

'Ik ben hier met Josef.'

'Voor de wastafel.'

'Ja.'
'Hij moet al los hebben gehangen. Hij viel er gewoon af.'
'Omdat er twee mensen op gingen zitten!' En met zachtere stem zei Olivia: 'Stel je me niet aan je vriend voor?'
Chloë keek beschaamd. 'Dit is Ted. Ted, mijn moeder.'
Ted keek met toegeknepen ogen op naar Olivia en zei moeizaam hallo. Olivia beende naar hem toe, pakte zijn slappe, onwillige hand en schudde die resoluut. 'Ik ben blij kennis met je te maken,' zei ze. 'Ik zeg altijd tegen Chloë dat ze vrienden mee naar huis moet brengen. Vooral knappe jongemannen zoals jij.'
'Mama! Dat is nou precies waarom ik het niet doe.'
'Ted vindt het niet erg. Nee hè, Ted?'
'En dit is Frieda,' zei Chloë haastig. 'Mijn tante.' Ze keek Frieda smekend aan.
'Hallo.' Frieda knikte hem toe. Hij werd zo mogelijk nog roder en stotterde iets. Ze kon aan hem zien dat hij weg wilde lopen om zich te verbergen voor de vrouw die hem had zien braken – en huilen.
'Zullen we naar mijn kamer gaan?' vroeg Chloë aan Ted, en hij liet zich van zijn stoel glijden – een broodmagere, onhandige jongeman vol schaamte, een en al stunteligheid en hoekigheid.
'Ik heb het gehoord van je moeder,' zei Frieda. 'Gecondoleerd.'
Ze voelde Olivia verstijven. Ted staarde haar met opengesperde ogen aan. Chloë pakte zijn hand en hield die tussen de hare om hem op zijn gemak te stellen. Even leek hij verstrikt in zijn emoties, niet in staat om zich te bewegen of te spreken.
'Dank u,' zei hij ten slotte. 'Het is gewoon... Bedankt.'
'Ik hoop dat jullie allemaal goed geholpen worden.'
'Hè?' mompelde Olivia, terwijl Chloë met Ted de kamer uit liep, en ze keek over haar schouder en zei met grote ogen: 'Is dat...?'
'De jongen wiens moeder is vermoord, ja, een vriend van haar.'
Olivia sloeg een hand voor haar mond. 'Ik had de link niet gelegd. Arme jongen. Arme, arme jongen. Wat afschuwelijk. En

wat is hij aantrekkelijk, hè – mooi van lelijkheid, vind je niet? Denk je dat Chloë verliefd op hem is? Wat een ramp. Wat hem overkomen is, bedoel ik. En dat op zo'n leeftijd. Denk je eens in! Laten we nou maar wat te drinken nemen.'

Billy Hunt staarde Karlsson aan. Hij had bloeddoorlopen ogen en zag er magerder en zenuwachtiger uit dan ooit, maar hij gaf niet toe.

Karlsson zuchtte. 'Je maakt het leven voor ons en voor jezelf zo wel moeilijk. Je hebt de inbraak bekend, we hebben jou in verband kunnen brengen met de gestolen voorwerpen, het moordwapen is gevonden, vol met jouw vingerafdrukken en het bloed van mevrouw Lennox. Geef gewoon toe wat je hebt gedaan.'

'Maar ik heb het niet gedaan.'

'De jury zal je niet geloven.' Karlsson stond op. Hij had een strak gevoel in zijn hoofd van vermoeidheid en ergernis. Nu moest zijn team alle bewijsmateriaal doorploegen om een solide zaak op te bouwen. De tijd die hij had willen doorbrengen met zijn kinderen, Bella en Mikey, zou nu besteed worden aan onderzoek van afgelegde verklaringen, aan een huiszoeking met de stofkam, aan gesprekken met deskundigen en aan de zorg dat de juiste procedures werden gevolgd.

'Wacht.'

'Wat nu weer?'

'Ik wilde zeggen dat ik vlak daarvoor nog ergens anders ben geweest.'

'Vlak waarvoor?'

'Vlak voordat... u weet wel.'

'Vertel het maar.'

'Voordat ik naar dat huis ging waar zij was.'

'Mevrouw Lennox.'

'Ja. Ik ben eerst ergens anders geweest.'

'En daar heb je het nog niet met ons over gehad?'

'Nee.' Billy bewoog zijn hoofd op en neer. 'U zult zien waarom.'

'Wacht even, Billy. Als je je verklaring gaat veranderen, moeten we dat officieel doen. Ik kom zo terug.'

In de gang kwam hij Riley tegen.

'Moet u horen,' zei Riley.

'Wat is er?'

'Ik kom net terug van Margaretting Street,' zei Riley. 'We hebben iets gevonden. Onder de mat. Ik was trouwens degene die het vond. Munster dacht dat u het wel zou willen weten.'

'Wat is het?'

Riley hield een transparant zakje voor bewijsmateriaal op. Erin zat een gebruikte envelop waarop met een stomp potlood een boodschap was gekrabbeld.

Karlsson pakte het zakje aan en hield het omhoog: 'Hallo, Ruth, ik ben er, maar waar ben jij? In bad misschien? Geef even een seintje als je dit leest, dan kunnen we theedrinken.' Onderaan stond iets wat leek op twee in elkaar vervlochten initialen of een handtekening. 'Wat staat er?'

'Munster denkt een "D" en een "M", maar ik denk dat het "O" en een "N" zijn.'

'Het heeft er misschien wel maanden gelegen. Wie gaat ermee aan de gang?'

'Yvette Long, hoofdinspecteur, en Munster. Maar ik ga er straks weer naartoe. Het zal wel niet zo belangrijk zijn, hè, ook als het van kort geleden dateert? Ik bedoel, als Billy haar heeft vermoord, maakt het toch niet echt uit hoe laat ze precies is overleden?'

'Nou, het kan wel belangrijk zijn,' zei Karlsson peinzend.

'Graag gedaan dan,' zei Riley met een opgewekte glimlach.

Karlsson trok zijn wenkbrauwen op. 'Ga maar gauw weer naar Margaretting Street,' zei hij.

Yvette Long liet de boodschap zien aan Russell Lennox, die ernaar keek en toen zijn hoofd schudde. 'Ik herken het handschrift niet.'

'En de initialen?'

'Zijn het initialen? Is dat een "G"?'

'Een "G"?'

'Of misschien staat er Gail.'
'Kent u een Gail?'
'Ik geloof het niet. Of het zou ook Delia kunnen zijn, of Dell. Maar ik ken ook geen Delia of Dell. Of het zou gewoon een krabbeltje kunnen zijn.'
'Weet u welke vriendinnen van uw vrouw overdag weleens langskwamen?'
'O.' Russell Lennox fronste zijn wenkbrauwen. 'Heel veel. Ik weet het niet. Ze kende bijna iedereen in onze buurt. Vriendinnen en vrienden, en dan nog allerlei kennissen, en ze hielp elk jaar met het organiseren van het straatfeest, en dan liepen er voortdurend mensen in en uit. En dan had ze nog vrienden en vriendinnen die niet heel dichtbij wonen. Ze was erg populair, mijn vrouw. Ik heb me er altijd over verbaasd met hoeveel mensen ze voortdurend contact had. U zou haar kerstkaartenlijst eens moeten zien.' Hij keek Yvette aan en schudde langzaam zijn hoofd. 'Het is toch niet te geloven dat ik nu al in de verleden tijd praat,' zei hij. 'Was... Ze was... Alsof het jaren geleden is.'
'We hebben de beschikking over haar adressenlijst op haar computer,' zei Yvette. 'Die kunnen we bekijken. Maar als u intussen iemand bedenkt...'
'Ik dacht dat jullie de dader al hadden?'
'We zetten alleen nog de puntjes op de i,' zei Yvette.
'Ik heb geprobeerd te bedenken wat het laatste is wat we tegen elkaar hebben gezegd. Ik geloof dat ik zei dat ik iets later thuis zou zijn dan normaal en dat zij mij eraan herinnerde dat ik de verjaardag van mijn neef niet moest vergeten.'
'Tja,' zei Yvette onbeholpen.
'Eerst vond ik dat erg prozaïsch. Maar het is wel typisch iets voor haar. Verjaardagen en trouwdagen en zo vergat ze nooit.'
'Meneer Lennox...'
'Die verjaardag van mijn neef ben ik natuurlijk wel vergeten. Het was gisteren, en ik denk er nu pas weer aan.'
'Begrijpelijk.'
'Dat zal wel, ja.' Hij klonk mat.

Jennifer Wall zei dat Ruth de ideale buurvrouw was geweest – aardig maar niet nieuwsgierig en altijd bereid om je eieren, suiker of melk te lenen, en ze had zelfs vriendelijk gereageerd toen een van haar jongens een voetbal door het keukenraam van de familie Lennox had geschopt.

Sue Leadbetter herinnerde zich dat Ruth nog niet zo lang geleden voor haar had gezorgd toen ze griep had, hoe ze toen een griepmedicijn en wc-papier was komen brengen en zelfs kranten en tijdschriften voor haar had gehaald.

Gaby Ford zei dat ze Ruth bijna iedere ochtend zag als ze allebei naar hun werk gingen. Dan groetten ze elkaar en spraken ze elkaar soms even. Ruth had de gewoonte, vertelde ze, om dan even haar arm om je schouders te slaan, wat ze altijd erg op prijs had gesteld. Ze was vaak nogal gehaast, maar ze was altijd vrolijk, en dat was niet anders geweest op de dag dat ze werd vermoord. Ze had haar nooit in de put of katterig meegemaakt. En het was zo'n leuk gezin. Een hecht gezin. Dat zag je tegenwoordig niet meer zo vaak.

Jodie Daniels, een van haar oudste vriendinnen, had haar in het weekend nog gesproken. Ze waren samen naar het tuincentrum geweest en hadden toen koffie gedronken. Ruth was toen gewoon als altijd geweest – ongedwongen, geïnteresseerd in anderen, een beetje bezorgd dat Judith zich niet goed voorbereidde op haar eindexamen. Ze hadden besproken of ze wel of niet haar haar zou verven nu het zo snel grijs werd en Ruth had besloten het niet te doen. Ze had gezegd dat ze mooi oud wilde worden. O, god.

Graham Walters was twee dagen voor Ruths dood tegen haar auto aan gereden, wat een kras had veroorzaakt. Ze had zich ongelooflijk begripvol betoond, wat typerend voor haar was. Dat was de laatste keer dat hij haar had gezien.

Ze had zich op de ochtend van haar dood gebukt om de hond van Elspeth Weaver te aaien, waarna ze in haar auto was gestapt.

Ze was in de straat achteruitgereden, zodat Robert Morgan in de tegenovergestelde richting kon doorrijden.

Ze had die ochtend opgebeld van haar werk en tegen Juliet

Melchett gezegd dat zij en Russell graag van de partij zouden zijn op het feestje van de Melchetts.

Om elf uur had ze, eveneens vanaf haar werk, bij John Lewis een bos bloemen besteld, die gestuurd had moeten worden naar de tante van Russell, die haar heup had gebroken.

Geen van deze mensen was echter bij haar langs geweest om een briefje onder de deur door te schuiven.

Maar bij Dawn Wilmer, die twee straten verderop woonde en wier oudste zoon bij de jongste dochter van Ruth in de klas zat, hadden ze eindelijk geluk. Zij bevestigde dat het briefje van haar was.

'Dit hebt u bij haar onder de deur door geschoven?'

'Ja.'

'Op de dag dat ze stierf.'

'Woensdag, ja. Had ik dat moeten melden? Ik bedoel, ik heb iemand van de politie gesproken en gezegd dat ik niets verdachts had gezien, en ik geloof dat ik ook nog heb gezegd dat ik eerder bij haar langs was geweest, maar misschien ook niet. Ik bedoel, ik ben niet binnen geweest of zo. Ik heb ook niets vreemds of verdachts gezien.'

'Hoe laat zou dat geweest kunnen zijn?'

'Ik weet het niet, maar na vieren. En in elk geval voor halfvijf. Dat weet ik zo zeker omdat Danny – dat is mijn zoon – op woensdag laat thuiskomt, net als Dora. Dat was de reden dat Ruth had voorgesteld dat ik bij haar op de thee zou komen – zo goed kenden we elkaar niet. Ik woon nog maar pas hier in de buurt, en mijn zoon zit nog maar net op die school. Dat was aardig van haar.'

'Dus... u bent zoals afgesproken bij haar langsgegaan om thee te drinken, en toen was ze er niet.'

'Ze was er wel. Ze deed alleen niet open.'

'Waarom zegt u dat?'

'Haar auto stond er. Met alle lichten aan.'

'Hebt u lang gewacht?'

'Een minuutje of zo, meer niet. Ik heb aangebeld en op de deur geklopt, en ik heb zelfs door de brievenbus geroepen. Ik had mijn telefoon niet bij me, dus ik kon haar niet bellen. Dat was de reden dat ik het briefje onder de deur door heb geschoven.'

'Tussen vier en halfvijf, zegt u?'

'Na vieren en voor halfvijf.' Er verschenen zorgrimpeltjes in het gezicht van de vrouw. 'Denkt u dat... Zou het kunnen dat ze daar... dood lag?'

'We proberen alleen een tijdlijn vast te stellen,' zei Yvette neutraal. 'Weet u zeker dat u niets ongewoons hebt gezien?'

'Absoluut.'

'En u hebt daar ongeveer een minuut voor de deur gestaan?'

'Ja.'

'U hebt geen kapot ruitje gezien? Naast de voordeur?'

'Nee. Dat zou ik zeker hebben opgemerkt.'

'Mooi. Zeer bedankt voor uw hulp.'

Billy Hunt streek met de rug van zijn hand langs zijn neus. 'Ik was ergens anders.'

'Voordat je naar het huis in Margaretting Street ging?'

'Precies. Ik wil er alleen wel bij zeggen dat het erger klinkt dan het was. Er waren geen kinderen.'

'Waar?'

'Er is daar een kleuterschool. Maar er was niemand. Hij is nog niet af.'

'Waarom ging je daar naartoe?'

'Wat denk je?'

'Oké, wat heb je meegenomen?'

'Niets,' zei Hunt, en hij stak zijn handen op als om het te bewijzen. 'Er was niks.'

'Heb je ingebroken?'

'Aan de achterkant. Ik heb een glazen paneel ingeslagen, meer hoefde ik niet te doen. Ze moeten hun beveiliging verbeteren voordat ze opengaan. Had wel een snee in mijn hand.'

'Hoe heet die kleuterschool?'

'The Busy Bees.'

'En waar is hij?'

'In Islington, vlak bij Caledonian Road.'

'Hoe laat was dat?'

'Weet ik niet. Een uur of vier, denk ik.'

'Dus je beweert dat je afgelopen woensdag om een uur of vier hebt ingebroken in een kleuterschool in Islington. En wat heb je toen gedaan?'

'Ik was van plan om langs het kanaal terug naar huis te lopen, maar het begon te regenen. Toen zag ik een bus aankomen, en die heb ik genomen. Lijn honderddrieënvijftig. Ik ben meegereden tot Camden. Daar hebben ze me eruit gegooid omdat ik zat te paffen, en toen ben ik verder gaan lopen. Ik heb in die straat gewoon op wat bellen gedrukt, totdat ik bij een huis kwam waar ze niet opendeden.'

'En toen?'

'Dat heb ik jullie toch al gezegd. Ik heb dat ruitje ingeslagen en de deur opengedaan. Het alarm ging af, dus ik moest opschieten. Overal ging het alarm. Er was er een in de gang en een in de kamer waar... nou ja, je weet wel, waar zij was. Ik heb een paar dingen gepakt en ben weggegaan.' Hij schudde zijn hoofd. 'Ik kan er niks aan doen. Als het niet had geregend, zou ik de bus niet hebben genomen en zou ik daar niet zijn geweest.'

Karlsson zette de bandrecorder uit. 'En zou mevrouw Lennox nog hebben geleefd.'

'Nee,' zei Hunt. 'Dat heb ik niet gezegd. Zet die recorder maar weer aan.'

'Laat dat rotding maar zitten.'

12

Toen Frieda met haar sleutel in de hand op haar voordeur af liep, zag ze dat die al openstond. Eerst was het haar niet duidelijk wat er aan de hand was, maar toen zag ze een man die de ene kant van een groot en onmiskenbaar indrukwekkend bad vasthield, en vervolgens zag ze dat die man Josefs vriend Stefan was en dat Josef zelf de andere kant vasthad. Het tweede dat Frieda opviel was dat het bad nauwelijks door de deuropening kon. Dat zag ze aan de grijze schuurplekken aan de deurposten. En het derde dat ze zag, was dat ze het bad naar buiten droegen in plaats van naar binnen.

'Frieda,' zei Stefan licht hijgend. 'Ik kan je geen hand geven.'

'Lukt het niet om het naar binnen te krijgen?'

'Jawel hoor,' zei Josef aan de andere kant. 'Naar binnen en naar boven dragen gaat prima. Maar daar is het probleem. Nu brengen we het naar buiten en weer terug.'

'Hoe bedoel je, "terug"?' vroeg Frieda.

'Wacht.'

Met veel gekreun en een half onderdrukte kreet toen Josefs vingers tussen het bad en de deuropening klem kwamen te zitten, droegen ze het naar buiten en zetten het op de kasseien.

'Dat bad is fucking zwaar,' zei Stefan en keek toen schuldbewust Frieda aan. 'Sorry. Maar het is ook wel groot.'

'Maar waarom brengen jullie het naar buiten?'

'Is zwaar,' zei Josef. 'Moeilijk voor de vloer, denk ik. We gaan het nu na. Waarschijnlijk is een balk nodig.'

Frieda hoorde de telefoon binnen gaan. 'Je bedoelt een stalen steunbalk?' zei ze.

'Zodat je niet in je bad door vloer zakt.'

'Nou, jij zult er wel verstand van hebben,' zei Frieda. 'Weet je het zeker?'

Stefan glimlachte. 'We weten het zeker.'

'Hoe bedoel je?' zei Frieda. De telefoon ging nog steeds. 'Wacht even.' Ze wurmde zich langs hen heen, maar voordat ze bij de telefoon kwam, hield die op met bellen. Het voelde bijna als een opluchting – ze hoefde nu niets te doen, niemand te woord te staan. Ze bleef even staan en keek hoe Josef en Stefan het bad weer in Josefs bestelwagen schoven, die nu door het gewicht wat lager op zijn wielen leek te staan. Toen ging de telefoon weer, nadrukkelijk, alsof iemand haar wilde opporren. Ze nam op en hoorde een vrouwenstem.

'Ik wilde graag dokter Frieda Klein spreken, alstublieft?'

'Met wie spreek ik?'

'Mijn naam is Jilly Freeman. Ik bel namens de *Sunday Sketch*.' Er viel een korte stilte. 'Neemt u me niet kwalijk. Bent u daar nog?'

'Ja,' zei Frieda.

'We hebben morgen een artikel in de krant waar we graag uw commentaar op zouden willen horen.'

'Waarom?'

'Omdat het over u gaat.'

Frieda kreeg ineens een angstig gevoel, een soort verlamming, alsof ze een klap had gekregen op een plek die nog pijn deed van de aanval die ze te verduren had gehad. Ze had de neiging om de telefoon kapot te gooien in plaats van het gesprek voort te zetten. Had het iets te maken met die aanval? Was de politie van mening veranderd? Was de pers iets op het spoor?

'Waar gaat het om?' zei ze.

'U hebt ene Seamus Dunne op consult gehad.'

Het kwam zo onverwacht dat Frieda erover na moest denken, alleen al om zich de naam te kunnen herinneren. Tegelijkertijd dook Josef op in haar gezichtsveld en gebaarde dat ze weggingen.

'We moeten praten,' zei ze tegen hem.

'Binnenkort.' Josef liep achteruit weg.

'Wat zegt u?' zei de vrouw aan de telefoon.

'Ik had het tegen iemand anders. Hoe weet u van Seamus Dunne?'

'Dokter Klein, het zou misschien beter zijn als ik bij u thuis kon komen om u persoonlijk te interviewen.'

Frieda haalde diep adem, en terwijl ze dat deed, ving ze in het glas van een foto aan de muur een glimp op van haar spiegelbeeld. Was zij dat echt? Ze werd al misselijk bij het idee dat iemand anders, wie dan ook, naar haar huis zou komen. 'Zegt u me waar het over gaat.'

'We doen niet meer dan verslag uitbrengen van een nieuw psychologisch onderzoek waarvan wij denken dat het van groot belang is. Zoals u weet zijn er nogal wat mensen die vinden dat psychoanalytici in maatschappelijk opzicht onvoldoende aanspreekbaar zijn op hun resultaten.' Jilly Freeman liet een stilte vallen die Frieda niet doorbrak. 'Nou ja, waar het op neerkomt, een wetenschapper, ene Hal Bradshaw, heeft er onderzoek naar gedaan. Kent u hem?'

'Ja,' zei Frieda. 'Ik ken hem.'

'Hij is als volgt te werk gegaan: hij heeft enkele vooraanstaande analytici geselecteerd, en daar bent u er een van. Vervolgens heeft hij mensen naar die analytici gestuurd die geïnstrueerd waren om identieke klassieke symptomen voor te wenden van een persoon die een maatschappelijk gevaar oplevert, met de bedoeling om te zien hoe die analytici daarop zouden reageren.' Er viel weer een stilte waarin Frieda niets zei. 'En nou bel ik om te vragen of u daar commentaar op hebt.'

'U hebt mijn vraag niet beantwoord.'

'Wat ik ervan begrijp,' zei Jilly Freeman, 'is dat deze patiënt, Seamus Dunne...'

'U zei dat hij voorwendde patiënt te zijn.'

'Ja, in het kader van dit onderzoeksproject. Hij vertoonde de onmiskenbare, algemeen bekende kenmerken van een gewelddadige psychopaat.'

'En die zijn?' zei Frieda.

'Eh...' zei Jilly Freeman. Het was even stil, Frieda hoorde dat er pagina's werden omgeslagen. 'Ja, hier is het. Elk van de zogenaamde patiënten moest vermelden dat hij in zijn kindertijd wreed was geweest tegen dieren, levendige fantasieën koesterde over het aanranden van vrouwen en te berde brengen dat hij deze fantasieën in de praktijk zou willen brengen. Heeft Seamus Dunne het daarover gehad?'

'Ik bespreek niet met anderen wat mijn patiënten tijdens de sessies zeggen.'

'Maar hij was geen echte patiënt. En hij heeft er wel over gepraat. Ik heb hem geïnterviewd.'

'Als onderdeel van het onderzoeksproject?' vroeg Frieda.

Ze keek om zich heen of ze een stoel zag en ging zitten. Plotseling voelde ze zich volkomen uitgeput, alsof ze zelfs tijdens het gesprek in slaap zou kunnen vallen. Het was alsof ze de deur op slot had gedaan en de ramen geblindeerd, maar haar vijanden er toch nog in waren geslaagd om binnen te komen – door een opening die ze over het hoofd had gezien.

'Wat we voor ons artikel over het onderzoek van u willen weten, is of u van uw bezorgdheid melding hebt gemaakt bij de politie.'

Er werd aangebeld.

'Wacht,' zei Frieda. 'Ik moet even iemand binnenlaten.'

Ze deed de deur open. Het was Reuben.

'Frieda, ik...' begon hij, maar ze stak haar hand op om hem het zwijgen op te leggen en gebaarde dat hij binnen moest komen. Het viel haar op dat hij er onverzorgd en verstrooid uitzag. Hij liep langs haar heen de keuken in.

'Wat zei u?' vroeg Frieda.

'Ik wilde vragen of u uw eventuele bezorgdheid bij de politie hebt gemeld.'

Frieda werd even afgeleid door een rammelend geluid uit de keuken. Reuben kwam terug met een blikje bier in de hand.

'Nee,' zei Frieda. 'Dat heb ik niet.'

Reuben probeerde haar geluidloos iets duidelijk te maken en

nam toen een grote slok bier uit zijn blikje.

'We hebben begrepen,' vervolgde Jilly Freeman, 'dat dit experiment is bedacht om een aantal therapeuten te confronteren met een patiënt die een duidelijk en acuut gevaar vormt voor de maatschappij. Deze patiënt was een psychopaat en het was uw plicht om hem bij de politie aan te geven. In feite bent u dat wettelijk verplicht. Kunt u daar commentaar op geven?'

'Maar hij was geen psychopaat,' zei Frieda.

'Is dat haar?' zei Reuben. 'Is het haar, godverdomme?'

'Wat zeg je nou?' fluisterde Frieda.

'Wat?' zei Jilly Freeman.

'Ik heb het niet tegen u.' Frieda wuifde Reuben boos weg. 'U hebt zelf gezegd dat hij geen psychopaat was. Het was niet nodig om hem aan te geven. Misschien was ik in dit specifieke geval wel enigszins bezorgd, maar dat zou ik nooit met iemand anders dan met hemzelf bespreken.'

'Het spijt me,' zei Jilly Freeman, 'maar dit experiment diende om te onderzoeken hoe therapeuten reageren op een patiënt die de klassieke kenmerken van psychopathie vertoont zoals die door de jaren heen wetenschappelijk zijn vastgesteld. De samenleving heeft er recht op om te weten of ze tegen dat soort mensen beschermd is.'

'Ik zal nog een minuutje met u doorpraten,' zei Frieda, 'en dan hang ik op. U hebt gezegd dat hij geen echte psychopaat is. Hij zei alleen maar dingen die een psychopaat zegt.'

'Dat doen toch alle psychopaten, dingen zeggen die een psychopaat zegt? Waar kunt u zich verder nog op baseren? Toch alleen maar op de dingen die ze zeggen?'

'En ten tweede, zoals ik al tegen Seamus Dunne zelf heb gezegd, vragen psychopaten niet om hulp. Hij klaagde over een gebrek aan empathie, maar dat was niet wat hij liet zien. Dat is mijn antwoord.'

'En u had zodanig vertrouwen in uzelf dat u de klassieke kenmerken van psychopathie kon negeren?'

'Uw minuut is om,' zei Frieda, en ze hing op.

Ze keek naar Reuben. 'Wat doe jij hier?' vroeg ze.

'Ik zag Josef wegrijden.'

'Hij is bezig met mijn badkamer.'

'Nou, dan zal dat de reden zijn dat ik hem niet te pakken kan krijgen.' Hij keek nors. 'Het was haar, hè? Die journalist, hoe heet ze?'

'Het was ene Jilly Freeman,' zei Frieda.

'Ja, die is het.'

'Hoe weet je dat?'

Reuben dronk zijn blikje leeg. 'Omdat ze het bij mij ook hebben gedaan,' zei hij. 'Ze hebben mij op dezelfde manier genaaid als jou. Jilly belde me op en vertelde het me, en tijdens het gesprek noemde ze ook jouw naam. Ik heb je geprobeerd te bellen, maar kreeg geen gehoor.'

'Ik was weg,' zei Frieda.

'Ik dacht dat ik maar beter meteen naar je toe kon gaan. Jezus, ik heb trek in een sigaret. Zullen we naar buiten gaan?'

Hij haalde nog een blikje bier uit de keuken, deed de deur open en liep naar buiten. Frieda volgde hem. Hij reikte haar het blikje aan zodat hij zelf een sigaret op kon steken. Hij inhaleerde een paar keer diep. 'Er kwam een jongeman bij me die met me wilde praten,' zei Reuben. 'Hij had zulke goede dingen over me gehoord, zei hij. Hij maakte zich zorgen over zichzelf. Hij was als kind wreed geweest tegen dieren en had fantasieën over het martelen van vrouwen. Bla-bla-bla, de rest weet je.'

'Wat heb je tegen hem gezegd?'

'Ik zei dat ik hem wel een paar keer wilde spreken. En toen belde juffrouw Jilly me op om me te vertellen dat ik voorpagina-nieuws ben omdat ik een psychopaat heb laten lopen.'

'Wat heb je tegen haar gezegd?'

Hij nam nog een diepe haal van zijn sigaret. 'Ik had moeten zeggen wat jij zei. Dat klonk goed. Ik ging de mist in. Ik heb tegen haar geschreeuwd en de verbinding verbroken.' Hij priemde zijn wijsvinger in Frieda's richting. 'We slepen ze voor de rechter. Die zak van een Hal Bradshaw en die fucking journalist en haar krant. We pakken ze.'

'Waarvoor?' vroeg Frieda.

Reuben sloeg met zijn vuist tegen de muur van haar huis. 'Voor bedrog,' zei hij. 'Voor schending van onze privacy. En voor smaad.'

'We slepen ze niet voor de rechter,' zei Frieda.

'Ik wilde zeggen dat jij makkelijk praten hebt,' zei Reuben. 'Maar je bent in slechte conditie. Je herstelt van je verwondingen. Ze kunnen ons dit niet aandoen.'

Frieda legde een hand op zijn schouder. 'We moeten het er gewoon bij laten,' zei ze.

Reuben keek Frieda aan, en er was iets in zijn blik waar ze van schrok, een uitdrukking van woede en tegelijkertijd verslagenheid. 'Ik weet het, ik weet het,' zei hij. 'Ik moet het gewoon maar naast me neerleggen. Tien jaar geleden zou ik erom gelachen hebben. Ik zou er bijna blij mee zijn geweest. Maar nu voel ik dat ik er niet meer tegen kan. Fantasieën over het martelen van vrouwen... Ik zal die journalist eens wat laten zien.'

Er verzamelden zich al vanaf het middaguur mensen, maar er was telkens weer oponthoud geweest, de laatste stuiptrekkingen van een haperende bureaucratie, die er ook voor verantwoordelijk was dat George Conley nog maandenlang gevangen was gehouden toen allang duidelijk was dat hij vrijgelaten zou moeten worden. Het was bijna drie uur toen hij uiteindelijk Haston Prison verliet en met een plastic tasje in de hand, gekleed in een overjas die veel te strak zat en veel te dik was voor de lentedag, het waterige zonlicht in liep. Zweetdruppels parelden op zijn bleke, vlezige gezicht.

De mensen die op hem wachtten waren merendeels journalisten en fotografen. Het Lagerhuislid van zijn kiesdistrict was er ook, al had hij – wist Fearby – nauwelijks iets gedaan voor Conley. Hij had de campagne pas ondersteund toen duidelijk was dat die een succes zou worden. Er was ook een groepje aanhangers van een revolutionaire beweging, met spandoeken waarop de onverdraagzaamheid van de politie in het algemeen aan de kaak werd gesteld. Er was echter geen familie die Conley opwachtte. Zijn moeder was overleden toen hij in de gevangenis zat en zijn zus had hem sinds zijn arrestatie nooit opgezocht. Ze had tegen Fearby gezegd dat ze blij was dat ze de naam van haar man droeg, omdat ze zijn naam verfoeide. Ze wilde niets met hem te maken hebben. En vrienden waren er ook niet: hij was altijd al een eenling geweest in het plaatsje waar hij had gewoond, een buitenstaander, die met weemoed en verbijstering het leven gadesloeg. Na zijn arrestatie hadden de buren gezegd dat ze altijd al geweten hadden dat hij een vreemde, enge man was. Het had hun helemaal niet verbaasd. Hij had in de gevangenis – behalve van Fearby – geen bezoek gekregen, tot in de laatste paar weken.

Diana McKerrow, Conleys advocaat, stond hem bij de poort op te wachten met een fles mousserende wijn. Ze stond namens haar cliënt de pers te woord, waarbij ze de tekst oplas van een papiertje dat ze uit haar jaszak had gehaald: ze memoreerde het schandalige optreden van de politie, al de verloren jaren die Conley nooit meer zou kunnen inhalen en het feit dat er een paar goede zielen waren geweest die nooit het geloof in zijn onschuld hadden verloren. Ze noemde Fearby niet met name, en Fearby zelf stond apart van de kleine menigte. Hij wist niet wat hij ervan moest denken. Na al die jaren naar dit moment toe gewerkt te hebben, was het uiteindelijk maar een trieste bedoening: een te dikke man die angstig de poort uit schuifelde, huiverend bij al het geflits van de camera's.

De journalisten dromden naar voren. Er werden microfoons naar hem uitgestoken.

'Hoe voelt het om vrij te zijn?'

'Gaat u een klacht indienen?'

'Wat zijn uw plannen nu, meneer Conley?'

'Waar gaat u naartoe?'

'Wat is het eerste wat u gaat doen?'

'Bent u boos?'

'Wat hebt u het meeste gemist?'

'Kunt u ons uw mening over de politie geven?'

Fearby was er zeker van dat sommigen hun chequeboekjes al klaar hielden. Ze wilden zijn verhaal meteen hebben. Jarenlang was hij belasterd, daarna had niemand meer aan hem gedacht en nu was hij ineens een held – al paste die rol hem niet. Hij antwoordde mompelend en in onafgemaakte zinnen: 'Weet ik niet,' zei hij. 'Hoezo?' Hij keek angstig heen en weer. Diana McKerrow pakte hem bij de elleboog. Het Lagerhuislid stelde zich aan de andere kant naast hem op en glimlachte naar de camera's.

Fearby wist dat ze Conley allemaal weer snel zouden vergeten. Hij zou met rust gelaten worden in zijn kamertje in een huis vol met andere passieve, uitzichtloze zonderlingen en einzelgängers. Hij voelde zich schuldig en tegelijkertijd opstandig: zou hij ook nu nog Conleys enige vriend zijn? De enige die hem opzocht, een borrel met hem ging drinken, een baantje voor hem probeerde te zoeken? Was dit zijn beloning voor het feit dat hij hem zijn vrijheid had terugbezorgd?

Hij baande zich langzaam een weg door het gewoel en tikte Conley op zijn arm. 'Hallo, George,' zei hij. 'Gefeliciteerd.'

'Hallo,' zei Conley. Hij rook ongewassen, hij had een bleekgrijze gevangeniskleur en zijn haar begon dunner te worden.

'Je zult het de rest van de dag wel druk hebben. Ik wilde je alleen even gedag zeggen en je mijn telefoonnummer geven. Als je wilt, bel me dan. Dan kom ik naar je toe.' Hij dwong zichzelf enthousiast te klinken. 'We kunnen ergens gaan eten, wat drinken, een wandeling maken.' Hij aarzelde. 'Misschien vind je al deze aandacht moeilijk te verdragen, maar die zal gauw overwaaien. Dan moet je gaan bedenken wat je straks wilt doen.'

'Straks?'

'Ik kom je opzoeken.'

Conley staarde hem aan met afhangende onderlip. Hij leek wel een klein, dik kind, dacht Fearby. Hij had niet het gevoel van een 'happy end'.

Later op de persconferentie las de inspecteur die belast was geweest met het onderzoek een verklaring voor. Hij bekende ruiterlijk dat er fouten waren gemaakt. George Conleys bekentenis van de moord op Hazel Barton was verkregen – en hier hoestte hij even en trok een grimas – zonder dat de juiste procedures waren gevolgd.

'Onwettig, bedoelt u,' riep iemand van achteren.

Er waren stappen genomen om herhaling te voorkomen, vervolgde de politieman. Er waren mensen berispt. Procedures aangescherpt. De fouten zouden in de toekomst niet meer worden gemaakt.

'En Conley?' vroeg een jonge vrouw op de voorste rij.

'Hoe bedoelt u?'

'Hij heeft sinds 2005 in de gevangenis gezeten.'

'Het spijt ons dat deze fouten zijn gemaakt.'

'Zijn er mensen ontslagen?' riep een stem.

Het gezicht van de inspecteur verstrakte. 'Zoals ik al zei, we hebben zorgvuldig gekeken naar de manier waarop het onderzoek heeft plaatsgevonden. Enkele politiemensen zijn berispt. Maar het zou geen enkel belang dienen om een zondebok aan te wijzen en...'

Voor Fearby was de boodschap heel duidelijk. Bij de politie meenden ze nog steeds dat Conley de moordenaar was, maar vonden ze dat hij dankzij een procedurefout vrijgesproken was. Ze wilden er zeker van zijn dat alle andere aanwezigen in het vertrek dat begrepen. Hij voelde dat hij kwaad werd.

'Neemt u me niet kwalijk,' riep hij met luide stem. 'Ik heb een vraag.'

Er werden hoofden omgedraaid. Daar was hij, Jim Fearby, de man die jarenlang geobsedeerd was geweest door de zaak. Een journalist van de oude stempel, die al decennia meedraaide en die, als hij eenmaal een verhaal had, niet meer losliet. Hij was inmiddels in de zestig, een beetje krom en had zilvergrijze haren. Hij had iets van een roofvogel, met zijn kromme neus, zijn lichte ogen en zijn verweerde kop.

'Meneer Fearby,' zei de inspecteur met een glimlach die gespeend was van elke warmte. 'Ja?'

'Nu George Conley onschuldig is en vrijgelaten...' – hij zweeg even om zijn woorden goed door te laten dringen – '... zou u ons misschien kunnen vertellen welke stappen u gaat ondernemen om de echte dader op te sporen? Tenslotte is er een jonge vrouw op beestachtige wijze vermoord.'

De inspecteur kuchte nog eens – een hard, snijdend geluid, dat diende om hem de tijd te geven een antwoord te bedenken.

'Op dit moment zijn er geen nieuwe aanwijzingen,' zei hij ten slotte.

'Op dit moment?'

'Zoals ik al zei, ja. Nog meer vragen?'

Fearby reed in de invallende schemering naar huis. Conleys laatste gevangenis was, anders dan de vorige, vlak bij zijn woonplaats, een voorstadje van Birmingham. Toen Sandra bij hem was weggegaan, had hij gedacht dat hij misschien maar eens elders moest gaan wonen – het Lake District misschien, of zelfs nog verder naar het noorden, waar een koude, heldere wind uit de heuvels blies. Daar zou hij een nieuwe start maken. Maar uiteindelijk was hij gebleven, met om zich heen zijn dossiers, zijn boeken, zijn foto's, zijn dvd's met oude films. Het deed er niet zoveel toe waar hij woonde; het was maar een plek om te slapen en na te denken.

Hij liep zijn werkkamer in en keek naar de stapels opschrijfboekjes en dossiermappen die gevuld waren met de neerslag van zijn obsessie: processen-verbaal, juridische stukken, correspondentie, petities... Hij schonk een flinke hoeveelheid gin in, want hij was door zijn whisky heen, en deed er water bij, want hij was ook door zijn tonic heen. Wat zeelieden vroeger dronken, dacht hij – een triest, eenzaam soort drinken, om de tijd stuk te slaan. Hij moest in zijn stoel in slaap zijn gevallen, want toen de telefoon ging, leek dat eerst bij een droom te horen.

'Spreek ik met Jim Fearby?'

'Met wie spreek ik?'

'Ik zag u op de persconferentie. Schrijft u nog over deze zaak?'

'Wat doet het ertoe?' Fearby had het gevoel alsof hij nog steeds niet helemaal wakker was.

'Ik wil u spreken.'

'Waarom?'

'Kent u een pub die The Philip Sidney heet?'

'Nee.'
'U vindt hem wel. Ik ben daar morgenmiddag om vijf uur.'

Ik heb je geprobeerd te bellen. Als we elkaar zien, zal ik je even leren hoe je je mobiele telefoon moet gebruiken! (Het komt er voornamelijk op neer dat je hem aan moet laten staan en bij je moet hebben.) Nu zal het wel te laat zijn om het weer te proberen. Je zult wel slapen. Of misschien dwaal je met die frons op je gezicht door de straten van Londen. We spreken elkaar gauw, zorg goed voor jezelf, lief. S xxxxx

13

Karlsson ging tegenover Billy Hunt zitten. 'Jij moet de slechtste inbreker ter wereld zijn,' zei hij.

'Dus u hebt gezien dat ik de waarheid sprak?'

'The Busy Bees,' zei Karlsson. 'Afgezien van het feit dat het een kleuterschool is die wordt gebouwd voor kleine kinderen en dat stelen van kleine kinderen niet in de haak is, wat had je in godsnaam verwacht daar te kunnen pikken? Knuffelbeesten?'

'Er werd gebouwd,' zei Hunt. 'Ik dacht dat er misschien gereedschap rond zou slingeren.'

'Maar dat was er niet.'

'Nee. Ik heb niets gevonden.'

'Aan de andere kant,' zei Karlsson, 'dat het een bouwplaats was, betekende dat er bewakingscamera's hingen. Ik heb nog nooit zulke mooie opnamen gezien. Je zou ze kunnen gebruiken als pasfoto.'

'Ik zei toch al dat ik er geweest ben.'

'Maar zoals we weten, ben je ook op de plaats delict geweest. Daar moet je maar eens wat meer over vertellen.'

Hunt beet op de zijkant van zijn duim. 'Als ik u alles vertel, laat u dan de beschuldiging van inbraak vallen?'

'Ach, hou op,' zei Karlsson. 'Ik weet niet eens zeker of we de beschuldiging van moord zullen laten vallen. Vertel ons gewoon alles en hou op met zeuren.'

Hunt dacht na.

'Ik had geld nodig,' zei hij. 'Ik ben iemand wat schuldig. Moet u horen, ik heb het al eerder verteld.'

'Dan vertel je het nog maar eens.'

'Ik kwam uiteindelijk terecht in Margaretting Street. Ik heb hier en daar aangebeld, en als er werd opengedaan, vroeg ik of Steve thuis was en zei dan dat ik zeker het verkeerde adres had. Bij dat ene huis werd niet opengedaan, en toen ben ik naar binnen gegaan.'

'Hoe?'

'Ik heb uit een container een halve baksteen gepakt en daarmee het ruitje naast de voordeur ingeslagen. Die heb ik toen opengedaan.'

'Vond je het niet gek dat de deur niet op het nachtslot zat?' vroeg Karlsson. 'Of met een ketting vergrendeld?'

'Als hij op het nachtslot had gezeten, had ik niet binnen kunnen komen.'

'Maar als hij niet op het nachtslot zat,' zei Karlsson, 'dan lag het toch voor de hand dat er iemand thuis was?'

'Maar ik had aangebeld.'

'Laat maar zitten dan. Ga door.'

'Ik ben naar binnen gegaan en heb wat dingen uit de keuken gepakt. Toen ben ik naar de andere kamer gegaan en... nou ja, u weet het.'

'Wat?'

'Daar lag ze.'

'Wat heb je toen gedaan?'

'Weet ik niet,' zei Hunt. 'Ik was van slag.'

'Waarom heb je geen ambulance gebeld?'

Hunt schudde zijn hoofd. 'Het alarm ging. Ik ben maar naar buiten gegaan.'

'Maar je hebt wel het tandwiel meegenomen.'

'Dat klopt.'

'Hoewel dat het moordwapen was en het onder het bloed zat.'

'Ik had een paar plastic tasjes uit de keuken gepakt.'

'Waarom heb je de politie niet gebeld?' vroeg Karlsson.

'Omdat ik had ingebroken,' zei Hunt. 'Ik bedoel, ik ben geen inbreker, maar op dat moment was ik aan het jatten. Maar goed, ik kon niet gewoon nadenken.'

'En wat heb je toen gedaan?'

'Ik ben naar buiten gegaan en ben weggerend.'

'En toen?'

'Ik moest dat spul verkopen. Ik zei toch al dat ik geld nodig had.'

'Dus je hebt al het zilver verkocht?'

'Juist.'

'Alleen het tandwiel niet?'

'Ik moest, weet u...'

'Het bloed eraf wassen?'

'Ik had er een rotgevoel over,' zei Hunt. 'Dat ik haar daar had zien liggen. Wat had ik moeten doen?'

Karlsson stond op. 'Ik weet het niet, Billy. Ik heb geen flauw idee.'

14

'Frieda?'

'Hallo, Chloë.' Frieda liep met de telefoon naar de huiskamer en liet haar gepijnigde lijf voorzichtig zakken in de stoel bij de open haard, waarin ze 's winters elke dag het vuur aanmaakte. Nu, in het voorjaar, met zacht weer en een hemel van een teer lichtblauw, was hij leeg. 'Is er iets?'

'Ik moet je spreken.'

'Vóór vrijdag nog?' Vrijdag was de dag dat Frieda haar scheikunde-bijles gaf, wat Chloë verschrikkelijk vond.

'Nu.'

'Waarom?'

'Ik zou het niet vragen als het niet belangrijk was.'

Het was bijna zes uur. Frieda dacht aan de pot thee, het stuk quiche dat ze bij Number 9 had gehaald als maaltijd en aan de rustige avond die ze zichzelf in het vooruitzicht had gesteld, in de schaars verlichte cocon van haar huis, boven in haar studeerkamer, met haar zachte potloden en het grofkorrelige papier, met het antwoordapparaat aan zodat ze door niemand werd gestoord, en daarna haar zachte kussens en de omhulling van de duisternis. Misschien geen dromen, alleen vergetelheid. Ze kon nee zeggen.

'Ik ben er over een halfuur.'

'Ik ben niet thuis. Ik zit in een café in de buurt van het Roundhouse. Je kunt het niet missen. Buiten hangt een gigantisch vliegtuig ondersteboven, en er is hier ook een alternatieve kunstgalerie.'

'Wacht even, Chloë...'

'Bedankt, Frieda!' Chloë viel haar enthousiast in de rede en had al opgehangen voordat Frieda zich had kunnen bedenken.

Het café heette om onduidelijke redenen Joe's Malt House, en aan de voorgevel hing inderdaad een groot vliegtuig als in een duikvlucht. Frieda duwde de deur open en betrad een langwerpige, donkere ruimte vol met niet bij elkaar passende tafeltjes en stoelen en met schilderijen aan de muren die ze in het halfduister nauwelijks kon onderscheiden. De klanten zaten aan tafeltjes of hingen rond bij de bar, die de ruimte in tweeën deelde. Er klonk muziek met een aanhoudende dreun en er hing een zware geur van bier, koffie en wierook.

'Wilt u een tafeltje?' vroeg een jonge vrouw in gescheurde zwarte kleren en met een tatoeage van een bliksemschichtje op haar wang. Ze had de bekakte tongval die je aan de Theemsmonding hoorde. Haar laarzen leken op die van de Terminator.

Frieda hoorde haar naam roepen en tuurde om zich heen. Aan de andere kant van het vertrek zag ze Chloë zitten, die met haar armen zwaaide om haar aandacht te trekken.

'Nou, ik hoop wel dat het belangrijk is.'

'Bier?'

'Nee, dank je.'

'Of thee. Ze hebben hier kruidenthee.'

'Waar gaat het over?'

'Ik moest je hier zien te krijgen. Het gaat om Ted.'

'Ted? Je bedoelt die jongen?'

'Hij heeft hulp nodig.'

'Dat lijkt me zeker, ja.'

'Maar waar het mij om gaat, is dat hij er niets voor wil ondernemen. Hij wordt alleen maar boos als je het tegen hem zegt, dus ik had bedacht dat ik het maar voor hem moest regelen.'

'Ik zou je wel een paar namen kunnen geven, Chloë, maar hij moet het zelf willen...'

'Je hoeft me geen namen te geven, Frieda. Ik heb jou.'
'O nee, zo ligt het niet.'
'Je moet hem helpen.'
'Dat hoef ik niet. En dit is niet de manier om dat te doen.'
'Alsjeblieft. Je snapt het niet. Ik vind hem heel leuk, maar hij is zo in de war.' Ze pakte Frieda's hand. 'O, shit, hij is er al. Hij komt net binnen.'
'Je hebt toch niet gedaan waar ik je van verdenk, hè?'
'Ik moest wel,' fluisterde Chloë voorovergebogen. 'Je zou niet zijn gekomen als ik het je had verteld, en Ted zelf ook niet.'
'Precies.'
'Jij kunt hem beter maken.'
'Zijn moeder is vermoord, Chloë. Hoe kan ik hem beter maken?'
Frieda stond op, en terwijl ze dat deed, strompelde Ted langs de bar en kreeg hen beiden in het oog. Hij bleef staan en staarde naar hen. Hij zag er net zo onverzorgd en verloren uit als de vorige keer – hemd los, half afgezakte broek, veters niet gestrikt, haren in zijn bleke gezicht, rode vlekken op zijn wangen. Zijn starende blik ging heen en weer tussen Chloë en Frieda.
'U hier?' zei hij. 'Wat is dit?'
Chloë kwam overeind en liep naar hem toe. 'Ted,' zei ze. 'Luister.'
'Wat doet zíj hier? Je hebt me erin laten lopen.'
'Ik wilde je helpen,' zei Chloë wanhopig. Even had Frieda medelijden met haar nichtje. 'Ik dacht dat als jullie nou gewoon even samen konden praten...'
'Ik heb geen hulp nodig. Mijn zusjes, die moet u hebben. Zij hebben hulp nodig. Ik ben geen klein kind meer.' Hij keek naar Chloë. 'Ik dacht dat wij vrienden waren.'
'Dat is onredelijk van je,' zei Frieda scherp. Hij keek haar aan met zijn trieste, spottende blik. 'Ik ben het met je eens dat Chloë hier verkeerd aan heeft gedaan. Maar ze deed het juist omdat jullie vrienden zijn en omdat ze om je geeft. Je moet haar niet zo afkatten. Je hebt je vrienden nodig.'
'Ik ga niet op die fucking bank van u liggen.'

'Natuurlijk niet.'

'En ik ben niet van plan om te gaan huilen en te roepen dat mijn leven voorbij is nu ik geen moeder meer heb.' Maar zijn stem ging steeds hoger klinken terwijl hij haar uitdagend aankeek.

'Nee. En zo is het ook niet. Misschien kunnen we hier weggaan en met z'n drieën een kop thee of warme chocolademelk of zoiets gaan drinken in dat tentje aan de overkant, waar het rustig is en waar niet van die vreselijke schilderijen aan de muur hangen. Dan kunnen we daarna allemaal gewoon naar ons eigen huis gaan en is er eigenlijk niets ernstigs gebeurd.'

Chloë snoof en keek hem smekend aan.

'Oké,' zei hij. 'Ik heb al in jaren geen warme chocolademelk meer gehad. Voor het laatst als kind.' Alsof hij een man van middelbare leeftijd was.

'Sorry,' zei Chloë met een klein stemmetje.

'Laat maar zitten, zou ik zeggen.'

'Mooi,' zei Frieda. 'Kunnen we dan nu hier weg?'

Chloë en Ted bestelden allebei een beker warme chocolademelk, en Frieda nam een glas water.

'Ik geloof niet dat de situatie beter kan worden door er alleen maar over te praten,' zei Ted.

'Dat hangt ervan af,' zei Frieda.

'Ik denk dat het alleen maar erger wordt, zoals een wond blijft bloeden als je er telkens aan zit. Dan wíl je dat hij bloedt.'

'Ik ben hier niet om je naar iemand toe te sturen die je niet wilt zien. Drink gewoon je warme chocolademelk maar op.'

'Wordt u er niet misselijk van om dag in dag uit te luisteren naar narcistische eikels die maar doorzeuren over jeugdtrauma's en eindeloos gefascineerd zijn door al hun nobele, zelfbedachte ellende?'

'Jouw ellende is toch niet zelfbedacht?'

Ted keek haar boos aan. Zijn gezichtshuid leek rauw, alsof zelfs de lucht hem irriteerde. 'Het gaat wel over,' zei hij. 'Dat zou mijn moeder hebben gezegd. Beetje voor beetje, elke rotdag weer een beetje.'

'Dat is een van de droevige dingen als er iemand is overleden,' zei Frieda. 'We praten in de verleden tijd over hen. We zeggen wat zij zouden hebben gedaan. Maar als zij dat zou hebben gezegd, dan is dat niet stom. De tijd verstrijkt inderdaad. De dingen veranderen.' Ze stond op. 'En nu zijn we volgens mij klaar,' zei ze.

Chloë dronk haar beker leeg. 'Wij zijn er ook klaar mee,' zei ze.

Toen ze buiten waren, wilde Frieda afscheid nemen, maar Chloë leek haar niet te willen laten gaan. 'Welke kant ga je op?'

'Ik loop door het park terug.'

'Je gaat dezelfde kant op als wij. Langs Teds huis. Alleen woont hij daar nu niet. Ze logeren bij de buren.'

'Ik kan wel voor mezelf spreken, hoor,' zei Ted.

'Oké,' zei Frieda. Enigszins opgelaten gingen ze gedrieën op weg, met Chloë in het midden.

'Sorry hoor,' zei Chloë. 'Dit is allemaal mijn schuld. Ik had het niet moeten doen. Ik heb jullie allebei in verlegenheid gebracht.'

'Je kunt mensen geen hulp opdringen,' zei Frieda. 'Maar het geeft niet.'

'Frieda doet alles altijd lopend. Ze is net een taxichauffeur. Als je haar twee adressen in Londen geeft, loopt ze zo van het ene naar het andere.' Chloë praatte alsof ze bang was dat er ook maar één moment stilte zou vallen. 'En ze heeft er ook veel kritiek op. Ze vindt dat het allemaal mis is gegaan sinds de tijd van Elizabeth I of sinds de grote brand van Londen. Dit is Ted z'n straat. Hier is het allemaal gebeurd. Sorry, ik wil niet alles weer opnieuw oprakelen. Ik heb genoeg schade aangericht. Dit hier is zijn huis, ik bedoel het huis van zijn ouders, maar ik loop nog even met hem mee de straat in om afscheid te nemen en te zeggen dat het me spijt en dan...' Ze draaide zich om naar Frieda, die met een ruk was blijven staan. 'Frieda, is er iets?'

Frieda had een groepje mensen willen laten passeren – twee mannen en een vrouw – die uit een auto waren gestapt, maar had hen herkend op hetzelfde moment dat ze haar herkenden.

'Frieda...' Karlsson leek te verbaasd om iets anders te kunnen zeggen.

De andere man keek eerder geamuseerd en minachtend dan verbaasd. 'U kunt het niet opbrengen om uit de buurt te blijven, hè?' zei Hal Bradshaw. 'Is het een soort syndroom?'

'Ik weet niet wat u bedoelt,' zei Frieda.

'Ik wilde vragen hoe het met u is,' vervolgde Bradshaw. 'Maar ik geloof dat ik het al weet.'

'Ja. Die journalist van u heeft me gebeld.'

Bradshaw glimlachte. Hij had heel witte tanden. 'Misschien had ik u moeten waarschuwen. Maar dat zou het hebben bedorven.'

'Wat is dit?' vroeg Karlsson. Hij leek van slag en niet op zijn gemak.

'Dat hoef jij niet te weten.' Frieda wilde niet dat iemand het wist, en zeker Karlsson niet, maar ze veronderstelde dat iedereen gauw genoeg op de hoogte zou zijn en dat de roddels, het leedvermaak en het tevreden medelijdende gefluister weer van voren af aan zouden beginnen.

De vrouw was Yvette Long.

'Frieda. Wat doe jij hier?'

'Ik heb net warme chocolademelk gedronken met mijn nichtje Chloë. En dit is Ted.'

'Ja,' zei Bradshaw, nog steeds glimlachend. 'We kennen Ted Lennox. Komt u binnen? Ik neem tenminste aan dat u dat wilt.'

'Nee.' Frieda wilde net ontkennen dat ze er ook maar iets mee te maken had toen ze de verkrampte, gekwelde figuur van Ted naast Chloë zag staan. Het zou als verraad klinken. 'Ik was op weg naar huis.'

'Ze kan gaan en staan waar ze wil, of niet soms?' zei Yvette fel. Ze wierp Hal Bradshaw met haar bruine ogen een boze blik toe, maar hij bleef er onverstoord onder.

Frieda moest zich bedwingen om niet te gaan lachen, nu ze voor het eerst meemaakte dat Yvette haar verdedigde. En waar verdedigde ze haar tegen?

Yvette en Bradshaw gingen het trapje op naar het huis, maar Karlsson bleef onhandig op het trottoir staan drentelen.

'Heb jij hier op de een of andere manier mee te maken?' vroeg hij.

'Chloë kent Ted,' zei Frieda. 'Ze wilde dat ik met hem zou praten. Dat is alles.'

Karlsson mompelde iets in zichzelf. 'Ik ben evengoed blij om je te zien,' zei hij. 'Kennelijk gaat het goed met je.'

'Gaat wel,' zei Frieda.

'Ik wilde al een tijdje met je praten. Je zien. Maar nu moet ik...' Hij gebaarde naar het huis.

'Prima,' zei Frieda. Ze knikte Chloë gedag, draaide zich om en liep weg in de richting van Primrose Hill.

Karlsson keek Frieda na en ging toen de anderen achterna het huis in. Munster en Riley waren al binnen. Ze volgden Munster naar de keuken. Yvette haalde de dossiermappen uit haar tas en rangschikte ze op de tafel. Ze gingen allemaal zitten. Karlsson bedacht hoe de familie Lennox daar 's zondags gezellig moest hebben geluncht en deed toen zijn best om daar niet meer aan te denken. Hij keek Bradshaw aan. 'Wat zei Frieda net tegen u?'

'O, het ging over het vak,' zei Bradshaw.

'Oké,' zei Karlsson. 'Laten we eens inventariseren wat we weten.'

'Gaan we Billy Hunt echt niet in staat van beschuldiging stellen?' vroeg Munster.

'Hij zou het moeten zijn,' zei Yvette. 'Eigenlijk. Maar volgens de bewakingscamera's was hij om zestien uur drie in Islington. De buurvrouw heeft om halfvijf aangebeld, en toen werd er niet opengedaan.'

'Misschien lag ze in bad,' zei Munster. 'Of had ze een koptelefoon op.'

'Wat zegt de patholoog-anatoom over het tijdstip van overlijden?' vroeg Karlsson, zijn ogen gericht op Riley, die met een lege blik voor zich uit keek.

Yvette pakte een dossiermap en bladerde de papieren door. 'We hebben er niet veel aan,' zei ze. 'Ze kan elk moment gestorven zijn, met een marge van een halfuur tot drie uur voordat ze werd gevonden. Maar luister eens, we geloven iemand als Billy

Hunt toch niet op zijn woord? Ik bedoel, zijn verklaring is volkomen onlogisch. Hij zegt bijvoorbeeld dat het alarm afging. Maar als híj haar niet heeft vermoord, waarom was het dan niet door de moordenaar in werking gezet?'

'Omdat ze hem zelf heeft binnengelaten,' zei Bradshaw. 'Psychopaten kunnen heel geloofwaardig en overtuigend zijn.'

'U zei eerder dat hij blijk heeft gegeven van woede jegens vrouwen.'

'Daar blijf ik bij.'

'Waarom stond het alarm eigenlijk aan?' vroeg Yvette.

'Hoe bedoel je?' vroeg Karlsson.

'Waarom zou het inbraakalarm ingeschakeld zijn als ze thuis was?'

'Dat is een goede vraag.' Karlsson stond op en liep naar de voordeur. Hij deed hem open en ging naar buiten. Vervolgens kwam hij terug naar de keuken. 'Er is verdomme in dit huis helemaal geen inbraakalarm,' zei hij. 'We zijn een stel idioten.'

'Zie je wel,' zei Yvette. 'Dus Billy Hunt heeft gelogen. Alweer.'

Karlsson trommelde met zijn vingers op tafel. 'Waarom zou hij daarover liegen?'

'Omdat hij een psychopaat is,' zei Bradshaw.

'Hij is een nietsnut en een dief,' zei Karlsson, 'maar hij loog niet.'

'Wat bedoel je?' vroeg Yvette.

'Kijk,' zei Karlsson, en hij wees naar het plafond. 'Daar zit een rookmelder.'

'Hoe kon Hunt een rookmelder in werking zetten?'

'Dat heeft hij niet gedaan,' zei Karlsson. 'Kijk maar in het dossier naar de beschrijving van de plaats delict. Riley, wat zal ik in dat dossier vinden?'

Riley knipperde zenuwachtig met zijn ogen. 'Eén ding in het bijzonder, bedoelt u?' vroeg hij.

'Ja, één ding in het bijzonder. Ach, laat ook maar. Als ik het me goed herinner, was er in de oven iets aangebrand. Daardoor is het alarm afgegaan.'

Yvette bladerde door het dossier. 'Dat klopt,' zei ze.

'Bedoelt u dat Billy Hunt de verbrande koekjes uit de oven heeft gehaald?' vroeg Munster aarzelend.

Karlsson schudde zijn hoofd. 'Je zou nog een keer met dat meisje kunnen gaan praten, maar ik weet al wat ze zal zeggen. Ze kwam thuis, rook een brandlucht en heeft de bakplaat uit de oven gehaald. En toen vond ze haar moeder. Kijk maar eens naar de rookmelder in de huiskamer, Chris. Hunt zei dat daar ook een alarm ging.'

Munster liep de kamer uit.

'Oké,' zei Yvette. 'Dus dat verklaart het alarm. Maar we worden niets wijzer over het tijdstip van overlijden.'

'Wacht even,' zei Karlsson.

Munster kwam de keuken weer in. 'Daar is er geen,' zei hij.

'Wat?' zei Karlsson. 'Weet je het zeker?'

'Er is er wel een in de gang. Dat moet het andere alarm zijn dat hij heeft gehoord.'

Karlsson dacht diep na. 'Nee,' zei hij ten slotte. 'Hoe dan ook, als een rookmelder afgaat, spreek je niet van alarm in het meervoud. Dan gaat er één alarm af.'

'Ja?' zei Yvette.

'Liggen de bezittingen van Ruth Lennox hier of op het bureau?'

'Op het bureau.'

'Oké,' zei Karlsson. 'Momentje, alsjeblieft. Ik moet even bellen.'

Hij liep naar buiten. Na een lange stilte vroeg Yvette aan Bradshaw: 'Is er iets aan de hand tussen Frieda en u?'

'Heb je het met haar besproken?' vroeg hij.

'Wat bedoelt u met "het"?'

'Jouw betrokkenheid bij wat haar is overkomen, haar ongeluk of hoe je het ook noemt.'

'Neemt u me niet kwalijk, ik snap niet wat u bedoelt.'

'Ik hoop alleen dat je je er niet schuldig om voelt.'

'Luistert u eens...' stak Yvette fel van wal, maar ze werd onderbroken doordat Karlsson de keuken weer in kwam.

'Ik heb de cheffin van de afdeling opslag gesproken,' zei hij.

'En ik heb ontdekt wat ik al had verwacht. Wat Hunt in de huiskamer hoorde, was de telefoon van Ruth Lennox. Daarop was de wekker ingeschakeld. Die stond op tien over vier die middag. Dat was het andere alarm dat Billy Hunt heeft gehoord.'

'Zou kunnen,' zei Yvette.

'Het is zo,' zei Karlsson. 'Laten we het maar eens samenvatten en kijken wat we hebben. Koekjes of iets dergelijks die in de oven waren aangebrand. Een rookmelder. En een wekker op een telefoon die op tien over vier staat. Het lijkt me redelijk om aan te nemen dat ze die wekker had gezet om haar er op te attenderen dat de koekjes klaar waren.'

'Mogelijk.'

'Het lijkt me ook redelijk om te veronderstellen dat mevrouw Lennox op het moment dat de wekker afging niet meer in staat was om erop te reageren. Ze moet dus dood zijn geweest om tien over vier, uiterlijk.'

Er viel een stilte aan tafel.

'Fuck,' zei Yvette.

15

Ze wachtte op zijn komst. Ze keek even in de spiegel om te zien of ze er beheerst en redelijk gezond uitzag – ze kon er niet tegen als iemand medelijden met haar had, zeker hij niet – waarna ze staande voor het keukenraam het stuk quiche opat, terwijl de kat langs haar kuiten streek. Het was stil in huis na het vreselijke getimmer, de scheurende geluiden en het geboor van die dag. Stefan was er ook weer geweest, en Josef en hij hadden twee zo te zien zware balken naar binnen gebracht. Maar nu waren ze weg. Frieda wist eigenlijk niet wat ze wilde, maar ze wist wel dat ze zich ineens alerter en minder geïrriteerd voelde, alsof er binnen in haar aan een knop was gedraaid en haar blik op de wereld scherper gefocust was.

Het was tien over negen toen er aangebeld werd.

'Hallo, Frieda,' zei Karlsson. Hij reikte haar een bos rode tulpen aan, verpakt in vochtig papier. 'Deze had ik je weken geleden al eens moeten brengen.'

'Weken geleden had ik veel te veel bloemen. En die verwelkten allemaal tegelijk. Zo is het beter.'

'Mag ik binnenkomen?'

In de huiskamer koos hij een van de stoelen bij het lege haardrooster. 'Als ik aan je denk, zie ik je altijd zittend bij de open haard voor me,' zei hij.

'Je hebt me alleen 's winters meegemaakt.'

Er viel een stilte, waarin ze allebei terugdachten aan het werk dat ze samen hadden gedaan en aan de gewelddadige afloop daarvan.

'Frieda...' begon hij.

'Je hoeft het niet te zeggen.'

'Jawel, dat moet ik wel. Ik ben je niet komen opzoeken sinds je uit het ziekenhuis bent omdat ik zó'n rotgevoel had over het gebeurde dat ik op dat punt min of meer ben dichtgeklapt. Jij hebt ons geholpen – sterker nog: je hebt ons gered. En als dank hebben wij jou de laan uit gestuurd en vervolgens ben je door ons toedoen ook nog bijna vermoord.'

'Jíj hebt me niet de laan uit gestuurd, en het was niet door jóúw toedoen dat ik bijna ben vermoord.'

'Ik, mijn team, wij... Zo werkt het. Ik was verantwoordelijk, en ik heb je laten zitten.'

'Maar ik bén niet vermoord. Kijk maar.' Ze hief haar kin, rechtte haar rug en glimlachte. 'Het gaat prima met me.'

Karlsson deed even zijn ogen dicht. 'Voor dit werk moet je een dikke huid zien te krijgen, want anders word je gek. Maar als het om vrienden gaat, mag je geen dikke huid hebben.'

Stilte omhulde het woord. Beelden van Karlsson schoten door Frieda's hoofd: Karlsson aan zijn bureau, kalm, alles onder controle; Karlsson die met een strak gezicht door een straat beende; Karlsson aan het bed van een jongetje dat, dachten ze, misschien wel stervende was; Karlsson die het voor haar opnam tegenover de commissaris; Karlsson met zijn dochter, die zich als een bange koala aan hem vastklampte; Karlsson naast haar bij de open haard, glimlachend naar haar.

'Fijn om je te zien,' zei Frieda.

'Dat betekent veel voor me.'

'Zijn je kinderen al vertrokken?' vroeg ze.

'Nee. Maar ze gaan wel gauw. Ik had me voorgenomen om veel tijd met ze door te brengen. En toen kwam deze zaak ertussen.'

'Dat doet pijn.'

'Als kiespijn die niet over wil gaan. Gaat het echt goed met je?'

'Prima. Het kost alleen even tijd.'

'Ik bedoel niet alleen fysiek.' Karlsson kreeg een kleur, wat Frieda bijna amusant vond.

'Of ik er een trauma van heb overgehouden, bedoel je?'

'Nou ja, ze hebben je met een més bewerkt.'

'Ik droom er weleens over.' Frieda dacht na. 'En ik moet je zeggen dat Dean Reeve me ook bezighoudt. Er is een paar dagen geleden iets gebeurd wat je moet weten. Kijk niet zo verschrikt, ik wil er nu niet over praten.'

Er viel een stilte. Karlsson leek voor zichzelf een afweging te maken. Wel zeggen of niet zeggen.

'Luister eens,' zei hij ten slotte. 'Ted, die jongen...'

'Ja, dat spijt me.'

'Daar wilde ik het niet over hebben. Je weet wat er gebeurd is?'

'Ik weet dat zijn moeder is vermoord.'

'Ze was een aardige vrouw, getrouwd met een fatsoenlijke man, een hecht gezin, goede vrienden, buren die haar graag mochten. We dachten dat we de dader hadden, dat het allemaal simpel en ongecompliceerd was. Maar het blijkt dat hij het niet gedaan kan hebben, en nou zijn we weer terug bij af. Alleen snappen we er nu nog minder van.'

'Vervelend,' zei Frieda neutraal.

'Dokter Bradshaw heeft een theorie.'

'Die wil ik niet horen,' zei Frieda snel. 'Dat is een van de voordelen van op straat gezet te zijn.'

Karlsson keek argwanend. 'Heb je problemen met Bradshaw?'

'Doet het er iets toe?' Frieda zei verder niets, maar wachtte af.

'Je wilt zeker niet met mij naar dat huis gaan, hè? Eén keertje? Ik wil er graag eens over praten met iemand die ik vertrouw.'

'En Yvette dan?' zei Frieda, hoewel ze al wist dat ze ja zou zeggen.

'Yvette is een kei – afgezien van het feit dat ze jou bijna heeft laten vermoorden natuurlijk. Ze is zowel een collega die ik vertrouw als mijn vechthond. Maar als ik iemand naar een huis wil laten kijken, al was het maar om de geur op te snuiven en misschien een enkel ideetje erover te spuien, dan zou ik dat aan jou vragen – en ik vráág het je dan ook.'

'Als vriendendienst.'

'Ja. Als vriendendienst.'

'Wanneer?'

'Morgenochtend, als er niemand is?'

'Dan zou ik wel kunnen, ja.'

'Meen je dat? Ik bedoel, dat is geweldig. Zal ik een auto sturen?'

'Ik kom wel op eigen houtje.'

Ik heb vandaag een neuroloog ontmoet, Gloria, van wie ik denk dat jij haar graag zal mogen (je ziet, ik ben hier vrienden voor je aan het maken). We hebben het gehad over de vrije wil – bestaat die, enz. Haar standpunt was dat het, met alles wat we nu weten over de hersenen, onmogelijk is te geloven dat er zoiets bestaat, en toch is het tegelijkertijd onmogelijk om er niet in te geloven en te leven alsof we wel degelijk iets te kiezen hebben. Een noodzakelijke illusie.

Het is een mooie avond en de rivier wordt beschenen door een volle maan. Ik vraag me af hoe het in Londen is – maar het is natuurlijk voor jou al bijna ochtend. Je slaapt. Dat hoop ik tenminste. Sandy xxxx

16

En zo liep Frieda de volgende dag alweer langs het Roundhouse, langs de koffiebar waar Ted en Chloë de avond daarvoor warme chocolademelk hadden gedronken en langs het grotere café met het vliegtuig in duikvlucht aan de muur en de bonkende muziek, om uiteindelijk weer Margaretting Street in te lopen. Karlsson stond al voor de deur koffie te drinken uit een kartonnen beker, die hij bij wijze van groet naar haar opstak toen ze op hem toe liep. Het viel hem op dat ze langzamer liep dan vroeger, en een beetje mank.

'Je bent er.'

'Ik zei toch dat ik zou komen.'

'Daar ben ik blij om.'

'Je weet toch wel zeker dat er niemand binnen is?'

'Ja, dat weet ik zeker. Het gezin logeert bij de buren. Het huis is nog steeds officieel een plaats delict.'

'En Hal Bradshaw?'

'Die kan doodvallen.' De heftigheid van Karlssons reactie verraste haar.

Frieda liep achter Karlsson aan door de voordeur naar binnen. Het ruitje was nog steeds niet gerepareerd, maar de afzetlinten waren weg en de technische recherche ook. Er heerste nu al zo'n speciaal soort sfeer van verlatenheid die hoort bij een leegstaand huis, het maakte nu al een verwaarloosde indruk en het rook er muf – en het was natuurlijk het huis waarin onlangs een vrouw was vermoord (een echtgenote, een moeder, een goede buurvrouw, had Karlsson gezegd). Terwijl Frieda in de stille gang stond, voelde ze dat het huis dat op de een of andere manier ook wist en het zich in de steek gelaten voelde.

Tegen de muur stond een grote foto in een kapotte lijst met gebroken glas, en ze bukte zich om ernaar te kijken.

'Het gelukkige gezin,' zei Karlsson. 'Maar de dader blijkt meestal de echtgenoot te zijn, weet je dat?'

Officiële familiefoto's die mensen inlijsten en ophangen in de gang zijn altijd blije foto's. Iedereen moet dicht bij elkaar gaan staan en glimlachen. Daar stond Ted, niet zo slungelig en onverzorgd als ze hem had gezien, met het gladde gezicht van een jongeman; daar was het oudste meisje met haar fascinerende lichte ogen en een nimbus van koperkleurige krullen; en daar de jongste dochter, mager en angstig, maar grijnzend, ondanks haar spoorrailsbeugel, het hoofd iets opzij in de richting van de schouder van haar moeder. En daar was de echtgenoot en vader, een trotse beschermer, precies zoals een echtgenoot en vader eruit hoort te zien wanneer hij met zijn gezin om zich heen gegroepeerd voor een foto poseert waar ze levensecht op moeten staan. Hij had bruin haar dat al grijs begon te worden, hangwangen, net zulke ogen als zijn oudste dochter, wenkbrauwen met een komisch knikje erin, een gezicht dat ervoor gemaakt leek om opgewektheid uit te stralen.

En daar was zij, in het midden, staande naast haar man, gekleed in een gespikkelde trui, het zachte haar losjes in een staart, en met haar open, glimlachende gezicht straalde ze van de foto af. Ze hield één hand op de schouder van haar oudste dochter, die voor haar zat, en de andere op de heup van haar man. Het was een ontroerend gebaar voor zo'n officiële familiefoto, dacht Frieda, zo terloops intiem. Ze boog zich nog wat verder voorover en keek in de ogen van de dode vrouw. Grijs. Geen make-up, zo te zien. Een paar groefjes die haar leeftijd verrieden om haar mond en rimpels in haar voorhoofd. Lachrimpels en fronsrimpels, de neerslag van het geleefde leven.

'Vertel eens wat over haar. Beschrijf haar eens,' zei ze tegen Karlsson.

'Ze heette Ruth Lennox. Vierenveertig jaar. Wijkverpleegkundige, al sinds haar jongste dochter naar school ging; ze was er een paar jaar tussenuit geweest toen de kinderen klein waren. Getrouwd met Russell Lennox,' – Karlsson wees de man op de foto aan – 'al drieëntwintig jaar, en volgens alle getuigen gelukkig getrouwd. Hij geeft leiding aan een kleine liefdadigheidsinstelling voor kinderen met leerproblemen. Drie kinderen, zoals je ziet – die Ted van jou, Judith, die vijftien is, en Dora van dertien. Zitten alle drie in de buurt op school. Ze heeft een draak van een zuster, die in Londen woont. Haar beide ouders zijn overleden. Lid van de ouderraad. Brave burgers. Niet rijk, maar kunnen het er goed van doen. Twee bescheiden maar vaste inkomens, geen grote uitgaven. Drieduizend pond op haar betaalrekening, dertienduizend op haar spaarrekening. Gezonde pensioenvoorziening. Doneert regelmatig vaste bedragen aan diverse goede doelen. Geen strafblad. Geen strafpunten op haar rijbewijs. Ik gebruik de tegenwoordige tijd, maar afgelopen woensdag heeft ze dodelijk letsel aan haar hoofd opgelopen, waaraan ze meteen moet zijn overleden.'

'Wie dacht je dat het gedaan had, voordat je erachter kwam dat dat niet kon?'

'Een junk uit de buurt met een strafblad. Hij blijkt een rotsvast alibi te hebben. Hij is op het moment van haar dood ergens anders op een bewakingscamera gesignaleerd. Hij heeft toegegeven in het huis te hebben ingebroken en een aantal dingen te hebben ontvreemd. Hij is het huis uit gevlucht toen hij haar lichaam vond. We geloofden hem eerst niet, maar voor het eerst van zijn leven blijkt hij de waarheid te hebben gesproken.'

'Dus dat ingeslagen ruitje was zijn werk?'

'En de inbraak. Toen er vlak daarvoor een buurvrouw aan de deur was, wees niets erop dat er ingebroken was, terwijl we weten dat Ruth Lennox toen al dood moet zijn geweest. De conclusie moet dus blijkbaar zijn dat ze de moordenaar zelf heeft binnengelaten.'

'Iemand die ze kende?'

'Of iemand die geen bedreiging leek te zijn.'

'Waar is ze gestorven?'

'Hier.' Karlsson ging haar voor naar de huiskamer, waar het er netjes uitzag en alles op zijn plaats lag en stond (kussens op de bank, kranten en tijdschriften in het rek, boeken langs de wanden, en op de schoorsteenmantel een vaas met tulpen), maar waar op het beige tapijt nog een donkere vlek te zien was en de muur daarnaast nog onder de bloedspatten zat.

'Veel geweld,' zei Frieda.

'Hal Bradshaw denkt dat het het werk is geweest van een extreem boze psychopaat met een gewelddadig verleden.'

'En jij vindt het waarschijnlijker dat de echtgenoot het gedaan heeft.'

'Daar is geen bewijs voor, zo gaat dat nu eenmaal. Als er een vrouw vermoord is, is de meest waarschijnlijke dader haar man. Maar haar man heeft een redelijk bevredigend alibi.'

Frieda keek hem aan. 'We hebben geleerd om op te passen voor vreemden,' zei ze. 'Maar het zijn onze vrienden waar we doorgaans het meest op verdacht moeten zijn.'

'Zover zou ik niet willen gaan,' zei Karlsson.

Ze liepen door naar de keuken, waar Frieda midden in het vertrek bleef staan en haar blik liet gaan van de rommelige kast naar de tekeningen en foto's die met magneetjes op de koelkast waren bevestigd en naar het opengeslagen boek op tafel.

Toen de slaapkamer boven: een groot bed met een gestreept dekbed, een foto in een verguld lijstje van Ruth en Russell op hun trouwdag drieëntwintig jaar geleden; een aantal kleinere ingelijste foto's van haar kinderen op verschillende leeftijden. Een klerenkast met daarin jurken, rokken en hemdjes – niets buitenissigs, viel Frieda op, sommige dingen duidelijk al oud, maar goed onderhouden. Schoenen, plat of met een hakje, een paar zwarte leren laarzen, enigszins afgetrapt. Laden met T-shirts die netjes waren opgerold, niet gevouwen, een ondergoedla met degelijke onderbroeken en bh's, maat 75C. Een kleine hoeveelheid make-upartikelen op de kaptafel en een flesje parfum, Chanel. Op het nachtkastje aan haar kant van het bed een roman met een eruit stekende bladwijzer, *Wives and Daughters* van Elizabeth Gaskell, en daaronder een boek over kleine tuinen. Een dichtgevouwen leesbril daarnaast.

In de badkamer: een stuk ongeparfumeerde zeep, handzeep met appelgeur, elektrische tandenborstels – voor hem en voor haar – en floss, scheerschuim, scheermesjes, een pincet, een spuitbus met deodorant, tissues, hydraterende gezichtscrème, twee badhanddoeken en een gewone handdoek, twee bijpassende washandjes aan haakjes opzij van het bad aan weerszijden van de kraan, een tegen de muur geschoven weegschaal, een medicijnkastje met paracetamol, aspirine, pleisters van verschillende grootte, hoestdrank, crème tegen vaginale infecties waarvan de houdbaarheidsdatum verstreken was, een druppelflacon oogdruppels, maagzuurremmers... Frieda deed het kastje dicht.

'Geen voorbehoedsmiddelen?'

'Dat vroeg Yvette ook. Ze had een spiraaltje – het Mirena-spiraaltje.'

In de door haar gebruikte archiefkast in het werkkamertje van haar man hingen drie dossiermappen voor haar werk, de meeste andere hadden betrekking op de kinderen: schooldiploma's, kwitanties van de kinderbijslag, inentingsboekjes, schoolrapporten op losse vellen of in kleine boekjes, teruggaand tot de lagere klassen van de basisschool, diploma's waaruit bleek dat ze honderd meter konden zwemmen, bewijzen van deelname aan zakloopwedstrijden en fietscursussen.

In de armoedige koffer naast de archiefkast honderden en nog eens honderden bewijzen van de creativiteit van de kinderen, die ze in de loop der jaren van school mee naar huis hadden genomen. Vlekkerige tekeningen in felle kleuren van figuren met stakerige beentjes aan bibberige, cirkelvormige hoofden met haren die als uitroeptekens omhoogstaken; lapjes stof, afwisselend in rijgsteek, kruissteek en kettingsteek; een zelfgemaakt klokje zonder batterij; een doosje waarop met overmatig veel lijm schelpen waren geplakt; een blauwgeschilderde pot van klei, waarin je nog de in de asymmetrische rand achtergebleven vingerafdrukken kon onderscheiden.

'Op zolder staan ook nog een aantal vuilniszakken vol oude

babykleertjes,' zei Karlsson, terwijl Frieda de koffer dichtdeed. 'Daar zijn we nog niet aan toegekomen. Het duurt lang om zo'n huis als dit goed te doorzoeken. Ze gooiden niets weg.'

'Fotoalbums?'

'Een hele plank vol. Onder elke foto noteerde ze de datum en de gelegenheid. Het moederschap was voor haar geen bijzaak.'

'Nee.'

Frieda ging bij het raam staan dat op de tuin uitkeek. Rondom de fruitboom lagen massa's bloesems, en op een zonnig plekje zat een kat. 'Er is hier niets te zien waarvan ze niet zou willen dat de mensen het zagen,' zei ze.

'Wat bedoel je?'

'Ik denk altijd dat niemands leven ertegen bestand is dat je de duistere kanten ervan in de schijnwerper zet.'

'Maar?'

'Maar uit alles wat jij me hebt verteld en afgaande op alles wat ik zelf heb gezien, lijkt het hare helemaal klaar voor de schijnwerper, vind je niet? Alsof dit huis een decor was.'

'Een decor waarvoor?'

'Voor een braaf toneelstuk.'

'Ik dacht altijd dat ík een cynicus was. Bedoel je dat je denkt dat niemand zó braaf kan zijn?'

'Ik ben therapeut, Karlsson. Natuurlijk denk ik dat. Wat voor geheimen had Ruth Lennox?'

Maar natuurlijk, dacht ze enkele uren later toen ze in Number 9 zat, de koffiebar van haar vrienden in de buurt van haar huis: echte geheimen vind je niet in voorwerpen of schema's, in de dingen die we zeggen of onze gezichtsuitdrukkingen, in laden met ondergoed en archiefkasten, in gewiste sms'jes en in agenda's onder in onze tas. Die vinden we pas in veel diepere lagen, die zelfs voor onszelf niet toegankelijk zijn. Hier dacht ze over na terwijl ze tegenover Jack Dargan zat, wiens supervisor ze was en die ze zelfs tijdens haar herstelperiode ten minste één keer per week sprak om hem te begeleiden en zijn twijfels aan te horen. En Jack was een en al twijfel, al twijfelde hij nooit aan Frieda: zij was de constante factor in zijn leven, zijn enige vaste geloofswaarheid.

'Ik wou je om een gunst vragen,' zei Jack opgewekt. 'Kijk niet zo verschrikt – ik zal heus mijn patiënten niet teleurstellen of zo. En zeker Carrie niet.' Sinds ze erachter was gekomen dat haar man Alan haar niet in de steek had gelaten, maar vermoord was door zijn tweelingbroer Dean Reeve, bezocht Carrie Jack twee keer per week, en hij leek het zelfs beter te doen dan Frieda had verwacht. Frieda had vertrouwen in hem. Hij had zijn pessimisme, zijn gebrek aan zelfvertrouwen en zijn onbeholpenheid terzijde geschoven en concentreerde zich helemaal op de vrouw en haar problemen.

'Wat voor gunst?'

'Ik heb een stuk geschreven over traumatisering, en voordat ik het instuur, zou ik graag willen dat jij er eens naar keek.'

Frieda aarzelde. Traumatisering leek haar te veel op haarzelf betrekking te hebben om het stuk objectief te kunnen beoordelen. Ze keek naar Jacks rode hoofd, zijn pluizige haar en belachelijke kleren (vandaag droeg hij een versleten bruine spijkerbroek, een tweedehands geel met oranje overhemd dat vloekte met zijn gelaatskleur en zijn haar en een groene regenjas, al was er geen wolkje aan de lucht). Hij deed haar in zijn verwarring denken aan Ted Lennox en aan zoveel andere onervaren, verlegen jongemannen.

'Goed,' zei ze aarzelend.

'Meen je het?'

'Ja.'

'En mag ik je dan wat vragen?'

'Vragen staat vrij.'

'Maar je geeft niet altijd antwoord, dat weet ik.' Jack ontweek haar blik. 'Ik vraag het je alleen maar omdat de anderen het niet doen en...'

'Welke anderen?' onderbrak Frieda hem.

'Ach, je weet wel, altijd dezelfden.'

'Ben ik dan zo angstaanjagend? Nou, ga door.'

'Gaat het goed met je?'

'Is dat wat je wilde vragen, wat zíj wilden vragen?'

'Ja.'

'Dat stuk dat je geschreven hebt, was dat maar een voorwendsel?'

'Nou ja, min of meer – al heb ik het wel geschreven en zou ik ook graag willen dat je ernaar keek, als je tijd hebt.'

'En ik neem aan dat je me dit vraagt omdat je bang bent dat dat niet het geval is?'

'Nee – dat wil zeggen, ja. Je lijkt zo...' Hij zweeg.

'Ga door.'

'Breekbaar. Als een eierschaal. Nog minder voorspelbaar dan je normaal altijd bent. Sorry, ik wil je niet beledigen. Maar misschien vat je je herstel niet serieus genoeg op.'

'Is dat wat je denkt?'

'Ja.'

'Wat jullie allemaal denken?'

'Eh... ja.'

'Nou, zeg maar tegen iedereen – tegen iedereen die zich zorgen over mij maakt – dat het goed met me gaat.'

'Je bent boos.'

'Ik vind het geen prettig idee dat jullie het achter mijn rug om over me hebben.'

'Alleen omdat we ons zorgen om je maken.'

'Bedankt voor jullie bezorgdheid, maar het gaat goed met me.'

Later die middag kreeg Frieda bezoek van iemand die ze niet had verwacht en die het recente verleden bij haar weer in alle hevigheid deed herleven. Toen ze opendeed, stond daar Lorna Kersey voor haar deur, en voordat Frieda iets had kunnen zeggen, was ze al binnen en had ze de deur met een klap achter zich dichtgeslagen.

'Ik heb niet veel tijd nodig,' zei ze op hoge toon en met overslaande stem van woede.

'Ik zal niet doen alsof ik niet weet waarom u hier bent.'

'Mooi.'

'Ik condoleer u oprecht met uw verlies, mevrouw Kersey.'

'U hebt mijn dochter vermoord, en nu zegt u dat u mij oprecht condoleert met mijn verlies.'

Lorna Kerseys dochter Beth was een ongelukkige, gestoorde jonge vrouw geweest, die leed aan paranoïde waandenkbeelden en die Mary Orton om het leven had gebracht. Frieda was te laat bij het huis van Mary Orton gearriveerd om Beth te kunnen tegenhouden. Nog steeds kon ze 's nachts badend in het zweet wakker worden als ze weer eens in alle hevigheid werd overvallen door de herinnering aan Beth, die met een mes over haar heen gebogen stond, en ze weer in alle levendigheid meemaakte hoe het lemmet haar huid doorboorde. Frieda was zich ervan bewust geweest dat ze dood zou gaan en had gevoeld hoe ze weggleed in duisternis en vergetelheid, maar uiteindelijk had zíj het overleefd en Beth Kersey niet. De politie had gezegd dat het zelfverdediging was geweest, en zelfs Karlsson had Frieda niet willen geloven toen ze volhield dat Dean Reeve Beth had omgebracht en haar daarmee het leven had gered.

'Ja, dat meen ik oprecht,' zei Frieda met vaste stem. Niemand had er iets aan als ze tegen Lorna Kersey zou zeggen dat zij haar dochter niet had vermoord. Ze zou haar niet geloven, en al geloofde ze het wel, wat deed het er nog toe? Beth, die arme, eenzame Beth, was dood, en Lorna Kerseys gezicht was getekend door de pijn die een moeder daardoor voelt.

'U bent bij mij gekomen en u hebt me dingen over Beth laten vertellen die we nog nooit aan iemand hebben verteld. Ik vertrouwde u. U zei dat u zou helpen haar te vinden. Dat hebt u beloofd. En toen hebt u haar vermoord. Weet u hoe het voelt om je kind te begraven?'

'Nee.'

'Nee. Natuurlijk weet u dat niet. Hoe krijgt u het nog voor elkaar om 's ochtends uw bed uit te komen?'

Frieda overwoog om te zeggen dat Beth erg ziek was geweest, dat zij in haar geesteszieke een oude vrouw had afgeslacht en dat ze ook haar, Frieda, zou hebben vermoord. Maar dat wist Lorna Kersey natuurlijk allemaal wel. Ze wilde iemand de schuld geven, en wie lag er dan meer voor de hand dan Frieda?

'Ik wou dat ik iets kon zeggen of doen waardoor...'

'Maar dat kunt u niet. Dat bestaat niet. Mijn kind is dood, en nu zal ze nooit meer beter worden. En dat hebt u gedaan. Zogenaamd om mensen beter te maken, maakt u ze kapot. Ik zal het u nooit vergeven. Nooit.'

Frieda – je klonk vandaag een beetje afwezig. Ik weet dat er iets aan de hand is, maar ondanks alles wat er tussen ons is gebeurd, ben je er niet zo goed in om mij in vertrouwen te nemen, hè? Waarom niet? Ben je bang dat dat verplichtingen schept – alsof ik je daardoor op de een of andere manier in mijn greep zou hebben? Ik geloof dat je het gevoel hebt dat je in je eentje de dingen moet aanpakken, alsof dat een soort morele verplichting is. Of misschien vertrouw je het anderen niet toe om je te helpen. Ik geloof dat ik eigenlijk bedoel dat je mij zou moeten vertrouwen – dat je mij kunt vertrouwen, Sandy xxx

17

The Sir Philip Sidney was een pub aan een drukke weg. Het café, tussen een benzinestation en een meubelzaak in, zag er eenzaam en verlaten uit. Toen Fearby er naar binnen liep, zag hij meteen de man met wie hij de afspraak had, en tegelijkertijd begreep hij dat het een politieman was, of een ex-politieman. Grijs pak, wit overhemd, gestreepte das, zwarte schoenen. Iets te dik. Fearby ging naast hem zitten.

'Iets drinken?' vroeg hij.

'Ik wilde net weggaan,' zei de man.

'Hoe heet u?'

'Hoeft u niet te weten,' zei de man, 'want we zullen elkaar nooit meer spreken. Weet u, we hadden allemaal behoorlijk de pest aan u. Bij het korps.'

'Bij de krant hadden ze ook allemaal behoorlijk de pest aan me,' zei Fearby.

'Dan zult u wel ingenomen zijn met uzelf.'

'Hebt u me daarvoor hiernaartoe laten komen, om me dat te vertellen?'

'Bent u klaar met het verhaal?'

'Weet ik niet,' zei Fearby. 'Conley heeft Hazel Barton niet vermoord. Dat betekent dat iemand anders het heeft gedaan.'

'De politie heeft op het ogenblik geen andere aanwijzingen om op af te gaan. Zoals u weet.'

'Ja,' zei Fearby. 'Is dat alles?'

'Ik vroeg me af of u wel een idee hebt hoe het onderzoek aangepakt moet worden.'

'Hoe het onderzoek aangepakt moet worden?' zei Fearby. 'Ik heb een kamer vol dossiers.'

'Ik zat eens een borrel te drinken,' zei de man op ongedwongen toon, 'en toen hoorde ik dat op de ochtend van de moord op Hazel Barton een paar kilometer verderop in Cottingham nog een ander meisje is benaderd. Maar zij heeft kunnen ontsnappen. Dat is alles. Gewoon iets wat ik heb gehoord.'

'Waarom is dit niet aan de verdediging doorgegeven?'

'Het werd niet relevant geacht. Het paste niet in het patroon. Zoiets.'

'En waarom vertelt u het mij nu?'

'Ik wilde weten of u geïnteresseerd bent.'

'Ik heb er niks aan,' zei Fearby. 'Het is gewoon borrelpraat. Ik moet een naam hebben. Of een telefoonnummer.'

De man stond op. 'Het is iets wat aan je knaagt, wat je niet meer loslaat,' zei hij. 'U weet wel, zoiets als een steentje in je schoen. Ik zal kijken wat ik kan doen. Maar dat is alles. Een telefoontje, en dan hoort u nooit meer iets van me.'

'U was degene die mij belde.'

'Zorgt u maar dat ik er geen spijt van krijg.'

Frieda bestelde een zwarte koffie voor zichzelf en een koffie verkeerd en een koffiebroodje voor Sasha. Ze ging aan een tafeltje zitten en sloeg de krant open. Ze bladerde pagina na pagina door totdat ze het artikel vond dat ze zocht. Nog maar een paar minuten tevoren had Reuben haar er door de telefoon van alles over toegeroepen, dus ze was voorbereid. Ze las het vluchtig door.

'O,' zei ze ineens, als door een wesp gestoken. Er stond iets bij wat ze niet had verwacht.

'Hoe staat het met je verbouwing?' vroeg Sasha. 'Ik wist dat je een nieuw bad van Josef zou krijgen. Ik wist alleen niet dat het zo lang zou duren.'

'Ik ben bijna vergeten hoe mijn oude badkamer eruitzag,' zei Frieda. 'Of hoe het was om zelfs maar een badkamer te hébben.'

'Hij zal wel gedacht hebben dat het een soort therapie voor je zou zijn,' zei Sasha. 'Misschien is een warm bad de enige verwennerij die jij jezelf toestaat zonder dat je daar per se morele overwegingen aan hoeft vast te knopen. Hij vond waarschijnlijk dat je dan maar beter een goed bad kunt hebben.'

'Zoals jij me afschildert, ben ik wel erg... somber.'

'Ik denk dat het ook voor Josef een vorm van therapie is.'

Frieda was verbaasd. 'Waarom zou het een therapie voor Josef zijn?'

'Ik weet dat je erbij was toen Mary Orton werd vermoord. Ik weet hoe afschuwelijk het voor je was. Maar Josef kende haar ook. Hij zorgde voor haar, kluste bij haar. En zij zorgde voor hem, haar Oekraïense zoon. Een betere zoon dan haar Engelse zonen.'

'Dat is waar,' zei Frieda.

'Toen dat haar en jou overkwam, was dat een zware slag voor hem. Ik heb het gevoel dat als hem iets ergs overkomt, hij er niet over praat. Dan bezat hij zich of hij gaat iets voor iemand maken.'

'Zou kunnen,' zei Frieda. 'Ik zou alleen willen dat zijn therapie niet zo'n rommel gaf. En niet zoveel lawaai.'

'En nu wordt er alweer in de kranten over je geschreven. Krijg je daar nou nooit eens genoeg van, dat ze jou altijd moeten hebben?'

Frieda liet even een stilte vallen. 'Dat is het niet,' zei ze. 'Ik wist hier niets van, maar er is iets wat je moet weten.'

'Wat dan?'

'Ze hebben zich bij dit onderzoek op vier psychotherapeuten gericht. Ik ben er natuurlijk een van. Reuben zit erbij, en ook ene Geraldine Fliess. Waarschijnlijk hebben ze haar uitgekozen omdat ze geschreven heeft over extreme psychische stoornissen. En de vierde is James Rundell.'

Geen van beide vrouwen zei er meteen iets over, en dat hoefde ook niet.

'Dezelfde die ons tot elkaar heeft gebracht, neem ik aan,' zei Sasha.

'En die ervoor verantwoordelijk was dat ik werd gearresteerd.'

Rundell was Sasha's therapeut geweest. Toen Frieda erachter kwam dat hij met Sasha naar bed was geweest terwijl ze bij hem onder behandeling was, had ze Rundell daar niet alleen in een restaurant mee geconfronteerd, maar was ze hem ook te lijf gegaan, waarna ze in een politiecel was beland, waaruit Karlsson haar had bevrijd.

'Wordt mijn naam nog genoemd in dat artikel?' vroeg Sasha. 'Sorry, ik weet dat dat egoïstisch klinkt. Zo bedoelde ik het niet.'

'Jij wordt er niet in genoemd,' zei Frieda. 'Voor zover ik weet.'

'Je hoeft je over mij geen zorgen te maken, hoor. Ik ben genezen. Dat is allemaal verleden tijd. Ik ga er niet meer onder gebukt.'

'Blij dat te horen.'

'Eigenlijk...' Sasha zweeg, en Frieda keek haar vragend aan. 'Eigenlijk was ik van plan je iets te vertellen, maar het juiste moment kwam maar niet. Ik heb iemand ontmoet.'

'Echt waar? Hoe heet hij?'

'Frank Manning.' Er verscheen een zachte, dromerige uitdrukking op haar gezicht.

'Vertel eens wat meer! Wat doet hij?'

'Hij is advocaat – strafrechtadvocaat. Ik heb hem nog maar een paar weken geleden ontmoet. Het is allemaal heel snel gegaan.'

'En is hij...' Frieda aarzelde. Ze wilde Sasha vragen of deze Frank vrij en ongebonden was of dat er, net als bij een paar eerdere relaties van Sasha, complicaties waren. Ze was bezorgd om haar mooie, jonge vriendin.

'Je wilt weten of hij getrouwd is? Nee, hij is gescheiden en heeft een zoontje. Kijk niet zo naar me, Frieda! Ik vertrouw hem. Als je hem zou ontmoeten, zou je weten wat ik bedoel. Hij is integer.'

'Ik wil hem graag ontmoeten.' Frieda pakte Sasha's hand en kneep erin. 'Ik ben erg blij voor je. Ik had het kunnen weten, je ziet er zo stralend uit.'

'Ik ben gewoon blij. Als ik 's ochtends wakker word, voel ik dat ik leef! Zo heb ik me heel lang niet gevoeld. Ik was bijna vergeten hoe heerlijk het is.'

'En hij voelt het ook zo?'

'Ja. Net zo. Dat weet ik van hem.'

'Ik moet hem zien. Kijken of hij goed genoeg is voor je.'

'Daar zal ik voor zorgen. Maar, Frieda, dat jij met Reuben en die andere man in dat artikel genoemd wordt, is dat toeval?'

'De man die dat onderzoek doet is psycholoog, Hal Bradshaw. Hij werkt samen met de politie, en wij hadden allebei te maken met die zaak waarbij ik bijna vermoord ben.'

'En jullie konden niet met elkaar opschieten?'

'We waren het over een aantal aspecten niet eens.'

'Mag ik het artikel eens zien?'

Frieda schoof de krant over tafel. Sasha boog zich erover en las het niet in zijn geheel, maar keek het door. Ze las de kop:

STILLE GETUIGEN

Ze zag een rijtje foto's. Een foto van Frieda die al in een ander verslag had gestaan, een foto die op straat genomen was zonder dat ze erop bedacht was. Er stond ook een foto bij van James Rundell, waarop hij er jonger uitzag dan toen zij met hem te maken had, en een oudere foto van Reuben. Hij zag eruit als een psychoanalyticus in een Franse nouvelle-vaguefilm.

Ze las de inleiding: 'In een zojuist verschenen verontrustend rapport wordt erop gewezen dat psychotherapeuten niet in staat zijn om de samenleving te beschermen tegen potentiële verkrachters en moordenaars.'

Ze ging met haar wijsvinger de regels langs op zoek naar Frieda's naam.

> Bij confrontatie met een patiënt die de klassieke kenmerken vertoonde van een psychopaat die tot moord in staat is, heeft dr. Frieda Klein hem geen behandeling voorgesteld en heeft zij niets ondernomen om hem bij de politie aan te geven. Op de vraag waarom ze deze psychopaat niet bij de politie had aangegeven,

antwoordde dr. Klein dat de patiënt haar weliswaar 'enige zorgen baarde', maar dat ze een en ander met niemand anders dan met hemzelf wilde bespreken. Sterker nog, dr. Klein had geweigerd de patiënt te behandelen.

Frieda Klein, een 38-jarige brunette, kwam eerder dit jaar in het nieuws toen ze betrokken was bij een ernstig incident, waarbij twee vrouwen werden doodgestoken en dr. Klein zelf in het ziekenhuis belandde. De tachtigjarige Mary Orton werd in een aanval van krankzinnigheid met messteken gedood door de schizofreen Beth Kersey. De politie heeft de verklaring van dr. Klein geaccepteerd dat zij Kersey uit zelfverdediging had gedood.

De leider van het onderzoeksproject, dr. Hal Bradshaw, merkte op: 'Al is het begrijpelijk dat we meeleven met dr. Klein om wat ze heeft meegemaakt...'

'Dat is aardig van hem,' zei Sasha.

'Van wie?' vroeg Frieda.

'Van die zak van een Bradshaw.' Ze boog zich weer over de krant.

'Al is het begrijpelijk dat we meeleven met dr. Klein om wat ze heeft meegemaakt, ik ben van mening dat we ons serieus dienen af te vragen of zij geen gevaar vormt, zowel voor haar patiënten als voor de samenleving als geheel.'

Dr. Bradshaw maakte melding van de urgente vragen die met zijn onderzoek zijn opgeworpen. 'Het doet mij geen genoegen om de tekortkomingen in kringen van psychoanalytici aan het licht te brengen. We hebben onderzocht hoe vier analytici hebben gereageerd, en van hen blijkt er slechts één verantwoordelijk te hebben gehandeld en de politie te hebben ingeschakeld. De andere drie hebben hun verantwoordelijkheid niet genomen als therapeut en als beschermer van de samenleving.

Seamus Dunne, een van de patiënten in het onderzoek, was toen ik hem sprak nog steeds boos over zijn ervaringen: "Men had mij gezegd dat dr. Klein een topexpert was, maar toen ik haar het verhaal vertelde waaruit bleek dat ik een psychopaat was, is ze daar niet op ingegaan. Ze stelde irrelevante vragen over mijn eet- en slaapgewoonten en dat soort dingen. Het leek alsof ze met haar gedachten elders was."'

Sasha gooide de krant neer. 'Ik besef dat ik nu iets geruststellends tegen je hoor te zeggen, maar ik snap werkelijk niet hoe je dit kunt verdragen. Iedereen schopt maar tegen je aan en strooit leugens over je rond. Het idee dat deze man naar je toe komt, zegt dat hij zorg nodig heeft en jouw hulp inroept, en dat het dan allemaal maar een truc blijkt te zijn! Voel je je niet genomen?'

Frieda nam een slok van haar koffie. 'Sasha, als ik iemand anders tegenover me had, zou ik zeggen dat het geen probleem is en dat het er nou eenmaal bij hoort. En ik zou zeggen dat het allemaal heel interessant zou zijn als het mij niet was overkomen.'

'Maar ík zit tegenover je, en het is jou wel overkomen.'

Frieda glimlachte naar haar vriendin. 'Weet je, soms wou ik dat ik dit werk helemaal niet deed. Ik zou graag pottenbakker willen zijn, dat lijkt me fijn. Dan had ik alleen maar te maken met die klomp klei op mijn draaischijf en zou het niet uitmaken wat ik voelde of wat een ander ervan vond. En uiteindelijk zou ik dan een pot hebben, of een beker of een schaal.'

'Als jij pottenbakker was geworden,' zei Sasha, 'zou ik de mist in zijn gegaan, of erger. Je wilt trouwens helemaal geen pottenbakker zijn.'

'Aardig van je om dat te zeggen, maar jij zou uit jezelf ook wel beter zijn geworden. Bij de meesten gaat het zo, weet je.'

Frieda trok de krant weer naar zich toe en keek er weer in.

'Ga je er iets aan doen?' vroeg Sasha.

Frieda haalde een opschrijfboekje uit haar tas en bladerde het door totdat ze bij de bladzijde kwam die ze zocht. 'Jij kent mensen die goed zijn in technische dingen, hè? In het vinden van dingen op het internet?'

'Ja,' zei Sasha behoedzaam.

'Ik ben op zoek naar Seamus Dunne. Ik heb zijn telefoonnummer, maar ik weet niet waar hij woont. Er moet een manier zijn om daar achter te komen.'

'Ik weet niet of dat zo'n goed idee is,' zei Sasha. 'Als je weer in een vechtpartij verzeild raakt en gearresteerd wordt, kan Karlsson je misschien niet weer vrij krijgen.'

'Nee, niets van dat alles,' zei Frieda. 'Ik moet met hem praten. Persoonlijk. Kun jij dat regelen?'

Sasha keek naar het opschrijfboekje. 'Ik denk het wel,' zei ze. Ze pakte haar telefoon van tafel en toetste het nummer in.

'Wat doe je?' vroeg Frieda, maar Sasha stak alleen haar hand op.

'Hallo,' zei ze in de telefoon, met een nasale stem die heel anders klonk dan normaal. 'Spreek ik met de heer Seamus Dunne? Ja? We willen een pakje bij u afleveren, maar onze chauffeur beschikt blijkbaar niet over het juiste adres. Kunt u het mij geven?' Ze pakte een pen en begon te schrijven in Frieda's notitieboekje. 'Ja... Ja... Ja... Dank u wel, we zijn zo bij u.' Ze schoof het boekje terug naar Frieda.

'Dat was niet helemaal wat ik bedoelde toen ik zei dat ik technische hulp nodig had.'

'Geen geweld, alsjeblieft.'

'Ik zal mijn best doen.'

18

'Nee,' zei Seamus Dunne, toen hij Frieda zag. 'Geen sprake van. En hoe weet u eigenlijk waar ik woon?'

Ze keek over zijn schouder. Studentenhuis. Kale planken. Fietsen in de gang. Onuitgepakte dozen.

'Ik wil alleen even met je praten.'

'Ga maar met de krant praten. Of met Bradshaw. Ik ben er niet voor verantwoordelijk.'

'Dat interesseert me allemaal niet,' zei Frieda. 'En het artikel ook niet. Het ging me om iets wat je gezegd hebt.'

Argwanend kneep Dunne zijn ogen half dicht. 'Is dit een truc?'

Frieda moest hier bijna om lachen. 'Wou je zeggen dat ik je onder valse voorwendselen kom opzoeken?'

Dunne schudde zenuwachtig zijn hoofd. 'Bradshaw zei dat we ons geen zorgen hoefden te maken. Dat het volkomen legaal was.'

'Ik zei al dat dat me niet kon schelen,' zei Frieda. 'Ik wil je twee dingen zeggen. Als je me binnenlaat, zal ik dat doen. En dan ga ik weer.'

Dunne leek gekweld te worden door besluiteloosheid. Ten slotte deed hij de deur open en liet haar binnen. Ze liep door de gang naar de keuken. Die zag eruit alsof een rugbyteam er een afhaalmaaltijd had genuttigd en niet had opgeruimd, vervolgens een feestje had gevierd en ook daarna niet had opgeruimd en er de volgende ochtend had ontbeten en toen evenmin had opgeruimd – en vervolgens de deur uit was gegaan. Seamus Dunne leek hier toch iets te oud voor.

Hij zag haar kijken. 'U lijkt geschokt,' zei hij. 'Als ik had geweten dat u zou komen, had ik opgeruimd.'

'Nee,' zei ze. 'Het doet me denken aan mijn studententijd.'

'Nou, ik studeer nog,' zei hij. 'Het lijkt misschien niks, maar het is beter dan het alternatief. Goed, ik neem aan dat u me komt uitkafferen.'

'Vind je dat je het verdient om te worden uitgekafferd?'

Dunne leunde achterover tegen het aanrecht, waarbij hij een stapel borden met daarop een pan en twee bekers omgooide. 'Dokter Bradshaw heeft ons verteld van een experiment waarbij een onderzoeker studenten naar een aantal psychiaters stuurde, tegen wie ze alleen maar moesten zeggen dat ze het in hun hoofd hoorden bonzen. Bij allen werd de diagnose schizofrenie gesteld, en ze werden opgenomen in een psychiatrisch ziekenhuis.'

'Ja, ik ken het experiment,' zei Frieda. 'Dat zou tegenwoordig niet meer mogen.'

'Helaas misschien,' zei Dunne, 'want het was nogal onthullend, vindt u niet? Maar dat wilt u niet horen.'

'Volgens mij was het zo dat er mensen die geen echte psychopaten waren naar therapeuten werden gestuurd,' zei Frieda. 'En maar een van hen beging de vergissing ze serieus te nemen.'

'En wat waren de twee dingen die u wilde zeggen?'

'Ik ben geïnteresseerd in wat je in het artikel te berde bracht.'

'Dat dacht ik wel.'

'Nee, niet op de manier waarop jij denkt. Je zei dat ik je vragen stelde over irrelevante zaken als je eet- en slaapgewoonten. En trouwens, hoe slaap je?'

'Uitstekend.'

'Nee, ik meen het. Slaap je 's nachts goed door? Of word je nog steeds vaak wakker?'

'Af en toe. Zoals de meeste mensen.'

'En waar denk je dan aan?'

'Van alles, u weet hoe dat gaat. Ik denk over van alles na.'

'En hoe is je eetlust?'

Hij haalde zijn schouders op, waarna er een korte stilte viel.
'Waarom kijkt u me zo aan?'

'Weet je wat ik denk?'

'Dat gaat u me waarschijnlijk zo meteen vertellen.'

'Toen je bij mij voorwendde dat je hulp zocht, heb je dat volgens mij onbewust gebruikt als excuus om echt hulp te vragen.'

'Dat is gewoon freudiaanse onzin. U probeert me klem te zetten.'

'Je slaapt niet goed, je eet niet goed. En dan dit...' Ze gebaarde om zich heen in de keuken.

'Het is gewoon een studentenkeuken.'

'Ik ken studentenkeukens,' zei Frieda. 'Ik heb in studentenhuizen gewoond. Dit is wel iets anders. En trouwens, je bent... hoe oud? Vijfentwintig, zesentwintig? Ik denk dat je een beetje depressief bent en het moeilijk vindt om dat toe te geven, zelfs aan jezelf.'

Dunne kreeg een hoogrode kleur. 'Als het onderbewust is en u denkt dat ik het niet wil erkennen, zelfs niet voor mezelf, hoe kan ik het dan weerleggen?'

'Denk er maar eens over na,' zei Frieda. 'En misschien wil je er weleens met iemand over praten. Alleen niet met mij.'

Er viel weer een stilte. Dunne pakte een vuile lepel en tikte ermee tegen een vlekkerige beker. 'En wat was het tweede?' vroeg hij.

'Het verhaal dat je me vertelde.'

'Welk verhaal? Het was een en al verhaal.'

'Nee. Over het knippen van je vaders haar en die mengeling van tederheid en macht die je voelde.'

'O, dat.'

'Het voelde anders dan al het andere, als een authentieke herinnering.'

'Ik moet u helaas teleurstellen. Ik zei gewoon maar wat.'

'Het was geen herinnering?'

'Nee. Ik had het ingestudeerd.'

'Wie heeft je gezegd dat je dat moest zeggen?'

'Het hoorde bij mijn verhaal. Ik weet het niet. Dokter Bradshaw misschien, of wie het ook was die onze rollen had bedacht.'

'Van wie kregen jullie je instructies?'

'Van een van de andere onderzoekers. O, u wilt zijn naam weten?'

'Ja, graag.'

'Waarom? Zodat u ook hem een schuldgevoel kunt bezorgen?'

'Heb ik jou dan een schuldgevoel bezorgd?'

'Nou, als u het wilt weten, ik was echt zenuwachtig toen ik naar u toe ging. Een beetje misselijk. Het viel me niet mee.' Hij keek Frieda even aan. 'Hij heet Duncan Bailey.'

'Waar woont hij?'

'Wilt u zijn adres ook nog hebben?'

'Als je het hebt.'

Seamus Dunne mompelde iets, maar scheurde toen de flap van een lege cornflakesdoos die op de vloer lag en krabbelde daar iets op, waarna hij de flap aan Frieda gaf.

'Bedankt,' zei ze. 'En vergeet niet wat ik zei: dat je er met iemand over zou kunnen gaan praten.'

'Gaat u nu weg?' Seamus Dunne leek uit het veld geslagen.

'Ja.'

'Dat was het, bedoelt u? Het is klaar?'

'Ik ben er niet helemaal zeker van of het klaar is, Seamus.'

Jim Fearby had zijn dossiers weer geraadpleegd om er zeker van te zijn dat hij alle feiten paraat had. Hij maakte zijn aantekeningen altijd in steno, dat hij meer dan veertig jaar geleden had geleerd, toen hij als leerling-journalist in dienst kwam bij het plaatselijke dagblad in Coventry. Niemand leerde nu nog steno, maar hij hield ervan om die hiërogliefen neer te krabbelen, alsof het geheimschrift was. En vervolgens, zo mogelijk nog dezelfde dag, nam hij zijn aantekeningen over op zijn notitieblok. Pas later zette hij alles op zijn computer.

Hazel Barton was in 2004 gewurgd; haar lichaam was enkele kilometers van haar huis gevonden, langs de kant van de weg. Blijkbaar had ze, toen de bus niet kwam, besloten om naar huis te lopen. Ze was achttien jaar, een knappe, frisse meid. Ze had drie oudere broers, en ouders die haar verwenden en dol op haar waren. Ze wilde fysiotherapeut worden. Nog weken na haar dood had haar gezicht je van krantenpagina's en televisieschermen toegelachen. George Conley had over haar lichaam gebogen gestaan. Hij was meteen gearresteerd en kort daarna in staat van beschuldiging gesteld. Hij stond ter plaatse bekend als de dorpsgek, een wanstaltige, slome, werkloze zonderling, die rondscharrelde in parken en in de buurt van speeltuinen – natuurlijk had hij het gedaan. En toen hij bekende, was iedereen blij, behalve Jim Fearby, die een pietje-precies was en nooit zonder meer voor waar aannam wat iemand zei. Hij moest de processen-verbaal lezen, de dossiers napluizen en de wetboeken erop nakijken.

Hij zat voor de tv zonder er echt naar te kijken toen de telefoon ging.

'Hebt u een pen bij de hand?'

'Met wie spreek ik?'

'Philip Sidney.'

Fearby tastte naar zijn pen.

'Ja?'

'Vanessa Dale,' zei de stem, gevolgd door een telefoonnummer, waarna hij Fearby vroeg dit voor hem te herhalen. Fearby stelde een vraag, maar de verbinding was al verbroken.

Frieda schonk twee glazen whisky in en gaf er een aan Josef. 'Hoe gaat het?' vroeg ze.

'De balk is goed. Stevig. Maar nu ik de vloer heb weggehaald, denk ik dat ik beter tegels kan doen. Tegels op de vloer. Maar dan lijkt de muur door de tegels op vloer oud en slecht. Dus misschien ook tegels tegen de muur. Jij moet kiezen.'

Josef leek zijn glas te vergeten, en Frieda klonk er met het hare tegenaan om hem eraan te herinneren. Ze namen allebei een slok.

'Toen ik je vroeg hoe het ging, wilde ik weten hoe het met jou ging, niet alleen met de badkamer. Maar ik wil je wel zeggen dat ik voor dit alles ga betalen. Dit kun jij je niet allemaal veroorloven.'

'Is al goed.'

'Nee, het is niet goed. Ik ben te veel met mezelf bezig geweest. Ik weet dat je een goede band had met Mary Orton. Het is afschuwelijk voor je wat er gebeurd is, dat weet ik best.'

'Ik droom over haar,' zei Josef. 'Twee keer, misschien vier keer. Het is grappig.'

'Wat droom je dan?'

Josef glimlachte. 'Ze woonde in Oekraïne. In mijn oude huis. Ik zeg tegen haar dat ik verbaasd ben om te zien dat ze leeft. Ze praat tegen me in mijn eigen taal. Stom, niet?'

'Ja. Heel stom. Maar helemaal niet stom.'

Frieda, lieveling – Het is te laat om je te bellen. Ik heb net de site bekeken die je me opgaf. Wie is die verdomde Hal Bradshaw eigenlijk? Kunnen we daar niet iets aan doen? Een van mijn oudste vriendinnen is advocaat. Moet ik haar er eens over aanspreken?

Maar ik hoop dat je weet hoe er tegen je wordt opgekeken door iedereen die ertoe doet – je vrienden, je collega's, je patiënten. Dit hele verhaal is niet meer dan een kwaadaardige schertsvertoning die daar helemaal niets aan zal veranderen.

Ik heb een idee voor de zomer: we zouden een boot kunnen huren op het Canal du Midi. Dat zal je leuk vinden. Ik heb het al eens gedaan, en die boten zijn heel knus (sommige mensen vinden ze benauwd, maar jij vast niet. Ze lijken een beetje op jouw huis, alleen bewegen ze). We zouden er de waterwegen mee af kunnen varen en hier en daar aanleggen voor een picknick en 's avonds kleine brasseries opzoeken. In mijn fantasie is het natuurlijk lekker zonnig weer, jij draagt een zomerjurk, je drinkt witte wijn en je bent zelfs al een beetje bruin. Zeg ja! xxxx

19

'We waren allemaal erg geschokt,' zei de vrouw die tegenover Munster en Riley zat. 'Ik kan het eigenlijk niet geloven. Ik bedoel, Ruth was zo...' – ze zweeg en zocht naar het juiste woord, vertrok haar gezicht in een frons – '... nuchter,' zei ze uiteindelijk. 'Opgewekt. Praktisch. Ik weet niet... Niet iemand wie dit soort dingen overkomt. Ik besef hoe stom dat klinkt.'

Ze zaten in het moderne laagbouwcomplex waar Ruth Lennox als wijkverpleegkundige had gewerkt, in een kamertje naast de kantoortuin met haar afdelingschef, Nadine Salter.

'Het klinkt niet stom,' zei Chris Munster toen Riley niet reageerde. Hij zag er die ochtend versuft uit en hij had plooien in zijn gezicht alsof hij net uit bed was gestapt. 'Dat zeggen de meeste mensen over haar. Dat ze een aardige, ongecompliceerde vrouw was. Hoe lang heeft ze hier gewerkt?'

'Ruim tien jaar. Meestal was ze niet hier op kantoor, maar de deur uit, bij de mensen langs.'

'Kunt u ons haar bureau laten zien?'

'Natuurlijk.'

Ze gingen het grote vertrek binnen en liepen daar langs bureaus met nieuwsgierige mensen die deden alsof ze aan het werk waren. Het bureau van Ruth Lennox was keurig opgeruimd, zoals Munster en Riley al wel hadden verwacht; al haar dossiers, blocnotes, de agenda met haar werkafspraken, haar correspondentie en haar briefpapier waren in de laden opgeborgen. Afgezien van de nogal oude computer waren op het bureaublad alleen een potje met pennen, een bakje met paperclips en nietjes en een ingelijste foto van haar drie kinderen te zien.

'We zullen haar computer en correspondentie mee moeten nemen,' zei Munster. 'Vooralsnog zijn we echter alleen geïnteresseerd in de woensdag waarop ze is overleden. Zes april. Is ze toen hier geweest?'

'Ja. Een halve dag maar. Woensdagmiddag had ze altijd vrij. We hebben 's ochtends een algemene personeelsvergadering, om een uur of elf, en dan gaat ze daarna weg.'

'Dus ze was die dag op kantoor, niet buiten de deur?'

'Dat klopt. Ze is om ongeveer negen uur binnengekomen en is op het middaguur weggegaan.'

'Was er die dag iets anders aan haar?'

'Daar hebben we het over gehad. Nee, ze was in haar gewone doen.'

'Heeft ze niet gezegd dat haar iets dwarszat?'

'Helemaal niet. We hebben het erover gehad hoe moeilijk jonge mensen het hebben die werk zoeken, maar dat was heel algemeen – haar kinderen zijn nog zo jong dat ze zich daar geen zorgen over hoeft te maken. Arme stakkers. En ze heeft mij een recept gegeven.'

'Hebt u haar weg zien gaan?'

'Nee. Maar Vicky daar stond buiten te roken, en zij heeft haar in een taxi zien stappen.'

'Weet u van welke firma?'

'Nee, dat weet ik niet.'

'Wacht even,' zei Riley.

Hij liep naar het bureau van Ruth Lennox en kwam terug met een kaartje, dat hij aan Munster gaf. 'Dit zat op haar prikbord,' zei hij.

Munster bekeek het kaartje. C&R Taxi's. Hij toonde het aan Nadine Salter.

'Zou ze haar werkbezoeken per taxi afleggen?' vroeg hij.

Er verscheen een blik van afkeuring op haar gezicht. 'Niet met ons budget.'

C&R Taxi's was gevestigd in een kamertje met groezelige ramen naast een wedkantoor in Camden High Street. Op een bank zat een oude man te slapen. Achter een bureau met drie telefoons en een laptop erop zat een gezette man. Toen Munster informeerde naar Ruth Lennox, keek hij op naar de twee rechercheurs.

'Ruth Lennox? Afgelopen woensdag?' Behendig liet hij zijn dikke vingers over zijn computerscherm gaan. 'Ja, we hebben haar vorige week woensdag gereden. Ahmed was het. Waar naartoe?'

Ze verwachtten dat hij zou zeggen dat Ahmed Ruth Lennox naar huis had gebracht, in Margaretting Street. Dat zei hij niet.

'Shawcross Street 37, SE17. Nee, we hebben haar daar niet weer opgehaald.' Een van de telefoons zoemde luid. 'Ik moet opnemen.'

Buiten op straat keken Munster en Riley elkaar aan.

'Shawcross Street,' zei Munster.

In de straat die ze moesten hebben gold eenrichtingverkeer, dus ze parkeerden de auto naast een enorm flatgebouw dat dateerde uit de jaren dertig. Er werden voorbereidingen voor de sloop getroffen, en de ramen en deuren waren afgedekt met ijzeren platen.

'Ik vraag me af wat Ruth Lennox hier te zoeken had,' zei Munster terwijl hij uitstapte.

'Dat is toch het werk van een wijkverpleegkundige?' vroeg Riley. 'Bij patiënten thuis langsgaan?'

'Dit is niet haar werkgebied.'

Ze sloegen de hoek om en liepen Shawcross Street in. Aan de ene kant stonden grote, halfvrijstaande negentiende-eeuwse huizen, maar nummer 37 was daar niet een van. Het was een vervallen pand uit de jaren vijftig met metalen raamkozijnen, onderverdeeld in drie appartementen, waarvan het bovenste leeg leek te staan. Een van de ramen was ingeslagen, en een sjofel rood gordijn wapperde naar buiten.

Munster drukte op de onderste bel en wachtte. Daarna drukte hij op de middelste bel. Net toen ze zich wilden omdraaien om weg te gaan, ging de buitendeur open en keek een kleine, donkere vrouw argwanend naar buiten. 'Wat is er?' vroeg ze.

Chris Munster hield zijn identiteitsbewijs omhoog. 'Mogen we even binnenkomen?'

Ze ging opzij om hen de gemeenschappelijke hal in te laten.

'We willen even weten wie er in dit pand wonen. Woont u hier?'

'Ja.'

'Alleen?'

'Nee. Met mijn man, die in bed ligt, en mijn twee zonen, die op school zitten, als u dat wou vragen. Wat is er aan de hand?'

'Is uw man ziek?' vroeg Riley.

'Hij is zijn baan kwijtgeraakt.' De vrouw keek boos en gespannen. 'Hij heeft een arbeidsongeschiktheidsuitkering. Ik heb alle formulieren ervan.'

'Daar zijn we niet in geïnteresseerd,' zei Munster. 'Kent u ene Ruth Lennox?'

'Nooit van gehoord. Hoezo?'

'Ze is afgelopen woensdag op dit adres geweest.'

Hij haalde de foto van Ruth uit zijn zak en hield die omhoog. 'Herkent u haar?'

Ze bekeek de foto en fronste haar voorhoofd. 'Ik let niet zo op de mensen die hier in en uit lopen,' zei ze.

'Ze is het slachtoffer geworden van een misdrijf. Wij denken dat ze hier is geweest op de dag van haar dood.'

'Is ze dood? Wat wou u daarmee zeggen?'

'Niets. Echt niet. We willen alleen weten of ze op die dag hier is geweest en waarom.'

'Nou, niet bij ons in elk geval. Ik ken geen Ruth Lennox. Ik ken deze vrouw niet.' Ze prikte met haar wijsvinger op de foto. 'En wij zijn oppassende burgers, wat tegenwoordig helemaal niet zo makkelijk is.'

'Weet u wie er in de andere flats wonen?'

'Boven staat het leeg. Die zijn maanden geleden verhuisd. En van beneden weet ik het niet.'

'Maar daar woont wel iemand?'

'Wónen zou ik niet zeggen. Het is verhuurd, maar ik zie ze nooit.'

'Ze?'

'Hen. Hem. Haar. Ik weet het niet.' Ze ontspande zich iets. 'Ik hoor soms een radio. Overdag.'

'Dank u wel. En hebt u er afgelopen woensdag iemand gezien?'

'Nee. Maar ik heb er ook niet op gelet.'

'Als uw man overdag thuis is, heeft hij misschien iets gezien?'

Ze keek van het ene gezicht naar het andere en haalde toen even met een vermoeid gebaar haar schouders op. 'Hij slaapt veel, zo te zien tenminste – vanwege zijn pillen.'

'Oké, laat maar. Kunt u me zeggen wie uw huisbaas is?'

'Die zie je hier nooit.'

'Hoe heet hij?'

'Reader. Michael Reader. U hebt misschien wel van hem gehoord. Je ziet hier overal borden met zijn naam erop. Zijn grootvader heeft na de oorlog een heleboel van dit soort huizen opgekocht. Als er één crimineel was, dan was hij het.'

20

Duncan Bailey woonde in Romford in een betonnen, brutalistisch flatgebouw. Het was groot opgezet, met kille gangen, hoge plafonds en grote ramen, die uitzicht boden op een wirwar van huizen en flats aan kronkelende straten.

Frieda wist dat hij er zou zijn, want na een korte afweging had ze hem op zijn mobiele nummer gebeld en een afspraak gemaakt om hem te ontmoeten. Hij had niet zenuwachtig geklonken en zelfs niet verbaasd, maar ontspannen en bijna geamuseerd en ze had met hem afgesproken om halfzes die middag, als hij thuiskwam uit de bibliotheek. Hij was doctoraalstudent psychologie aan Cardinal College, waar Hal Bradshaw gastdocent was.

Ze liep de trap op naar de derde verdieping en vervolgens door de brede gang. Zou Bailey denken dat ze wraak wilde nemen? Nee, wraak was niet het motief voor Frieda's komst hiernaartoe. Haar motief was vreemder, vager. Iets onbenoembaars, niet te zien, niet te horen en niet te ruiken of aan te raken, een vage, schimmige vorm, die zich roerde in haar gedachten.

Duncan Bailey was een ongewoon kleine jongeman. Hij leek hier niet thuis te horen en maakte een bijna komische indruk in zijn grote, hoge huiskamer. Hij had donkerblond haar en een keurig sikje, levendige blauwe ogen en een mager, beweeglijk gezicht. Zijn manier van doen was speels en joviaal. Het was moeilijk te zeggen of hij oprecht of sarcastisch was.

'Bedankt dat je me wilde ontvangen,' zei Frieda.

'Geen probleem. Ik heb veel over u gehoord.'

'Ik wilde je alleen een paar vragen stellen. Het gaat over het experiment waaraan we allebei hebben deelgenomen.'

'U bent er niet boos om, hoop ik?' vroeg hij met een glimlach.

'Waarom zou ik boos zijn?'

'Mensen zouden het gevoel kunnen hebben dat ze vernederd zijn. Maar het is allemaal gedaan ten dienste van de wetenschap. Hoe dan ook, Bradshaw zei dat u daar misschien anders over zou denken.'

'Hij kan het weten,' zei Frieda. 'Maar zoals ik het heb begrepen, moesten jullie allemaal doen alsof jullie dezelfde proefpersoon waren, en dezelfde symptomen voorwenden, klopt dat?'

'Bradshaw zei dat we zoveel van het script konden afwijken als we wilden, zolang we de essentiële elementen er maar in verwerkten.'

'Dus dingen als het knippen van je vaders haar, dat zat ook in jouw verhaal?'

'Ja. Vond u het goed?'

'Had Bradshaw het onderzoek zelf bedacht?'

'Hij was er wel voor verantwoordelijk, maar de samenstelling van de groep werd door een van de andere onderzoekers gedaan. We zijn als groep nooit bij elkaar geweest. Ik ben er pas vrij laat bij betrokken geraakt, bij wijze van gunst.'

'Wie waren de anderen?'

'Wilt u dat ik hun namen noem?'

'Dat zou me wel interesseren, ja.'

'Zodat u ook bij hen langs kunt gaan?'

'Misschien.'

'U doet er wel veel moeite voor. Romford is een eind uit de buurt om alleen maar een eenvoudige vraag te komen stellen. Ik had het u ook wel telefonisch kunnen vertellen. Temeer daar u zo ziek bent geweest.'

Frieda zei niets en keek hem alleen maar aan.

'Wilt u niet weten bij wie ik ben geweest?'

'Niet echt.'

'Bij uw vriend.'

Arme Reuben, dacht Frieda. Hij was kansloos tegenover iemand als Duncan Bailey.

'James Rundell.' Hij keek haar vragend aan, met zijn hoofd iets opzij. 'Ik kan wel begrijpen waarom iemand hem een pak slaag zou willen geven.'

Frieda onderdrukte een glimlach bij het beeld van de confrontatie tussen James Rundell en deze scherpe, cynische jongeman met zijn heldere oogopslag.

'Maar u moet niet denken dat u iets te zeggen hebt over andere mensen,' vervolgde Duncan Bailey. 'Ik bedoel, ik vind het natuurlijk leuk om kennis met u te maken, maar iemand die gevoeliger is dan ik zou zich geïntimideerd kunnen voelen door uw bezoek. Begrijpt u wat ik bedoel?'

'Geef me nu maar gewoon de namen.'

Bailey dacht even na. 'Waarom ook niet? Ze zullen binnenkort toch wel in het psychologietijdschrift staan. Zal ik ze voor u opschrijven? Ik kan ook de adressen er wel bij geven als u daar wat aan hebt. Dat bespaart u een hoop moeite.' Met de soepelheid van een kat kwam hij overeind uit zijn stoel en bewoog zich lichtvoetig door de kamer.

Vijfenhalf uur later zat Frieda in een vliegtuig. De lastminutevlucht was om te huilen zo duur geweest, vooral omdat ze maar belachelijk kort weg zou zijn. Daarbij kwam nog dat ze last had van vliegangst, waardoor ze de noodzaak om te vliegen bijna tien jaar lang had weten te vermijden. Aan boord bestelde ze tomatensap. De vrouw naast haar snurkte zachtjes. Frieda zat rechtop en was doodsbang – omdat ze in een vliegtuig zat, omdat Dean Reeve nog in leven was, omdat ze wist hoe het voelde om dood te gaan, omdat ze zo blij was dat ze Sandy weer zou zien en omdat het gevaarlijk was om zoveel om iemand te geven. Het was veiliger om op jezelf te leven.

Toen Fearby Vanessa Dale opbelde, vertelde die dat ze al jaren geleden was verhuisd en inmiddels in Leeds woonde. Ze werkte in een apotheek. Fearby zei dat dat geen probleem was en dat hij bij haar langs kon komen. In haar middagpauze bijvoorbeeld? O ja, nog één ding. Had ze een foto van zichzelf? Uit die tijd? Kon ze die meebrengen?

Ze troffen elkaar buiten op de stoep, en hij liep met haar naar een koffiebar een paar deuren verder. Hij bestelde voor zichzelf thee en voor haar koffie met een exotische naam. Hoewel de beker van het kleinste formaat was, leek het schuimende brouwsel wel genoeg voor vier personen. Vanessa Dale droeg een donkerrode rok met daaronder een dikke maillot, halfhoge laarsjes en een felgekleurde blouse. Het viel hem op dat ze vlak boven haar linkerborst een badge met haar naam droeg. Hij haalde zijn pen en opschrijfboekje tevoorschijn. Je denkt dat je alles wel zult onthouden, maar dat is niet zo. Daarom schreef hij alles op en werkte hij het later allemaal uit, met naast elke aantekening de datum.

'Bedankt dat u zich hiervoor wilde vrijmaken,' zei hij.

'Graag gedaan,' zei ze.

'Hebt u nog een oude foto kunnen vinden?'

Ze deed haar tasje open en haalde er twee pasfoto's uit, afgeknipt van een serie van vier. Hij bekeek ze en keek toen naar haar. De oudere Vanessa had een voller gezicht, terwijl het haar lang en donker was. 'Mag ik die houden?' vroeg hij.

'Ja hoor,' zei ze.

'Ik ben door iemand gebeld,' zei Fearby. 'Iemand van de politie. Hij zei dat u contact met ze had opgenomen op 13 juli 2004. Klopt dat?'

'Ik heb inderdaad jaren geleden eens de politie gebeld. Ik herinner me de datum niet.'

'Waarom had u gebeld?'

'Iemand had me erg laten schrikken. Daarover heb ik toen de politie gebeld.'

'Kunt u me vertellen wat er was gebeurd?'

Vanessa keek argwanend. 'Waarom wilt u dat weten?'

'Dat zei ik u al, ik ben bezig met een artikel. Maar uw naam komt er niet in.'

'Het lijkt nu nogal stom,' zei Vanessa, 'maar het was echt heel eng. Ik liep terug van de winkels in de buurt van het huis van mijn ouders. Er was daar een met struikgewas begroeid landje. Nu staat er een Tesco-supermarkt. Er stopte een auto, en een man vroeg de weg. Hij stapte uit en probeerde me vast te pakken. Hij greep me bij de keel. Ik heb me losgerukt en tegen hem geschreeuwd, en toen ben ik weggerend. Ik moest van mijn moeder de politie bellen. Er zijn toen een paar agenten langsgekomen om proces-verbaal op te maken. Dat was het.'

'En dat is niet ter sprake gekomen bij de rechtszaak.'

'Welke rechtszaak?'

'Die van George Conley.'

Ze keek uitdrukkingsloos.

'Herinnert u zich de moord op Hazel Barton?'

'Nee.'

Fearby dacht even na. Was dit niet meer dan het zoveelste dode spoor? 'Wat weet u nog van de man die u toen te pakken nam?'

'Het is jaren geleden.'

'Maar een man heeft u geprobeerd te ontvoeren,' zei Fearby. 'Dat moet indruk op u hebben gemaakt.'

'Het was heel vreemd,' zei Vanessa. 'Toen het me overkwam, leek het net een droom. Kent u dat, dat als je heel eng droomt, je je er bijna niets van kunt herinneren als je wakker wordt? Ik herinner me een man in een pak.'

'Was hij oud? Of jong?'

'Weet ik niet. Het was geen tiener en het was geen oude man. Hij was heel sterk.'

'Groot? Klein?'

'Gemiddeld, zou ik zeggen. Misschien iets groter dan ik. Maar dat weet ik niet zeker.'

'En zijn auto? Weet u nog de kleur en het merk?'

Ze fronste geconcentreerd haar gezicht. 'Zilverkleurig, geloof ik. Maar dat zeg ik misschien omdat de meeste auto's zilverkleurig zijn. Ik kan me eerlijk gezegd niks herinneren. Het spijt me.'

'Niks?'

'Het spijt me, ook toen al was alles vaag, en het is nu zeven jaar geleden. Ik herinner me de man, het gevoel van zijn hand om mijn keel en het razen van de automotor, meer niet.'

Fearby schreef alles – zoals ze het zei – op in zijn opschrijfboekje.

'En heeft hij nog wat gezegd?'

'Hij vroeg de weg, zoals ik al zei. Misschien heeft hij ook nog wat gezegd toen hij me vastpakte. Dat weet ik niet meer.'

'En van de politie hebt u nooit meer iets gehoord?'

'Dat had ik ook niet verwacht.'

Fearby klapte zijn opschrijfboekje dicht. 'Goed gedaan,' zei hij.

Ze keek verbaasd. 'Hoe bedoelt u?'

'Dat u hebt weten te ontsnappen.'

'Zo was het niet,' zei ze. 'Ik had niet het gevoel dat ik het zelf deed. Het was alsof ik mezelf op televisie zag.' Ze pakte haar telefoon. 'Ik moet nu terug.'

21

Frieda kende New York niet, het was voor haar een abstractie, een stad van duistere plekken en symbolen, van stoom oprijzend uit riolen, een oord waar mensen aankwamen om zich vervolgens te verspreiden.

Ze vond het prettig om te landen terwijl het nog donker was, al kondigde de dageraad zich met een band van licht al aan, zodat alles deels voor haar verborgen bleef en niet meer was dan een wisselend patroon van opeengepakte gebouwen, pulserende lichtjes en af en toe een teken van leven achter de ramen. Zo meteen zou ze alles duidelijk voor zich tentoongespreid zien en zou het mysterie zich oplossen in alledaagsheid.

Ze had Sandy niet verteld dat ze zou komen, want dat had ze zelf niet eens geweten. Het was vroeg in de ochtend en hij zou nog wel in bed liggen, dus deed ze wat ze altijd deed als ze zich onzeker voelde: lopen, waarbij ze een kaart raadpleegde die ze had gekocht, totdat ze ten slotte uitkwam op Brooklyn Bridge en omkeek naar de skyline van Manhattan, wat zowel een vertrouwde als een vreemde aanblik was. Frieda dacht aan haar eigen huisje in de wirwar van kleine straatjes. Daar zag ze het meteen als de luiken van een winkel opnieuw geverfd waren of wanneer een plataan gesnoeid was. Ze bedacht dat ze daar blindelings haar voordeur zou kunnen vinden. Ineens voelde ze bijna een soort heimwee. Ze begreep nauwelijks welk instinct haar hiernaartoe had gedreven.

Tegen zevenen arriveerde ze in Sandy's wijk, maar ze aarzelde nog om hem wakker te maken. Het was een koele, bewolkte dag en er stond een stormachtige wind, die regen leek aan te kondigen. Zelfs de lucht rook hier anders. Ze liep de straat door totdat ze bij een kleine koffiebar kwam, waar ze een kop koffie bestelde. Ze liep ermee naar een van de ijzeren tafeltjes bij het raam dat uitkeek op straat. Ze had het koud en was moe en overladen met ondoordringbare, mysterieuze problemen. Ze kon er niet achter komen of dit het gevolg was van de gebeurtenissen van de afgelopen weken of van het feit dat ze hier nu was en op het punt stond om Sandy weer te zien. Ze had hem zo gemist, maar nu kon ze zich hun ontmoeting niet voorstellen. Wat moesten ze tegen elkaar zeggen? Elkaar zo missen en dan ineens weer zo dicht bij elkaar, hoe moest dat? Er kwam een idee bij haar op met een kracht die haar ineen deed krimpen, alsof ze een stomp in haar maag had gekregen en naar adem snakte: misschien was ze wel hiernaartoe gekomen om haar relatie met Sandy te beëindigen. Toen de gedachte eenmaal bij haar had postgevat, voelde die aan als een drukkend gewicht. Was dat het?

De kleine ruimte liep langzaam vol met mensen. Buiten was het gaan miezeren, en door de druppels op het raam leek alles op straat wazig heen en weer te bewegen. Ze voelde zich ver verwijderd van zichzelf – ze was er wel, maar toch ook niet, in haar eentje in de wriemelende menigte in deze stad, onzichtbaar. De grijze lucht gaf haar het gevoel zich onder water te bevinden, de reis had van de tijd een caleidoscoop gemaakt. Misschien moest ze weggaan voordat er iets gebeurde, doen alsof ze daar nooit was geweest.

Toen Sandy de koffiebar passeerde op weg naar de bakker op de hoek, waar hij altijd verse broodjes kocht voor het ontbijt, keek hij even door het raam naar binnen en vervolgens weer voor zich uit. Maar vanuit zijn ooghoeken had hij een glimp opgevangen van een gezicht dat hem bekend voorkwam. En toen hij weer keek, door de regendruppels op het glas heen, zag hij haar. Ze zat met een hand onder haar kin strak voor zich uit te kijken. Even vroeg hij zich af of hij droomde. En toen, alsof ze zijn ogen op zich gevestigd voelde, draaide ze haar hoofd. Hun blikken kruisten elkaar. Ze glimlachte heel even, dronk haar koffie op, stond op, verliet de koffiebar en liep de straat op. Hij zag dat ze nog steeds een beetje mank liep en er vermoeid uitzag. Zijn hart sprong op. Ze had een leren tas, maar geen andere bagage. 'Jezus, wat doe jij hier?'

'Jou opzoeken natuurlijk.'

'Jezus,' herhaalde hij.

'Ik stond op het punt om je te bellen. Ik wilde je niet wakker maken.'

'Je kent me.' Hij wreef over zijn ongeschoren wang en staarde haar aan. 'Ik ben een vroege vogel. Hoe laat is het voor jou?'

'Weet ik niet. Niet laat, niet vroeg. Nu.'

'Dus je hebt hier gewoon maar zitten wachten?'

'Ja. Wat zit er in die zak?'

'Ontbijt. Wil je ook?'

'Graag.'

'Maar Frieda...'

'Wat is er? Is er een andere vrouw bij je thuis?'

Sandy lachte onzeker. 'Nee. Op het moment is er geen andere vrouw bij me thuis.'

Hij maakte de ceintuur van haar regenjas los, trok de jas uit en hing hem aan het haakje naast zijn eigen jas. Ze vond het fijn dat hij zo zorgzaam was. Hij ritste haar laarzen los, trok ze uit en zette ze naast elkaar tegen de muur. Hij liep met haar naar zijn slaapkamer en deed de dunne bruine gordijnen dicht, zodat het licht verminderde tot een halfduister. Het raam stond op een kier, en ze hoorde de geluiden van de straat – de dag begon. Haar lichaam voelde zacht en slap aan – verlangen, vermoeidheid en vrees waren zo in elkaar vervlochten dat ze ze niet uit elkaar kon houden. Hij stroopte haar kleren af, vouwde ze op en legde ze op de houten stoel, waarna hij het kettinkje dat ze om haar hals droeg losmaakte en op de vensterbank liet zakken. Hij streek met zijn vingers over haar littekens, over haar vermoeide, stramme, door jetlag geplaagde lichaam. Al die tijd keek ze hem strak aan, bijna nieuwsgierig, alsof ze bezig was een besluit over het een of ander te nemen. Hij wilde zijn ogen sluiten voor haar vorsende blik, maar kon het niet.

Later nam ze een douche, terwijl hij sterke, hete koffie voor haar zette, die ze in bed opdronk, het dunne laken over zich heen getrokken.

'Waarom besloot je ineens om te komen?'

'Weet ik niet.'

'Tot wanneer blijf je hier?'

'Tot morgenmiddag.'

'Morgen!'

'Ja.'

'Dan moeten we de weinige tijd die we hebben goed besteden.'

Frieda sliep, maar niet vast, zodat ze Sandy in de andere kamer hoorde bellen en afspraken afzeggen, terwijl straatgeluiden in haar dromen binnendrongen. Later die dag liepen ze door de buurt, kochten kookgerei voor Sandy en gingen een koffiebar binnen voor een late lunch. Sandy praatte over zijn werk en over de mensen die hij had ontmoet, over Brooklyn en over hun plannen voor de zomer. Hij imiteerde collega's en speelde situaties na, en ze dacht terug aan de eerste keer dat ze elkaar ontmoetten. Ze had gedacht dat hij wel weer zo'n dokterstype zou zijn – misschien een chirurg, hij had chirurgenhanden – zelfingenomen, aardig en charmant als hij daar zin in had, misschien zelfs een beetje een charmeur. Daar had ze geen zin in. Maar toen had ze gehoord hoe uitbundig hij kon schaterlachen en had ze gezien dat hij boosaardig kon grijnzen. Hij kon gereserveerd zijn en als hij boos was, werd hij mild en afstandelijk, maar op andere momenten was hij bijna vrouwelijk. Hij kookte altijd met veel aandacht voor detail, hij hield van roddels, stopte het laken onder de matras zoals ze dat in ziekenhuizen deden, zoals zijn moeder het hem geleerd moest hebben toen hij nog klein was, en hij was volgens eigen zeggen ernstig verlegen.

Pas toen Frieda zich wat ontspande, begon hij haar vragen te stellen. Frieda vertelde over de familie Lennox, vertelde hem nieuwtjes over haar vrienden en vriendinnen. Ze waren zich er allebei van bewust dat er iets aan zat te komen, dat er een onderwerp was dat aangesneden moest worden, en nu draaiden ze daar behoedzaam omheen, in afwachting van wat komen ging.

'En dat krantenverhaal?' vroeg hij.

'Ik wil er niet over praten.'

'Maar ik wel. Je bent hier vierentwintig uur. We moeten over dat soort dingen praten.'

'Moeten?'

'Mij intimideer je niet met die toon, dokter Frieda Klein.'

'Ik vond het niks. Wilde je dat horen?'

'Voelde je je vernederd?'

'Ik voelde me te kijk gezet.'

'Terwijl je altijd onzichtbaar wilt zijn. Was je boos?'

'Niet zo boos als Reuben.' Ze glimlachte bij de herinnering. 'God, wat was hij boos! En nog.'

'En vind je dat je je op enig moment ongepast hebt gedragen?'

Frieda keek hem boos aan, maar hij wachtte geduldig.

'Ik dacht het niet,' zei ze uiteindelijk. 'Maar misschien heb ik altijd het gevoel dat ik me moet rechtvaardigen, omdat het anders te pijnlijk zou zijn. Al geloof ik dat eigenlijk niet. De man die bij me kwam was een charlatan. Hij was geen psychopaat, maar deed alsof. Waarom zou ik hem serieus moeten nemen?'

'Wist je dat op dat moment?'

'In zekere zin wel, ja. Maar daar gaat het niet werkelijk om.'

'Waar gaat het dan wel om?'

'Waar het om gaat, is dat hij me op een spoor heeft gezet.'

'Wat betekent dat, je op een spoor heeft gezet?'

'De man die bij me kwam, vertelde me een verhaal.'

'Dat weet ik.'

'Nee,' zei Frieda ongeduldig. 'Er zat een verhaal in het verhaal, en ik had het gevoel...' Ze zweeg, dacht na. 'Ik had het gevoel dat ik geroepen werd.'

'Een vreemd woord in dit verband.'

'Ik weet het.'
'Leg eens uit.'
'Dat kan ik niet.'
'Hoe ging dat verhaal?'
'Het ging over het knippen van iemands haar. Over gevoelens van macht en tederheid. Iets sinisters en seksueels. Al het andere was schijn, nep, maar dit voelde authentiek aan.'
'En het gaf je het gevoel geroepen te worden?' Sandy staarde haar aan, met een bezorgde uitdrukking op zijn gezicht die Frieda razend maakte. Ze keek weg.
'Dat klopt.'
'Maar waartóé?'
'Je zou het toch niet begrijpen.'
'Probeer maar.'
'Niet nu, Sandy.'

Ze aten in een visrestaurantje een klein eindje lopen van zijn flat. Het was opgehouden met regenen en de wind was gaan liggen. Het rook buiten frisser. Frieda droeg een overhemd van Sandy over haar linnen broek. Tussen hen in stonden een kaars, een fles droge witte wijn, hompen brood en olijfolie. Sandy vertelde Frieda over zijn eerste huwelijk – dat het uiteindelijk een doodse bedoening was geworden, dat ze allebei iets anders hadden gewild.
'Wat dan?'
'We stelden ons de toekomst verschillend voor,' zei Sandy. Hij keek weg.
Frieda keek hem onderzoekend aan. 'Jij wilde kinderen?'
'Ja.'
Stilzwijgen dreef hen voor even uit elkaar.
'En nu?' vroeg ze.
'Nu wil ik jou. Nu stel ik me een toekomst met jou voor.'

Om drie uur 's nachts, toen het zo donker en stil was als in een grote stad maar mogelijk is, legde Frieda haar hand op Sandy's schouder.

‘Wat is er?’ mompelde hij, en hij draaide zich naar haar toe.
‘Ik moet je iets zeggen.’
‘Zal ik het licht aandoen?’
‘Nee. Beter in het donker. Ik heb me afgevraagd of we niet moeten stoppen.’
Er viel even een stilte. Toen zei hij bijna boos: ‘Dus op het moment dat de liefde en het vertrouwen tussen ons het grootst zijn, denk jij erover om weg te gaan?’
Ze zei niets.
‘Ik had nooit gedacht dat je laf was,’ zei hij.
Frieda lag nog steeds stil tegen hem aan. Woorden leken nu zinloos.
‘En wat is je conclusie?’ vroeg hij na een tijdje.
‘Niets.’
‘Waarom, Frieda?’
‘Omdat niemand iets aan me heeft.’
‘Mag ik daar misschien zelf over oordelen?’
‘Het onbehagen groeit me boven het hoofd.’
‘Ja.’ Zijn stem klonk weer zacht in het donker, zijn hand voelde warm aan op haar heup. Ze voelde zijn adem in haar haren.
‘Dean loopt nog steeds vrij rond. Hij is bij het graf van mijn vader geweest...’
‘Wat? Hoe weet je dat?’
‘Dat doet er nu niet toe. Ik weet het. Hij wilde dat ik het wist.’
‘Weet je zeker dat...’
Ze maakte een ongeduldig gebaar, en hij zweeg. ‘Ja, ik weet het zeker.’
‘Wat afschuwelijk, en erg verontrustend. Maar Dean kan niet tussen ons tweeën komen. Je wilt toch niet met mij breken vanwege die psychopaat?’
‘Toen ik zei dat ik me geroepen voelde...’
‘Ja.’
‘Het voelt een beetje alsof ik de onderwereld in moet.’
‘Wiens onderwereld? De jouwe?’
‘Dat weet ik niet.’
‘Doe het dan niet, Frieda. Het was gewoon een stom verhaal.

Alles wordt gekleurd door je stemming, het trauma dat je hebt doorgemaakt. Je bent niet rationeel. Je ziet je depressie aan voor de werkelijkheid.'

'Dat is te gemakkelijk.'

'Mag ik je iets vragen? En dan moet je je niet voor me afsluiten.'

'Ga je gang.'

'Toen je vader zelfmoord had gepleegd en je hem vond...' – hij voelde haar verstijven – '... was je vijftien. Heb je er toen met iemand over gepraat?'

'Nee.'

'En daarna?'

'Niet met zoveel woorden.'

'Niet met zoveel woorden. Denk je niet dat dit alles...' – hij maakte in het donker een gebaar – '... het gedoe met Dean, met je werk voor de politie, en nu dit nieuwe idee van een roeping – dat dit alles alleen maar te maken heeft met het feit dat je als tiener je vader hangend aan een balk hebt gevonden? Dat je hem niet hebt gered? Daar zou je aan moeten denken, in plaats van je weer in een of andere reddingsoperatie te storten.'

'Dank u, dokter. Maar Dean is echt. Ruth Lennox was echt. En dat andere...' Ze draaide zich een kwartslag, zodat ze op haar rug lag, en staarde naar het plafond. 'Ik weet niet wat het is,' moest ze erkennen.

'Hou op met alles wat je doet. Blijf hier. Blijf bij mij.'

'Jij zou iemand moeten hebben die gelukkig is.' En ze voegde eraan toe: 'En met wie je kinderen kunt krijgen.'

'Ik heb mijn keuze gemaakt.'

'Maar...'

'Ik heb mijn keuze gemaakt. Als je bij me weg wilt omdat je niet meer van me houdt, moet ik dat accepteren. Maar als je bij me weg wilt omdat je van me houdt en omdat je daar bang voor bent, accepteer ik dat niet.'

'Luister naar me.'

'Nee.'

'Sandy...'

'Nee.' Hij kwam half overeind, leunde op zijn elleboog en boog zich over haar heen. 'Vertrouw op mij. En laat mij op jou vertrouwen. Ik zal met je mee de onderwereld in gaan als je dat wilt. Ik zal bij de ingang op je wachten. Maar ik laat me niet wegsturen.'

'Je bent wel heel koppig.'

In elkaars armen vervaagden de grenzen tussen hun lichamen. Licht drong in de duisternis binnen, de dageraad diende zich weer aan.

Een paar uur later pakte Frieda haar tandenborstel, keek of ze haar paspoort bij zich had en nam afscheid alsof ze om de hoek een krant ging kopen. Ze had altijd al een hekel gehad aan afscheid nemen.

22

Het was weekend en Karlsson had al zijn afspraken afgezegd, zodat hij twee volle dagen met Mikey en Bella kon doorbrengen. Hij kreeg pijn in zijn borst als hij bedacht dat ze over een paar dagen weg zouden zijn, ver weg, zodat hij aangewezen zou zijn op de foto's op zijn bureau, hun blikkerig klinkende stemmen via de telefoon of schokkerige beelden op Skype. Elke minuut dat ze er nog waren, was kostbaar. Hij moest ophouden Bella te dicht tegen zich aan te drukken en Mikeys haar te strelen totdat hij zich van hem weg wurmde. Hij wilde niet dat ze wisten hoe zwaar hij eraan tilde dat ze weggingen, of dat ze zich bezorgd of schuldig jegens hem zouden voelen.

Hij nam ze mee naar het zwembad in Archway, waar een kronkelende glijbaan naar het diepe leidde en de golven van het golfslagbad ze deden gillen van plezier en angst. Hij gooide hen omhoog, liet zich door hen onder water trekken en voerde ze op zijn schouders mee. Als hij met open ogen in het turkooizen water onderdook, zag hij hun witte benen tussen alle andere benen rondspartelen. Hij keek hoe ze het ondiepe gedeelte in renden: twee gillende figuurtjes met rode ogen van het chloor.

Ze gingen naar de speeltuin, waar hij hen duwde op de schommel, de draaimolen liet rondtollen totdat hij er zelf duizelig van werd, achter hen aan door de lange plastic buis kroop en een stapel banden beklom. Mijn kinderen, dacht hij, mijn jongen en mijn meisje. Hij sloeg hun glimlach op in zijn geheugen voor later. Ze kochten ijsjes en gingen eten bij een Pizza Express. Overal leek hij alleen maar alleenstaande vaders te zien. Hij had het verkeerd gedaan, zijn werk was voor hem altijd op de eerste plaats gekomen, omdat hij dacht dat hij niet anders kon, en hij was daardoor de rituelen van het naar bed brengen en de chaos bij het opstaan misgelopen. Vaak had hij zijn kinderen meerdere dagen achter elkaar helemaal niet gezien omdat hij de deur al uit was wanneer ze wakker werden en al sliepen als hij thuiskwam. Hij was ook eens vroegtijdig teruggevlogen van een vakantie. Hij had het aan zijn vrouw overgelaten om de teugels strak te houden, en hij had de gevolgen daarvan pas onder ogen gezien toen het veel te laat was en er geen weg terug was. Was dit de prijs die hij daarvoor moest betalen?

Ze deden een bordspel, waarbij hij ervoor zorgde dat hij verloor, en hij liet hun een doodsimpele goocheltruc met kaarten zien die hij eens had geleerd, en ze juichten alsof hij een tovenaar was. Toen zette hij een video op en gingen ze met z'n drieën naast elkaar op de bank zitten, hij in het midden, vol warmte en vol verdriet.

Toen de telefoon ging, negeerde hij die totdat het bellen ophield. Toen ging de telefoon weer. Mikey en Bella keken hem verwachtingsvol aan en maakten ruimte, zodat hij met tegenzin opstond, naar de telefoon liep en die van de houder nam.

'Ja?'

'Met Yvette.'

'Het is zondag.'

'Weet ik, maar…'

'Ik heb mijn kinderen.' Hij had haar niet verteld dat ze weg zouden gaan. Hij wilde niet dat iemand van zijn werk het zou weten en medelijden met hem zou hebben. Dan zouden ze hem na het werk vragen om iets met hen te gaan drinken en zouden ze hem niet meer zien als hun baas, maar als een arme stakker.

'Ja.' Ze klonk zenuwachtig. 'Ik wilde je alleen maar op de hoogte houden. Dat had je me gevraagd.'

'Zeg het dan maar.'

'Ruth Lennox is ergens anders naartoe gegaan voordat ze naar huis ging: naar een appartement bij Elephant and Castle. We hebben de verhuurder weten te vinden; hij was weg, daarom heeft het even tijd gekost. Hij leek opgelucht dat we alleen maar contact met hem opnamen vanwege een moord,' voegde ze er droog aan toe. 'Hij zei dat de flat verhuurd is aan ene Paul Kerrigan, een bouwopzichter.'

'En?'

'Ik heb Kerrigan gesproken. En er is iets aan de hand. Ik weet niet wat. Hij wilde niet via de telefoon praten. We hebben morgenochtend een afspraak.'

Er viel een stilte. Yvette wachtte even en zei toen ongelukkig: 'Ik dacht dat je dit wel zou willen weten.'

'Hoe laat?'

'Om halfacht, op de bouwplaats waar hij momenteel werkt. Het Crossrail-project, bij Tottenham Court Road.'

'Ik zal er zijn.'

'Denk je...'

'Ik zei dat ik er zal zijn.'

Karlsson zette de telefoon weer op de houder en had nu al spijt van zijn scherpe opmerking. Yvette kon er niks aan doen.

Later, nadat Mikey en Bella door hun moeder waren opgehaald en hij had hardgelopen, beende hij met een clandestiene sigaret in de tuin heen en weer. In de schemering zongen vogels, maar dat versterkte alleen maar zijn verbittering en verslagenheid. Hij ging naar binnen, pakte de telefoon en ging op de bank zitten waar zijn kinderen maar een paar uur tevoren hadden gezeten. Hij hield de telefoon in zijn hand en staarde ernaar alsof hij daar informatie van verwachtte. Ten slotte, voordat hij van gedachten kon veranderen, toetste hij Frieda's nummer in. Hij moest met iemand praten, en zij was de enige bij wie hij het kon opbrengen zijn verhaal te doen. De telefoon ging talloze keren over, en hij hoorde het bellen bijna in haar keurige, lege huis schallen. Ze was er niet. Hij belde haar mobiele nummer, al wist hij dat ze die bijna nooit aan had staan en ze de ingesproken berichten niet afluisterde – en ja hoor, hij kreeg meteen de voicemail.

Hij deed zijn vermoeide, pijnlijke ogen dicht en wachtte totdat het gevoel zou wegebben. Zijn gedachten aan het werk waren een verademing na de gedachten aan zijn leven.

'Hoe was het?' vroeg Sasha later die avond.

'Toen ik op weg naar huis vanaf de luchthaven uit de metro stapte, was het heel vreemd,' zei Frieda. 'Heel even zag Londen er anders uit. Vies, achterlijk en arm. Alsof ik in de derde wereld terecht was gekomen.'

'Ik bedoelde eigenlijk hoe het in New York was.'

'Je kent het van de films,' zei Frieda. 'En je bent er waarschijnlijk verschillende keren geweest. Je weet hoe het er is.'

'Toen ik vroeg hoe het in New York was, bedoelde ik eigenlijk hoe het met Sandy was.'

'Hij vindt dat ik daarheen moet verhuizen,' zei Frieda. 'Hij zegt dat ik ergens naartoe moet waar het niet zo gevaarlijk is.'

'En waar je bij hem kunt zijn.'

'Ja. Dat ook.'

'En denk je daarover?'

'Ik heb al eerder nee gezegd,' zei Frieda. 'Nu... weet ik het niet. Ik mis hem. Maar ik heb hier dingen te doen. Dingen die afgehandeld moeten worden. Maar wanneer krijg ik die nieuwe man van jou nou eens te zien?'

Frieda, mijn liefste, het lijkt allemaal een droom te zijn geweest. Jij hier in deze stad, in deze flat, in dit bed. Alles voelt nu anders. Bedankt dat je er was en denk aan alles wat ik heb gezegd. We zijn nu al zo ver met elkaar dat we niet meer kunnen stoppen. We zijn samen op weg.

23

Om tien voor halfnegen stond Karlsson aan de rand van een uitgestrekte bouwput midden in de stad te kijken naar de activiteiten die er plaatsvonden: kleine graafmachines rolden over de omgewoelde aarde, hijskranen lieten enorme buizen in sleuven zakken, mannen in gele jassen en met helmen op stonden in groepjes bijeen of bedienden de gelede grijparmen van hun voertuig. Om het terrein heen stond een aantal keten, die er in sommige gevallen net zo permanent uitzagen als de gebouwen waar ze naast stonden.

Hij zag Yvette op zich af komen. Ze zag er met haar stevige schoenen en het bruine haar in een strakke staart degelijk en slagvaardig uit. Hij vroeg zich af hoe hij er in haar ogen uitzag: hij voelde zich fragiel, incompleet. Zijn hoofd bonkte van de drie whisky's die hij de vorige avond had gedronken en hij had een hol gevoel in zijn maag.

'Goeiemorgen,' zei ze opgewekt.

'Hallo.'

'Hij zei dat we hem op kantoor konden spreken.' Yvette knikte in de richting van de grootste keet, enkele meters verderop, met een houten trap naar de deur.

Ze liepen over het oneffen terrein en gingen de trap op, waar Yvette op de deur klopte, die bijna meteen werd opengedaan. De man die voor hen stond had ook een gele jas aan. Daaronder droeg hij een bruine ribfluwelen broek en een grijs gestreept overhemd. Hij was stevig gebouwd en had een gegroefd gezicht en bruine ogen. Hij kon niet ouder zijn dan midden veertig, maar zijn haar was geheel zilvergrijs.

'Paul Kerrigan?'

'Dat ben ik.'

Yvette hield haar identiteitsbewijs op. 'Ik ben rechercheur Yvette Long,' zei ze. 'We hebben elkaar aan de telefoon gesproken. En dit is hoofdinspecteur Malcolm Karlsson.'

Karlsson keek in de zachtebruine ogen van de man en kreeg een rilling bij het gevoel dat ze beet hadden. Hij knikte hem toe.

'Komt u verder.'

Ze gingen de keet binnen, waar het naar hout en koffie rook. Er stonden een bureau, een schragentafel en een paar stoelen. Karlsson ging aan de tafel zitten en liet Yvette de vragen stellen. Hij had al begrepen dat ze een keerpunt hadden bereikt: hij voelde dat het onderzoek in een stroomversnelling terecht was gekomen en ineens heel andere en onverwachte aspecten vertoonde.

'We hebben uw naam doorgekregen van Michael Reader.'

'Ja.' Het was geen vraag.

'Hij zei dat u de huurder bent van Shawcross Street 37A, al bijna tien jaar.'

Kerrigans ogen schoten heen en weer. Karlsson keek aandachtig naar hem.

'Dat klopt. Sinds juni 2001.' Hij sloeg zijn blik neer en keek naar zijn grote, eeltige handen.

'De reden dat we u dit vragen is dat we de gangen nagaan van Ruth Lennox, die twaalf dagen geleden is vermoord. Op de dag van haar overlijden is ze door een taxichauffeur naar dat adres gebracht.'

'Ja,' zei hij weer. Hij maakte een passieve en weerloze indruk. Hij wachtte af totdat de waarheid onontkoombaar zou blijken.

'Was u daar toen?'

'Ja.'

'U kende Ruth Lennox?'

Er viel een stilte in het vertrek. Karlsson luisterde naar de geluiden van de bouwplaats: het geraas van machines en het geroep van de mannen.

'Ja,' zei Paul Kerrigan zachtjes. Ze hoorden het geluid dat hij maakte bij het slikken. 'Het spijt me dat ik me niet heb gemeld. Dat had ik wel moeten doen. Maar het leek me nergens goed voor. Ze was dood. Het was voorbij. Ik hoopte te kunnen voorkomen dat meer mensen erdoor gekwetst zouden worden.'

'Had u een verhouding met haar?'

Hij keek van Yvette naar Karlsson en legde zijn beide handen voor zich op tafel. 'Ik heb een vrouw,' zei hij. 'Ik heb twee zonen die trots op me zijn.'

'U begrijpt dat het hier om een moord gaat,' zei Yvette. Ze keek alert uit haar ogen.

'Ja, we hadden een verhouding.' Hij knipperde met zijn ogen en vouwde zijn handen. 'Ik vind het moeilijk om het hardop te zeggen.'

'En u hebt haar gezien op de dag dat ze werd vermoord?'

'Ja.'

Eindelijk nam Karlsson het woord. 'Ik geloof dat u maar beter het hele verhaal kunt vertellen.'

Kerrigan knikte langzaam. 'Ja,' zei hij. 'Maar ik...' Hij zweeg.

'Wat is er?'

'Ik wil niet dat iemand het weet.' Hij zweeg weer even. 'Ik weet niet hoe ik het moet aanpakken.'

'Misschien kunt u ons in chronologische volgorde vertellen wat er is gebeurd. Begint u maar bij het begin.'

Kerrigan staarde uit het raam alsof het hem niet zou lukken een begin te maken zolang hij hen aankeek. 'Ik heb Ruth tien jaar geleden ontmoet. We wonen vlak bij elkaar. We zagen elkaar bij fondsenwervingevenementen ten behoeve van moeders en peuters.' Hij glimlachte. 'Zij verkocht falafel, en ik hielp met de verkoop van loten in het kraampje naast het hare. We konden goed met elkaar opschieten. Ze was heel prettig in de omgang – iedereen mocht haar. Ze was aardig en praktisch en ze gaf je het gevoel dat alles goed zou komen. Dat wist ik op dat moment natuurlijk niet. Ik vond haar gewoon leuk. U zult wel denken dat "leuk" nou niet bepaald een romantisch woord is. Maar zo'n relatie was het niet.' Het kostte hem zichtbaar inspanning om verder te gaan met zijn verhaal. 'Daarna spraken we af om samen koffie te drinken. Het voelde allemaal heel natuurlijk.'

'Bedoelt u dat Ruth Lennox en u tien jaar lang geliefden waren?' viel Yvette hem in de rede.

'Ja. Na een paar maanden hebben we de flat gehuurd. We kozen voor die buurt omdat we daar geen bekenden tegen het lijf zouden lopen. We zijn nooit bij elkaar thuis geweest. We zagen elkaar op woensdagmiddag.'

Yvette boog zich naar hem toe. 'Bedoelt u dat u, Ruth Lennox en u, tien jaar lang elke woensdagmiddag in die flat met elkaar afspraken?'

'Behalve als we op vakantie waren. En soms konden we niet.'

'En niemand wist het?'

'Nou, eerlijk gezegd weet mijn partner het wel – ik bedoel mijn zakelijk compagnon. Dat wil zeggen, hij weet dat ik er op woensdagmiddag niet ben. Hij knijpt een oogje toe. Hij vindt het waarschijnlijk grappig...' Hij zweeg. 'Niemand anders wist iets. We pasten goed op. De enkele keren dat we elkaar in de buurt waar we wonen op straat tegenkwamen, deden we alsof we elkaar niet kenden. We glimlachten niet eens of zo. We hebben nooit gebeld of ge-sms't.'

'En als een van u beiden nou eens niet kon?'

'Dan zeiden we dat de week ervoor, als het kon. En als een van ons op de flat was en de ander was er na een kwartier nog niet, dan wisten we dat er iets was.'

'Dat klinkt allemaal heel uitgekookt,' zei Yvette. 'Een beetje zakelijk.'

Hij haalde zijn handen uit elkaar. 'Ik verwacht van u niet dat u het zult begrijpen, maar ik hou van mijn vrouw, en Ruth hield van haar man. We wilden ze onder geen beding pijn doen. Of onze kinderen. We hielden dit gescheiden. Niemand mocht eronder leiden. We praatten zelfs nooit over onze gezinnen als we samen waren.' Hij draaide zich weer naar het raam. 'Ik kan maar niet geloven dat ik haar nooit meer zal zien,' zei hij. 'Ik kan maar niet geloven dat ik haar niet met die glimlach op haar gezicht voor me zal zien als ik naar de deur loop en opendoe. Soms droom ik van haar, en als ik dan weer wakker word, is er niks aan de hand, totdat ik het ineens weer besef.'

'We willen graag van u horen hoe het vorige week woensdag was,' zei Yvette.

'Hetzelfde als altijd. Ze kwam om ongeveer halfeen. Ik was er al. Ik was er altijd vóór haar. Ik had brood en kaas gekocht voor de lunch, en een bosje bloemen die ik in een vaas had gezet die ze verleden jaar had gekocht. En ik had de verwarming aangezet, want al was het een warme dag, in de flat voelde het een beetje koud aan.'

'Gaat u verder.'

'Nou.' Het spreken leek hem ineens moeilijk te vallen. 'Ze kwam en... Moet u alles weten?'

'Voorlopig alleen in grote lijnen. U bent met elkaar naar bed geweest, neem ik aan?' Het klonk streng, Yvette hoorde het zelf ook.

'We hebben gevreeën. Ja. Daarna zijn we samen in bad geweest en hebben we gegeten. Toen is ze weggegaan, en ongeveer een halfuur na haar vertrek heb ik afgesloten en ben ik ook weggegaan.'

'Hoe laat zal dat geweest zijn?'

'Zij is om drie uur weggegaan, misschien iets eerder, tien voor drie of zo. Zoals altijd. Dus toen ik wegging, zal het halfvier of kwart voor vier zijn geweest.'

'Heeft iemand u gezien?'

'Ik denk het niet. We zijn de anderen in het pand nooit tegengekomen'

'Weet u waar ze naartoe ging?'

'Ze ging altijd meteen naar huis.'

'En u?'

'Soms ging ik weer naar mijn werk. Die dag ben ik naar huis gegaan.'

'Was uw vrouw thuis?'

'Nee. Zij kwam om een uur of zes, denk ik.'

'Dus u hebt niemand gezien tussen het moment dat u Shawcross Street verliet en de thuiskomst van uw vrouw ongeveer twee uur later?'

'Niet dat ik me herinner.'

'Wanneer hoorde u van de dood van Ruth Lennox?' vroeg Karlsson.

'Het stond de volgende dag in de krant. Elaine – mijn vrouw – liet het me zien. Haar foto stond erbij, waarop ze glimlachte. Eerst had ik het idiote idee dat het over ons ging – dat iemand het had ontdekt en het in de krant had gezet. Ik kon geen woord uitbrengen. Ze zei: "Is het niet afschuwelijk? Hebben we haar ooit ontmoet?"'

'En wat hebt u gezegd?'

'Ik weet het niet. Elaine zei: "Heeft ze geen mooi gezicht? Arme kinderen." Dat soort dingen. Ik weet niet wat ik heb gezegd. Het is nu allemaal een waas. Ik weet niet hoe ik de avond ben doorgekomen. De jongens waren er en het was rumoerig; ze moesten hun huiswerk doen, en Elaine heeft gekookt. Shepherd's pie maakte ze. Ik heb het eten in mijn mond gestopt en doorgeslikt. Toen heb ik een douche genomen, en ik ben er tijden onder blijven staan. Niets leek nog echt.'

'Voelde u zich schuldig?'

'Waarover?'

'Over die verhouding van tien jaar.'

'Nee.'

'Ook al was u getrouwd?'

'Ik heb me nooit schuldig gevoeld,' zei hij. 'Elaine en de jongens zouden het nooit te weten komen, en ik deed er niemand kwaad mee.'

'Voelde Ruth zich schuldig?'

'Weet ik niet. Dat heeft ze nooit gezegd.'

'U weet zeker dat uw vrouw het niet wist?'

'Ik zou het geweten hebben als dat wel het geval was.'

'En Ruths man, Russell Lennox? Wist hij iets of had hij een vermoeden?'

'Nee.'

'Zei Ruth dat?'

'Als hij het vermoed zou hebben, zou ze me dat hebben verteld, dat weet ik zeker.' Maar hij klonk onzeker.

'En was er die dag iets anders dan normaal aan haar?'

'Nee. Ze was hetzelfde als altijd.'

'En hoe was dat?'

'Rustig. Vrolijk. Aardig.'

'Was ze altijd rustig, altijd vrolijk en altijd aardig? Tien jaar lang?'

'Ja! Ik bedoel, natuurlijk had ze wel ups en downs, zoals iedereen.'

'En had ze die woensdag een "up" of een "down"?'

'Geen van beide.'

'Ertussenin, bedoelt u?'

'Het ging prima met haar, bedoel ik.'

Yvette keek naar Karlsson om te zien of hij nog vragen had.

'Meneer Kerrigan,' zei Karlsson, 'uw relatie met Ruth Lennox lijkt voor mijn gevoel merkwaardig veel op een huwelijk in plaats van een buitenechtelijke relatie. Huiselijk, kalm, veilig.' Rimpelloos, dacht hij bij zichzelf, maar dat zei hij niet. Bijna saai.

'Hoe bedoelt u?' Kerrigan keek ineens boos. Hij balde zijn vuisten.

'Ik weet het niet.' Karlsson dacht aan Frieda: wat zou zij vragen aan deze man, die zo passief tegenover hen zat, met hangende schouders en zijn grote handen onrustig. 'U begrijpt toch wel dat alles hierdoor verandert?'

'Hoe bedoelt u?'

'U bent niet dom. Ruth Lennox had een geheim. Een heel groot geheim.'

'Maar niemand wist dat.'

'U wist het.'

'Ja. Maar ik heb haar niet vermoord! Als u dat denkt... Moet u horen, ik zweer het, ik heb haar niet vermoord. Ik hield van haar. We hielden van elkaar.'

'Het valt nooit mee om iets geheim te houden,' zei Karlsson.

'We pasten goed op. Niemand wist het.'

Karlsson keek in het droevige, bezorgde gezicht van Kerrigan. 'Zou het kunnen dat zij de relatie wilde beëindigen?'

'Nee. Onmogelijk.'

'Dus er was niets veranderd.'

'Nee.' Zijn gezicht was opgezwollen van ellende. 'Moeten ze het weten?'

'Haar man, bedoelt u? Uw vrouw? We zullen zien. Maar het kan lastig worden.'

'Hoe lang heb ik?'

'Waarvoor?'

'Hoe lang heb ik de tijd om het haar te vertellen?'

Karlsson gaf geen antwoord. Hij keek Paul Kerrigan even aan en zei toen peinzend: 'Alles heeft consequenties.'

24

Toen Rajit Singh de deur opendeed, had hij een dikke zwarte jas aan. 'Ligt aan de verwarming,' zei hij. 'Er zou vandaag iemand komen om hem te repareren.'

'Ik heb maar even nodig,' zei Frieda. 'Ik hoef mijn jas niet eens uit te doen.'

Hij ging haar voor naar een zitkamer waar elk meubelstuk – de stoelen, een bank, een tafel – leek te vloeken met al het andere. Aan de muur hing een afbeelding van de Eiffeltoren in felgekleurd fluweel. Hij zag hoe ze keek.

'Toen ik net begon te studeren, woonde ik in een studentenhuis midden in het West End. Alles wordt daar voor je geregeld: waar je slaapt, waar je eet, met wie je bevriend raakt. Maar als je aan het promoveren bent, moet je het zelf uitzoeken. Ik had het geluk dat ik dit kreeg. Ik deel het met een paar Chinese techniekstudenten, die ik nooit zie.'

'Jullie wonen wel heel erg verspreid,' zei Frieda.

'Ik?' vroeg Singh. 'Ik woon alleen hier.'

'Nee, ik bedoel jij en de anderen. Seamus Dunne, die bij mij langskwam, woont in Stockwell. Ik heb Duncan Bailey opgezocht in zijn flat in Romford. En straks ga ik naar Waterloo om Ian Yardley te spreken.'

Singh ging in de leunstoel zitten en gebaarde naar de bank. Maar Frieda bleef liever staan, zodat ze heen en weer kon lopen. Ook al scheen buiten de zon, in huis was het ijzig koud.

'We zijn geen hechte club,' zei hij. 'Het is niet zo dat we veel met elkaar optrekken.'

'Jullie zijn gewoon studenten van professor Bradshaw.'

'Juist. We hebben ons gemeld als vrijwilliger voor dat uitgekiende experiment van hem. Maar u lijkt het zich erg aan te trekken.'

'Welke therapeut heb jij gesproken?'

Singhs gezicht verstrakte. 'Is dit een strikvraag?' vroeg hij. 'Gaat u aangifte tegen ons doen?'

'Nee,' zei Frieda. 'Ik vraag het alleen voor mezelf. Laten we zeggen dat ik nieuwsgierig ben.'

'Luistert u eens,' zei Singh. 'Wij hebben niks te maken met al dat gedoe in de krant. Ik dacht dat het gepubliceerd zou worden in een psychologietijdschrift dat niemand leest en verder niets. Ik weet niet hoe het zo heeft kunnen lopen.'

'Het doet er niet toe,' zei Frieda. 'Dat is niet wat me dwarszit. Vertel eens over jouw rol in het geheel.'

'Ik ben terechtgekomen bij de enige therapeut die de test wel heeft doorstaan. Ze heet Geraldine Fliess. Blijkbaar heeft ze een boek geschreven waarin staat dat wij eigenlijk allemaal psychopaten zijn, of iets dergelijks. Maar goed, ik ben dus naar haar toe gegaan en heb daar het verhaal afgedraaid over mijn wreedheid tegen dieren en fantasieën over geweld tegen vrouwen. Later heeft ze contact met me opgenomen en me gevraagd wie mijn huisarts was en meer van die dingen.'

'En wat heb je tegen haar gezegd?'

'Professor Bradshaw had tegen ons gezegd dat als iemand reageerde op wat we zeiden, als ze echt ingingen op het gevaar, we diegene naar hem moesten doorverwijzen en dat hij dan zou uitleggen dat het een experiment was. Om te voorkomen dat we gearresteerd zouden worden, snapt u.'

'Waar zou je dan voor zijn gearresteerd?' vroeg Frieda.

'Oké, oké,' zei Singh geïrriteerd. 'Zij reageerde goed, en u niet. Het betekent niet het einde van de wereld. Laat het gewoon gaan.'

'Maar ik ben geïnteresseerd in het verhaal dat jullie vertelden. Hoe is dat tot stand gekomen?'

'Zo knap was dat nou ook weer niet. Bradshaw noemde tegenover ons de punten op de checklist voor psychopathie, en wij moesten daar met elkaar een verhaal over bedenken, dat we moesten instuderen en dan vertellen.'

'Die checklist interesseert me niet,' zei Frieda. 'Het gaat mij meer om de andere details. Hoe kwamen jullie op al die elementen die niets te maken hadden met de checklist? Zoals dat verhaal over het haren knippen? Waar kwam dat vandaan?'

'Wat maakt het uit?'

Frieda dacht even na en keek om zich heen in de kamer. Het was er niet alleen koud, er hing ook een geur van vocht. Het leek alsof alle huisraad van de huisbaas afkomstig was, en het waren allemaal spullen waar niemand om gaf, dingen die je op rommelmarkten of bij inboedelveilingen op de kop kon tikken.

'Volgens mij valt het niet mee om te doen alsof je patiënt bent,' zei Frieda. 'Het moeilijkste is voor de meeste mensen om überhaupt om hulp te vragen. Als ze bij mij komen, hebben ze al een pijnlijke beslissing genomen. En ik denk dat het net zo moeilijk is om te doen alsóf je om hulp vraagt.'

'Ik weet niet waar u het over hebt.'

'Toen ik binnenkwam, verontschuldigde je je voor het huis.'

'Ik verontschuldigde me niet. Ik zei dat ik nog geluk heb gehad dat ik het kreeg.'

'Je zei dat alles voor je geregeld werd toen je begon te studeren, maar dat je het nu zelf uit moest zoeken. Je zei dat je je huisgenoten nooit zag.'

'Dat was een voordeel, bedoelde ik.'

'Je wilt dit waarschijnlijk liever niet van mij horen, maar...'

'Weet u, ik heb zo'n gevoel dat u op het punt staat om iets over me te zeggen wat niet vleiend is.'

'Helemaal niet. Ik vraag me alleen af of toen je je als vrijwilliger opgaf voor dit experiment en je de kans kreeg om met een therapeut te praten zonder écht met die therapeut te hoeven praten, je daar niet een gelegenheid in zag om toch iets kwijt te kunnen van jezelf. Een soort verdriet, een gevoel dat niemand om je geeft.'

'Dat is absoluut onzin. Dat is nou precies wat therapeuten zoals u altijd doen. U interpreteert wat mensen tegen u zeggen zodat u macht over hen krijgt. En als ze het dan ontkennen, lijken ze zwak. Waar u bezwaar tegen maakt, is het feit dat u betrokken bent geraakt bij een experiment waarbij u bent ontmaskerd. Ik heb begrepen dat er tussen u en Bradshaw al eerder iets heeft gespeeld, en als ik daar dan een rol in heb gehad, dan spijt me dat. Maar betrek mij niet in uw psychologische spelletjes.'

'Het ziet er hier niet uit alsof je er echt woont,' zei Frieda. 'Je hebt geen een foto opgehangen, er ligt geen kleed op de vloer en er slingert zelfs geen boek rond. Je bent zelfs gekleed alsof je buiten bent.'

'Zoals u zelf voelt, is het hier koud. Zodra die man de boiler heeft gerepareerd, trek ik mijn jas uit, reken maar.'

Frieda haalde een opschrijfboekje uit haar zak, krabbelde er iets in, scheurde het blaadje eruit en reikte het Singh aan. 'Als je nog eens met me zou willen praten over de dingen die je hebt gezegd – en dan bedoel ik alles behalve die stomme Hare-checklist op verschijnselen van psychopathie – dan kun je me bereiken op dit nummer.'

'Ik weet niet wat u van me wilt,' zei Singh boos, terwijl Frieda de deur uit ging.

Het appartement van Ian Yardley lag in een steegje vlak bij een markt. Het was in de buurt van de Theems, maar wel zo ver daarvandaan dat de rivier niet te zien was. Toen Frieda aangebeld had, hoorde ze uit een luidspreker een onverstaanbaar geluid, gevolgd door het geluid van een zoemer. Ze trok aan de deur, maar die was nog op slot. Weer klonk er geluid uit de luidspreker, toen weer gezoem, gevolgd door een klik, waarna de deur opensprong. Frieda liep een paar met tapijt beklede traptreden op naar een overloop met twee deuren met daarop de cijfers 1 en 2. Deur nummer 1 werd geopend, en een vrouw met donker haar keek spiedend naar buiten.

'Ik ben hier voor...'

'Ik weet het,' zei de vrouw. 'Ik weet niet wat er aan de hand is, maar komt u binnen. Maar kort, hoor.'

Frieda volgde haar naar binnen. Yardley zat aan tafel de avondkrant te lezen en bier te drinken. Hij had lang krullend haar en een bril met een vierkant, doorzichtig montuur. Hij droeg een collegesweatshirt en een donkere broek en was op blote voeten. Hij draaide zich om en glimlachte naar haar.

'Ik hoor dat u mensen lastigvalt,' zei hij.

'Volgens mij ben jij op bezoek geweest bij mijn oude vriend Reuben.'

'De beroemde Reuben McGill,' zei hij. 'Ik moet zeggen dat ik een beetje teleurgesteld in hem was. Toen ik kennis met hem maakte, zag hij eruit als iemand die zijn magie kwijt was. Het leek wel alsof hij helemaal niet reageerde op wat ik zei.'

'Wilde je wel dat hij zou reageren?' vroeg Frieda.

'Wat een onzin,' zei de vrouw, achter haar.

'O, neem me niet kwalijk,' zei Ian. 'Ik ben geen goede gastheer. Dit is mijn vriendin Polly. Zij vindt dat ik u niet binnen had moeten laten. Zij is achterdochtiger dan ik. Kan ik u iets te drinken aanbieden? Een biertje? En in de koelkast staat nog een fles witte wijn open.'

'Nee, dank je.'

'Niet tijdens het werk?'

Frieda begon met dezelfde vragen die ze ook aan Rajit Singh had gesteld, maar ze kwamen niet ver, want Polly onderbrak haar telkens met de vraag wat het nut van dit alles was, terwijl Ian niets anders deed dan glimlachen, alsof hij van het spektakel genoot. Maar ineens hield hij op met glimlachen.

'Zal ik het eens duidelijk stellen?' zei hij. 'Als u hiernaartoe bent gekomen vanuit een of andere zielige behoefte aan wraak, dan verspilt u uw tijd. Het is allemaal goedgekeurd door een ethische commissie, we zijn van tevoren gevrijwaard van vervolging. Ik kan u de bepalingen laten zien, als u die zou willen lezen. Ik snap dat het pijnlijk is als blijkt dat de keizer geen kleren aanheeft. Zeker als je zelf de keizer bent. Of de keizerin.'

'Zoals ik heb geprobeerd uit te leggen,' zei Frieda, 'ben ik hier niet naartoe gekomen om over het experiment te ruziën. Ik ben...'

'Ach, schei toch uit,' zei Polly.

'Als jullie me nou eens gewoon laten uitpraten, dan zal ik een paar vragen stellen en dan ben ik weg.'

'Wat bedoel je, en dan ben je weg? Alsof je er überhaupt recht op hebt om hier te zijn! Ik denk daar anders over.' Polly pakte Frieda bij haar schouder. Ze raakte bijna de plek die nog in het verband zat, en Frieda kromp iets ineen. 'Ze hebben je belachelijk gemaakt. Dat moet je maar accepteren. En ga gewoon weg, want Ian heeft je niets te zeggen. Je valt hem lastig, en je begint mij op de zenuwen te werken.' Ze begon aan Frieda te sjorren alsof ze haar het appartement uit wilde duwen.

'Hou daarmee op,' zei Frieda terwijl ze haar handen afwerend omhoogstak.

'Het is tijd dat je gaat,' riep Polly, en begon nog harder te duwen.

Frieda legde haar hand op de borst van de vrouw, duwde haar met haar rug tegen de muur en drukte haar daartegenaan. Ze boog zich naar haar toe, zodat hun gezichten maar enkele centimeters van elkaar verwijderd waren, en toen ze haar mond opende, zei ze langzaam en op kalme toon: 'Ophouden, zei ik.'

Yardley stond op. 'Wat krijgen we nou?' zei hij.

Frieda draaide zich om, en terwijl ze dat deed, trok ze haar hand terug en deed ze een stap achteruit. Het was haar niet duidelijk wat er vervolgens gebeurde. Naast zich hoorde ze geluid, en toen zag ze dat Polly op haar af stormde, maar over een krukje struikelde en met haar volle gewicht over haar heen viel.

'Dit is toch niet te geloven,' zei Yardley tegen Frieda. 'U komt hier binnen en u valt ons aan.'

Polly begon zich overeind te werken, maar Frieda boog zich over haar heen. 'Zet dat maar uit je hoofd,' zei ze. 'Blijf liggen.' Toen keek ze Yardley aan. 'Ik denk dat Reuben jou vrij goed heeft begrepen.'

'U bedreigt me,' zei hij. 'U bent hiernaartoe gekomen om me aan te vallen en me te bedreigen.'

'Dat verhaal over het haar, daar had jij niks mee te maken, hè?' zei Frieda.

'Welk verhaal over het haar?'

'Daarvoor ben je te veel een narcist,' zei Frieda. 'Je wilde indruk maken op Reuben, maar daar is hij niet in getrapt.'

'Waar hebt u het over?'

'Laat maar,' zei Frieda. 'Ik heb gekregen waar ik voor kwam.'

Toen vertrok ze.

Jim Fearby haalde een grote kaart van Groot-Brittannië tevoorschijn. Aan de muur was geen plaats, en daarom legde hij hem maar op de vloer en zette op elke hoek een voorwerp neer – een beker, een blik bonen, een boek en een blikje bier. Hij trok zijn schoenen uit, liep over de kaart, keek ernaar en fronste zijn voorhoofd. Toen prikte hij een vlaggetje op de plaats waar het lichaam van Hazel Barton was gevonden en een ander op de plek waar Vanessa Dale was aangevallen door een man met een mogelijk zilverkleurige auto.

Haar foto prikte hij op het grote prikbord naast die van Hazel Barton. Twee incidenten zijn weliswaar niet voldoende om van een patroon te spreken – maar het is een begin.

25

De enige patiënt die Frieda nog ontving was Joe Franklin. Vele anderen wachtten totdat ze weer zou beginnen en mailden haar regelmatig om te vragen wanneer ze dacht voldoende opgeknapt te zijn. Over sommigen maakte ze zich zorgen, en zij waren het die zich met hun pijn en hun problemen ophielden op de grens van haar bewustzijn. Een enkeling zou ze misschien nooit meer zien, dacht ze. Ze had gezegd dat ze over twee weken, begin mei, ongeacht het advies van haar arts, haar verplichtingen weer op zich zou nemen, maar intussen ging ze twee keer per week, en dikwijls vaker, naar haar kamer in het appartementencomplex in Bloomsbury. Vandaag was ze blij met de gelegenheid haar huis uit te kunnen gaan, want om kwart voor acht die ochtend was Josef gearriveerd. Frieda had hem achtergelaten terwijl hij met stapels dozen van zijn busje heen en weer liep te sjouwen, vanachter welke hij haar met een stralend gezicht had aangekeken.

Na de sessie met Joe keerde Frieda haar ordelijke kamer met de rode fauteuil waarin ze altijd zat en het tere landschap in houtskool aan de muur de rug toe en staarde naar het gevarieerde uitzicht buiten, waar vossen rondslopen en struikgewas en wilde bloemen opgeschoten waren. Ze dacht na, of in elk geval liet ze gedachten door haar hoofd gaan. Haar oude leven leek ver weg en nog maar een schim van wat het geweest was. Het beeld van de vrouw die uur na uur, dag na dag in de leunstoel zat, vervaagde. Ze had altijd gedacht dat alles in haar leven om deze kamer draaide, maar nu lagen haar aandachtspunten elders: Hal Bradshaw en zijn vier onderzoekers, Karlsson en de moorden en verdwijningen, Dean Reeve die haar van ergens vanuit de buitenwereld in de gaten hield – door dit alles was ze van haar kamer vervreemd geraakt.

Ze dacht aan de vier psychologiestudenten en hun stunt en probeerde het eigenlijke verhaal los te zien van het feit dat ze bedrogen en vernederd was doordat het in de openbaarheid was gebracht. Ze snapte niet waarom ze het niet van zich af kon zetten. Het stak haar en veranderde voortdurend in betekenis en interpretatie. Er was iets wat haar niet met rust liet, als een stuk touw dat langs haar handen schuurde. Als ze soms 's nachts wakker lag en de duisternis haar beklemde, dacht ze aan het viertal en wat ze tegen haar hadden gezegd. Dan dacht ze aan messen die werden opengeknipt en dichtgevouwen – beelden van tederheid en overweldigend gevaar.

De mobiele telefoon in haar zak zoemde zachtjes, en ze haalde hem tevoorschijn.

'Frieda.'

'Karlsson.'

'Je hebt je telefoon aangezet.'

'Nou snap ik waarom je bij de politie bent gegaan.'

Hij lachte en zei: 'Je had gelijk.'

'O, mooi. Waarmee?'

'Wat Ruth Lennox betreft. Het was te mooi om waar te zijn.'

'Ik geloof niet dat ik dat heb gezegd. Ik zei dat ze me deed denken aan een actrice die haar leven speelt.'

'Precies. We hebben ontdekt dat ze een buitenechtelijke relatie had. Al tien jaar lang. Iedere woensdag. Wat zeg je daarvan?'

'Dat is lang.'

'Er is meer, maar daar kan ik nu niet over praten. Ik moet haar man spreken.'

'Wist hij het?'

'Dat moet haast wel.'

'Waarom vertel je het mij?'

'Ik dacht dat je het wel zou willen weten. Of vergis ik me?'

'Ik weet het niet.'

'Kan ik later bij je langskomen voor een borrel? Dan kan ik je op de hoogte brengen. Het helpt weleens om dingen te bespreken met een buitenstaander.'

Iets in zijn stem, die smekender klonk dan ze hem ooit had gehoord, weerhield Frieda ervan hem af te wijzen.

'Misschien,' zei ze behoedzaam.

'Ik ben er om zeven uur.'

'Karlsson...'

'Ik bel wel als het later wordt.'

Het gezin Lennox woonde weer in hun eigen huis. Het tapijt was weg, de muren waren schoongemaakt, al waren de bloedvlekken nog te zien. Ook de glasscherven en alles wat er verder op de grond had gelegen waren opgeruimd.

Toen Karlsson en Yvette aankwamen, werd er opengedaan door een vrouw met een schort. Hij rook een gebakslucht.

'We hebben elkaar eerder ontmoet,' zei de vrouw toen ze Karlssons gelaatsuitdrukking zag, 'maar u weet niet meer wie ik ben, hè?'

'Jawel, ik herinner me u wel.' Hij dacht terug aan de baby in de draagdoek, het jongetje naast haar, asgrauw van uitputting, en het meisje dat haar poppenwagentje voortduwde zoals ze haar moeder had zien doen.

'Ik ben Louise Weller, de zus van Ruth. Ik was hier op de dag dat het allemaal gebeurde.' Ze liet hen binnen.

'Logeert u hier?' vroeg Karlsson.

'Ik zorg zoveel als ik kan voor het gezin,' zei ze. 'Iemand moet het doen. Het gaat allemaal niet vanzelf.'

'Maar u hebt zelf kinderen.'

'Nou ja, de baby is natuurlijk altijd hier. Mijn schoonzus vangt de andere twee op, als ze niet op de kleuterschool zijn. Dit is een noodsituatie,' voegde ze er verwijtend aan toe, alsof hij dat vergeten was. Ze keek hem kritisch aan. 'Ik neem aan dat u Russell wilt spreken.'

'U moet wel een goede band hebben gehad met uw zuster,' zei Karlsson.

'Waarom zegt u dat?'

'U helpt haar gezin hier, ook al hebt u zelf kleine kinderen. Dat zou niet iedereen doen.'

'Het is mijn plicht,' zei ze. 'Je plicht doen is niet moeilijk.'

Karlsson bekeek haar wat aandachtiger. Ze liet hem weten wie hier de baas was, voelde hij. 'Zag u uw zuster vaak?'

'Wij wonen in Fulham. Ik heb mijn handen vol aan mijn eigen gezin, en wij leiden een heel ander leven. We zagen elkaar als we konden. En met Kerstmis natuurlijk. En Pasen.'

'Maakte ze op u een gelukkige indruk?'

'Wat heeft dat ermee te maken? Ze is vermoord door een inbreker, toch?'

'We proberen ons een beeld te vormen van het leven van uw zuster. Het ging mij om haar gemoedstoestand. Zoals u die zag.'

'Het ging prima met haar,' zei Louise kortaf. 'Er was niets mis met mijn zus.'

'En was ze gelukkig in haar gezinsleven?'

'Hebben we nog niet genoeg narigheid gehad?' zei ze, terwijl ze naar Yvette keek en toen weer naar Karlsson. 'Bent u erop uit om iets vervelends te vinden?'

Yvette deed haar mond open om iets te zeggen, maar Karlsson keek haar even indringend aan, waarna ze zich inhield. Ergens uit het zicht begon de baby te huilen.

'Ik had hem net in slaap.' Louise zuchtte berustend. 'U kunt mijn zwager boven vinden. Hij heeft zijn eigen kamer op zolder.'

Russell Lennox' kamer was een hok met uitzicht op de achtertuin. Karlsson en Yvette konden er maar nauwelijks tegelijkertijd in. Yvette leunde tegen de muur naast een poster van Steve McQueen met een honkbalhandschoen in de hand. Lennox zat aan een vurenhouten bureautje waar een computer op stond. De screensaver was een foto van het gezin. Ze droegen allemaal een zonnebril, en op de achtergrond was een blauwe zee te zien. Karlsson vermoedde dat die enkele jaren geleden genomen was. De kinderen waren kleiner dan in zijn herinnering.

Voordat Karlsson iets zei, keek hij Lennox onderzoekend aan en probeerde in te schatten hoe hij eraan toe was. Lennox maakte een beheerste indruk, was gladgeschoren en droeg een gestreken blauw overhemd, waar zijn schoonzus blijkbaar voor had gezorgd.

'Hoe gaat het?' vroeg Karlsson.

'Hebt u het niet gehoord?' zei Lennox. 'Mijn vrouw is vermoord.'

'En ik toonde mijn bezorgdheid. Ik wil weten hoe het met u gaat. Ik wil weten hoe het met uw kinderen is.'

Lennox antwoordde op boze toon, maar zonder Karlsson aan te kijken. Hij staarde naar de vloer. 'Als u het echt wilt weten, Dora durft niet naar school, Judith huilt de hele tijd en met Ted kan ik helemaal niet praten. Hij communiceert gewoon niet met me. Maar ik heb geen boodschap aan uw bezorgdheid. Ik wil dat aan dit alles een einde komt.' Nu keek hij op naar Karlsson. 'Komt u me vertellen hoe het onderzoek vordert?'

'In zekere zin,' zei Karlsson. 'Maar ik moet u ook een aantal vragen stellen.' Hij zweeg even; hij wilde niet te hard van stapel lopen. Maar Lennox zei niets. 'We proberen een wat beter beeld te krijgen van de wereld waarin uw vrouw leefde.' Hij keek even naar Yvette. 'En dat kan soms voelen alsof we uw privacy schenden.'

Lennox wreef in zijn ogen als iemand die moeite doet om goed wakker te worden. 'Dat is voor mij geen punt meer,' zei hij. 'Vraagt u maar wat u wilt. Doet u maar wat u wilt.'

'Goed,' zei Karlsson. 'Goed. Eh. Nou, een vraag is: zou u de relatie met uw vrouw gelukkig noemen?'

Lennox leek even te schrikken en kneep zijn ogen iets toe. 'Hoe komt u daar nou bij, om dat te vragen?' zei hij. 'U was hier toen het net gebeurd was. Op dezelfde dag. U hebt ons allemaal gezien. U hebt gezien hoe aangeslagen we waren. Is dit een of andere idiote beschuldiging?'

'Ik stelde u een vraag.'

'Dan zal ik u daar een simpel antwoord op geven, en dat is: ja, we waren gelukkig. Tevreden? En nu wil ik u een simpele vraag stellen. Wat is er aan de hand?'

'Er is sprake van een onverwachte ontwikkeling in het onderzoek,' zei Karlsson. Terwijl hij het zei, realiseerde hij zich dat hij naar zichzelf luisterde en zijn eigen woorden weerzinwekkend vond. Hij praatte mechanisch, want hij was nerveus om wat er zou gebeuren.

Frieda reikte Karlsson een beker thee aan, en hij nam er enkele slokjes uit voordat hij de beker op tafel zette.

'Hè, precies wat ik nodig had,' zei hij. 'Vlak voordat ik het hem ging vertellen, had ik een gevoel alsof ik droomde. Alsof ik voor een groot raam stond met een steen in mijn hand, een ronde, massieve steen, als een cricketbal. Ik stond op het punt die steen door het raam te gooien. Ik keek naar het glas, dat er glad en vlak uitzag, wetend dat het over enkele seconden in puntige scherven op de grond zou liggen.' Hij zweeg. Frieda was weer bij haar nog onaangeroerde beker thee gaan zitten. 'Je ziet dat ik vorderingen maak: ik heb niet tegen je gezegd dat je het beeld niet moest analyseren en dat je er geen verborgen betekenissen in moest zien. Al heb ik dat natuurlijk nu net wel gedaan. Maar je snapt wat ik bedoel.'

'Hoe reageerde hij?' vroeg Frieda.

'Wat gebeurde er toen de steen het glas raakte, bedoel je? Het werd verbrijzeld, dat gebeurde er. Hij was er kapot van. Hij had zijn vrouw verloren, en het was alsof ik haar nog een keer van hem afnam. Hij had eerder tenminste nog goede herinneringen aan haar gehad, en die had ik nu besmeurd.'

'Je klinkt te veel als een therapeut,' zei Frieda.

'En dat uit jouw mond! Hoe kan iemand te veel als een therapeut klinken?' Hij nam nog een slokje thee. 'Hoe meer iedereen als een therapeut klinkt, hoe meer iedereen in contact staat met zijn gevoelens, hoe beter.'

'De enigen die als therapeuten horen te klinken zijn de therapeuten zelf,' zei Frieda. 'En dan nog alleen als ze aan het werk zijn. Als je bij de politie bent, hoor je te klinken als een politieman. Maar om terug te komen op mijn vraag: was zijn reactie op wat voor manier dan ook van betekenis voor het onderzoek?'

Karlsson zette zijn beker neer.

'Eerst ontkende hij het categorisch en vertelde hij hoe hij haar had vertrouwd en dat we ons vergist moesten hebben. Toen heeft Yvette tot in de details beschreven wat we van Paul Kerrigan te weten waren gekomen, van de flat, van de dagen dat ze elkaar troffen, hoe lang het al gaande was. En uiteindelijk drong het tot hem door. Hij huilde niet, hij schreeuwde niet, hij had alleen een bijna lege blik in zijn ogen.'

'Maar had je de indruk dat hij het wist?'

'Ik weet het niet. Ik weet het echt niet. Hoe is het mogelijk? Tien jaar, elf jaar lang. Ze sprak met die man af, ze ging met hem naar bed. Hoe kan het dat hij zijn geur niet aan haar heeft geroken? Hoe kan het dat hij het niet in haar ogen heeft gezien?'

'Je denkt dat hij het op z'n minst moet hebben vermoed?'

'Frieda, jij zit daar dag in dag uit met mensen die je hun meest duistere geheimen vertellen. Denk jij nooit dat de clichés over relaties gewoon waar zijn? Hoe het is om verliefd te worden, hoe het is om een kind te krijgen en hoe het is om dan uit elkaar te gaan. Het aloude cliché dat je jarenlang met iemand kunt samenleven en dan moet beseffen dat je de ander niet kent.'

'Over wie hebben we het nu?' vroeg Frieda.

'Nou, dat was gedeeltelijk iets van mezelf, maar het gaat vooral om Russell Lennox. Waar ik natuurlijk op had gehoopt, was dat als wij hem zouden vertellen over die relatie, hij zou instorten en alles zou bekennen. Zaak opgelost.'

'Maar dat deed hij niet.'

'Ik had jou mee moeten nemen.'

'Je doet alsof ik een hond ben.'

'Ik had je moeten vragen om mee te gaan. Me die gunst te bewijzen. Ik had graag gewild dat je zijn gezicht had gezien op het moment dat ik het hem vertelde. Jij hebt oog voor dat soort dingen.'

'Yvette was er toch bij.'

'Zij is daar nog slechter in dan ik, en ik ben al zo erg. Vraag het maar aan mijn ex-vrouw. Als zij zei dat ik niet wist hoe ze zich voelde, zei ik dat ze het me moest vertellen als ze wilde dat ik het zou weten, en... Nou, je snapt het zeker wel.'

'Als hij op de dag van de moord tegenover je kon zitten zonder in te storten,' zei Frieda, 'zou dat vandaag zeker geen probleem voor hem zijn. En dan zou je aan mij weinig hebben gehad.'

'Mis je het?' vroeg Karlsson. 'Wees eerlijk.'

Frieda zweeg langdurig.

'Ik weet het niet,' zei ze. 'Misschien. Soms betrap ik mezelf erop, zoals toen ik hoorde van het geheime leven van Ruth Lennox. Maar ik heb mijn best gedaan dat af te kappen.'

'O god,' zei Karlsson ontsteld. 'Het is de bedoeling dat jij herstelt, en nou confronteer ik je met datgene wat je bijna het leven heeft gekost.'

'Nee! Zo is het helemaal niet. Het is fijn om je te zien. Je geeft me het gevoel dat ik contact heb met de buitenwereld. Sommige contacten met de buitenwereld zijn slecht, maar dit is een goed contact.'

'Ja,' zei Karlsson. 'Luister, Frieda. Ik heb net dat afschuwelijke verhaal gehoord hoe ze je erin hebben laten lopen. Ik zou die opgeblazen Hal Bradshaw graag de nek omdraaien.'

'Dat zou waarschijnlijk niet bevorderlijk zijn voor mijn positie.'

'Hij moet jou wel hebben, hè? Jij hebt laten zien dat hij zich belachelijk heeft gemaakt, en dat kan hij niet verdragen en zal hij nooit vergeten. Geen wonder dat hij laatst zo'n grijns op zijn gezicht had.'

'Wou je zeggen dat hij de hele zaak alleen maar heeft opgezet om mij een hak te zetten?'

'Hij is ertoe in staat. Als ik het voor het zeggen had, zou ik nooit meer hoeven te luisteren naar zijn gezever over de misdaad als kunst. Helaas is de commissaris een fan van hem.' Hij aarzelde even en voegde eraan toe: 'Misschien zou ik je dit niet moeten vertellen, maar ik doe het toch. Aan het begin van het onderzoek in de zaak-Lennox heb ik tegen de commissaris gezegd dat ik Bradshaw er niet meer bij wilde hebben. Ik dacht dat ik op een informele manier mijn voorkeur te kennen gaf, maar Crawford haalde Bradshaw erbij en liet me in zijn bijzijn herhalen wat ik had gezegd. Hij vindt niks zo leuk als mensen tegen elkaar uitspelen.'

'Wat heeft dat met mij te maken?'

'Bradshaw begon op jou af te geven, en toen heb ik je verdedigd en gezegd dat hij jou niet mocht omdat jij hem te kijk had gezet. Het is waarschijnlijk mijn schuld, omdat ik hem heb uitgedaagd. Ik wou dat ik er iets aan kon doen.'

'Dat is onmogelijk. En als je toch iets bedenkt, doe het dan alsjeblieft niet.'

'Maar ik laat hem niet zijn gang gaan met de kinderen van Lennox.'

'Ga jij het hun vertellen?'

'Ja. Al zal hun vader dat misschien al wel doen. Arme kinderen. Eerst wordt hun moeder vermoord en vervolgens wordt hun hele beeld van het verleden ondermijnd. De zoon ken je al, hè?'

'Ik heb kennis met hem gemaakt. Wat kijk je me nou aan?'

'Ik heb een voorstel.'

'Het antwoord is nee.'

Riley was degene die de flessen ontdekte. Ze lagen in het schuurtje in de tuin, dat vol stond met de kleine grasmaaier, schoppen, harken, snoeischaren, een groot, gescheurd stuk zeil, een kruiwagen, een stapel lege plastic bloempotten, oude jampotten en een doos met badkamertegels. Iemand had de flessen willen verbergen, want ze lagen in een hoek achter de aangebroken blikken verf, zorgvuldig afgedekt met een stoflaken. Hij bleef er een tijdje naar staan kijken en haalde toen Yvette erbij.

Yvette haalde ze een voor een tevoorschijn en bekeek ze. Wodka, cider, goedkope whisky: alcohol om dronken van te worden, niet om van te genieten. Waren de flessen van de kinderen of van de ouders, waren het oude flessen of nieuwe? Ze zagen er nieuw uit. Ze hadden iets clandestiens.

26

Karlsson moest een 'verantwoordelijke volwassene' zien te vinden. Voor minderjarigen is zo'n volwassene vaak een van de ouders, maar in het geval van de kinderen Lennox was de ene ouder dood, terwijl de andere in de omstandigheden absoluut niet de aangewezen figuur was. Hij had erover gedacht om dan maar Louise Weller, Ruths zus, te vragen erbij aanwezig te zijn. Maar Judith Lennox had gezegd dat ze nog liever doodging dan dat ze in aanwezigheid van haar tante over haar moeder zou moeten praten, en Ted had gemompeld dat Louise zich over de hele geschiedenis verlekkerde, of iets in die trant.

'Ze kan het gewoon niet laten zich ermee te bemoeien,' zei hij. 'Wij willen haar niet, en haar cake en haar godsdienst ook niet. En ook die klotebaby niet.'

De verantwoordelijke volwassene was daardoor in dit geval een door de sociale dienst aangewezen vrouw, die zich vol enthousiasme op het politiebureau had gemeld. Ze was begin zestig en broodmager, ze keek pienter uit haar ogen en glom van een nerveuze opwinding. Het bleek het eerste verhoor te zijn dat ze meemaakte. Ze had natuurlijk de opleiding wel gevolgd en ze had alles wat ze er maar over te pakken had kunnen krijgen gelezen, en bovendien ging ze er prat op dat ze goed met jongeren kon opschieten. Tieners werden immers zo vaak verkeerd begrepen, nietwaar? Vaak hadden ze niet meer nodig dan iemand die naar hen luisterde en aan hun kant stond, en daarom was zij hier.

Haar wangen vertoonden een blosje terwijl ze glimlachte.

'Fijn,' zei Karlsson twijfelachtig. 'U begrijpt dat wij de drie kinderen Lennox apart zullen verhoren, de een na de ander. De oudste, Ted, is strikt gesproken niet minderjarig – hij is net achttien. Zoals u weet, bent u aanwezig om te waarborgen dat ze goed worden behandeld, en als u het gevoel hebt dat ze iets nodig hebben, moet u het zeggen.'

'Zo pijnlijk en moeilijk, die leeftijd,' zei Amanda Thorne. 'Half kind en half volwassene.'

'Ik doe het verhoor, en mijn collega dokter Frieda Klein zal er ook bij aanwezig zijn.'

Toen hij Yvette had verteld dat hij niet haar, maar Frieda mee zou nemen om met Ted, Judith en Dora te praten, had ze hem zo verwijtend aangekeken dat hij nog bijna van gedachten was veranderd. Met haar woede kon hij omgaan, met haar teleurstelling niet. Met hoogrode wangen had ze tegen hem gezegd dat het prima was, dat het volkomen terecht was, dat hij het voor het zeggen had en dat zij er alle begrip voor had.

Ted was als eerste aan de beurt. Schuifelend kwam hij de kamer binnen, zijn veters sleepten over de vloer, zijn haar zat in de war, zijn kleren waren rafelig, een en al slordigheid en scheuren. Hij had zich niet geschoren en had roos op zijn schouders en hij zag er ongewassen en ondervoed uit. Hij weigerde te gaan zitten en ging bij het raam staan. In de tuin was de lente losgebarsten. In de perkjes stonden narcissen, aan de fruitboom groeiden bloesems.

'Ken je me nog?' vroeg Frieda.

'Ik wist niet dat u bij hen hoorde,' zei hij.

'Bedankt dat je ermee instemt dat we elkaar op deze manier spreken,' zei Karlsson. 'Voordat we beginnen, dit is Amanda Thorne. Zij is een zogenaamde verantwoordelijke volwassene. Dat betekent...'

'Ik weet wat het betekent. En ik ben geen kind meer. Ik hoef haar er hier niet bij te hebben.'

'Nee, lieverd,' zei Amanda terwijl ze overeind kwam en door de kamer op hem af liep. 'Jij bent geen kind meer. Je bent een jongeman die een afschuwelijke, afschuwelijke gebeurtenis heeft meegemaakt.'

Ted keek haar minachtend aan. Ze leek het niet te zien.

'Ik ben hier om je te steunen,' vervolgde ze. 'Als er iets is wat je niet begrijpt, moet je het me zeggen. Dan kan ik het uitleggen. En als je in de war of boos bent, kun je mij dat ook vertellen.'

Ted keek neer op haar omhooggeheven, glimlachende gezicht. 'Hou je kop.'

'Wat?'

'Zullen we beginnen?' kwam Karlsson tussenbeide.

Ted sloeg zijn armen over elkaar, weigerde hen aan te kijken en keek spottend uit het raam. 'Nou, toe dan. Gaat u me vragen of ik weet van het andere leven van mijn moeder?'

'Weet je daarvan?'

'Inmiddels wel. Mijn vader heeft het me verteld. Dat wil zeggen, hij begon het te vertellen, toen moest hij huilen en daarna vertelde hij de rest.'

'Dus je weet dat je moeder ook met iemand anders iets had?'

'Nee. Ik weet alleen dat u dat denkt.'

'Je gelooft het niet?'

Ted liet zijn armen zakken en draaide zich naar hen toe. 'Weet u wat ik denk? Ik denk dat u zich met alles in haar leven gaat bemoeien en overal iets lelijks en smerigs van gaat maken.'

'Ted, het spijt me heel erg, maar het gaat om moord,' zei Karlsson. 'Je moet begrijpen dat we een uitgebreid onderzoek moeten verrichten.'

'Tien jaar!' Met een van woede vertrokken gezicht schreeuwde hij het uit. 'Sinds ik acht was, en Dora drie. Of ik het wist? Nee. Hoe ik me voel nu alles vals blijkt te zijn geweest, een poppenkast? Hoe denkt u?' Hij draaide zich woest om naar Amanda Thorne. 'Kom op, verantwoordelijke volwassene. Vertel me wat ik moet voelen. Of u.' Hij stak zijn wijsvinger met het rouwrandje onder de nagel in Frieda's richting. 'U bent therapeut. Vertelt u het me maar.'

'Ted,' zei Frieda, 'je moet de vragen beantwoorden.'

'Zal ik u eens wat zeggen? Sommigen van mijn vrienden hebben weleens gezegd dat ze liever háár als moeder hadden gehad. Dat zullen ze nou niet meer zeggen.'

'Bedoel je dat je er absoluut geen idee van had?'

'Wil je even een pauze?' vroeg Amanda Thorne.

'Nee, dat wil hij niet,' zei Karlsson scherp.

'Natuurlijk had ik er geen idee van. Zij was de goede moeder, de goede echtgenote, de goede buurvrouw. De ideale vrouw, godverdomme.'

'Maar kun je het nu wel begrijpen?'

Ted keek Frieda aan. Hij maakte met zijn knokige lijf een broze indruk, alsof hij in scherven uiteen zou kunnen vallen als iemand hem zou aanraken of zijn armen om hem heen zou slaan. 'Hoe bedoelt u?'

'Je hebt ineens een heel ander beeld van je moeder gekregen, en dat doet pijn – zij was ineens niet meer de vrouw van wie iedereen zegt dat ze zo betrouwbaar, kalm en altruïstisch is, maar iemand met een andere, radicaal andere kant, met haar eigen behoeften en wensen, iemand die in het geheim een leven heeft geleid waar jullie allemaal buiten stonden – en ik vraag je nu of je dat achteraf kunt begrijpen.'

'Nee. Ik weet het niet. Ik wil er niet over nadenken. Ze was mijn moeder. Ze was...' – hij deed even zijn ogen dicht – '... gezellig.'

'Precies. Geen seksueel wezen.'

'Ik wil er niet over nadenken,' herhaalde hij. 'Ik wil die beelden niet in mijn hoofd. Alles is vergiftigd.'

Hij schoot weer bij hen vandaan. Frieda voelde dat hij op het punt stond om in huilen uit te barsten.

'Dus,' verbrak Karlsson de stilte, 'je zegt dat je nooit iets hebt vermoed.'

'Ze was een slechte actrice en was niet in staat om zo'n poppenkast op te voeren. Al zou haar leven ervan af hebben gehangen, liegen kon ze niet. Dan kreeg ze een kleur en moesten we allemaal lachen. Het was een vaste grap in de familie. En nu blijkt ze dus toch een fantastische actrice en leugenaarster te zijn geweest.'

'Kun je ons iets vertellen over de dag dat ze vermoord werd, woensdag 6 april?'

'Wat vertellen?'

'Wat je die dag gedaan hebt nadat je de deur uit was gegaan, hoe laat je weer thuiskwam. Dat soort dingen.'

Ted staarde Frieda verwilderd aan en zei toen: 'Oké. Mijn alibi, bedoelt u. Ik ben zo'n beetje op de gewone tijd van huis gegaan. Halfacht of zo. Onze school is maar een paar minuten van ons huis, en ik moest er vroeg zijn, omdat ik een proefexamen kunstgeschiedenis moest doen. Ik heb trouwens net gehoord dat ik daar een tien voor had.' Er verscheen een woeste grijns op zijn gezicht. 'Mooi, hè? De rest van de dag heb ik op school doorgebracht. Uiteindelijk kwam ik Judith tegen, we hebben een beetje rondgehangen en zijn toen samen naar huis gegaan. En daar troffen we overal politie aan. Hebt u daar wat aan?'

'Daar hebben we wat aan.'

Judith Lennox was de volgende. Geruisloos als een spook kwam ze de deur door en keek met haar lichtblauwe ogen iedereen even aan. Ze had koperkleurige krullen en sproeten op de brug van haar neus. Al moest haar haar nodig gewassen worden en droeg ze een oude joggingbroek en een groene slobbertrui die waarschijnlijk van haar vader was en bijna tot haar knieën reikte, terwijl haar handen schuilgingen onder de lange mouwen, ze was duidelijk een schoonheid; zelfs dagenlang huilen had haar perzikachtige jeugdigheid niet kunnen verbloemen.

'Ik heb niks te zeggen,' verkondigde ze.

'Dat is prima, lieverd,' mompelde Amanda Thorne. 'Je hoeft ook helemaal niks te zeggen.'

'Als jullie denken dat papa het heeft gedaan, zijn jullie gewoon stom.'

'Waarom zeg je dat?'

'Het is toch duidelijk. Mama bedroog hem, waardoor jullie denken dat hij het moet hebben ontdekt en haar heeft vermoord. Maar papa was dol op haar, en trouwens, hij wist van niks, helemaal niks. De dingen worden niet waar door ze alleen maar te bedenken.'

'Natuurlijk niet,' zei Karlsson.

Frieda bekeek het meisje. Ze was vijftien, bijna een vrouw. Ze was haar moeder kwijt en alles waar haar moeder voor stond, en nu moest ze ook nog vrezen dat ze haar vader zou verliezen. 'Toen je ontdekte dat je moeder...' begon ze.

'Ik kwam samen met Ted thuis,' zei Judith. 'Toen we het hoorden hebben we elkaars hand vastgehouden.' Ze snikte even. 'Arme Ted. Hij dacht dat mama volmaakt was.'

'En jij niet?'

'Bij dochters is dat anders.'

'Hoe bedoel je?'

'Hij was haar lieve jongen. Dora was haar lieve kleintje. Ik jatte haar lippenstift – nou ja, niet echt, hoor. Ze had niet veel met make-up en zo. Maar u snapt wat ik bedoel. In elk geval ben ik het middelste kind.'

'Maar je weet zeker dat niemand het wist?'

'Dat ze papa al die tijd heeft bedrogen? Nee, ik geloof het zelf nog steeds niet, eigenlijk.' Ze wreef hard over haar gezicht. 'Het lijkt wel een film of zo, niet het echte leven. Het is niks voor haar. Gewoon stom. Ze is een vrouw van middelbare leeftijd en niet eens zo aantrekkelijk...' Met een verkrampt gezicht onderbrak ze zichzelf. 'Zo bedoel ik het niet, maar u weet wel wat ik bedoel. Ze wordt al grijs, ze draagt degelijk ondergoed en het kan haar niks schelen hoe ze eruitziet.' Het leek ineens tot haar door te dringen dat ze in de tegenwoordige tijd over haar moeder sprak. Ze veegde haar ogen af. 'Papa wist van niks, dat geloof ik vast,' zei ze met nadruk. 'Ik durf te zweren dat papa niks vermoedde. Hij is er kapot van. Laat hem met rust. Laat ons met rust.'

Het verhoor van Dora Lennox was niet echt een verhoor. Ze was een schriel, zwak en uitgeput meisje met vlekken in haar gezicht van al het huilen. Haar vader was in de dagen sinds de dood van zijn vrouw jaren ouder geworden, maar Dora was net een klein kind. Ze had haar moeder nodig. Ze had iemand nodig die haar armen om haar heen sloeg, haar vasthield en alle verschrikkingen wegjoeg. Frieda legde een hand op haar vochtige, verhitte hoofd.

Amanda Thorne zei op sussende toon dat alles goed zou komen, kennelijk zonder te beseffen wat een onzin ze uitkraamde. Karlsson staarde met gefronste wenkbrauwen naar het meisje. Hij wist niet hoe hij moest beginnen. Er was te veel pijn in dit huis. Je voelde het steken in je huid. Buiten straalden de narcissen in de frisse gloed van de lente.

Toen Yvette Russell Lennox vroeg naar de flessen, staarde hij haar alleen maar aan, alsof hij geen woord had begrepen van wat ze zei.

'Weet u wie ze daar heeft verstopt?'

Hij haalde zijn schouders op. 'Wat doet dat ertoe?'

'Misschien niets, maar ik moet het vragen. Er waren in de schuur tientallen flessen verborgen. Het kan een onschuldige reden hebben, maar het lijkt erop dat iemand in het geheim dronk.'

'Ik zie niet in waarom. De schuur staat vol met rommel.'

'Wie gebruikte de schuur?'

'Hoe bedoelt u?'

'Wie gaat er weleens naar binnen? Kwam uw vrouw daar?'

'Het was Ruth niet.'

'Of uw zoon en zijn vrienden misschien...'

'Nee. Ted ook niet.'

'Hebt u die flessen daar verstopt?'

Stilte vulde de kamer.

'Meneer Lennox?'

'Ja.' Zijn stem klonk hoog en hij wendde zijn blik af, alsof hij het niet kon opbrengen haar aan te kijken.

'Wou u zeggen...' Yvette zweeg. Ze was hier niet goed in. Ze stelde de vragen te hard. Ze wist niet hoe ze duidelijk moest overkomen zonder veroordelend te klinken. Ze probeerde zich in te denken hoe Karlsson de vragen zou stellen. 'Hebt u een drankprobleem?' vroeg ze abrupt.

Met een ruk keek Russell Lennox op. 'Nee, dat heb ik niet.'

'Maar die flessen...' Ze dacht aan de extra sterke cider: dat dronk toch niemand die niet aan de drank was.

'Als je drinkt, denkt iedereen altijd dat je een alcoholprobleem hebt, en als je een alcoholprobleem hebt, dan denken ze dat daar een groter probleem onder schuilgaat.' Hij sprak snel, hij struikelde over zijn woorden. 'Het was maar een fase. Gewoon stom. Om mezelf erdoorheen te helpen. Ik heb ze in de schuur verstopt, want ik wist dat iedereen zou zeggen wat u nu zegt. En dan zou ik me schamen. Het zou makkelijker zijn als ik ze verborg. Dat is alles. Ik was van plan ze weg te gooien zodra ik de kans kreeg.'

Yvette probeerde te volgen wat hij allemaal zei. 'Om u waar doorheen te helpen?' vroeg ze.

'Nou, gewoon. Van alles.' Hij klonk net als zijn zoon.

'Wanneer bent u door die fase heen gegaan?'

'Hoezo?'

'Kortgeleden?'

Russell Lennox bracht zijn hand naar zijn gezicht en bedekte zijn mond half. Tussen zijn vingers maakte hij een onduidelijk geluid.

'Drinkt u nog steeds?'

'Bent u nu ineens mijn huisarts?' Zijn stem klonk gesmoord. 'Gaat u me vertellen dat het niet goed voor me is? Denkt u dat ik dat niet weet? Misschien begint u zo meteen wel over schade aan de lever, verslaving, de noodzaak om te erkennen waar ik mee bezig ben en hulp te zoeken.'

'Dronk u vanwege problemen in uw huwelijk?'

Hij stond op. 'Alles is voor u bewijs, hè? Het privéleven van mijn vrouw, mijn drankgebruik.'

'Het slachtoffer van een moord heeft geen privéleven,' zei Yvette. 'Ze lijken mij allebei relevant.'

'Wat wilt u dat ik zeg? Ik heb een tijdje te veel gedronken. Dat was dom. Ik wilde niet dat mijn kinderen het wisten, dus deed ik het in het geheim. Ik ben er niet trots op.'

'En u zegt dat het niet om een speciale reden was?'

Russell Lennox zag grauw van vermoeidheid. Hij ging weer tegenover Yvette zitten en zakte onderuit op zijn stoel. 'U vraagt me om alles precies te benoemen. Zo was het niet. Ik word ouder, het leek alsof het leven voor mij afgelopen was. Alles was altijd hetzelfde. Niets opwindends. Misschien voelde Ruth hetzelfde.'

'Misschien,' zei Yvette. 'Maar wist uw vrouw dat u dronk?'

'Wat heeft dat met haar dood te maken? Denkt u dat ik haar heb vermoord omdat ze mijn geheim had ontdekt en ik me schuldig voelde?'

'Heeft ze het ontdekt?'

'Ze vermoedde het. Ze had een neus voor de zwakheden van mensen.'

'Dus ze wist het.'

'Ze rook het aan me. Ze deed er nogal minachtend over – mooie boel trouwens, als je weet waar zij tegelijkertijd mee bezig was, hè?'

'En u beweert nog steeds dat u daar geen weet van had?'

'Dat bewéér ik niet, ik hád er geen weet van.'

'En u blijft volhouden dat u een goed huwelijk had?'

'Bent u getrouwd?'

Yvette voelde een hevige blos opkomen in haar hals en op haar gezicht. Ze zag zichzelf door zijn ogen: een stevige, onhandige, eenzame vrouw met bruin haar, grote voeten en grote handen, zonder trouwring. 'Nee,' zei ze kortaf.

'Geen enkel huwelijk lijkt goed als je gaat zoeken naar de breuklijnen. We hadden weleens ruzie en we leefden soms langs elkaar heen, maar tot nu toe zou ik altijd hebben gezegd dat we een goed, degelijk huwelijk hadden.'

'En nu?'

'Nu is het zinloos om er iets over te zeggen. Het is kapotgeslagen, en ik kan haar niet eens vragen waarom.'

Frieda was nog maar net thuis toen er aangebeld werd. Toen ze opendeed, stonden daar twee politieagenten, een man en een vrouw.

'Bent u mevrouw Frieda Klein?' vroeg de man.

'Heeft Karlsson jullie gestuurd?'

De twee agenten keken elkaar aan.

'Het spijt me,' zei de man, 'ik weet niet wat u bedoelt.'

'Nou, waarvoor komt u dan?'

'Kunt u bevestigen dat u mevrouw Frieda Klein bent?'
'Jazeker. Is er iets?'
De agent fronste zijn wenkbrauwen. 'Wij willen u spreken in verband met een geval van eenvoudige mishandeling met daadwerkelijk lichamelijk letsel tot gevolg.'
'Hoezo, mishandeling? Zou ik daar getuige van zijn geweest?'
Hij schudde zijn hoofd. 'Het gaat om een aangifte waarbij u genoemd wordt als de dader.'
'Waar hebt u het in hemelsnaam over?'
De agente keek in haar opschrijfboekje. 'Bent u op 17 april jongstleden aanwezig geweest in flat 4 op het adres Marsh Side 2?'
'Hè?'
'De huidige bewoner is meneer Ian Yardley.'
'O, mijn god,' zei Frieda.
'U erkent dat u daar toen bent geweest?'
'Ja, ik erken dat ik daar ben geweest, maar...'
'Wij willen u daarover spreken,' zei de man. 'Maar niet hier voor de deur. Als u wilt, kunnen we u meenemen naar een verhoorkamer.'
'Kunt u niet gewoon binnenkomen, zodat we het kunnen rechtzetten?'
'We kunnen u binnen wel een paar vragen stellen,' zei de man.
Frieda's huis leek kleiner geworden toen beide agenten met hun indrukwekkende uniformen binnen waren. Ze gingen onhandig zitten, alsof ze niet vaak binnen waren. Frieda nam tegenover hen plaats en wachtte totdat ze iets zouden zeggen. De man deed zijn pet af en legde die op de armleuning van de stoel. Hij had krullend rood haar en een bleke huid.
'Er is een incident gemeld,' zei hij. Hij haalde een opschrijfboekje uit de zijzak van zijn jasje, sloeg het langzaam open en keek erin alsof hij het voor het eerst zag. 'Ik moet u om te beginnen meedelen dat wij onderzoek doen in een geval van eenvoudige mishandeling en tevens van mishandeling met daadwerkelijk lichamelijk letsel tot gevolg.'
'Hoezo, daadwerkelijk lichamelijk letsel?' zei Frieda in een poging om kalm te blijven. Tegelijkertijd probeerde ze zich het

voorval te herinneren. Zou de vrouw haar hoofd gestoten kunnen hebben toen ze viel? De agent keek weer in zijn opschrijfboekje.

'Er is aangifte gedaan door de heer Ian Yardley, eigenaar van de flat, en Polly Welsh. Ik moet u erop attenderen dat u niet onder arrest staat en dat het u vrijstaat het gesprek op elk gewenst moment te beëindigen. Ik moet u ook zeggen dat u niet verplicht bent om iets te zeggen, maar dat het nadelige gevolgen kan hebben voor uw verdediging als u nu iets verzwijgt waarop u zich later voor de rechtbank wilt beroepen. En alles wat u zegt kan als bewijs gelden.' Toen hij dit toespraakje had beëindigd, kreeg de bleke agent een kleur. Hij deed Frieda denken aan een jongetje dat op school een spreekbeurt hield. 'Dat moeten we altijd zeggen.'

'En dat ik recht heb op een advocaat.'

'U bent niet gearresteerd, mevrouw Klein.'

'Waaruit bestond het "daadwerkelijk lichamelijk letsel"?' vroeg Frieda. 'Was ze gewond?'

'Ik geloof dat er sprake was van blauwe plekken en dat enige medische hulp noodzakelijk was.'

'Telt dat als daadwerkelijk lichamelijk letsel?' vroeg Frieda.

'Er wordt beweerd dat er ook sprake is van psychisch letsel,' zei de vrouw. 'Slaapproblemen. Angsten.'

'Psychisch letsel,' zei Frieda. 'Zou dokter Hal Bradshaw misschien iets te maken kunnen hebben met deze diagnose?'

'Ik kan daar geen commentaar op geven,' zei de man. 'Maar u erkent dat u aanwezig bent geweest bij het incident?'

'Ja,' zei Frieda. 'Maar hebben ze niet erg lang gewacht met hun aangifte?'

'Ik heb begrepen,' zei de man, 'dat mevrouw Welsh aanvankelijk te getraumatiseerd was om erover te kunnen praten. Ze moest gerustgesteld en behandeld worden voordat ze in staat was om zich te melden. We proberen zorgvuldiger te zijn in onze reacties op vrouwen die te lijden hebben van geweld.'

'Nou, dat is een goede zaak,' zei Frieda. 'Wilt u weten wat er is gebeurd?'

'We zijn zeker geïnteresseerd in uw versie van de feiten, ja,' zei de man.

'Ik had met Ian Yardley afgesproken om hem enkele vragen te stellen,' zei Frieda.

'U werd boos op hem, heb ik begrepen. U voelde zich door hem vernederd.'

'Heeft hij dat gezegd?'

'Dat hebben we uit ons onderzoek geconcludeerd.'

'Ik was niet boos op hem. Maar zijn vriendin...'

'Mevrouw Welsh.'

'Ik was nog niet binnen of ze werd al agressief. Ze gaf me een por en probeerde me de flat uit te duwen. Ik heb teruggeduwd. Toen ze vervolgens op me af kwam, is ze geloof ik over een stoel gestruikeld. Het ging allemaal heel snel. Toen ben ik weggegaan. Einde verhaal.'

De man keek in zijn opschrijfboekje.

'Volgens zeggen hebt u mevrouw Welsh tegen een muur geduwd en haar daartegenaan vastgeklemd. Is dat juist?'

'Ja, dat klopt. Ze begon me te duwen. Ik heb gezegd dat ze daarmee op moest houden, en toen ze dat niet deed, heb ik haar tegen de muur gedrukt. Maar niet ruw. Alleen om haar te laten ophouden. Toen ik haar losliet, kwam ze op me af en is ze over me heen gevallen. Ik raakte haar niet eens aan.'

'Ze viel gewoon,' zei de vrouw.

'Dat klopt.'

De man keek weer in zijn aantekeningen. 'Bent u vaker betrokken geweest bij vechtpartijen?'

'Hoe bedoelt u?'

Hij sloeg een bladzijde om. 'Kent u een zekere James Rundell?' vroeg hij. 'We hebben iets gehoord over een vechtpartij in een restaurant, waar aanzienlijke schade werd veroorzaakt. Het eindigde in uw arrestatie.'

'Waar hebt u dat gehoord?'

'Die informatie is ons ter ore gekomen.'

'En hoe relevant is dat?'

'We proberen vast te stellen of er sprake is van een patroon. En is James Rundell niet ook bij deze zaak betrokken?'

'Dat klopt,' zei Frieda. 'Rundell is een van de andere therapeuten die het doelwit waren van dit...' – ze zweeg even en probeerde het juiste woord te vinden – '... project,' zei ze ten slotte.

'Doelwit. Dat klinkt alsof u er boos over was.'

'Nee, zo klinkt het niet,' zei Frieda.

De man noteerde iets in zijn opschrijfboekje. 'U bent boos op Rundell, u spreekt hem er in een restaurant op aan en u valt hem aan. U bent boos op Ian Yardley, u spreekt hem er bij hem thuis op aan en er ontstaat een vechtpartij. Ziet u geen patroon?'

'Die twee zaken hebben niets met elkaar gemeen,' zei Frieda. 'En er was geen vechtpartij in de flat van Ian Yardley.'

Plotseling keek de man om, als een hond die een geur heeft opgevangen. 'Wat is dat?' vroeg hij.

Het was het bonzen in de badkamer boven. Het was voor Frieda al zo gewoon dat ze het niet eens meer hoorde. 'Moet u dat echt weten?' zei ze. 'Ik heb tenslotte een alibi. Ik zit hier beneden met u te praten.'

De agente keek haar fronsend aan. 'Er is niets grappigs aan geweld tegen vrouwen,' zei ze.

'Nou is het genoeg,' zei Frieda. 'Ik ben hier klaar mee. Als u me in staat van beschuldiging wilt stellen, gaat u uw gang maar. Verder zijn we uitgepraat.'

Met een grimas van concentratie op zijn gezicht zette de man enkele regels op papier, waarna hij zijn boekje dichtsloeg en opstond. 'Onder ons gezegd: als ik u was, zou ik eens met een advocaat gaan praten,' zei hij. 'We hebben wel zaken voor een jury gebracht waarin we minder sterk stonden. Maar ook als er geen strafzaak van komt, zou u te maken kunnen krijgen met een civiele procedure.'

'Hoe kan ik u bereiken?' vroeg Frieda.

'Ik stond op het punt u dat te vertellen,' zei de man. Hij schreef iets in zijn opschrijfboekje, scheurde het blaadje eruit en gaf het aan Frieda. 'Voor het geval u meer kwijt wilt. Maar wij nemen in elk geval nog contact op.'

Toen ze weg waren, staarde Frieda enkele minuten voor zich

uit. Toen bladerde ze haar adresboekje door en toetste een telefoonnummer in. 'Yvette,' zei ze. 'Sorry, met Frieda. Heb je een momentje?'

Bedankt voor je brief. Ik draag hem steeds bij me. Het past zo bij jou om een echte brief te schrijven – op papier van goede kwaliteit, met een vulpen, grammaticaal kloppend en zonder afkortingen. Ik kan me niet heugen wanneer iemand me voor het laatst een brief heeft gestuurd. Mijn moeder misschien, jaren geleden. Ze schreef me altijd op flinterdun luchtpostpapier, aan de randen dichtgegomd. Ik kon haar kleine, kriebelige handschrift nooit lezen.

Brieven van mijn moeder, van jou. Wat is er veel dat we elkaar nog nooit hebben verteld. Volgens mij zouden we een maand in een door woeste golven omspoelde vuurtoren moeten doorbrengen, met genoeg te eten en te drinken, zodat we niet weg zouden hoeven. Dan zouden we kunnen praten, lezen, slapen, vrijen en onze geheimen met elkaar delen – alle verloren tijd inhalen. Sandy xxxx

27

Yvette en Karlsson liepen samen van het huis van de familie Lennox naar dat van de Kerrigans. Ze hadden er nog geen tien minuten voor nodig. Yvette moest moeite doen om Karlsson met zijn lange passen bij te houden. Ze had een zware verkoudheid: een zere keel, pijn in haar klieren en een bonkend hoofd. Haar kleren leken te strak en kriebelden.

Het huis, een rijtjeshuis van rode baksteen in een smalle zijstraat met een kleine, met grind bedekte voortuin, was kleiner dan dat van Ruth en Russell. Elaine Kerrigan deed al open voordat het geluid van de gong was weggestorven. Ze was een grote vrouw met een bleek, lang gezicht en grijzend haar, losjes opgebonden in een wrong. Haar bril hing aan een kettinkje om haar hals. Ze droeg een oversized geruit hemd en een katoenen slobberbroek. De zon viel op haar gezicht, en ze hief een hand – trouwring en verlovingsring om de ringvinger – om er niet door verblind te worden.

Ze weet het, dacht Yvette. Haar man moest het haar hebben verteld.

Ze ging hun voor naar de huiskamer. Het zonlicht stroomde door het grote raam naar binnen en viel op het groene tapijt en de gestreepte bank. Op de schoorsteenmantel stonden narcissen, die nog eens verdubbeld werden door de spiegel. Yvette ving er een glimp in op van haar eigen gezicht – breed en blozend, met droge lippen. Ze likte eraan. Elaine Kerrigan ging zitten en gebaarde naar hen hetzelfde te doen. Ze vouwde haar lange, fijne handen in haar schoot en rechtte haar rug.

'Ik heb erover nagedacht hoe ik me zou moeten gedragen,' zei ze met lage en aangenaam klinkende stem, met een licht brouwend accent dat Yvette niet kon plaatsen. 'Het lijkt allemaal zo onwerkelijk. Ik weet dat ik bedrogen ben, maar ik vóél het nog niet. Het is gewoon zo...' Ze keek naar haar handen en sloeg haar ogen toen weer op. 'Paul is volgens mij niet het type man met wie een vrouw een buitenechtelijke verhouding zou willen hebben.'

'Wanneer heeft hij het u verteld?' vroeg Yvette.

'Toen hij gisteren thuiskwam. Hij wachtte totdat zijn thee op tafel stond en flapte het er toen uit. Ik dacht eerst dat hij een grapje maakte.' Ze trok een grimas. 'Krankzinnig, hè? Dat zoiets mij moet overkomen. En die vrouw is dood. Heeft hij gezegd dat ik degene was die het hem vertelde? Dat ik het verhaal in de krant had gezien? Ik vond dat ze er aardig uit zag. Ik vraag me af of ze weleens aan mij heeft gedacht toen dat allemaal gaande was.'

'We begrijpen dat het een schok moet zijn,' zei Yvette. 'Maar het zal u duidelijk zijn dat we de gangen van de betrokkenen op de dag dat Ruth Lennox werd vermoord moeten nagaan.'

'Van mijn man, bedoelt u? Ik kan het me niet herinneren. Ik heb in de agenda gekeken, maar die bladzijde is leeg. Het was een gewone woensdag. Paul zegt dat hij op dat moment zeker hier was, maar ik weet niet meer of ik eerder thuis was uit mijn werk of hij. Ik kan me ook niet herinneren of hij later was dan gewoonlijk. Als er iets ongewoons was gebeurd, zou dat me wel zijn bijgebleven, denk ik.'

'En uw zonen?'

Ze draaide haar hoofd. Toen ze haar blik volgden, zagen Karlsson en Yvette naast de narcissen de foto van twee jongens, jonge mannen eigenlijk, allebei met donker haar en het brede gezicht van hun vader. Een van hen had een litteken boven zijn lip, waardoor zijn glimlach een beetje scheef was.

'Josh zit op de universiteit in Cardiff. Hij was toen nog niet thuis voor Pasen. Ben is achttien en doet dit jaar eindexamen. Hij woont nog thuis. Hij doet altijd een beetje vaag over data. Net als over alle andere dingen. Ik heb hun nog niet verteld van de verhouding. Daarna moet ik ze over de moord vertellen. Dat kan nog leuk worden. Hoe lang heeft het geduurd?'

'Pardon?'

'Hoe lang heeft die verhouding geduurd?'

'Uw man heeft dat niet verteld?'

'Hij zei dat het meer was dan een flirt, maar dat hij nog steeds van me hield en hoopte dat ik het hem zou vergeven.'

'Tien jaar,' zei Yvette kalm. 'Ze zagen elkaar elke woensdagmiddag. Ze hadden een flat gehuurd.'

Elaine Kerrigan ging nog rechter zitten. Haar gelaat leek te verslappen, alsof haar huid uitzakte. 'Tien jaar.' Ze hoorden haar slikken.

'Dat wist u niet?'

'Tien jaar, en een flat.'

'We zullen ook hier huiszoeking moeten doen,' zei Yvette.

'Ik begrijp het.' Elaine Kerrigans stem klonk nog beleefd, maar zwakker.

'Hebt u niets ongewoons gemerkt aan zijn gedrag?'

'De afgelopen tien jaar?'

'De afgelopen paar weken misschien.'

'Nee.'

'Hij was niet boos of verstrooid?'

'Ik geloof het niet.'

'U wist niet dat er maandelijks enkele honderden ponden van uw mans bankrekening werden afgeboekt voor de huur van de flat?'

'Nee.'

'U hebt haar nooit ontmoet?'

'Die vrouw?' Ze toonde een vage, vermoeide glimlach. 'Ik geloof het niet. Maar ze woonde hier in de buurt, hè? Misschien dus wel.'

'We zouden het op prijs stellen als u zou proberen te achterhalen hoe laat u en uw man die woensdag precies zijn thuisgekomen – misschien door het aan collega's op het werk te vragen.'

'Ik zal mijn best doen.'

'Wij komen er wel uit.'

'Ja. Dank u.'

Ze stond niet op toen ze vertrokken, maar bleef rechtop op de bank zitten, het lange gezicht uitdrukkingsloos.

'Wil je wat drinken?' vroeg Yvette aan Karlsson, in een poging om ontspannen over te komen – alsof het haar niet uitmaakte. Ze hoorde zelf hoe schor ze klonk.

'Ik neem de rest van de dag vrij, en morgen ben ik er niet, dus ik...'

'Prima. Het was maar een idee. Er was nog iets wat ik wilde zeggen. Frieda heeft me gebeld.'

'Waarover?'

Toen Yvette vertelde dat Frieda door de politie was verhoord, leek er een begin van een glimlach op Karlssons gezicht te verschijnen, maar uiteindelijk zag hij er alleen maar vermoeid uit.

'Ik heb gezegd dat ze er met jou over moest praten, maar zij zei dat jij waarschijnlijk genoeg van haar had. Je weet wel, na die laatste keer met Rundell.'

'Wat is dat toch met haar?' zei Karlsson. 'Sommige uitsmijters raken minder vaak in vechtpartijen verwikkeld dan zij.'

'Het is niet altijd haar keuze.'

'Ja, maar het lijkt haar te overkomen, waar ze ook naartoe gaat. Maar goed, ze belde jou. Misschien moest je maar even rondbellen.'

'Het spijt me. Ik wilde je er niet mee lastigvallen.'

Karlsson aarzelde en keek naar haar rode hoofd. 'Het was niet mijn bedoeling om je af te snauwen. Mijn kinderen komen op bezoek,' zei hij vriendelijk. 'Ze gaan binnenkort weg.'

'Dat wist ik niet. Voor hoe lang?'

Hij merkte dat hij het haar niet kon zeggen. Meer dan 'tamelijk lang' kreeg hij niet over zijn lippen. 'Dus ik wil er nu het beste van maken.'

'Natuurlijk.'

Mikeys haar was heel kort geknipt; het voelde aan als zachte stekeltjes; zijn schedel was erdoorheen te zien en zijn oren staken uit. Bella's haar was ook geknipt, en haar gezicht werd omlijst door een massa losse krullen. Ze zagen er jonger en weerlozer uit. Karlsson voelde zich naast hen te groot en te stevig. Zijn hart zwol op in zijn borst en hij bukte zich en drukte hen tegen zich aan. Maar ze wurmden zich los. Ze waren opgewonden; hun ongeduld straalde van hen af. Ze wilden hem vertellen over de flat waarin ze gingen wonen, met aan beide kanten een balkon en een sinaasappelboom op de binnenplaats. In elke kamer een ventilator, want het was 's zomers erg warm. Ze hadden nieuwe zomerkleren gekregen: korte broeken, jurkjes en teenslippers. Het regende daar nauwelijks – '*the rain in Spain falls mainly on the plain*'. Een paar straten bij hen vandaan was een openluchtzwembad, en in het weekend konden ze met de trein naar de kust gaan. Ze zouden op hun nieuwe school een uniform moeten dragen. Ze kenden al een paar woorden Spaans. Ze konden zeggen: '*Puedo tomar un helado por favor?*' En '*gracias*' en '*mi nombre es Mikey, mi nombre es Bella*'.

Karlsson was een en al glimlach. Hij wilde dat ze nooit weg zouden gaan en hij wilde dat ze al weg waren, want het wachten op het afscheid was het ergste van alles.

28

Toen Frieda de volgende ochtend werd opgebeld door Rajit Singh, sprak ze af hem te ontvangen in haar werkruimte, die nu praktisch de hele week buiten gebruik was en waar de rode fauteuil er verlaten bij stond. Ze moest er toch zijn omdat ze later die dag een afspraak had met Joe Franklin, dus kon ze tussen de afspraken in voor het raam staan uitkijken over de verlaten en overwoekerde bouwplaats en de warboel van haar gedachten aan zich voorbij laten trekken. Ze liep zo snel als haar pijnlijke been toestond de smalle straatjes door, langs het vertrouwde allegaartje van winkels. Ze had het gevoel dat ze een draad volgde, zo dun als die van een spinnenweb, door een duister, kronkelig labyrint. Ze wist niet waarom ze het verhaal niet van zich af kon zetten – het was een onzinverhaal, grof en volkomen doorzichtig en bedoeld om haar te kunnen afschilderen als dwaas en incompetent. Ze zou woedend moeten zijn en zich verraden en vernederd moeten voelen, maar in plaats daarvan was ze zowel geboeid als in verwarring. Als ze 's nachts wakker werd, leken de gedachten die opwelden vanuit het aanslibsel van haar dromen in te haken op dat verhaal. En dan voelde ze een zwakke maar onmiskenbare ruk aan die draad.

Singh was op tijd. Hij droeg nog steeds zijn dikke zwarte jas; hij leek zelfs helemaal hetzelfde gekleed als de vorige keer dat Frieda hem zag. De vermoeidheid was van zijn gezicht af te lezen, en hij liet zich neervallen in de stoel tegenover de hare, alsof het inderdaad om een therapiesessie ging.

'Dank u,' zei hij.

'Waarvoor?'

'Dat u mij wilt ontvangen.'

'Volgens mij ben ik degene die jou heeft gevraagd om contact met me op te nemen.'

'Ja, maar wij hebben u belazerd, toch?'

'Voel je het zo?'

'Van de anderen weet ik het niet, maar ik voel me een beetje lullig door al die aandacht in de pers.'

'Omdat je het gevoel had dat het verkeerd was wat je deed?'

'Op het moment zelf leek het een goed idee. Ik bedoel, hoe controleer je therapeuten? Leraren hebben te maken met inspecteurs, maar therapeuten kunnen de mensen in de beslotenheid van hun kamertjes allerlei schade toebrengen zonder dat iemand het te weten hoeft te komen. En als het een patiënt niet bevalt, kan de therapeut hem of haar gewoon de rug toekeren: als het je niet bevalt, dan is er iets mis met jou, en niet met mij. Het is een systeem dat zichzelf controleert.'

'Dat lijken me niet jouw woorden. Het klinkt alsof ik Hal Bradshaw hoor praten. Wat overigens niet betekent dat het niet waar is. Controle op het werk van therapeuten is inderdaad een probleem.'

'Ja, dat kan wel zijn, maar toen al die aandacht ontstond, voelde het verkeerd. Iedereen vond het een goede grap, maar toen ik u ontmoette...' Hij zweeg.

'Ik leek niet zo gek als Bradshaw had gezegd?'

Singh ging verzitten, hij leek slecht op zijn gemak. 'Hij zei dat u een ongeleid projectiel was. Hij zei dat u – en mensen zoals u – veel schade kunnen aanrichten.'

'En daarom wilde hij ons controleren?'

'Ik neem aan dat hij het zo ziet, ja. Maar dat is niet de reden dat ik hier ben. Daar kan ik niets aan veranderen. Maar u had gezegd dat ik contact met u kon opnemen als er iets was wat ik kwijt wilde.'

'En dat is er?'

'Ja. Ik geloof van wel. Ik, eh... hoe zal ik het zeggen? Wat ik op het moment doe bevalt me eigenlijk niet. Zoals u wel hebt gemerkt, vind ik mijn werk niet zo fijn als ik had gedacht – ik had me voorgesteld dat het meer zou bestaan uit discussies en het volgen van seminars en werkgroepen en zo, maar ik ben eigenlijk vooral in mijn eentje in de bibliotheek aan het ploeteren.'

'In je eentje.'

'Ja.'

'En je bent in je privéleven ook alleen?'

'U zult zich wel afvragen wat dit te maken heeft met het verhaal,' zei hij.

'Vertel het me maar.'

Singh keek naar de vloer. Hij leek iets te overwegen.

'Ik had een relatie,' zei hij ten slotte. 'Een langere relatie – nou ja, voor mijn doen tenminste. Ik heb niet zoveel... nou ja, dat doet er trouwens niet toe. We zijn anderhalf jaar bij elkaar geweest, zo'n beetje. Agnes heette ze. Héét ze – ze is niet dood. Maar het is niet goed gegaan, of niet goed geëindigd, zeg maar. Maar dat is niet wat ik hier wilde vertellen. Waar het om gaat, is dat Agnes degene was van wie ik de bijzonderheden over het knippen van het haar heb. Ik weet niet waarom u er zo in geïnteresseerd bent. Het was maar een verhaaltje. Maar toen ik de instructies voor iedereen aan het schrijven was, vond ik dat ik er een beetje kleur in moest brengen en schoot het me weer te binnen. Ik heb geen idee waarom. Toen heb ik het erin gezet.'

'Dus dat verhaal over het knippen van je vaders haar heb je van je ex-vriendin?'

'Ik wilde het u vertellen, zodat u zou begrijpen dat het niet veel om het lijf had. Het was gewoon een stom verhaal. En het is er bij toeval in gekomen, het kwam zomaar bij me op, en toen heb ik het gebruikt. Ik had ook iets anders kunnen gebruiken – of niet.'

'Heb je er nog dingen in veranderd?'

'Dat weet ik eigenlijk niet meer.' Hij huiverde. 'Toen we een keer samen in bed lagen, streelde ze mijn haar en zei ze dat het wel erg lang aan het worden was en dat ik wel een knipbeurt kon gebruiken. En toen vertelde ze dat van haar vader – ik geloof tenminste dat het over haar vader ging. Dat weet ik niet meer. Misschien was het wel iemand anders. Maar ze vertelde dat ze, toen ze die schaar vasthield, tegelijkertijd gevoelens van tederheid en macht had. Ik denk dat het verhaal me is bijgebleven omdat het zo'n gevoel van intimiteit gaf. Maar mijn haar heeft ze nooit geknipt.'

'Dus het verhaal was een herinnering van je ex-vriendin?'

'Ja.'

'Van Agnes.'

'Agnes Flint – hoezo? Wilt u nu met háár praten?'

'Ik denk het wel.'

'Dat snap ik niet. Waarom is het zo belangrijk? We hebben u voor gek gezet, en daar heb ik spijt van. Maar waarom is dit alles nou zo belangrijk?'

'Mag ik haar nummer?'

'Zij zal u alleen maar hetzelfde vertellen als ik heb gedaan.'

'Of een e-mailadres, dat is al voldoende.'

'Misschien had Hal Bradshaw toch gelijk wat u betreft.'

Frieda sloeg haar blocnote open en schroefde de dop van haar pen.

'Ik zal het u geven als u tegen haar zegt dat ze mij te woord moet staan als ik haar bel.'

'Ze zal je niet te woord staan alleen omdat iemand anders zegt dat ze dat moet doen.'

Singh zuchtte diep, pakte de blocnote en noteerde een mobiel nummer en een e-mailadres. 'Tevreden?'

'Bedankt. Wil je mijn advies?'

'Nee.'

'Ga hardlopen – ik zag in je huiskamer een paar hardloopschoenen staan. En dan neem je daarna een douche, je scheert je, je trekt andere kleren aan en je gaat naar buiten en doet de deur van dat koude flatje achter je dicht.'

'Is dat alles?'

'Het is een begin.'

'Ik dacht dat u psychotherapeut was.'

'Ik ben je dankbaar, Rajit.'

'Wilt u tegen Agnes zeggen dat ik heb gezegd...'
'Nee.'

Jim Fearby ontbeet in het tankstation naast het hotel waar hij de nacht had doorgebracht: een doosje cornflakes, een glas jus d'orange uit het grote plastic vat waarin een niet-overtuigende plastic sinaasappel ronddobberde, en een beker koffie. Hij liep terug naar zijn kamer om zijn weekendtas op te halen, en hij poetste zijn tanden terwijl hij naar het ontbijtprogramma op tv keek. Hij liet, als altijd, de kamer achter alsof er geen gebruik van was gemaakt.

In zijn auto voelde hij zich thuis. Nadat hij de tank had volgegooid, ging hij na of hij alles bij de hand had wat hij nodig zou kunnen hebben: zijn opschrijfboekje en een paar pennen, zijn lijst met namen, met hier en daar netjes de telefoonnummers en adressen erbij genoteerd, de map met relevante informatie die hij de vorige dag had verzameld, en de vragen. Hij draaide het raampje omlaag en rookte een sigaret, zijn eerste die dag, en stelde vervolgens het navigatiesysteem in. Het was maar negentien minuten rijden.

Sarah Ingatestone woonde in een dorp op een paar kilometer van Stafford. Hij had haar twee dagen daarvoor gebeld en met haar afgesproken om halfnegen 's ochtends, als ze haar twee honden had uitgelaten. Het waren terriërs, kleine, felle, nare keffers, die hem in zijn enkels probeerden te bijten toen hij uit wilde stappen. Hij kwam even in de verleiding om ze met zijn koffertje een klap op hun snuit te geven, maar Sarah Ingatestone stond aan de voordeur naar hem te kijken, zodat hij zichzelf dwong te glimlachen en iets goedkeurends te brommen.

'Ze doen niks, hoor,' riep ze. 'Koffie?'

'Heerlijk.' Hij ontweek een terriër en liep op haar toe. 'Bedankt dat u me wilde ontvangen.'

'Ik twijfel nu. Ik heb u gegoogeld. U bent degene die die George Conley heeft weten vrij te krijgen.'

'U zult mij niet horen zeggen dat ik dat helemaal alleen heb gedaan.'

'Dus nou kan hij het weer gaan doen.'

'Er zijn geen aanwijzingen dat hij...'

'Doet er niet toe. Komt u binnen en gaat u zitten.'

Ze gingen naar de keuken. Sarah Ingatestone maakte oploskoffie, terwijl Fearby zijn rekwisieten voor zich uitstalde: zijn blocnote met de spiraal, identiek aan het exemplaar dat hij zoveel jaar geleden als leerling-journalist had gehad, zijn stapeltje papieren in de roze map, de drie pennen naast elkaar, al gebruikte hij voor steno altijd een potlood. Ze zeiden niets totdat Sarah de twee bekers op tafel had gezet en op de stoel tegenover hem was gaan zitten. Hij bekeek haar nu voor het eerst goed: grijzend, kortgeknipt haar, grijsblauwe ogen in een gezicht dat niet oud was, maar toch duidelijke rimpels en groeven vertoonde. Zorgrimpels, geen lachrimpels, dacht Fearby. Ze droeg oude, versleten kleren, die onder de hondenharen zaten. Niets wees erop dat er in het huis ook een meneer Ingatestone woonde.

'U zei dat het over Roxanne ging.'

'Ja.'

'Waarom? Het is al ruim negen jaar geleden, tien bijna. Niemand vraagt nog naar haar.'

'Ik ben onderzoeksjournalist.' Hou het zo vaag mogelijk, dacht hij bij zichzelf. 'Ik heb nog wat vragen openstaan in verband met een stuk waar ik mee bezig ben.'

Ze sloeg haar armen over elkaar, niet op een afwerende manier, maar eerder ter zelfbescherming, alsof ze verwachtte klappen te krijgen. 'Vraagt u maar,' zei ze. 'Eigenlijk kan het me niet schelen waar het voor is. Ik vind het prettig om haar naam hardop uit te spreken. Dat geeft me het gevoel dat ze leeft.'

Hij kon beginnen, ging het lijstje vragen af, snelle bewegingen van het potlood vormden het hiërogliefenschrift.

Hoe oud was Roxanne toen ze verdween?

'Zeventien. Zeventien jaar en drie maanden. Haar verjaardag was in maart – Vissen was haar sterrenbeeld. Al geloof ik daar niet in. Ze zou nu... Ze is nu zevenentwintig.'

Wanneer hebt u uw dochter voor het laatst gezien?

'Op 2 juni 2001.'

Hoe laat?

'Dat zal rond halfzeven 's avonds geweest zijn. Ze zou even wat gaan drinken bij een vriendin. Ze is nooit teruggekomen.'

Ging ze met de auto?

'Nee. Het was hier even verderop, hooguit een kwartiertje lopen.'

Over de weg?

'Ja. Voor het grootste deel een rustige laan.'

Dus ze zal niet een stukje hebben afgesneden – door het open land of zo?

'Geen denken aan. Ze was helemaal opgedoft: rokje, hoge hakken. Daar hebben we zelfs nog ruzie over gehad. Ik zei dat ze in die outfit nog geen vijf meter kon lopen, laat staan meer dan een kilometer.'

Is ze bij die vriendin aangekomen?

'Nee.'

Hoe lang heeft die vriendin gewacht voordat ze alarm sloeg?

'Blijkbaar heeft ze na ongeveer drie kwartier geprobeerd Roxannes mobiele nummer te bellen. Ik wist tot de volgende ochtend van niks. Wij – mijn man en ik – zijn om ongeveer halftien naar bed gegaan. We zijn niet opgebleven voor haar.' Haar stem klonk vlak. Ze legde haar antwoorden als kaarten open op tafel.

Woonde u hier toen Roxanne verdween?

'Nee. Maar wel in de buurt. We zijn verhuisd toen... nadat, eh... mijn man en ik drie jaar later uit elkaar gingen. We konden gewoon niet meer... Het lag niet aan hem, eerder nog aan mij. Roxannes zus Marianne is ook weggegaan, die ging studeren. Ze komt niet vaak meer thuis, en dat neem ik haar niet kwalijk. En Roxanne is natuurlijk nooit meer teruggekomen. Ik heb zo lang als ik kon gewacht in dat huis waaruit verder iedereen was vertrokken, en uiteindelijk kon ik er niet meer tegen. Als het koud was, legde ik een warme kruik in haar bed, voor het geval dat. Toen ben ik hiernaartoe verhuisd en heb ik honden genomen.'

Kunt u me op deze kaart laten zien waar u vroeger woonde?

Fearby haalde de kaart uit de dossiermap en vouwde hem op

tafel open. Sarah Ingatestone zette haar leesbril op, tuurde op de kaart en zette toen haar vinger neer. Fearby pakte een van zijn pennen en zette er een kruisje.

U zei dat u ruzie had?

'Nee. Ja. Niet echt. Ze was zeventien. Ze had een eigen willetje. Toen ik het vertelde, dacht de politie... Maar zo was het niet. Dat weet ik zeker.' Ze drukte haar handen stijf tegen elkaar en keek hem fel aan. 'Ze was niet rancuneus.'

Denken ze bij de politie dat ze dood is?

'Iedereen denkt dat ze dood is.'

Denkt u dat ze dood is?

'Dat kan ik niet. Ik moet kunnen denken dat ze thuis zal komen.' Er trilde iets in haar gezicht, waarna ze weer verstrakte. 'Vindt u dat ik niet had moeten verhuizen? Had ik in het huis moeten blijven waar we met z'n allen woonden?'

Kunt u Roxanne beschrijven? Hebt u een foto van haar?

'Hier.' Glanzend, schouderlang bruin haar; donkere wenkbrauwen; haar moeders grijsblauwe ogen, maar ze stonden verder uit elkaar in het smalle gezicht, waardoor het leek alsof ze een beetje geschrokken keek; een moedervlek op haar wang; een brede, wat scheve glimlach – haar verschijning had iets asymmetrisch en broos. 'Maar hier staat ze niet zo goed op. Ze was klein en mager, maar zo mooi en vol leven.'

Vriendje?

'Nee. Niet dat ik wist. Ze had eerder wel vriendjes gehad, maar niets serieus. Er was wel iemand die ze leuk vond.'

En hoe was haar karakter? Was ze bijvoorbeeld verlegen of extravert?

'Verlegen, Roxanne? Ze was ontzettend hartelijk, ongeremd zou je zelfs kunnen zeggen. Ze zei altijd wat er in haar opkwam, en ze kon best een beetje driftig zijn, maar ze had altijd alles voor een ander over. Ze was echt een goed kind. Een beetje wild, maar ze had een goed hart.'

Zou ze met een onbekende hebben gepraat?

'Ja.'

Zou ze bij een onbekende in de auto zijn gestapt?

'Nee.'

Toen Fearby opstond om te vertrekken, pakte ze zijn arm. 'Denkt u dat ze nog leeft?'

'Mevrouw Ingatestone, ik zou niet kunnen...'

'Nee. Maar denkt u van wel? Als u in mijn schoenen stond, zou u dan denken dat ze nog leefde?'

'Dat weet ik niet.'

'De onzekerheid voelt alsof ikzelf levend begraven ben.'

Jim Fearby stopte op een parkeerplaats langs de weg en haalde zijn lijst met namen tevoorschijn. Een was er al doorgestreept. Maar naast Roxanne Ingatestones naam zette hij een vinkje. Nee, hij dacht niet dat ze nog leefde.

29

Joe Franklin was in lange tijd niet zo opgewekt geweest, maar Frieda wist dat hij aan telkens terugkerende depressies leed. Maandenlang kon hij zwaar op de hand zijn, grauw en gebroken, nauwelijks in staat om het dagelijks leven vol te houden, en als hij bij haar was, was hij vaak niet bij machte om ook maar iets te zeggen. Die doodsheid en gevoelloosheid konden verdwijnen, dan zag de wereld er voor hem een beetje beter uit en was hij weliswaar uitgeput, maar ook opgelucht. Maar altijd werd hij dan toch weer opgezogen in dat zwarte gat in zichzelf. Naar haar toe gaan was zijn manier om zich aan het leven vast te klampen, ze was zijn steun en toeverlaat.

Frieda had tijdens haar eigen therapie vaak het gevoel gehad dat ze uitgemergeld en uitgeteerd in een woestijn onder de brandende zon stond, een oord waar geen vergiffenis bestond en waar geen plek was om je te verbergen. Joe daarentegen kroop haar kamer in als een dier dat zijn hol in kroop. Dan verborg hij zich voor zichzelf, en misschien stond ze hem dat toe zonder dat hij er per se iets aan had, bood ze hem troost in plaats van zelfkennis. Maar moeten we eigenlijk wel steeds met onszelf worden geconfronteerd?

Toen ze na de sessie deze dingen bedacht en er aantekeningen van maakte, terwijl de schuin door het raam binnenvallende lentezon op de vloer scheen, begon de mobiele telefoon in haar zak te trillen. Ze haalde hem tevoorschijn: Sasha.

'Ik sta op het punt om van mijn werk weg te gaan. Heb je tijd?'
'Ja.'
'Mag ik bij je langskomen?'
'Goed. Ik ben over een halfuurtje thuis, oké?'
'Prima. Ik breng een flesje wijn mee. En Frank.'
'Frank?'
'Is dat goed?'
'Natuurlijk.'
'Ik ben een beetje nerveus – alsof ik hem aan mijn familie ga voorstellen. Ik hoop zo dat je hem leuk vindt.'

Frieda wandelde in het zachte avondlicht naar huis. Er lagen bloesemblaadjes op het trottoir. Ze dacht aan Rajit Singh en aan het verhaal dat hij had verteld, het verhaal van iemand anders – die avond zou ze Agnes Flint een berichtje sturen. Ze dacht aan Joe en vervolgens aan Sasha en het geluk dat ze in haar stem had gehoord. Terwijl ze de sleutel in het slot van haar voordeur stak, vroeg ze zich af hoe lang het zou duren voordat ze weer een warm bad zou kunnen nemen zonder stofwolken in haar huis.

De deur stootte ergens tegenaan, en ze fronste haar voorhoofd en perste zich door de kier haar gang in. Er stonden twee grote tassen die de toegang belemmerden. Daarnaast lag een jas op de vloer. Vanuit de keuken klonken stemmen en gelach. Ze rook sigaretten. Ze drukte op de lichtschakelaar, maar het licht ging niet aan.

'Hallo?' riep ze, waarna de stemmen verstomden.

'Frieda!' Josef verscheen in de deuropening van de keuken. Hij had zijn werkkleren aan, maar hield een vol glas wodka in de hand en leek moeite te hebben met recht lopen. 'Kom binnen en doe met ons mee.'

'Wat is er aan de hand? Van wie zijn deze tassen?'

'Hallo, Frieda.' Chloë dook op naast Josef. Ze droeg iets wat er voor Frieda uitzag als een trui, maar vermoedelijk een jurk moest voorstellen, want ze droeg er geen rok onder. Haar make-up was uitgelopen, en ook zij had een glas wodka in de hand. 'Ik ben je zo dankbaar. Zo, zó dankbaar.'

'Hoe bedoel je, dankbaar? Wat heb ik dan gedaan? Jack!' Jack wankelde de trap af. 'Wat is er aan de hand? Is dit een feest?'

'Een bijeenkomst,' zei Jack schaapachtig. 'Chloë zei dat ik langs moest komen.'

'O, zei ze dat? En waarom doet het licht het niet?'

'Ah.' Josef nam snel een slok van zijn wodka. 'Problemen met de elektriciteit.'

'Wat betekent dat? Zijn dit jouw tassen, Chloë?'

'Frieda,' brulde een opgewekte stem.

'Reuben? Wat doet Reuben hier?'

Frieda beende langs Josef en Chloë de keuken in. Er hingen blauwe rookwolken en in de vensterbank en op het aanrecht stonden brandende kaarsen. Ze zag een aangebroken fles wodka en een asbak met peuken erin. De kat kwam klepperend door het kattenluikje naar binnen en streek klaaglijk miauwend om aandacht langs Frieda's benen. Reuben, die met een half opengeknoopt overhemd met zijn voeten op de stoel zat, hief zijn glas naar haar.

'Ik kwam mijn goede vriend Josef opzoeken,' zei hij. 'En mijn goede vriendin Frieda natuurlijk.'

Frieda rukte de achterdeur open om frisse lucht binnen te laten. 'Kan iemand mij vertellen wat hier aan de hand is? Om te beginnen, waarom doet het licht het niet? Wat hebben jullie gedaan?'

Josef keek haar met een gepijnigd gezicht aan en hief zijn handen, met de handpalmen omhoog. 'De draden zijn per ongeluk doorgeknipt.'

'Je bedoelt: "Ik heb de draden doorgeknipt."'

'Is gecompliceerd.'

'Waarom staan er tassen van jou in de gang, Chloë? Ga je ergens naartoe?'

Chloë giechelde angstig en hikte. 'Je kunt beter zeggen dat ik ben aangekomen,' zei ze.

'Wat?'

'Ik kom bij jou logeren.'

'Nee, dat kom je niet.'

'Mama is helemaal geflipt. Ze heeft die arme Kieran er ook al uit geschopt en mij met een haarborstel geslagen. Ik heb bij haar geen leven, Frieda. Je kunt me niet dwingen.'

'Je kunt hier niet komen wonen.'

'Waarom niet? Ik kan nergens anders heen.'

'Nee, het kan niet.'

'Ik zou in je studeerkamer kunnen slapen.'

'Ik bel Olivia wel.'

'Ik ga niet terug. Dan leef ik nog liever op straat.'

'Je kunt bij ons logeren,' zei Reuben grootmoedig. 'Dat zou leuk zijn.'

'Of bij mij,' opperde Jack. 'Ik heb een tweepersoonsbed.'

Frieda keek van Reuben naar Josef, naar Jack, en toen weer naar Chloë. 'Eén nachtje dan,' zei ze.

'O, dank je wel! Ik zal je niet in de weg lopen. Ik zal voor ons koken.'

'Eén nacht, dus je hoeft niet te koken. En trouwens, er is geen bad en geen licht.'

De bel ging.

'Dat zal Sasha zijn,' zei Frieda. 'Schenk maar drie grote glazen wodka in.'

Frank was heel klein, stevig gebouwd en had gemillimeterd haar en donkere, melancholieke ogen, waarmee hij een beetje loenste, zodat het, als hij je aankeek, leek alsof hij tegelijkertijd langs je heen keek. Hij had een stevige handdruk, maar zijn manier van doen was bijna verlegen. Hij droeg een goed gesneden pak en had een aktetas bij zich, aangezien hij rechtstreeks van zijn werk kwam.

'Kom binnen,' zei Frieda. 'Maar wees gewaarschuwd – het is hier een chaos.'

Maar misschien kwam het eigenlijk wel goed uit – het was nu niet het moment om je opgelaten te voelen. Hij trok zijn jas uit en dronk een glas wodka, waarna hij op de een of andere manier door Reuben werd overgehaald om voor iedereen omeletten te bakken, wat hij heel langzaam en serieus deed. Chloë stond in haar absurd korte jurkje met een vork eieren te kloppen en staarde met een overdreven serieus gezicht naar hem. Ze was aangeschoten, lacherig en ook een beetje huilerig, en ze stond op haar benen te tollen, waardoor ze een klodder eierstruif op de vloer morste. Reuben, Jack en Josef brachten Chloë's bagage met veel lawaai naar de studeerkamer. Ze lachten en lieten dingen vallen, hoorden ze beneden. Sasha en Frieda gingen samen aan tafel zitten en maakten zachtjes pratend een salade klaar. Sasha voelde Frieda's goedkeuring – of in elk geval geen afkeuring – en was heel gelukkig.

30

'Ik vind dat ik erbij moet zijn,' zei Elaine Kerrigan.

'Hij is achttien,' zei Yvette ferm. 'Hij is voor de wet volwassen.'

'Dat is belachelijk. U zou zijn kamer eens moeten zien.' Het was even stil. 'Wacht u hier. Ik zal hem halen.'

Yvette en Munster bleven in de huiskamer zitten wachten. 'Denk jij nooit eens dat wij het met ons gedoe alleen maar erger maken?' vroeg ze. 'In het algemeen dan. Dat uiteindelijk, als we klaar zijn, de mensen over het geheel genomen minder gelukkig zijn dan daarvóór?'

'Nee, dat denk ik niet,' zei Munster.

'Nou, ik wel.'

De deur ging open en Ben Kerrigan kwam de kamer binnen. Het eerste wat Yvette van hem zag, waren zijn voeten, met twee verschillende sokken – een rode en een groen met oranje gestreepte, waar bovendien een gat in zat waardoor zijn grote teen naar buiten stak. Toen zag ze een verschoten grijze ribfluwelen broek, een blauw, gebloemd overhemd en lang, sluik, donkerbruin haar. Hij liet zich op de bank vallen, trok één been op en streek zijn haar uit zijn gezicht.

'Je hebt gehoord van je vader en die vrouw?' zei Yvette nadat ze zich hadden voorgesteld.

'Iets, ja.'

'Wat vond je daarvan?'

'Wat denkt u?'

'Zeg jij het maar.'
'Ik was er niet bepaald blij mee. Verbaast u dat?'
'Nee, dat verbaast me niet. Was je boos?'
'Waarom zou ik boos zijn?'
'Omdat je vader je moeder ontrouw was.'
'Het maakt niet uit wat ik ervan vind.'
'Kun je ons vertellen waar je op woensdag 6 april was?'
Ben keek verbaasd en vervolgens geamuseerd. 'Meent u dat?'
'Ja.'
'Goed dan. Ik zit nog op school. Daar was ik.'
'En kun je dat bewijzen?'
Hij haalde zijn schouders op. 'Ik zit in de zesde klas. Als we een tussenuur hebben, gaan we weleens naar buiten. Koffie halen of een eindje lopen, u weet wel.'
'Maar niet de hele dag,' zei Yvette. 'En als je koffiedrinkt, dan doe je dat samen met anderen. Of je maakt een ommetje met iemand anders. En kunnen die anderen voor je getuigen?'
'Dat weet ik niet. Misschien wel. Misschien niet.'
'Wacht even,' zei Munster. 'Wat je om te beginnen zou moeten doen, is dit gesprek serieus nemen. Er is een vrouw vermoord. Haar kinderen hebben hun moeder verloren. We willen geen tijd verspillen met het nagaan van loze aanwijzingen. Dus wat wij van jou vragen, is dat je ten eerste een beetje respect toont, ten tweede dat je ophoudt met in je neus te peuteren, en ten derde dat je in je agenda of op je telefoon kijkt, navraag doet bij je vrienden en dan op een geloofwaardige manier verslag uitbrengt van wat je die woensdag allemaal hebt gedaan. Want als wij dat moeten doen, zullen we daar niet erg blij mee zijn. Snap je dat?'
'Als u het zegt,' zei Ben. 'Moet u alleen mij hebben? Of gaat u Josh ook lastigvallen?'
'Je broer was voor zover we weten tweehonderdvijftig kilometer hier vandaan, maar we zullen het hem vragen.'
'Mag ik dan nu gaan?' vroeg Ben. 'Ik moet huiswerk maken.'
Toen ze weer in de auto zaten, vroeg Yvette of ze om konden rijden via Warren Street.
'Heeft dat met Frieda te maken?' vroeg Munster.

'Waarom zou het niet met Frieda te maken mogen hebben?'

'Het is maar een vraag.'

Toen Frieda opendeed, zag Yvette over haar schouder dat er mensen in huis waren. Josef herkende ze, maar de anderen niet. De twee vrouwen keken elkaar enkele seconden aan, waarna Frieda een stap achteruit deed en Yvette binnenvroeg. Ze schudde haar hoofd.

'Waarom heb je mij gebeld over die aangifte?' vroeg ze.

'Als dat een probleem is,' zei Frieda, 'zeg het dan.'

'Zo bedoel ik het niet.' Yvette keek om of Munster misschien meeluisterde, maar hij zat, zich nergens van bewust, nog in de auto met zijn koptelefoon op. 'Sinds je gewond bent geraakt hebben we niet goed gepraat.'

'We hebben elkaar helemaal niet gesproken.'

'Ja, nou ja.' Yvette beet op haar lip. 'Hoe dan ook, ik heb dingen niet gezegd die ik wel had willen zeggen. Dus toen je belde, wist ik niet wat ik ervan moest denken.'

'Je hoeft er niks achter te zoeken,' zei Frieda. 'Dat heb ik je door de telefoon gezegd. Ik dacht dat Karlsson er genoeg van had de puinhopen die ik achterlaat telkens te moeten opruimen.'

'En nu is het mijn beurt?'

'Zoals ik al zei, als het een probleem is...'

'Ik heb bureau Waterloo gebeld, en... Luister eens, Frieda, wat je deed was niet verstandig. Natuurlijk, die schoft van een Bradshaw was erop uit om je te vernederen. Als dat mij was overkomen, zou ik hem goed te pakken willen nemen. Maar dit soort dingen kun je niet doen. Daarmee haal je je allerlei problemen op de hals.'

'Dus je denkt dat ik in de problemen zit?'

'Ik heb de agent gesproken die bij jou is geweest. Ik heb hem verteld van onze relatie met jou en wat je allemaal voor ons hebt gedaan. Dus ik denk dat het wel zal overwaaien.'

'Yvette, het was allemaal onzin.'

'Ik zal je op je woord geloven. Maar als het voor de rechter komt, weet je maar nooit hoe het afloopt. En dan nog iets: je moet jezelf niet afhankelijk maken van iemand als Bradshaw.'

'Dank je,' zei Frieda. 'Echt, ik meen het. Ik hoop dat jij je geen problemen op de hals hebt gehaald voor mij. Maar ik wil wel dat je weet dat toen ik Ian Yardley wilde spreken, dat niets te maken had met Bradshaw.'

'Wat ging het dan over?'

'Dat weet ik niet,' zei Frieda. 'Gewoon een gevoel.'

'Ik ben weleens bezorgd over die gevoelens van jou.'

Frieda maakte aanstalten om de deur dicht te doen, maar aarzelde. 'Wat wilde je me zeggen? Ik bedoel, afgezien van mijn zogenaamde vechtpartij?'

Yvette wierp een blik op de mensen achter Frieda. 'Een andere keer,' zei ze.

31

Josh Kerrigan was shagjes aan het draaien: hij legde plukjes tabak op de Rizla-vloeitjes, die hij vervolgens behendig tussen zijn duimen en wijsvingers rolde, waarna hij aan de rand van het vloeitje likte en het dunne, rechte staafje naast de andere legde die hij al had gedraaid. Hij had er tot nu toe zes en was bezig aan de zevende. Yvette kon zich maar moeilijk concentreren op wat hij zei. En misschien ging het daar ook wel om: hij maakte haar duidelijk dat ze voor hem niet meer betekende dan een onderbreking van zijn dagelijkse bezigheden. Ze begon een beetje genoeg te krijgen van de jongens Kerrigan.

'Josh,' zei ze, 'ik begrijp dat je misschien van streek bent...'

'Wek ik die indruk?' Hij liet het puntje van zijn tong langs het vloeitje gaan.

'... maar ik wil je wel zeggen dat ik niet wegga voordat je mijn vragen hebt beantwoord.'

'Prima.' Hij legde het zevende shagje neer, tikte er met een vinger tegen zodat het op gelijke hoogte lag met de andere en hield toen zijn hoofd schuin om ze te bekijken. Hij had een verticaal littekentje vlak boven zijn bovenlip, waardoor die iets omhoog werd getrokken en de indruk ontstond dat hij voortdurend glimlachte.

'Waar was je op woensdag 6 april?'

'In Cardiff. Is dat goed genoeg als alibi?'

'Het is nog helemaal geen alibi. Hoe kun je bewijzen dat je toen in Cardiff was?'

'Op woensdag 6 april?'

'Ja.'

'Ik heb op woensdag tot vijf uur college. Volgens mij kan ik niet op tijd weer in Londen zijn geweest om de minnares van mijn vader te vermoorden, of wel?'

'Je had die woensdag geen college. Je colleges waren afgelopen.'

'Dan was ik waarschijnlijk ergens buiten de deur.'

'Je moet dit wat serieuzer nemen.'

'Waarom denkt u dat ik dat niet doe?'

Hij begon aan zijn volgende shagje. Er zat gelukkig niet veel tabak meer in het blikje, hooguit voldoende voor nog een of twee.

'Je moet je zien te herinneren waar je die woensdag was, en met wie.'

Hij hief zijn hoofd. Yvette zag zijn bruine ogen glinsteren. 'Ik denk dat ik thuis was met mijn vriendin Shari. We gaan sinds het einde van dit semester met elkaar, dus het was behoorlijk heftig. Zo hoort u nog eens wat over het liefdesleven van de familie Kerrigan.'

'Je denkt het of je weet het zeker?'

'Ik ben niet goed in data.'

'Heb je geen agenda?'

'Een agenda?' Hij grijnsde alsof ze onbedoeld iets grappigs had gezegd. 'Nee, ik heb geen agenda.'

'Wanneer ben je voor de feestdagen teruggegaan naar Londen?'

'Wanneer? Aan het einde van die week, dacht ik. Vrijdag, zaterdag? Dat moet u maar aan mijn moeder vragen. Ik weet dat ik er zaterdag was, want toen had ik een feestje. Dus het zal wel vrijdag zijn geweest.'

'Ging je met de trein?'

'Ja.'

'Dus dan zou je je treinkaartje of je bankafschriften kunnen bekijken om de datum te achterhalen.'

'Als ik met mijn pinpas heb betaald, maar dat weet ik niet zeker.'

Eindelijk was hij klaar met sigaretten draaien. Een voor een pakte hij de shagjes voorzichtig op en legde ze in het lege blikje. Yvette dacht te zien dat zijn handen trilden, maar misschien verbeeldde ze het zich maar – aan zijn gezicht was niets te merken.

'Had je enig idee dat je vader een buitenechtelijke relatie had?'

'Nee.'

'Wat vind je ervan?'

'Of ik kwaad ben, bedoelt u?' vroeg hij welwillend, terwijl hij een donkere wenkbrauw optrok. 'Ja. Vooral na alles wat mama heeft moeten meemaken. En of ik zo kwaad ben dat ik iemand zou vermoorden? Ik denk dat als ik íémand zou willen vermoorden, het mijn vader zou zijn.'

'Ik geloof werkelijk niet dat ik u kan helpen.'

Louise Weller had nog steeds een schort voor. Misschien droeg ze dat wel altijd, dacht hij. Ze is vast altijd bezig rommel op te ruimen, te koken, de vloer te schrobben of haar kinderen te helpen verf op papier te spetteren. De mouwen van haar blouse waren opgestroopt, zag hij.

'Hoe oud zijn uw kinderen?' vroeg hij.

'Benji is dertien weken.' Ze keek naar de baby in het wipstoeltje naast haar, die daar lag te slapen en te dromen, gezien zijn trillende oogleden. 'Dan Jackson, die is net twee, en Carmen is ruim drie.'

'Daar hebt u dan zeker wel uw handen aan vol.' Karlsson werd al moe bij de gedachte eraan, maar tegelijkertijd werd hij bevangen door nostalgische herinneringen aan die rommelige en vermoeiende dagen. Even stelde hij zich Mikey en Bella in Madrid voor, waarna hij met zijn ogen knipperde om die beelden kwijt te raken. 'Helpt uw man u?'

'Mijn man heeft een slechte gezondheid.'

'Wat vervelend.'

'Maar het zijn lieve kinderen,' zei Louise Weller. 'Ze zijn goed opgevoed en weten zich te gedragen.'

'Ik wil graag wat algemene informatie over uw zuster.'

Louise Weller trok haar wenkbrauwen op. 'Ik snap niet waarom. Er is bij haar ingebroken, en de inbreker heeft haar vermoord. Nu moet u uitzoeken wie de dader was. Daar lijkt u de tijd voor te nemen.'

'Misschien is het niet zo simpel.'

'O?'

Karlsson was al jaren bij de hoofdstedelijke politie. Hij had moeders moeten informeren over de dood van hun kinderen, echtgenotes moeten vertellen dat hun man was vermoord, talloze keren had hij bij mensen op de stoep gestaan om slecht nieuws te brengen, en altijd keken ze eerst neutraal, waarna hun gezicht in een kramp vertrok. Toch werd hij ook nu nog misselijk, nu hij Louise Weller moest vertellen dat haar zuster een dubbelleven had geleid. Het was belachelijk, maar hij had het gevoel dat hij Ruth Lennox verried door dit aan haar zus met het preutse mondje te vertellen.

'Uw zuster...' begon hij, en hij vervolgde: 'Ze blijkt een gecompliceerd leven te hebben geleid.'

Louise Weller verroerde geen vin en zei niets. Ze wachtte af.

'U weet het niet?'

'Ik weet niet waar u het over hebt.'

'Heeft meneer Lennox niets gezegd?'

'Nee, niets.'

'Dus u had geen idee dat Ruth misschien geheimen voor haar gezin had?'

'U zult me toch moeten vertellen waar u op doelt.'

'Ze had een buitenechtelijke relatie.'

Ze reageerde niet. Karlsson vroeg zich af of ze het wel had gehoord. Na een poos zei ze: 'Godzijdank heeft onze moeder dat niet hoeven meemaken.'

'U wist er niets van?'

'Natuurlijk niet. Ze kon op haar vingers natellen wat ik ervan had gevonden.'

'Wat had u ervan gevonden?'

'Ze is een getrouwde vrouw! Ze heeft drie kinderen! Kijk eens naar dit mooie huis. Ze heeft nooit beseft hoe ze het getroffen had.'

'Wat bedoelt u daarmee?'

'De mensen zijn tegenwoordig erg egoïstisch. Ze vinden vrijheid belangrijker dan verantwoordelijkheid.'

'Ze is dood,' zei Karlsson zacht. Zonder te weten waarom had hij ineens de behoefte om Ruth Lennox te verdedigen.

De baby werd wakker, vertrok zijn gezichtje en begon deerniswekkend te huilen. Louise Weller tilde hem op, knoopte in alle rust haar blouse open en legde hem aan haar borst, waarbij ze Karlsson opgewekt aankeek, alsof ze wilde dat hij bezwaar zou maken.

'Kunnen we het over de details hebben?' vroeg Karlsson, terwijl hij zijn best deed niet naar de blote borst te kijken en evenmin zijn blik af te wenden. 'Uw zuster Ruth, die vermoord is, had een buitenechtelijke relatie. Daar had u geen idee van, zegt u?'

'Nee.'

'Ze heeft nooit iets tegen u gezegd waaruit, nu u erover nadenkt, afgeleid zou kunnen worden dat er iets gaande was?'

'Nee.'

'Zegt de naam Paul Kerrigan u iets?'

'Heet hij zo? Nee, nooit van gehoord.'

'Is u ooit iets opgevallen waaruit had kunnen blijken dat er spanningen in haar huwelijk waren?'

'Ruth en Russell hielden veel van elkaar.'

'U had nooit de indruk dat er problemen waren?'

'Nee.'

'Wist u dat hij aan de drank was?'

'Wat? Russell? Aan de drank?'

'Ja. Dat hebt u nooit gemerkt?'

'Nee, dat heb ik niet gezien. Ik heb hem nooit dronken gezien. Maar ze zeggen dat juist de stille drinkers het probleem zijn.'

'En had u achteraf gezien nooit eens het idee dat hij het wist?'

'Nee.' Haar ogen glinsterden. Ze veegde haar handen af aan haar schort. 'Maar ik vraag me wel af waarom hij het me niet heeft verteld toen hij het hoorde.'

'Het is niet iets wat je makkelijk vertelt,' zei Karlsson.

'Weten zijn kinderen het?'

'Ja.'

'Maar ze hebben het mij niet verteld. Arme stumpers. Om dat te ontdekken van je moeder.' Ze keek Karlsson aan met afkeer in haar blik. 'Het lijkt me dat u in uw werk steeds maar stenen op moet tillen om te kijken wat daaronder krioelt. Ik snap niet dat u ertegen kunt.'

'Iemand moet het doen.'

'Er zijn dingen in het leven die je maar beter niet kunt weten.'

'Zoals de buitenechtelijke relatie van uw zuster, bedoelt u?'

'Ik neem aan dat iedereen het nu te weten zal komen.'

'Dat neem ik ook aan.'

Toen Karlsson weer thuis was, ruimde hij de laatste rommel op die zijn kinderen hadden achtergelaten. Hij kon zich achteraf moeilijk voorstellen dat hij zich daar ooit aan had geërgerd. Nu vervulde het hem slechts met tedere nostalgie: de plastic figuurtjes tussen de kussens van de bank, de natte zwemspullen op de badkamervloer, het pastelkrijt dat in het tapijt was getrapt. Hij haalde hun bedden af en stopte de lakens in de wasmachine, en toen, voordat hij zichzelf had kunnen bedwingen, belde hij Frieda. Hij herkende de stem niet van degene die opnam.

'Hallo. Met wie spreek ik?'

'Chloë.' Op de achtergrond klonken enorme dreunen. Hij kon haar maar nauwelijks verstaan. 'Met wie?' vroeg ze.

'Malcolm Karlsson,' zei hij formeel.

'Van de recherche.'

'Ja.'

'Zal ik Frieda roepen?'

'Laat maar. Het komt later wel.'

Hij voelde zich een dwaas toen hij de verbinding verbrak en belde meteen daarop een ander nummer.

'Hallo, met Sadie.'

'Met Mal.'

Sadie was de nicht van een vriend, die Karlsson en zijn vrouw door de jaren heen enkele keren hadden ontmoet samen met haar toenmalige vriend. Een paar weken geleden waren ze elkaar weer tegengekomen, tijdens een lunch waar ze allebei alleen waren en waarna zij, toen ze tegelijk weggingen, had gezegd dat ze eens een keer moesten afspreken voor een borrel.

'Kan ik je die borrel nu aanbieden?' vroeg hij.

'Wat gezellig,' zei ze, waardoor hem weer te binnen schoot wat hij altijd leuk aan haar had gevonden: haar ongecompliceerde enthousiasme en haar onverholen aandacht voor hem. 'Wanneer?'

'Wat dacht je van nu?'

'Nu!'

'Maar je zult wel bezig zijn.'

'Toevallig niet. Ik zat net te piekeren of ik mijn haar niet moest wassen.'

Hij voelde zich ineens opgewekt en lachte. 'Het is geen sollicitatiegesprek.'

Ze troffen elkaar in een wijnbar in Stoke Newington en dronken samen een fles witte wijn. Het liep allemaal heel soepel. Haar haar zat leuk, vond hij, en ook de manier waarop ze naar hem lachte en instemmend knikte beviel hem. Ze droeg lichte, dunne kleding en had lippenstift op. Hij ving een vleugje op van haar parfum. Ze legde haar hand op zijn arm als ze iets zei en boog zich dan naar hem toe. Hij voelde haar adem op zijn wang en zag haar grote pupillen in de schemerig verlichte ruimte.

Na afloop gingen ze naar haar flat omdat hij niet in zijn eigen huis wilde zijn, ook al was dat dichterbij. Ze verontschuldigde zich voor de rommel, maar hij stoorde zich er niet aan. Hij was moe en wat wazig van de wijn, en het enige wat hij wilde, was een tijdje niet aan zichzelf hoeven denken.

Ze pakte een aangebroken fles witte wijn uit de deur van de koelkast en schonk voor hen beiden een glas in. Ze keek verwachtingsvol naar hem op. Hij boog zich voorover en kuste haar. Terwijl ze zich uitkleedden, moest hij steeds maar denken dat het zo lang geleden was dat hij dit voor het laatst had gedaan. Hij deed zijn ogen dicht en voelde haar tegen zich aan, voelde haar zachte huid en snoof haar geur op. Kon het echt zo makkelijk zijn?

Paul Kerrigan was niet dronken, maar na drie grote glazen bier, terwijl hij bij de lunch maar één broodje kaas had genomen en dat niet eens helemaal had opgegeten, was hij wat aangeschoten. Aangeschoten en enigszins stuurloos. In theorie was hij op weg naar huis, maar daar wilde hij eigenlijk niet naartoe, want daar waren zijn vrouw met haar smalle, droevige gezicht en zijn zonen met hun vijandige, spottende blikken. Hij voelde zich een vreemde in zijn eigen huis, een bedrieger die gehaat werd. Hij liep dus langzaam en voelde bij elke stap die hij zette zijn zware lijf en het pijnlijke geklop van zijn hoofd. Hij moest alles wat er gebeurd was voor zichzelf op een rijtje zetten, maar vanavond ging het moeizaam en leken zijn hersens dicht te slibben bij elke gedachte.

Een maand geleden was Ruth nog in leven geweest, had Elaine van niets geweten en hadden zijn jongens een plagerig soort genegenheid voor hem gevoeld. Elke ochtend wanneer hij wakker werd, drong het weer tot hem door dat zijn oude leven voorbij was.

Toen hij op de hoek van zijn straat was aangekomen, bleef hij staan. Cafébezoekers stroomden met een hoop lawaai in golven het café uit, het trottoir op. Hij hoorde de voetstappen achter zich niet en hij draaide zich niet op tijd om om te zien wie hem met een zwaar voorwerp op zijn achterhoofd sloeg, waardoor hij wankelde, door zijn knieën zakte en als een vleesbonk op straat neerviel. Weer kreeg hij een klap, deze keer op zijn rug. Hij bedacht nog wat een pijn dat later zou doen. Net als zijn wang, die bij de val over het asfalt was geschuurd. Hij proefde bloed en hij had gruis in zijn mond. Tussen het gebulder in zijn hoofd door klonken de geluiden van de cafégangers als een verre ruis. Hij wilde om hulp roepen, maar zijn tong was opgezwollen en het was makkelijker om zijn ogen dicht te doen en te wachten tot de voetstappen zich zouden verwijderen.

Uiteindelijk krabbelde hij overeind en strompelde hij over

straat naar zijn voordeur. Het lukte hem niet de sleutel in het slot te steken, dus hij klopte en bleef kloppen totdat Elaine opendeed. Ze staarde hem even aan, alsof het een monster was dat daar voor haar stond, of een gek. Toen sloeg ze haar hand voor haar mond in een gebaar van afschuw, als in een stripverhaal, dat hij in zijn veilige oude leventje grappig zou hebben gevonden.

'Ik heb het niet gedaan.' Russell Lennox had bloeddoorlopen ogen en er hing een zoete geur van verschaalde alcohol om hem heen. Sinds de vondst van de flessen in zijn schuur leek hij serieus aan de drank te zijn geraakt – bijna alsof hij, nu het geen geheim meer was, zichzelf er toestemming voor had gegeven.

'Het zou begrijpelijk zijn als...'

'Ik heb niets gedaan. Ik was hier. Alleen.'

'Kan iemand dat bevestigen?'

'Ik zeg het u.'

'U lijkt aardig wat op te hebben.'

'Mag dat soms niet?'

'De man die een relatie had met uw vrouw is op straat gemolesteerd, nog geen tien minuten van uw huis.'

'Zijn verdiende loon. Maar ik heb het niet gedaan.'

Dat was alles wat hij kon zeggen, telkens weer, terwijl Dora in het donker met een bleek gezichtje tussen de spijlen van de trapleuning door naar hem zat te kijken.

Frieda lag in bed en probeerde te slapen. Ze lag kaarsrecht en staarde naar het plafond, en toen draaide ze zich op haar zij, schudde het kussen op en deed haar ogen dicht. De kat lag aan haar voeten. Ze riep in gedachten het beeld op van een ondiepe rivier die over kiezelstenen stroomt, maar het water begon te borrelen en vanaf de bodem doken gezichten op. Gedachten woelden rond in het troebele bezinksel van haar geest. Haar lijf deed pijn.

Het hielp niet. Ze hoorde Chloë beneden. Ze was aan het skypen en praatte met iemand, al urenlang leek het, soms luid en nadrukkelijk, met af en toe een lachsalvo. Of was het huilen? Frieda keek hoe laat het was. Bijna één uur. Chloë moest morgen naar school en zijzelf had een hele dag voor zich waar ze zich doorheen moest slaan. Ze zuchtte en stapte uit bed, deed haar gordijnen een stukje open om naar de halve maan te kijken en liep vervolgens de trap af.

Chloë keek schuldbewust op van haar computer.

Frieda zag het hoofd van Ted Lennox op het scherm. Hij staarde haar met zijn magere adolescentenhoofd aan. Ze deed een stapje achteruit, zodat hij haar niet kon zien.

'Ik wist niet dat je nog wakker was.'

'Niet uit vrije wil.'

'Ik moet met Ted praten.'

'Je praatte nogal hard. En volgens mij is het tijd om naar bed te gaan.'

'Ik heb geen slaap.'

'Ga naar bed, Chloë. Je hebt morgen school.' Frieda deed een stap naar voren, zodat ze Ted kon zien, en hij haar. Hij zag er belabberd uit. 'En jij ook, Ted.'

'Mag ik eerst thee? Met een klein wolkje melk?' vroeg Chloë.

'Het is hier geen hotel.'

'Sorry.' Chloë klonk niet alsof ze spijt had. Ze maakte een grimas in de richting van het computerscherm en trok haar wenkbrauwen dramatisch op naar Ted.

'Neem je spullen mee. En blijf in mijn studeerkamer overal van af.'

Frieda ging terug naar haar kamer, maar was nog lang niet van plan haar bed in te gaan. In plaats daarvan ging ze bij het raam staan en staarde de nachtelijke duisternis in.

32

Karlsson wist even niet waar hij was toen hij wakker werd. Hij draaide zich om in het bed en voelde de warmte, zag de rand van een schouder en dacht: ze is terug. En opeens wist hij het weer. Er ging een steek door hem heen, waarna de wereld al zijn kleur leek te verliezen. Hij tastte naar zijn horloge en merkte dat hij het nog om had. Het was tien over halfvijf. Hij ging weer liggen. Naast zich hoorde hij Sadie iets mompelen wat hij niet kon verstaan. Hier was hij toch op uit geweest? Op iets ongecompliceerds, iets makkelijks, warms en plezierigs? Hij voelde hoofdpijn opkomen die zich als een onmetelijke, verlammende vermoeidheid over zijn hele lichaam verspreidde. Zachtjes schoof hij het bed uit en begon zich aan te kleden.

'Je hoeft niet weg te gaan,' zei Sadie achter hem.

Ze was half overeind gekomen en leunde op een elleboog. Haar gezicht was nog dik van de slaap. 'Ik kan een ontbijt voor je maken,' zei ze. Ze keek hem vriendelijk en bezorgd aan.

'Ik moet echt weg,' zei Karlsson. 'Ik moet naar huis, me omkleden en naar m'n werk. Ik heb echt een beetje haast.'

'Ik kan thee of koffie voor je zetten.'

'Nee, dank je.'

Plotseling raakte Karlsson zo in paniek dat hij bijna stikte. Hij trok zijn broek aan en deed hem dicht. Het leek eindeloos te duren en al die tijd voelde hij dat Sadie naar hem keek, alsof hij een rol speelde in een klucht die niet grappig was. Hij deed zijn schoenen aan. Ze leken te klein voor zijn voeten. Toen pakte hij zijn jasje en draaide zich naar haar om. Ze lag nog steeds in dezelfde houding.

'Sadie, het spijt me, ik...' Hij wist niet wat hij verder moest zeggen.

'Het geeft niet.' Ze wendde zich van hem af en dook zo diep onder het dekbed weg dat alleen haar achterhoofd nog te zien was. Hij zag haar bh over de rand van het voeteneind hangen en stelde zich voor dat ze die gisterochtend had aangedaan en gisteravond weer had uitgetrokken. Even kreeg hij de aanvechting om te gaan zitten, het dekbed weg te trekken en Sadie alles te vertellen, haar uit te leggen wat hij voelde, waarom het verkeerd was, waarom het niet klopte, zij samen, waarom het nooit meer met iemand zou kloppen. Maar dat zou niet fair zijn. Hij had al genoeg aangericht.

Toen hij buiten kwam was het stil op straat. In de verte gonsde verkeer, maar het overheersende geluid was het zingen van vogels overal om hem heen; de lucht was blauw en er scheen een vroege ochtendzon. Het klopte allemaal niet. Het zou moeten regenen, het zou grijs en koud moeten zijn.

Frieda zat aan de keukentafel terwijl Josef water opzette, koffie maalde en de restanten van Chloë's ontbijt afwaste. Wat fijn was aan Josef – en met alles wat er speelde deed ze er goed aan zich op de positieve dingen te richten – was dat ze niet met hem hoefde te praten. Ze kon gewoon aan tafel zitten en voor zich uit staren. Na een poosje zette hij een beker koffie voor haar neer en kwam met zijn eigen beker bij haar zitten.

'Moeilijk, helpen,' begon hij. 'Wij hebben een grap in Oekraïne over drie mensen die een oud vrouwtje helpen oversteken. Iemand zegt waarom drie mensen? En dan zeggen ze omdat oud vrouwtje niet naar de overkant wil.' Hij nam een slokje koffie. 'In Oekraïens is het grappig.'

'Hoe ver zijn jullie nou?' vroeg Frieda.

'Vandaag klaar, al kost het mijn leven, vandaag klaar. Vanavond lig jij in je eigen prachtige bad.'

'Mooi,' zei Frieda.

'En Chloë, blijft zij hier?'

'Dat weet ik niet,' antwoordde Frieda. 'Ik moet eerst uitzoeken wat er aan de hand is. We zien wel.'

Josef keek Frieda bezorgd aan. 'Je bent niet kwaad,' zei hij. 'Je moet kwaad zijn.'

'Hoe bedoel je?'

Josef gebaarde om zich heen. 'Ik probeer jou beter te maken met je nieuwe bad, maar het is moeilijk te helpen. Ik maak alles erger voor jou.'

'Het was jouw schuld niet...'

'Hou op. Het bad kwam niet, toen kwam het wel en toen weer niet. En de stroom hield op.'

'Dát was inderdaad heel irritant.'

'Je hebt hulp nodig en ik maak alles erger en nu is Chloë hier. Ik keek boven en al haar spullen liggen in jouw studeerkamer.'

'Echt waar? O, god. Ik ben daar nog niet geweest. Is het erg?'

'Is erg. Meisjesdingen en kleren overal over jouw spullen. Ook klokhuizen. Natte handdoeken. Bekers waar dingen in groeien. Maar wat ik zeg is dat je kwaad moet zijn. Dat je klappen moet uitdelen, moet vechten. Nee?'

'Ik ben niet kwaad, Josef. Of misschien ben ik te moe om kwaad te zijn.' Ze verzonk weer in gepeins. 'Maar dat bad moet vanavond in orde zijn, want anders...'

Er klonk een ringtone en het duurde even voor Frieda doorhad dat het haar eigen mobieltje was. Het geluid kwam uit haar jasje, dat over een stoel hing. Na enig gezoek haalde ze haar telefoon tevoorschijn. Een vrouwenstem zei: 'Spreek ik met Frieda Klein?'

'Ja.'

'Met Agnes Flint. U had een bericht voor me achtergelaten.'

Zodra Jim Fearby de foto zag, wist hij dat hij haar van zijn lijstje kon schrappen. Clare Boyle was – ooit – een meisje met een bol gezicht en pluizig blond haar. Haar moeder had hem een stoel aangeboden, thee met gebak neergezet en een stapeltje foto's uit een la gepakt. Valerie Boyle ging in de stoel tegenover hem zitten en vertelde over haar dochter, die altijd moeilijk was geweest.

'Is ze weleens weggelopen?' vroeg Fearby.

'Ze ging met de verkeerde types om,' zei Valerie. 'Soms bleef ze de hele nacht weg. Soms zelfs een paar dagen. Als ik bezorgd was en er iets van zei, viel ze tegen me uit. Ik had geen vat op haar.'

Fearby legde zijn blocnote neer. Hij zou nu weg kunnen gaan, maar voor zijn goede fatsoen moest hij nog even blijven. Hij keek naar Valerie Boyle. Inmiddels had hij het gevoel dat hij de verschillende soorten moeders herkende. Bij sommigen was het verdriet chronisch geworden, het had hun grijze haren bezorgd en groeven in hun gezicht geëtst; hun blik was doods, alsof niets meer de moeite waard was om naar te kijken. Er waren ook moeders als deze: Valerie Boyle had iets beverigs, ze leek terug te deinzen voor een klap die elk moment kon komen, alsof ze zich in een gênante situatie bevond die weleens heel onverkwikkelijk zou kunnen worden.

'Waren er problemen thuis?' vroeg Fearby.

'Nee, nee,' zei ze snel. 'Ze had weleens mot met haar vader. Die kon soms een beetje agressief zijn. Maar zoals ik al zei was ze een moeilijk kind. En toen is ze zomaar verdwenen. De politie heeft niet erg hard gezocht.'

Fearby vroeg zich af of het alleen agressie was, of dat er ook sprake was geweest van misbruik. En de vrouw tegenover hem, had die erbij staan kijken? Het meisje had waarschijnlijk geen keus gehad, ze had er wel vandoor moeten gaan. Waarschijnlijk zat ze ergens in Londen, was ze een van de duizenden jongeren die, om wat voor reden dan ook, een veilig heenkomen hadden moeten zoeken. Misschien was ze bij een van de 'verkeerde types' beland waar haar moeder het over had. In gedachten wenste hij haar sterkte.

Maar toen Fearby de kleine woonwijk even buiten Stafford binnenreed, wist hij dat hij iets op het spoor was. De bebouwing lag op een paar minuten rijden, maar toch in een landelijke omgeving, met open ruimten, speelweiden, bosjes. Hij zag bordjes die voetpaden aangaven. Hier kon hij zich iets bij voorstellen.

Daisy Logans moeder wilde hem eerst niet binnenlaten; ze praatte door een kier van de deur, die ze op de ketting liet zitten. Fearby legde uit dat hij journalist was, dat hij onderzoek deed naar wat er met haar dochter was gebeurd en dat hij zo weer weg zou zijn, maar ze liet zich niet vermurwen. Ze zei dat ze er niet over wilde praten. Het was inmiddels zeven jaar geleden. De politie had het opgegeven. Ze hadden het achter zich gelaten.

'Een paar minuten maar,' zei Fearby. 'Eén minuut.'

'Wat wilt u?'

Hij ving een glimp op van een paar donkere, gekwelde ogen. Ook al was hij er inmiddels aan gewend, af en toe ging er nog een steek door hem heen wanneer hij weer besefte dat hij mensen lastigviel en oude wonden openreet. Maar het was onvermijdelijk.

'Ik heb over uw dochter gelezen,' zei hij. 'Een tragische geschiedenis. Ik wil graag weten of er signalen waren. Was ze ongelukkig? Had ze problemen op school?'

'Ze ging heel graag naar school,' zei de vrouw. 'Ze was net naar de bovenbouw gegaan. Ze wilde dierenarts worden.'

'Hoe was haar stemming over het algemeen?'

'Suggereert u soms dat Daisy van huis is weggelopen? De week nadat ze... eh, ze zou meegaan op een schoolreisje. Ze had een halfjaar een baantje gehad om het te kunnen betalen. Mijn man is altijd thuis, ziet u. Hij is invalide, we leven van een uitkering. Het heeft hem gebroken. We beleven die avond steeds weer opnieuw. Ze ging te voet naar haar beste vriendin. Ze nam altijd de kortste weg, door het groen. Hadden we haar maar met de auto gebracht. Die gedachte laat ons niet los.'

'U hebt uzelf niets te verwijten,' zei Fearby.

'Jawel, dat hebben we wel.'

'Neemt u me niet kwalijk,' zei Fearby. 'Maar hebt u misschien een foto van haar?'

'Ik kan u geen foto geven,' zei de vrouw. 'Indertijd hebben we er een paar aan journalisten gegeven. En aan de politie. Die hebben we nooit meer teruggekregen.'

'Ik wil hem alleen maar even zien.'

'Een moment,' zei de vrouw.

Hij bleef voor de deur staan wachten. Even later klonk het geluid van een ketting die werd losgemaakt. De vrouw reikte hem een foto aan. Hij keek naar het meisje, naar haar jonge, levenslustige gezicht. En net als altijd dacht hij aan wat komen ging, waar dat gezicht nog getuige van zou zijn. Hij zag het donkere haar, en er was iets aan die ogen. Ze leken wel familie, een clan. Hij pakte zijn telefoon.

'Mag ik?' vroeg hij.

De vrouw haalde haar schouders op. Hij nam een foto met zijn mobiel en gaf het origineel terug aan de vrouw.

'Wat bent u van plan?' vroeg ze. 'Wat bent u nu van plan met onze Daisy?'

'Ik probeer de onderste steen boven te krijgen,' zei Fearby. 'Als er iets uitkomt, wat dan ook, laat ik het u weten.'

'Denkt u dat u Daisy zult vinden?'

Er verstreek een moment. 'Nee. Nee, dat denk ik niet.'

'Laat dan maar,' zei de vrouw, en de deur ging dicht.

Frieda was benieuwd naar de vrouw die Rajit Singhs hart had gebroken, maar toen Agnes Flint de deur opendeed, dacht ze dat ze op de verkeerde bel had gedrukt. De jonge vrouw had een glad, rond gezicht met stug bruin haar dat slordig uit haar gezicht was geduwd. Ze droeg een zwarte trui en een spijkerbroek. Dat ze er toch niet kleurloos uitzag kwam door de grote donkere ogen waarmee ze ietwat ironisch de wereld in keek. Frieda had het gevoel dat ze werd gekeurd.

'Ik begrijp niet zo goed waar dit over gaat,' zei Agnes.

'Een minuutje maar, meer niet,' antwoordde Frieda.

'Komt u maar verder dan. Ik zit boven.'

Frieda liep achter haar aan de trap op.

'Van buiten lijkt het niet veel,' zei Agnes over haar schouder. 'Maar als je binnenkomt weet je niet wat je ziet.'

Ze deed de deur open en Frieda volgde haar naar een zitkamer met grote ramen.

'Inderdaad,' zei ze.

De flat keek uit op een netwerk van spoorlijnen. Aan de overkant stond een pakhuis en daarachter waren de flats te zien die de South Bank van de Theems markeerden.

'Sommige mensen moeten er niet aan denken om langs een spoorlijn te wonen,' zei Agnes, 'maar ik vind het heerlijk. Het is alsof je aan een rivier woont en allerlei vreemde voorwerpen ziet langsdrijven. En de treinen zijn ver weg, het is heus niet zo dat de forensen door mijn slaapkamerraam naar binnen kijken.'

'Het heeft wel wat,' zei Frieda. 'Het is boeiend.'

'Nou, dan zijn we het eens.' Er viel een stilte. 'Dus u hebt die arme Rajit gesproken?'

'Waarom noem je hem zo?'

'U hebt hem ontmoet. Het was niet bepaald een feest met hem.'

'Hij was een beetje somber.'

'Dat kun je wel zeggen. Heeft hij u gestuurd om een goed woordje voor hem te doen?'

'Zijn jullie op een vervelende manier uit elkaar gegaan?'

'Ga je ooit op een fijne manier uit elkaar?' Buiten klonk het lage gedreun van een trein die langsreed. 'Die is binnen een uur in Brighton,' zei Agnes. 'Mag ik u iets vragen? Ik bedoel, omdat u helemaal hiernaartoe bent gekomen?'

'Vraag maar.'

'Wat komt u hier doen? Toen u belde, was ik benieuwd. Rajit heeft waarschijnlijk wel verteld dat hij moeilijk kan aanvaarden dat het uit is. Hij heeft gebeld, is langsgekomen. Hij heeft me zelfs brieven geschreven.'

'Wat stond daarin?'

'Ik heb ze ongeopend weggegooid. Dus ik keek er nogal van op toen u belde. Ik vroeg me af of hij nu vrouwen op me af stuurt om zijn zaak te bepleiten. Als een soort postduiven. Bent u soms met hem bevriend?'

'Nee, ik heb hem maar twee keer ontmoet.'

'Wat bent u dan?'

'Ik ben psychotherapeute.'

'Is hij een patiënt van u?'

'Nou, nee.'

Opeens gleed er een glimlach van herkenning over het gezicht van Agnes. 'O, nu weet ik het. U bent háár. Ja, hè?'

'Hangt ervan af wie je met "haar" bedoelt.'

'Waar gaat dit over? Is dit een ingewikkelde wraakactie of zo?'

'Nee.'

'Hou me ten goede, ik veroordeel u niet. Als iemand míj zo te pakken had genomen, had ik hem aan de schandpaal genageld.'

'Daarvoor ben ik hier niet.'

'Nee? Waarvoor dan wel?'

'Vanwege iets wat Rajit heeft gezegd.' Frieda zag zichzelf van een afstand, zoals ze de een na de ander een klein stukje vertelde van een verhaal dat steeds verder van zijn context verwijderd raakte – een beeld dat ze maar niet van zich af kon zetten en dat scherp en helder in de duisternis van haar geest opgloeide. Ze moest ermee ophouden, hield ze zichzelf voor. De draad van haar leven oppakken. Ze voelde dat Agnes Flint op een antwoord wachtte.

'Rajit was niet de student die naar mij toe is gestuurd, dat was iemand anders. Maar de vier onderzoekers vertelden hetzelfde verhaal, een verhaal waaruit zogenaamd moest blijken dat ze een duidelijke bedreiging vormden.'

'Ja, ik heb erover gelezen.'

'In dat verhaal kwam een saillant detail voor dat Rajit van jou had, zei hij.'

'Ik begrijp het niet.'

'Over het knippen van zijn vaders haar – nou ja, jouw vaders haar, neem ik aan, als het verhaal oorspronkelijk van jou kwam, zal hij dat hebben veranderd.'

'Dat ik het haar van mijn vader knipte.'

'Ja. En dat dat je een gevoel van macht en tederheid gaf.'

'Ik krijg hier een beetje de kriebels van.'

'Hij zei dat je hem dat verhaal vertelde toen hij met je in bed lag. Je streelde zijn haar en zei dat het geknipt moest worden.'

'O. Juist, ja. En?'

En wat? Daar wist Frieda geen antwoord op. Vermoeid zei ze:

'Dus het was gewoon een herinnering, meer niet?'

'Het was geen herinnering van mij.'

'Hoezo?'

'Een vriendin heeft het me ooit verteld. Dat verhaal over dat knippen. Ik geloof trouwens niet dat het over haar vader ging. Misschien was het een vriendje of haar broer of een kennis. Dat weet ik niet meer. Ik weet niet eens waarom ik het heb onthouden – het was niets bijzonders en het is jaren geleden. Op de een of andere manier is het me bijgebleven. Heel bizar dat Rajit dat voor zijn project heeft gebruikt. Dat het is doorgegeven.'

'Ja,' zei Frieda langzaam. 'Dus een vriendin heeft het je verteld en jij hebt het aan Rajit verteld.'

'Een versie van dat verhaal.'

'Oké.'

Agnes keek Frieda bevreemd aan. 'Wat doet het er in vredesnaam toe?'

'Hoe heette die vriendin?'

'Dat vertel ik alleen als u antwoord geeft op mijn vraag. Wat doet het ertoe?'

'Dat weet ik niet. Waarschijnlijk niets.' Frieda staarde in Agnes' heldere, schrandere ogen: ze mocht haar wel. 'Om eerlijk te zijn, het laat me niet los, ik weet niet waarom, maar ik moet dit spoor volgen.'

'Dit spoor?'

'Ja.'

'Lila Dawes. Haar echte naam is Lily, maar niemand noemt haar zo.'

'Dank je wel. Waar ken je haar van?'

'Ik zie haar nooit meer, maar we hebben samen op school gezeten, we waren hartsvriendinnen.' Weer dat ironische lachje. 'Het was nogal een wilde meid, maar er zat geen kwaad bij. Ze was net zestien toen ze van school ging, we hebben nog een tijdje contact gehouden, maar niet zo lang. We leidden zulke verschillende levens. Ik ging mijn weg en zij... tja, zij ging eigenlijk helemaal geen weg.'

'Dus je hebt geen idee waar ze nu is?'

'Nee.'

'Waar was jullie school?'

'In de buurt van Croydon. De John Hardy School.'

'Zijn jullie allebei in Croydon opgegroeid?'

'Kent u het daar?'

'Nee, helemaal niet.'

'Nou, het is vlak bij Croydon. Ietsje verder.'

'Weet je haar adres nog?'

'Dat is nou zo raar. Wat er vorige week is gebeurd zou ik u niet kunnen vertellen, maar van vroeger weet ik nog alles. Ledbury Close. Nummer 8. Gaat u naar haar op zoek?'

'Ik denk het wel.'

Agnes knikte langzaam. 'Dat had ik zelf moeten doen,' zei ze. 'Ik heb me vaak afgevraagd hoe het met haar zou zijn, of het wel goed met haar gaat.'

'Twijfel je daar dan aan?'

'De laatste keer dat ik haar zag was ze er niet best aan toe.' Frieda wachtte tot Agnes verder zou gaan. 'Ze was van huis weggelopen en verslaafd geraakt.' Ze huiverde. 'Ze zag er slecht uit, mager en met plekken op haar voorhoofd. Ik weet niet waar ze het spul van betaalde. Ze had geen werk. Ik had meer voor haar moeten doen, vindt u ook niet?'

'Dat weet ik niet.'

'Ze zat in de problemen, dat was duidelijk, en ik wilde het liefst hard wegrennen, alsof het besmettelijk was. Ik heb geprobeerd haar uit mijn hoofd te zetten. Zo nu en dan duikt ze op in mijn gedachten en dan duw ik haar net zo hard weer weg. Mooie vriendin ben ik, hè?'

'Behalve dat je je haar verhaal herinnerde en het hebt doorgegeven.'

'Ja. Ik zie nog voor me hoe ze het me vertelde. Grinnikend.'

'Hoe zag ze eruit toen jullie met elkaar omgingen?'

'Klein en dun, met lang donker haar dat altijd voor haar ogen viel, en een brede lach. Die lach nam haar hele gezicht in beslag. Ze was heel knap, op een gekke manier. Als een aapje, een zwerfstertje zag ze eruit. Ze droeg buitenissige kleren die ze tweedehands kocht. Ze viel in de smaak bij de jongens.'

'Heeft ze nog familie?'

'Haar moeder is gestorven toen ze nog klein was. Misschien was alles anders gelopen als ze een moeder had gehad. Haar vader, Lawrence, was ontzettend aardig – hij was gek op haar, maar hij hield haar niet in toom, zelfs niet toen ze nog klein was. En ze had twee broers, Ricky en Steve, die een stuk ouder waren.'

'Bedankt. Mocht ik haar vinden, dan laat ik het je weten.'

'Ik vraag me af hoe het met haar gaat. Misschien leidt ze inmiddels een keurig leventje. Man, kinderen, een baan. Kan het me moeilijk voorstellen. Wat zou ik tegen haar moeten zeggen?'

'Wat je hart je ingeeft.'

'Dat ik haar in de steek heb gelaten. Gek, zoals alles nu bij me terugkomt, alleen maar vanwege een stom verhaaltje dat ik die arme Rajit heb verteld.'

Frieda – je hebt me niet teruggebeld en mijn e-mails niet beantwoord. Laat me alsjeblieft weten of alles goed met je gaat. Sandy xxxxx

33

Langzaam liep Frieda naar huis. Ze voelde hoe de warmte langzaam in haar lichaam binnendrong, hoorde haar hakken zachtjes op het plaveisel tikken. Mensen liepen op haar af en passeerden haar, ze zag hun gezichten in een waas. Ze keek van een afstand naar zichzelf; de gedachten die door haar heen stroomden leken van een ander. Ze was moe na al die slapeloze nachten en chaotische dromen.

Ze ging niet rechtstreeks naar huis, maar sloeg een straat in naar Lincoln's Inn Fields, waar ze even ging zitten. Het was een klein plantsoen met bloesem en bloeiende tulpen. Tussen de middag wemelde het er van de juristen in snelle pakken die er hun lunchpauze doorbrachten, maar nu was er niemand, afgezien van twee jonge vrouwen op de tennisbaan verderop. Frieda leunde met haar rug tegen een van de grote, oude platanen. De stam was heel dik en had een gevlekte bast. Ze sloot haar ogen en keerde haar gezicht naar het zonlicht dat door het gebladerte viel. Misschien moest ze doen wat Sandy had gezegd en naar New York gaan, waar ze veilig zou zijn bij de man van wie ze hield en die van haar hield en haar kende zoals niemand haar ooit had gekend. Maar dan zou ze niet meer in de schaduw van deze prachtige oude boom kunnen zitten terwijl de dag langzaam op haar neerdaalde.

Toen ze overeind kwam was de zon verder gezakt en voelde de lucht koeler aan. Met weemoed dacht ze aan haar bad. En ze dacht aan Chloë. Ze pakte haar telefoon en toetste het nummer in.

Olivia's stem klonk schor. Frieda vroeg zich af of ze gedronken had. 'Chloë heeft je zeker de vreselijkste leugens over mij verteld.'

'Nee.'

'Doe nou maar niet alsof. Dat heeft geen enkele zin. Ik weet heus wel wat jullie van mij denken.'

'Ik denk helemaal...'

'Slechte moeder. Doorgedraaid. Iemand om je handen van af te trekken.'

'Luister, Olivia, hou daarmee op!' Frieda hoorde haar eigen strenge, harde toon. 'Je moet erover praten, dat is duidelijk, maar ik trek mijn handen absoluut niet van je af. Ik bel alleen maar om het over Chloë te hebben.'

'Die haat me.'

'Ze haat je helemaal niet. Maar waarschijnlijk is het wel beter als ze een paar dagen bij mij blijft terwijl jij je zaakjes op orde brengt.'

'Dat klinkt alsof ik een la met sokken ben.'

'Een week of zo,' zei Frieda. Ze zag voor zich hoe haar nette, veilige huis onder de voet werd gelopen door Chloë met haar troep en haar toestanden en raakte bijna in paniek. 'Ik kom morgenavond naar je toe om te praten over wat je allemaal doormaakt en dan gaan we kijken wat eraan te doen is en maken we een plan. Halfzeven ben ik er.'

Ze verbrak de verbinding en stopte het telefoontje in haar zak. Nu zou ze naar huis gaan, in haar nieuwe, prachtige badkamer heel lang in een heel warm bad gaan liggen en daarna zou ze in bed met het dekbed over haar hoofd al haar gedachten buitensluiten. En dan maar hopen dat ze niet zou dromen, of zich in elk geval later haar dromen niet zou herinneren.

Ze deed haar voordeur open. Op de mat lagen verschillende paren modderige schoenen. Een leren schooltas. Een jasje dat ze niet kende. Uit de keuken kwam een vieze stank. Er brandde iets aan en het doordringende geluid van de rookmelder leek uit Frieda's eigen hoofd te komen. Even kwam het in haar op om rechtsomkeert te maken en domweg alles wat zich in haar huis afspeelde achter zich te laten.

Maar ze ging naar binnen en zette het alarm af dat in de gang aan het plafond hing. Daarna riep ze Chloë. Er kwam geen reactie, alleen de kat schoot langs haar heen en rende de trap op.

De keuken stond blauw van de rook. Frieda zag dat de steel van haar koekenpan geblakerd was en krom stond. Daar kwam die stank dus vandaan. Er stonden bierflesjes en lege glazen, een mooie schaal was als asbak gebruikt en op de tafel, die plakkerig en vies was, stonden twee vuile borden. Ze vloekte binnensmonds en gooide de achterdeur open. Chloë zat midden in de tuin en ze zag Ted ook. Hij zat met opgetrokken knieën tegen de muur aan de overkant. Om hem heen lagen sigarettenpeuken en er stond een bierflesje bij zijn voeten.

'Chloë.'

'Ik had je niet thuis horen komen.'

'Wat een bende is het binnen.'

'We waren heus wel van plan om het op te ruimen.'

'Ik heb Olivia gesproken. Je kunt een week blijven.'

'Super.'

'Maar er zijn wel een paar regels. Dit is mijn huis en ik verwacht dat je daar rekening mee houdt, en met mij ook. Om te beginnen ruim je je troep op. Grondig. En er wordt binnen niet gerookt. Hallo, Ted.'

Hij keek op en staarde haar aan. Zijn ogen waren roodomrand en het bloed leek uit zijn lippen te zijn weggetrokken. 'Hai,' wist hij nog net uit te brengen.

'Hoe lang ben je hier al?'

'Ik wilde net weggaan.'

'Zijn jullie wel naar school geweest vandaag?'

Chloë haalde haar schouders op en keek haar uitdagend aan. 'Er zijn weleens dingen belangrijker dan school, weet je. Mag ik je er even aan herinneren dat Teds moeder is vermoord?'

'Dat weet ik.'

'Als jij moest kiezen tussen een blokuur biologie en een vriend helpen, wat zou jij dan doen?'

'Vrienden helpen doe je ná je blokuur biologie.' Ze keek naar Ted. 'Wanneer heb jij voor het laatst gegeten?'

'We wilden pannenkoeken bakken,' zei Chloë, 'maar dat is een beetje misgegaan.'

'Ik zal wat brood roosteren.'

'Ik wil niet praten over wat er is gebeurd, mocht u daarop uit zijn,' zei Ted.

'Dat ben ik niet.'

'Dat wil iedereen. Dat ik praat over mijn gevoelens en ga huilen, en dan kunnen zij hun armen om me heen slaan en tegen me zeggen dat het allemaal goed komt.'

'Ik ga alleen maar brood roosteren. Weet je vader dat je hier bent, Ted, en dat je spijbelt?'

'Nee. Ik ben geen klein kind meer.'

'Dat weet ik.'

'Mijn vader heeft wel wat anders aan z'n hoofd. Mijn moeder deed het met een andere man.'

'Wat pijnlijk voor je om daar achter te komen.'

'Wilt u soms weten hoe dat voor mij is? Want dat ga ik dus niet vertellen. En verder vertel ik ook niks.'

Er werd op de deur geklopt, hard en aanhoudend, hoewel Frieda geen bezoek verwachtte.

'Kom nou maar mee naar binnen,' zei ze. 'Ik ga even opendoen.'

Op de stoep stond Judith. Ze had een mannenoverhemd aan, een slobberige spijkerbroek die met een touw werd opgehouden en kapotte slippers aan haar voeten. Om haar kastanjebruine krullen zat een kleurige bandana. Haar ogen, die ver uit elkaar stonden, leken nog blauwer dan Frieda zich herinnerde van dat vreselijke verhoor, en haar volle lippen, waarvan de hoeken stuurs naar beneden stonden, waren bewerkt met feloranje lippenstift.

'Ik kom voor Ted. Is hij hier?'

'Ik wilde net brood voor hem gaan roosteren. Wil jij ook?'

'Oké.'
'Deze kant op.'
Frieda ging het meisje voor naar de keuken. Judith knikte naar Ted, die terugknikte, en stak haar hand flauwtjes op naar Chloë, die ze duidelijk bleek te kennen.
'Louise is mama's kleren aan het opruimen.'
'Dat mag zij helemaal niet doen!' Teds stem klonk scherp.
'Nou, ze doet het toch.'
'Waarom rot ze niet op naar haar eigen huis?'
'Dora heeft zich in haar kamer opgesloten en zit te janken. En pap schreeuwt de hele tijd.'
'Tegen jou, of tegen Louise?'
'Tegen iedereen eigenlijk. Of tegen niemand.'
'Hij zal wel dronken zijn.'
'Hou op!' Ze stak haar handen omhoog alsof ze haar oren wilde bedekken.
'Zie het nou maar onder ogen, Judith. Mama neukte met een andere man en papa is een dronkenlap.'
'Hou op! Doe niet zo gemeen!'
'Het is voor je eigen bestwil.' Maar hij keek beschaamd.
'Ga je mee naar huis?' vroeg zijn zusje. 'We kunnen maar beter samen zijn.'
'Hier is geroosterd brood voor jullie,' zei Frieda. 'En honing, voor de liefhebber.'
'Ik hoef alleen maar boter.'
'Ik vind het heel erg van jullie moeder.'
Judith haalde haar tengere schouders op. Haar blauwe ogen glinsterden in haar sproetige gezicht.
'Je hebt Ted in elk geval nog,' zei Chloë dwingend. 'Jullie kunnen elkaar tenminste bijstaan. Stel je voor dat je alleen was.'
'Jullie waren toch samen toen je het hoorde?' vroeg Frieda. 'Hebben jullie er daarna nog met elkaar over gepraat?' Ze gaven geen van beiden antwoord. 'Hebben jullie er ook niet met iemand anders over gepraat?'
'U bedoelt iemand zoals u?'
'Een vriend of een familielid of iemand als ik.'

'Ze is dood. Praten verandert daar niets aan. We hebben verdriet. Ook daar verander je niets aan.'

'De politie heeft wel die vrouw gestuurd,' zei Judith.

'O, ja.' Teds stem klonk schor en minachtend. 'Die. Die zit de hele tijd te knikken alsof ze onze pijn helemaal begrijpt. Wat een gelul. Om van over je nek te gaan.' Op zijn gezicht verschenen rode vlekken van de opwinding. Hij wipte zijn stoel naar achteren, liet hem op één poot balanceren en draaide langzaam heen en weer.

'Mama kon het niet hebben als hij dat deed.' Judith gebaarde naar haar broer. 'Dat was zo'n familieding.'

'Nu kan ik het zo vaak doen als ik wil, niemand die zich erover opwindt.'

'Nee, hoor, ' zei Frieda. 'Ik ben het met je moeder eens. Het is heel irritant, en gevaarlijk ook.'

'Kunnen we nu gaan, alsjeblieft? Ik wil papa niet te lang alleen laten met Louise, want die is zo verdrietig en heeft overal wat op aan te merken.' Ze stokte. Haar ogen liepen vol tranen, ze knipperde ze weg. 'Ik vind dat we naar huis moeten gaan,' zei ze nogmaals.

Ted liet zijn stoel zakken en hees zijn slonzige, spichtige lijf overeind. 'Oké. Bedankt voor de toast.'

'Geen dank.'

'Dag,' zei Judith.

'Dag, hoor.'

'Is het goed als we nog eens komen?' Judiths stem klonk ineens onvast.

'Ja.' Chloë klonk luid en energiek. 'Wanneer je maar wilt, al is het midden in de nacht, wat mij betreft. We zijn er voor jullie – toch, Frieda?'

'Ja,' antwoordde Frieda een beetje vermoeid.

Ze slofte naar boven, naar de badkamer. Daar stond het bad, het prachtige bad. Ze draaide de kranen open en er kwam water uit. Er was alleen geen stop. Ze keek onder het bad en in de kast, maar vond hem niet. De stop van de wastafel was te klein en die in de keuken was zo'n vervelend metalen ding waar geen ketting aanzat en dat je vast moest schroeven. Ze kon dus toch niet in bad.

Niet lang nadat Judith was vertrokken, kwamen Karlsson en Yvette aan bij het huis van de familie Lennox. Er werd niet meer geschreeuwd, maar de sfeer was onbehaaglijk en er hing een broeierige stilte. Russell Lennox zat in zijn werkkamer aan zijn bureau en staarde wezenloos uit het raam; Dora was op haar kamer, ze huilde niet meer, maar haar gezicht was nog nat en dik van de tranen en ze lag opgerold als een balletje op haar bed. Louise Weller had het huis schoongemaakt. Ze had de keukenvloer geschrobd, de trap gezogen en wilde de kleren van haar zus gaan uitzoeken toen de bel ging.

'We moeten nog één keer naar de spullen van mevrouw Lennox kijken,' legde Yvette uit.

'Ik wilde net met haar kleren beginnen.'

'Daar kunt u maar beter even mee wachten,' zei Karlsson tegen haar. 'We geven u wel een seintje als het zover is.'

'Nog iets anders. De familie wil graag weten wanneer de begrafenis kan plaatsvinden.'

'Dat zal niet lang meer duren. Over een paar dagen kunnen we u daar waarschijnlijk meer over zeggen.'

'Het is niet zoals het hoort.'

Karlsson voelde de neiging iets bots terug te zeggen, maar antwoordde neutraal dat het voor iedereen moeilijk was.

Ze liepen de trap op, naar de slaapkamer die het echtpaar Lennox meer dan twintig jaar had gedeeld. Louise Weller had er haar sporen achtergelaten: er lagen plastic zakken met schoenen en de kleine verzameling make-up van Ruth bleek grotendeels in de prullenbak te zijn beland.

'Waar zijn we naar op zoek?' vroeg Yvette. 'Dit is allemaal al bekeken.'

'Ik weet het niet. Het zal wel niets opleveren, maar het is een gezin met geheimen. Is er nog meer waar wij geen weet van hebben?'

'Er is zoveel materiaal, dat is het probleem,' zei Yvette. 'Ze bewaarde alles. Moeten we door al die dozen met schoolrapporten heen die op zolder staan? En wat doen we met de computers? We hebben die van haar en haar man natuurlijk bekeken, maar de kinderen hebben ieder een eigen laptop en dan staan er nog een paar oude die het weliswaar niet meer doen, maar die toch niet zijn weggedaan.'

'Deze vrouw had tien jaar lang afspraakjes met haar minnaar in hun flat. Had ze een sleutel? Zouden er documenten zijn die er enig licht op werpen? Heeft ze echt nooit e-mails of sms'jes gestuurd of ontvangen? Ik ben ervan uitgegaan dat haar dood iets met haar verhouding te maken moest hebben, maar misschien was er iets heel anders aan de hand.'

Yvette lachte sarcastisch. 'Je bedoelt: als ze in staat was tot overspel, waartoe was ze dan nog meer in staat?'

'Zo bedoelde ik het niet.'

Terwijl hij daar in de slaapkamer stond, bedacht Karlsson dat ze heel veel over Ruth Lennox wisten en haar tegelijkertijd nauwelijks kenden. Ze wisten wat voor tandpasta ze gebruikte en welke deodorant. Welke maat bh, onderbroek en schoenen ze had. Wat voor boeken en tijdschriften ze las. Ze wisten wat voor gezichtscrème ze gebruikte, welke gerechten ze maakte, wat ze week in week uit in haar boodschappenwagentje stopte, welke thee haar voorkeur had, de wijn die ze graag dronk, de tv-programma's die ze bekeek, de dvd-boxen die ze bezat. Ze kenden haar handschrift, wisten wat voor balpennen en potloden ze gebruikte, hadden de krabbeltjes in de kantlijn van haar blocnote gezien; ze hadden haar gezicht bestudeerd op de foto's die aan de muur hingen en in fotoalbums waren geplakt. Ze hadden de ansichtkaarten gelezen die ze tientallen jaren uit tientallen landen had ontvangen. Ze hadden alle kaarten voor Moederdag, geboorteberichten en kerstkaarten bekeken. Ze hadden haar e-mails niet één keer, maar een aantal keren gelezen en wisten zeker dat ze nooit actief was geweest op Facebook, LinkedIn of Twitter.

Maar wat ze niet wisten was hoe ze het had klaargespeeld om er tien jaar lang pal onder de neus van haar gezin een minnaar op na te houden. Ze wisten niet of ze zich er schuldig over had gevoeld. Ze wisten niet waarom ze had moeten sterven.

In een opwelling duwde hij de deur van Dora's kamer open. Het was er keurig. Alles lag op zijn plaats: haar kleren opgevouwen in laden, papieren in rechte stapeltjes op het bureau, schoolboeken op de planken erboven, haar pyjama opgevouwen op het kussen. In de kast hingen haar kleren – de kleren van een meisje dat nog geen tiener wilde zijn – en stonden haar degelijke schoenen netjes op een rij. Karlsson werd een beetje triest van die angstvallige orde. Zijn oog viel op een roze draadje boven op de kast. Toen hij eraan trok en er een lappenpop naar beneden kwam, stokte zijn adem. De pop had een plat, roze gezicht, slappe beentjes en rode katoenen vlechtjes, maar de buik was weggesneden en het gebied tussen de beentjes was opengeknipt. Met een grimmig gezicht hield hij de pop in zijn handen.

'O!' Yvette was binnengekomen. 'Wat afschuwelijk.'

'Ja, hè?'

'Denk je dat ze dat zelf heeft gedaan? Na de onthulling over haar moeder?'

'Zou heel goed kunnen.'

'Het arme kind.'

'Maar ik zal het haar toch moeten vragen.'

'Ik heb ook iets gevonden. Kijk.' Ze opende haar hand en liet een stripje pillen zien. Karlsson tuurde ernaar. 'Heb ik in de hoge kast naast de badkamer gevonden, die met de handdoeken, washandjes, bodylotions, tampons en alle andere spullen die ze nergens anders kwijt konden.'

'En?'

'De pil,' zei Yvette. 'Verstopt in een sok.'

'Rare plek om voorbehoedsmiddelen te bewaren.'

'Ja, helemaal als je bedenkt dat Ruth Lennox een spiraaltje had.'

Karlssons mobiel ging over. Hij haalde hem uit zijn zak en fronste zijn wenkbrauwen toen hij zag wie het was. Hij had al twee korte sms'jes en een voicemailbericht van Sadie ontvangen met de vraag of hij terug wilde bellen. Bijna had hij besloten het weer aan de voicemail over te laten toen hij zich bedacht: kennelijk gaf ze niet op, dus kon hij maar beter de confrontatie aangaan.

'Sadie.'

'Mal.' Verder zei ze niets, ze wachtte tot hij wat te zeggen had.

'Het spijt me dat ik je niet heb teruggebeld. Ik had het druk en...'

'Nee. Je hebt niet teruggebeld omdat je me niet meer wilde zien en je dacht dat ik vanzelf zou verdwijnen als je niet op mijn berichten reageerde.'

'Dat is niet eerlijk.'

'Nee? Ik vind van wel.'

'Ik heb een fout gemaakt, Sadie. Ik ben erg op je gesteld en we hadden het fijn samen, maar voor mij is dit niet het juiste moment.'

'Ik bel niet om je mee uit te vragen, dus wees maar niet bang. Ik heb het heus wel begrepen. Maar we moeten het hier wel over hebben.'

'Dat lijkt me niet zo'n goed idee.'

'Het is juist een heel goed idee. Ik wil dat je tegenover me komt zitten, me in de ogen kijkt en uitlegt wat er aan de hand is.'

'Sadie, luister nou eens...'

'Nee, jij moet luisteren. Je gedraagt je als een onbeholpen tiener. Je hebt me mee uit genomen, we hadden een leuke avond samen en toen hebben we gevrijd – althans, zo heb ik het beleefd. Vervolgens druip je af alsof je je schaamt. Dat heb ik niet verdiend.'

'Het spijt me.'

'Je bent me een verklaring schuldig. Kom morgenavond om acht uur naar dezelfde wijnbar. Het kost je een halfuurtje, hooguit. Je vertelt me waarom je je zo gedroeg en dan ga je weer naar huis en val ik je niet meer lastig.'

Ze verbrak de verbinding. Karlsson keek naar zijn telefoon en trok zijn wenkbrauwen op. Niet voor een kleintje vervaard, die Sadie.

34

Frieda voelde zich altijd een beetje onwennig als ze ten zuiden van de rivier moest zijn, maar Croydon was als een ander land voor haar. Ze had het op de kaart moeten opzoeken. Ze moest naar Victoria Station en van daar verder met de trein. Aanvankelijk zat de trein vol met forensen, maar toen ze Londen achter zich hadden gelaten was er bijna niemand meer over. Londen was als een reusachtig organisme dat mensen in zich opzoog. Pas laat in de middag werden ze weer naar buiten geblazen. Toen de trein de rivier overstak herkende Frieda Battersea, de voormalige kolencentrale. Ze zag zelfs, of meende te zien, waar Agnes Flint woonde, vlak bij de grote markt. Maar na Clapham Junction en Wandsworth Common werd alles vaag en anoniem voor haar en ving ze slechts glimpen op van parken, een begraafplaats, een winkelcentrum en een autosloperij; de achterkanten van huizen flitsten voorbij en even zag ze een vrouw bezig met de was, een kind dat op een blauwe trampoline sprong. Ook al waren de straten haar onbekend, ze bleef uit het raam staren. Ze kon het niet laten. Vanuit de trein gaven huizen en gebouwen meer van zichzelf prijs dan vanuit de auto. In plaats van hun keurige voorgevels zag je datgene waar de eigenaars zich niet om bekommerden omdat ze dachten dat er toch nooit naar gekeken werd: een kapotte schutting, een berg afval, afgedankte apparaten.

Toen ze was uitgestapt moest ze de plattegrond erbij pakken om te weten waar ze naartoe moest, en zelfs dat was nog niet zo eenvoudig. Ze draaide de kaart om, en nog een keer, om te bepalen welke uitgang ze had genomen. Niettemin liep ze de verkeerde kant op, bekeek nogmaals de kaart en oriënteerde zich op het punt waar Peel Way en Clarence Avenue samenkwamen. Om Ledbury Close te bereiken moest ze eerst terug langs het station, en vervolgens door een woonwijk heen. Nummer 8 was een vrijstaand, grindstenen huis dat zich nauwelijks van de andere huizen onderscheidde, behalve dat er meer zorg aan was besteed, wat in allerlei kleine details tot uiting kwam. Frieda zag dat de ramen nieuw waren en nog niet zo lang geleden in de witte hoogglanslak waren gezet. Aan weerszijden van de voordeur stond een donkerrode pot met een miniatuurboompje erin dat in een spiraalvorm was gesnoeid. Het was zo strak gedaan dat het leek alsof iemand ze met een schaar in model had geknipt.

Frieda drukte op de bel. Er klonk geen enkel geluid, dus belde ze nog een keer, maar ook de tweede keer hoorde ze niets. Geërgerd en onzeker bleef ze voor de deur staan. Er was niemand thuis, of de bel was kapot en dan stond ze daar voor niets; het kon ook zijn dat de bel het wel deed, maar ze al bij voorbaat niet welkom was. Ze vroeg zich af of ze nog een keer moest bellen, maar dat zou misschien alleen maar averechts werken; ze kon ook op de deur bonzen en het nog erger maken, dus misschien moest ze maar gewoon blijven wachten en hopen dat er toch nog iemand kwam. Ze vroeg zich af waarom ze zich eigenlijk zo druk maakte. Toen hoorde ze een geluid in het huis en zag ze door het matglas van de deur een wazige gestalte naderen. Er verscheen een grote man, niet dik maar breed, waardoor hij de deuropening leek te vullen. Hij was vrijwel kaal, met een slordige krans grijs haar. Hij had het blozende gezicht van iemand die veel tijd in de buitenlucht doorbrengt en droeg een wijde grijze werkbroek, een blauw met wit geruit overhemd en donkere leren laarzen waar droge gele modder aan kleefde.

'Ik wist niet of de bel het deed,' zei Frieda.

'Dat zegt iedereen,' zei de man, en er verschenen rimpeltjes rond zijn ogen. 'Je hoort hem achter het huis. Dat heb ik zo gedaan omdat ik vaak in de tuin ben. Ik ben er al de hele ochtend bezig.' Hij gebaarde naar de blauwe lucht. 'Op een dag als deze.' Toen keek hij Frieda vragend aan.

'Bent u Lawrence Dawes?'

'Ja, dat ben ik.'

'Ik ben Frieda Klein. Ik ben gekomen om...' Wat moest ze zeggen? 'Ik ben gekomen omdat ik op zoek ben naar uw dochter Lila.'

Zijn gezicht verstrakte. Plotseling zag hij er oud en broos uit.

'Lila? U zoekt mijn Lila?'

'Ja.'

'Ik weet niet waar ze is,' zei hij. 'Ik heb geen contact meer met haar.'

Hij hief zijn handen op in een hulpeloos gebaar. Frieda zag dat zijn nagels vuil waren van de tuin. Was dat alles? Was ze hiervoor helemaal naar Croydon gekomen?

'Zou ik u even over haar kunnen spreken?'

'Waarom?'

'Ik heb iemand ontmoet die vroeger met haar omging,' zei Frieda. 'Een oude vriendin, Agnes Flint.'

Dawes knikte langzaam. 'Ik herinner me Agnes nog wel. Lila had zo'n groepje vriendinnen. Zij hoorde daar ook bij. Voor het allemaal misging.'

'Mag ik misschien even binnenkomen?' vroeg Frieda.

Dawes leek erover na te moeten denken, toen haalde hij zijn schouders op. 'Kom maar mee naar de tuin. Ik wilde net thee gaan zetten.'

Hij ging Frieda voor door het huis. Het was duidelijk het huis van een man – een zeer ordelijke man – die alleen woonde. Door een openstaande deur zag ze een grote flatscreentelevisie en planken vol dvd's. Er stond een computer en op de grond lag een dik, crèmekleurig tapijt waardoor alle geluiden werden gedempt.

Vijf minuten later stonden ze op het gazon achter het huis met een beker thee in de hand. De tuin was veel groter dan Frieda had verwacht, hij strekte zich dertig, misschien wel veertig meter uit achter het huis. Door het goed onderhouden gazon slingerde een grindpaadje en er waren struiken en bloembedden en hier en daar kleine kleuraccenten van krokussen, sleutelbloemen en vroege tulpen. Het achterste gedeelte was veel woester, nog verder daarachter stond een hoge muur.

'Ik probeer hier weer een beetje orde te scheppen,' zei Dawes. 'Na de winter.'

'Het ziet er al heel netjes uit, vind ik,' zei Frieda.

'Het is een voortdurende strijd. Kijk daar maar eens.' Hij wees naar de tuin van het huis ernaast. Het gras stond hoog en er groeiden braamstruiken, een armetierige rododendron en een paar oude fruitbomen. 'Dat is een gemeentewoning. Er zitten Irakese of Somalische gezinnen. Best aardige mensen, erg op zichzelf. Maar ze blijven een paar maanden en gaan dan weer weg. Voor je een tuin hebt als deze ben je jaren verder. Hoort u iets?'

Frieda bewoog haar hoofd. 'Wat zou ik moeten horen?'

'Kom maar mee.'

Dawes volgde het paadje dat naar achteren liep. Nu hoorde Frieda wel iets, een vaag gemurmel dat ze niet kon thuisbrengen, als zacht pratende mensen in een andere kamer. Aan het eind van de tuin stond een schutting en Frieda ging naast Dawes staan en keek eroverheen. Het was zo onwaarschijnlijk wat ze daar zag dat ze bijna begon te lachen: aan de andere kant van de schutting liep de grond af en op het laagste punt stroomde een beekje parallel aan de schutting, met aan de overkant een pad. Achter dat pad verrees de muur die Frieda al had gezien. Haar verraste gezicht deed Dawes glimlachen.

'Het doet me altijd aan de kinderen denken,' zei hij. 'Toen ze nog klein waren maakten we altijd bootjes van papier, die we op het water zetten en weg lieten drijven. Ik zei dan dat ze binnen drie uur de Theems zouden bereiken en als het tij goed was werden meegenomen naar zee.'

'Maar wat is het voor water?' vroeg Frieda.

'Weet u dat niet?'

'Ik kom uit Noord-Londen. De meeste van onze rivieren zijn al heel lang begraven.'

'Het is de Wandle,' zei Dawes. 'Die moet u toch wel kennen.'

'Ik ken de naam.'

'Die ontspringt een paar kilometer hiervandaan. Vanhier stroomt ze langs oude fabrieken en vuilstortplaatsen en onder wegen door. Jaren geleden wandelde ik vaak op het pad dat erlangs loopt. Indertijd lag er schuim op het water en stonk het. Maar hier was het nog schoon. Ik liet de kinderen er altijd pootjebaden. Dat is het probleem met rivieren, hè? Je bent overgeleverd aan iedereen die zich stroomopwaarts bevindt. Wat zij met hun rivier doen, doen ze ook met jouw rivier. Wat er stroomafwaarts gebeurt is niet van belang.'

'Behalve voor de mensen die dáár wonen,' zei Frieda.

'Dat is niet mijn probleem,' zei Dawes, en hij nam een slok thee. 'Ik heb het altijd een fijn idee gevonden om aan een rivier te wonen. Je weet maar nooit wat er nog eens langsdrijft. Ik zie dat het u ook aanspreekt.'

'Inderdaad,' zei Frieda.

'Wat doet u zoal als u niet op zoek bent naar verdwenen meisjes?'

'Ik ben psychotherapeute.'

'Is het vandaag uw vrije dag?'

'Zoiets.' Ze draaiden zich om en liepen terug. 'En wat doet u?'

'Dit,' zei Dawes. 'Ik werk in de tuin. En in huis. Ik werk graag met mijn handen. Dat vind ik rustgevend.'

'Wat deed u daarvoor?'

Er gleed een lachje over zijn gezicht. 'Het tegendeel van wat ik nu doe, echt het andere uiterste. Ik was vertegenwoordiger voor een firma die kopieerapparaten verkoopt. Ik heb mijn halve leven op de weg gezeten.' Hij gebaarde naar een smeedijzeren bankje. Zelf nam hij plaats op een stoel die ernaast stond. 'Mensen vinden de natuur vaak saai, en dat begrijp ik niet. Er gebeurt niets, zeggen ze, maar dat is nou juist wat ik zo fijn vind hier. Je kunt het gras horen groeien.'

'Waarom ik gekomen ben,' zei Frieda, 'is omdat ik uw dochter graag zou willen vinden.'

Voorzichtig zette Dawes zijn beker naast zijn voet in het gras. Toen hij zich naar Frieda omdraaide, was zijn blik anders, intenser. 'Ik zou haar ook graag willen vinden,' zei hij.

'Wanneer hebt u haar voor het laatst gezien?'

Er viel een lange stilte.

'Hebt u kinderen?'

'Nee.'

'Ik heb nooit iets anders gewild. Ik reed maar rond en werkte me kapot, werk waar ik de pest aan had – terwijl ik het liefst vader wilde zijn, en dat was ik ook. Ik had een lieve vrouw en ik had de twee jongens en toen kwam Lila. Ik was dol op de jongens, we voetbalden samen, ik ging met ze vissen, deed alles wat je van een vader verwacht. Maar toen ik Lila zag, toen ze geboren werd, dacht ik: jij bent mijn kleine...' Hij zweeg en snoof, en Frieda zag dat zijn ogen glinsterden. Hij kuchte. 'Ze was zo lief en zo slim, zo grappig en mooi. En toen, tja, waarom gebeuren dingen? Haar moeder, mijn vrouw, werd ziek, dat duurde jaren en toen ging ze dood. Lila was dertien. Opeens kon ik niet meer tot haar doordringen. Ik dacht dat we een speciale band hadden, maar het leek alsof we niet meer dezelfde taal spraken. Ze kreeg andere vrienden, ging steeds vaker uit en uiteindelijk kwam ze niet meer thuis. Ik had er meer aan moeten doen, maar ik was zoveel weg.'

'En haar broers?'

'Die waren toen al het huis uit. Ricky zit in het leger. Steve woont in Canada.'

'Wat is er gebeurd?'

Dawes spreidde zijn handen in een machteloos gebaar. 'Ik deed alles fout,' zei hij. 'Wat ik ook deed, het was nooit genoeg of het was niet waar ze behoefte aan had. Als ik streng probeerde te zijn, joeg ik haar weg. Als ik aardig probeerde te zijn, had ik het gevoel dat het te laat was. Hoe meer ik erop aandrong dat ze thuiskwam, hoe meer ze zich tegen me afzette. Ik was haar saaie, oude vader maar. Op haar zeventiende woonde ze overwegend bij vrienden. Ik zag haar om de paar dagen, later om de paar weken. Ze behandelde me een beetje als een vreemde. En toen zag ik haar helemaal niet meer. Ik heb naar haar gezocht, maar zonder resultaat. Na een tijdje heb ik mijn pogingen gestaakt, maar ze is altijd in mijn gedachten gebleven en ik mis haar nog steeds. Mijn meisje.'

'Wist u waar ze van leefde?'

Frieda zag zijn kaak verkrampen. Het bloed was uit zijn gezicht getrokken.

'Ze had problemen. Ik denk dat er drugs in het spel waren. Ze at ook niet goed, al jaren niet.'

'Die vrienden. Kunt u zich nog namen herinneren?'

Dawes schudde zijn hoofd. 'Toen ze jonger was kende ik haar vriendinnen wel. Zoals Agnes, die u hebt ontmoet. Die waren leuk, echt meisjes onder elkaar, ze lachten veel, winkelden en deden zich volwassener voor dan ze waren. Maar die vriendinnen liet ze vallen voor nieuwe vrienden. Die nam ze nooit mee naar huis, die heeft ze nooit aan mij voorgesteld.'

'Hebt u enig idee waar ze is gaan wonen toen ze voorgoed vertrok?'

Weer schudde hij zijn hoofd. 'Het was ergens hier in de omgeving,' zei hij. 'Maar ze is toen verhuisd, geloof ik.'

'Hebt u haar als vermist opgegeven?'

'Ze was bijna achttien. Op een gegeven moment was ik zo ongerust dat ik naar het politiebureau ben gegaan. Maar toen ik haar leeftijd opgaf, zei de agent achter de balie dat hij mijn aangifte niet eens wilde noteren.'

'Wanneer was dat? Ik bedoel, de laatste keer dat u haar zag?'

Hij fronste zijn wenkbrauwen.

'O, god,' zei hij ten slotte. 'Dat is meer dan een jaar geleden. In november was het een jaar geleden. Niet te geloven. Maar dat is nu zoiets waar ik aan denk als ik hierbuiten bezig ben. Dat ze ineens weer binnenstapt, net als vroeger.'

Frieda was een moment in gedachten verzonken.

'Gaat het wel?' vroeg Dawes.

'Ja, hoezo?'

'Misschien is het projectie, maar ik vind dat u er moe en bleekjes uitziet.'

'U weet niet hoe ik er gewoonlijk uitzie.'

'U zei dat het uw vrije dag was. Is dat echt zo?'

'Ja, in principe wel.'

'Maar u bent analytica. U praat met mensen.'

Frieda stond op en maakte aanstalten om weg te gaan. 'Inderdaad,' zei ze.

Dawes stond ook op. 'Ik had iemand als u voor Lila moeten vinden,' zei hij. 'Maar het is niets voor mij, ik ben geen prater. Ik ben iemand die op moeilijke momenten iets gaat maken of repareren. Maar met u praat ik wel makkelijk.' Hij keek onhandig om zich heen. 'Gaat u Lila zoeken?'

'Ik zou niet weten waar ik moest beginnen.'

'Mocht er toch iets uitkomen, laat u het mij dan weten?'

Op weg naar de voordeur pakte Dawes een papiertje, schreef zijn telefoonnummer op en gaf het aan Frieda. Terwijl ze het aannam, schoot haar iets te binnen.

'Heeft zij uw haar ooit geknipt?' vroeg ze.

Hij streek over zijn kale hoofd. 'Ik heb nooit veel gehad om te knippen.'

'En u hebt haar ook nooit geknipt?'

'Nee, ze had prachtig haar. Ze was er trots op.' Hij lachte geforceerd. 'Dat had ze me nooit toevertrouwd. Waarom vraagt u dat?'

'Vanwege iets wat Agnes heeft gezegd.'

Toen ze buiten stond wierp Frieda een blik op de kaart en begon te lopen. Niet terug naar het station waar ze was uitgestapt, maar naar de volgende halte. Het was zo'n drie kilometer, dat kon ze wel aan. Ze had behoefte aan een wandeling, inmiddels was ze wat meer tot leven gekomen en stond ze open voor haar omgeving, voor dit onbekende gedeelte van de stad. Ze liep langs een tweebaansweg en werd met enige regelmaat door ronkende vrachtwagens gepasseerd. Aan weerszijden stonden gemeenteflats die na de oorlog uit de grond waren gestampt en nu in verval waren geraakt. Sommige waren dichtgetimmerd, bij andere hing de was op de smalle galerijen. Niet echt een omgeving voor een wandeling, maar toen ze een hoek om sloeg bevond ze zich plotseling in een stille straat met kleine rijtjeshuizen in victoriaanse stijl. Nog steeds voelde ze zich echter niet op haar gemak, zo ver van huis.

Vlak bij het station kwam ze langs een telefooncel en bleef staan. Er hing niet eens meer een telefoon in. Die was van de wand gerukt. Toen ze wat beter keek, zag ze dat er tientallen stickers tegen de glazen wanden waren geplakt: jong model, strenge meesteres, escortgirls *de luxe*. Frieda haalde haar opschrijfboekje uit haar tas en noteerde de telefoonnummers. Terwijl ze stond te schrijven, wat een paar minuten duurde, liepen er twee giffelende tienerjongens langs die haar iets nariepen, maar ze deed alsof ze het niet hoorde.

Thuis pakte ze de telefoon en toetste een nummer in.

'Agnes?'

'Ja?'

'Met Frieda Klein.'

'O, hebt u iets ontdekt?'

'Ik heb Lila niet gevonden, als je dat bedoelt. Ze lijkt van de aardbodem verdwenen te zijn. Haar vader weet ook niet waar ze is. Het is geen goed nieuws, maar ik dacht dat je het wel zou willen weten.'

'Ja. Ja, zeker. Bedankt.' Even bleef het stil. 'Ik ga naar de politie om haar als vermist op te geven. Dat had ik maanden geleden al moeten doen.'

'Ik denk niet dat het veel zin heeft,' zei Frieda zacht. 'Ze is volwassen.'

'Ik moet iets doen. Ik kan het er niet bij laten zitten.'

'Dat begrijp ik.'

'Ik ga meteen. Hoewel ik er zo lang mee gewacht heb dat een uurtje eerder of later waarschijnlijk weinig uitmaakt.'

Jim Fearby had bijna drie vijfde van zijn lijst afgewerkt. Er stonden drieëntwintig namen op, die hij had gevonden in regionale kranten en op websites over vermiste personen. Drie had hij aangevinkt, een had een vraagteken gekregen en alle andere namen waren doorgestreept. Hij moest nu nog negen gezinnen bezoeken – negen moeders die hem met een verslagen gezicht en gekwelde ogen zouden aankijken. Nog negen verhalen over gemis, nog negen foto's van jonge vrouwen om toe te voegen aan de verzameling die op het prikbord in zijn werkkamer hing.

Ze staarden op hem neer terwijl hij met een sigaret en een glas whisky, zonder water, in zijn stoel naar achteren leunde. Vroeger rookte hij nooit in huis, maar er was niemand meer die er last van had. Hij bekeek de gezichten een voor een: het eerste meisje was Hazel Barton met haar stralende lach – zo langzamerhand had hij het gevoel dat hij haar kende. Daarnaast Vanessa Dale, die het er levend van af had gebracht. Het asymmetrische gezicht met de grijsgroene ogen van Roxanne Ingatestone. Daisy Crewe, met haar gretige lach en dat kuiltje in haar ene wang. Vanessa Dale was ongedeerd, Hazel Barton was dood. Wat was er met de andere twee gebeurd? Hij drukte zijn sigaret uit en stak meteen een nieuwe op, zoog zijn longen vol met rook en staarde zo lang naar de gezichten dat ze bijna tot leven leken te komen en hem ook aankeken – vragend om gevonden te worden.

> Wat een raadselachtig mailtje was dat. Wat is er aan de hand? Laat me weten hoe het met je gaat en met Reuben en Josef en Sasha. En met Chloë. Ik mis je gedetailleerde verslagen. Ik mis jou. Sandy xxx

35

Frieda had om acht uur met Sasha afgesproken. Sasha had gebeld om te zeggen dat ze haar iets moest vertellen. Frieda kon uit haar stem niet afleiden of het om goed of slecht nieuws ging, wel dat het belangrijk was. Maar eerst ging ze naar Olivia, zoals ze had beloofd.

Hoewel ze niet wist wat ze moest verwachten, schrok ze toen ze Olivia zag. Ze deed open op plastic sandalen, in een wijde gestreepte broek met een koord en een morsig mouwloos hemdje erboven. De lak op haar teennagels was afgebladderd en haar haar was vet, maar het meest opvallende was dat haar pafferige, bleke gezicht niet was opgemaakt. Ineens besefte Frieda dat ze haar nog nooit zonder make-up had gezien. Zodra Olivia 's ochtends naast haar bed stond, bracht ze met veel zorg een laag basiscrème aan, eyeliner, een flinke hoeveelheid mascara en tot slot felrode lippenstift. Onopgemaakt zag ze er kwetsbaar en verslagen uit. Het was moeilijk om nog kwaad op haar te zijn.

'Was je vergeten dat ik zou komen?'

'Nee, maar ik wist niet hoe laat het was.'

'Het is halfzeven.'

'O god. Wat gaat de tijd toch snel als je slaapt.' Ze probeerde te lachen.

'Ben je ziek?'

'Het is gisteren nogal laat geworden. Ik deed een dutje.'

'Zal ik thee zetten?'

'Thee?'
'Ja.'
'Ik ben toe aan een borrel.'
'Eerst thee. We moeten een paar dingen bespreken.'
'Dat ik een klotemoeder ben, bijvoorbeeld.'
'Nee.'

Ze gingen naar de keuken, waar het een ongelooflijke bende was, een beetje zoals de bende die Chloë in Frieda's keuken had aangericht, met overal glazen en flessen, overvolle vuilniszakken op de kleverige plavuizen, plakkaten kaarsvet op tafel en een zurige lucht. Om plaats te maken begon Frieda dingen in de gootsteen op te stapelen.

'Ze is weggelopen, weet je dat?' zei Olivia, die geen acht leek te slaan op de staat waarin haar keuken verkeerde. 'Ze heeft je misschien gezegd dat ik haar eruit heb gegooid, maar dat is niet zo. Ze heeft vreselijke dingen tegen me gezegd en toen is ze zelf weggegaan.'

'Ze zegt dat jij haar met een haarborstel hebt geslagen.'

'Als dat zo is, was het een zachte. Mijn moeder gaf me er met een houten lepel van langs.'

Frieda deed theezakjes in de theepot en pakte twee bekers uit de gootsteen om af te wassen. 'Het is hier een beetje uit de hand gelopen,' zei Frieda. 'Je moet echt zorgen dat je weer op orde bent voordat Chloë terugkomt.'

'We zijn niet allemaal zoals jij. Alles keurig netjes op een rijtje. Maar dat wil niet zeggen dat ik het leven niet aankan.'

'Je ziet er slecht uit. Je ligt de hele middag in bed. Het huis is een grote bende. Chloë is weggegaan. Ik neem aan dat Kieran ook is vertrokken?'

'Die gek. Ik zei dat hij op kon krassen, maar ik had niet verwacht dat hij dat letterlijk zou nemen.'

'Hoeveel drink je momenteel?'

'Je hoeft me niet te vertellen hoe ik mijn leven moet leiden.'

'Chloë is bij mij en we moeten het erover hebben hoe lang ze blijft en hoe lang het duurt voor jij haar hier weer kunt hebben. Ze kan nu niet naar huis, toch?'

'Ik zie niet in waarom niet.'

'Olivia, ze is nog een kind. Ze heeft grenzen nodig, en regelmaat.'

'Ik wist dat je was gekomen om me voor slechte moeder uit te maken.'

'Wat ik bedoel is dat Chloë 's ochtends moet worden gewekt en dat ze 's avonds met iemand moet kunnen praten. Ze heeft een schone keuken nodig, een koelkast met eten erin, een kamer waar ze haar huiswerk kan maken. Stabiliteit.'

'En ik dan? Heb ik soms geen behoeften?'

Er viel een stilte. Olivia dronk van haar thee en Frieda stapelde de borden en pannen op en zette de vuilniszakken in de gang. Na enkele minuten zei Olivia met een klein stemmetje: 'Heeft ze de pest aan me?'

'Nee, maar ze is wel boos en voelt zich verwaarloosd.'

'Ik wilde haar helemaal niet slaan. Ik bedoelde ook niet dat Kieran moest oprotten. Ik had het allemaal niet meer in de hand, ik voelde me zo rot.'

'En misschien had je ook te veel gedronken.'

'Krijgen we dat weer.'

Daar ging Frieda niet op in, en even later zei Olivia: 'Ik hoor mezelf al die verschrikkelijke dingen zeggen. Ik hoor mezelf schunnige dingen krijsen. Dan kan ik mezelf niet inhouden, terwijl ik weet dat ik er later spijt van krijg.'

Met een schuurspons ging Frieda de pannen te lijf. Ze was doodop en voelde zich verslagen door de wanorde in Olivia's leven. 'Je moet je leven weer in eigen hand nemen,' zei ze.

'Dat is makkelijk gezegd. Waar moet ik beginnen?'

'Niet met alles tegelijk. Begin maar eens met je huis op te ruimen, je héle huis. En drink wat minder. Of drink niet. Dan voel je je waarschijnlijk al een stuk beter. Was je haar, ga het onkruid wieden.'

'Zeg je dat nou ook tegen je patiënten? Dat ze hun haar moeten wassen en de tuin moeten gaan schoffelen?'

'Soms wel.'

'Ik had me het leven heel anders voorgesteld, weet je.'

'Ja, maar ik denk...' begon Frieda.
'Zoals die man zei: we hebben allemaal liefde nodig.'
'Welke man?'
'O, gewoon een man.' Olivia leefde op. 'Het was wel gênant eigenlijk. Ik kwam hem gisteravond tegen toen ik een beetje uit m'n doen was. Ik was zo ontdaan over alles en toen ben ik in die leuke wijnbar een paar drankjes gaan drinken en op weg naar huis kwam ik hem tegen.' Ze schoot in de lach – een mengeling van gêne en uitgelatenheid. 'Een vreemde man, laat mijn moeder het niet horen.'
'Wat is er gebeurd?'
'Gebeurd? Heus niets, Frieda. Kijk me niet zo aan. Ik struikelde op straat en toen was hij daar ineens. Mijn barmhartige samaritaan. Hij hielp me overeind, klopte het vuil van mijn kleren en zei dat hij zou zorgen dat ik veilig thuiskwam.'
'Wat aardig van hem,' zei Frieda droog. 'Wilde hij ook nog even binnenkomen?'
'Dat kon ik toch moeilijk weigeren. We hebben nog een glaasje gedronken. En een tijdje later is hij weggegaan.'
'Mooi.'
'Hij scheen jou te kennen.'
'Mij?'
'Ja. Ik geloof dat ik je de groeten moest doen. Of zelfs liefs.'
'Hoe heette hij?'
'Dat weet ik niet. Ik heb het hem wel gevraagd, maar hij zei dat namen er niet toe doen. Hij zei dat hij allerlei namen had gehad, dat hij ze zo kon veranderen. Hij zei dat je net zo makkelijk van naam kon wisselen als van kleren, en dat ik het ook eens moest proberen. Ik zei dat ik wel Jemima wilde heten!' En weer schaterde ze haar schorre lach.
Maar Frieda had het plotseling koud gekregen. Ze ging tegenover Olivia zitten, boog zich over de tafel naar haar toe en zei zacht maar dwingend: 'Hoe zag die man eruit, Olivia?'
'Hoe hij eruitzag? Eh, weet ik niet. Niets bijzonders eigenlijk.'
'Ik meen het,' zei Frieda. 'Beschrijf hem.'
Olivia trok een gezicht als een pruilend schoolmeisje. 'Hij had

grijs haar, heel kort. Stevige man, geloof ik. Niet groot. Niet klein.'

'Wat voor kleur ogen?'

'Zijn ogen? Wat ben je toch een rare, Frieda. Dat weet ik niet. Bruin. Ja, hij had bruine ogen. Ik zei nog tegen hem dat ze me deden denken aan de ogen van een hond die we ooit hadden, dus dan moeten ze wel bruin zijn geweest, toch?'

'Zei hij wat voor werk hij deed?'

'Nee, ik geloof het niet. Hoezo?'

'Je weet zeker dat hij zei dat hij mij kende?'

'Hij had je niet zo lang geleden geholpen, zei hij. En hij zei dat je dat vast nog wel wist.'

Even sloot Frieda haar ogen. Ze zag de stervende Mary Orton voor zich die haar aankeek. Ze zag een mes dat naar haar werd opgeheven en toen roerde zich iets aan de rand van haar gezichtsveld en zag ze, of voelde, een vorm, een gestalte in de schaduw. Iemand had haar gered.

'Wat zei hij nog meer?'

'Ik geloof dat ik iets meer aan het woord was dan hij,' zei Olivia.

'Ik wil alles weten wat je je kunt herinneren.'

'Je maakt me een beetje bang.'

'Alsjeblieft.'

'Hij wist dat ik een dochter heb die Chloë heet en dat ze bij jou logeert.'

'Ga door.'

'Verder niks. Ik krijg hoofdpijn van jou.'

'Hij had het dus niet over Terry of Joanna of Carrie?'

'Nee.'

'Had hij ook geen boodschap voor mij?'

'Ik moest je alleen de groeten en liefs doen. O, en er was iets over narcissen.'

'Narcissen? Wat voor narcissen?'

'Hij zei geloof ik dat hij je ooit narcissen had gegeven.'

Ja. Dean had een klein meisje in het park naar haar toe gestuurd met een bosje narcissen en een mededeling. Zes woorden die ze nog steeds bij zich droeg: 'Het was jouw tijd nog niet.'

Ze stond op. 'Heb je hem op enig moment alleen gelaten?'

'Nee! Nou ja, ik ben naar de wc geweest, maar afgezien daarvan – hij heeft heus niets gestolen, als je dat bedoelt. Hij was gewoon heel aardig voor me.'

'Hoeveel reservesleutels heb je?'

'Wat? Dit is idioot. Ik weet het niet. Ik heb sleutels en Chloë ook en er zwerven er nog wel een paar rond, maar ik heb geen idee waar.'

'Luister, Olivia. Ik stuur Josef om alle sloten van dit huis te vervangen en je ramen te beveiligen.'

'Ben je gek geworden of zo?'

'Dat hoop ik. Hij komt morgenochtend meteen, dus zorg dat je op tijd opstaat.'

'Wat is er aan de hand?'

'Niets. Hoop ik. Het is een voorzorgsmaatregel, meer niet.'

'Ga je weg?'

'Ik heb met Sasha afgesproken. Maar Olivia – laat geen vreemde mannen meer binnen, oké?'

36

Voor hij Sadie zou ontmoeten, bracht Karlsson twintig minuten met Dora Lennox door. Ze zaten in de keuken terwijl Louise de huiskamer en de gang luidruchtig onder handen nam. Het viel Karlsson op dat alles aan Dora bleek was: haar smalle witte gezicht, haar bloedeloze lippen, haar kleine, tengere handen, waarmee ze aan het zoutvaatje zat te frunniken. Ze maakte een etherische indruk. Onder haar melkwitte huid waren haar blauwe aderen te zien. Hij voelde zich een bruut toen hij de lappenpop tevoorschijn haalde en haar gesmoorde kreet hoorde. 'Het spijt me, Dora, dat ik je van streek moet maken, maar deze pop hebben we in jouw kamer gevonden.'

Even staarde ze ernaar, toen wendde ze haar blik af.

'Is dit jouw pop?'

'Hij is walgelijk.'

'Heb jij dit gedaan, Dora?'

'Nee!'

'Het geeft niet als je het wel hebt gedaan. Niemand zal boos op je worden. Ik moet alleen wel weten of je het zelf hebt gedaan.'

'Ik wilde hem alleen maar verstoppen.'

'Voor wie?'

'Weet ik niet. Voor iedereen. Ik wilde hem niet meer zien.'

'Dus je hebt er een beetje in zitten snijden en daarna wilde je hem verstoppen?' vroeg Karlsson. 'Het geeft niet.'

'Nee, ik heb het niet gedaan! Hij is niet van mij. Ik wilde hem in de vuilnisbak gooien, maar toen was ik bang dat iemand hem zou vinden.'

'Als dit niet jouw pop is, van wie is hij dan wel?'

'Weet ik niet. Waarom vraagt u dat?' Haar stem klonk hysterisch.

'Dora, luister even naar me. Je hebt niets fout gedaan, ik moet alleen weten hoe deze pop in jouw kamer terecht is gekomen als hij niet van jou is.'

'Ik heb hem gevonden,' fluisterde ze.

'Waar heb je hem gevonden?'

'Ik was een keer alleen thuis, toen ik ziek was. Ik had koorts en hoefde die dag niet naar school. Iedereen was weg. Mama zei dat ze vroeg thuis zou komen en had een boterham bij mijn bed gezet. Ik kon niet lezen omdat ik zo'n hoofdpijn had, maar ik kon ook niet slapen en lag te luisteren naar de geluiden op straat. Toen klonk er gerammel en werd er iets door de brievenbus geduwd, ik dacht dat het reclamefolders waren of zoiets. Toen ik later naar de wc moest, zag ik beneden iets liggen en ben ik de trap af gelopen en toen zag ik...' Ze huiverde even en keek Karlsson zwijgend aan.

'Dus iemand heeft deze pop door de brievenbus geduwd?'

'Ja.'

'Met al die happen eruit?'

'Ja. Ik vond het doodeng. Ik weet niet waarom, maar ik moest hem verstoppen.'

'En dat gebeurde overdag, als er gewoonlijk niemand thuis is?'

'Ik had griep,' zei ze verdedigend.

Karlsson knikte. Op een normale dag zou Ruth Lennox degene zijn geweest die de verminkte pop had gevonden. Het was een boodschap. Een waarschuwing.

Deze keer had Sadie zich niet opgemaakt en ook geen parfum op gedaan. Ze was vroeg en had tomatensap besteld, en toen Karlsson binnenkwam begroette ze hem alsof hij een zakenrelatie was. Hij boog zich naar haar toe om haar op de wang te kussen, maar ze wendde zich af, waardoor zijn kus op haar oor terechtkwam.

'Haal zelf even een drankje als je wilt, dan praten we daarna.'

Hij haalde een biertje en ging tegenover haar zitten. 'Ik weet niet wat ik moet zeggen,' begon hij. 'Ik heb me als een idioot gedragen. Ik heb je altijd graag gemogen, Sadie, en ik wilde je niet gebruiken.'

'Je hebt me niet gebruikt. Als ik had gedacht dat je alleen maar uit was op een snelle wip op je vrije avond, was ik met een grote boog om je heen gelopen.'

'Het spijt me.' In de stilte die volgde keek ze hem koeltjes aan. Hij begon te praten, om de stilte te verjagen en om wat warmte te ontlokken aan haar onverzettelijke gezicht. 'Weet je,' zei hij. 'Ik heb nogal een rottijd achter de rug.'

'Dan ben je niet de enige.'

'Dat weet ik, het is ook geen excuus. Mijn kinderen – Mikey en Bella, je hebt ze wel gezien toen ze kleiner waren – ze zijn met hun moeder meegegaan.'

'Meegegaan – op vakantie, bedoel je?'

'Nee. Ze heeft een nieuwe man, ze gaat met hem trouwen, denk ik, dus eigenlijk is hij hun stiefvader. Hij werkt in Madrid en daar zijn ze nu heen. Met z'n viertjes, het gelukkige gezinnetje.' Hij hoorde hoe bitter het klonk en haatte zichzelf. 'Ze zijn voor twee jaar vertrokken. Ik zal ze nog wel zien, maar het is niet hetzelfde. Nou ja, dat is natuurlijk al zo sinds ze zijn verhuisd. Ik was ze toen al kwijtgeraakt, in zekere zin, maar nu voelt het zo definitief. En nu ze weg zijn, dacht ik...'

Hij viel stil. Ineens kon hij niet meer verder, hij kon niet tegen Sadie zeggen dat hij zich geen raad meer wist. Dat hij elke ochtend als hij wakker werd de grootste moeite had om het leven aan te kunnen.

'Ik dacht dat ik de leegte op kon vullen,' zei hij armzalig. 'Om me erdoorheen te slaan.'

'Je dacht de leegte op te vullen met mij?'

'Zoiets. Ik voel me vervreemd van alles, alsof alles iemand anders overkomt en ik ernaar sta te kijken, als naar een film. Toen ik die ochtend wakker werd en je naast me zag liggen, wist ik eh... tja, ik wist dat ik een fout had gemaakt en er niet klaar voor was, voor jou of voor wie dan ook.'

'Dus dat was het dan?'

'Ja.'

'Dat had je eerder moeten bedenken.'

'Daar heb je gelijk in.'

'Ik ben ook een mens, hoor. Iemand die je vroeger als een vriendin beschouwde.'

'Ja.'

'Ik vind het rot voor je dat je je zo voelt. Het lijkt me heel moeilijk.' Ze stond op. Ze had haar tomatensap maar voor de helft opgedronken. 'Bedankt dat je open kaart hebt gespeeld – uiteindelijk. Als je nog eens troost zoekt, bel dan iemand anders.'

Vlak voor Sasha zou komen, kwam Frieda thuis. Ze belde Josef, die zei dat hij meteen naar Olivia zou gaan, grendels op de voor- en achterdeur zou plaatsen en de volgende ochtend alle sloten zou vervangen. Toen belde ze Karlsson, maar kreeg zijn voicemail. Ze sprak geen boodschap in – wat moest ze zeggen? 'Ik denk dat Dean Reeve gisteravond bij mijn schoonzusje was'? Hij zou haar niet geloven. Ze wist niet eens of ze het zelf geloofde, maar de angst had haar in zijn greep.

Sasha kwam iets over achten en bracht een afhaalmaaltijd mee waarvan de geur opsteeg uit haar tas. Ze had een wijde oranje jurk aan en haar haar vormde een zachte omlijsting van haar gezicht. Frieda zag dat ze een lichte blos op haar wangen had en dat haar ogen straalden. Ze haalde een naanbrood uit een vochtige bruine papieren zak en legde het op een bord. Frieda stak kaarsen aan en haalde een fles wijn uit de koelkast. Wat was het vreemd dat ze er zelfs tegenover Sasha zo goed in slaagde haar angst en ontzetting te verbergen. Haar stem klonk normaal en met vaste hand schonk ze de glazen vol.

'Is Chloë nog steeds hier?'

'Ja. Maar vanavond is ze naar haar vader, dus ik heb het huis eindelijk weer eens voor mezelf.'

'Vind je het vervelend?'

'Ik had geen keus.'

'Dat vroeg ik niet.'

'Soms als ik thuiskom,' zei Frieda, 'lijkt het wel alsof ze hier woont. Overal troep. Schoolspullen in alle hoeken en gaten. De gootsteen vol met vuile borden. En soms heeft ze nog vrienden over de vloer ook. En dan heb ik het nog niet eens over Josef. Er is herrie, chaos, het ruikt hier zelfs anders. Ik voel me een indringer in mijn eigen huis. Niets is meer echt van mij, zoals vroeger. Ik moet me bedwingen om niet hard weg te lopen.'

'Het is in elk geval gauw voorbij. Ze blijft toch maar een week?'

'Dat is wel de afspraak. Wat ziet dat er lekker uit. Wijn?'

'Een halfje. Zodat we kunnen klinken.'

Ze zaten tegenover elkaar en Frieda hief haar glas. 'Nou, vertel.'

Sasha hief haar glas niet, maar keek Frieda stralend aan. 'Weet je, de wereld ziet er zoveel scherper en helderder uit. Ik voel de energie door me heen stromen. Elke ochtend als ik wakker word is het niet alleen buiten lente, maar ook in mijn lijf. Ik weet dat je bang bent dat ik weer gekwetst zal worden, maar je hebt Frank ontmoet. Hij is anders. En trouwens, hoort dat niet ook bij verliefd zijn? Dat je je openstelt voor de mogelijkheid gelukkig te worden, maar daardoor ook kwetsbaar bent? Dat je vertrouwen hebt? Ik weet dat ik fouten heb gemaakt in het verleden. Maar dit voelt anders. Ik ben sterker dan vroeger, minder volgzaam.'

'Ik ben heel blij voor je,' zei Frieda. 'Echt.'

'Fijn! Ik weet zeker dat jullie elkaar mogen. Hij vindt je geweldig. Maar ik ben niet alleen gekomen om als een tiener over Frank te zwijmelen. Er is nog iets anders. Ik heb het nog aan niemand verteld, maar...'

De bel ging.

'Wie kan dat nou zijn? Het is te vroeg voor Chloë, en die heeft trouwens een sleutel.'

De bel ging nog een keer, toen werd er op de deur geklopt. Frieda veegde haar mond af met een papieren servet, nam een slok wijn en stond op. 'Wie het ook is, er komt niemand in,' zei ze.

Judith Lennox stond voor de deur. Ze droeg een veel te groot mannencolbert en daaronder iets wat Frieda aan een rijbroek deed denken. Naast haar stond Dora die haar lange bruine haar in een vlecht op haar rug droeg en er smal en bleek uitzag.

'Hallo,' zei Judith met een klein stemmetje. 'U zei dat we langs mochten komen.'

'Judith.'

'Ik wilde Dora niet alleen laten. Ik dacht dat u het niet erg zou vinden.'

Frieda keek van de een naar de ander.

'M'n vader is gaan drinken,' zei Judith. 'En ik weet niet waar Ted is. Ik kan er niet meer tegen om met tante Louise in één huis te zijn. Dan wordt er een tweede moord gepleegd.'

Naast haar klonk een onderdrukte snik.

'Kom maar binnen,' zei Frieda. Ze wist niet welk gevoel sterker was: haar mededogen met de meisjes in haar deuropening of een verstikkende woede over het feit dat ze zich om hen moest bekommeren.

'Sasha, dit zijn Judith en Dora.' Sasha keek verbouwereerd op. 'Vriendinnen van Chloë.'

'Nee,' zei Judith. 'Ted is een vriend van Chloë. Ik ken haar een beetje. Dora heeft haar nog nooit ontmoet, hè, Dora?'

'Nee.' Dora kon alleen maar fluisteren. Ze was haast doorzichtig, vond Frieda: blauwe aderen onder een bleke huid, blauwe kringen onder haar ogen, een nek die bijna te dun leek om haar hoofd te dragen, knokige knieën, dunne beentjes met een grote blauwe plek op een van de schenen. Zij was degene die haar moeder dood had aangetroffen, herinnerde ze zich.

'Ga zitten,' zei ze. 'Hebben jullie al gegeten?'

'Ik heb geen honger,' zei Dora.

'Niet sinds het ontbijt,' zei Judith. 'En jij hebt niet eens ontbeten, Dora.'

'Hier.' Frieda pakte twee borden en schoof ze over de tafel naar de meisjes toe. 'We hebben genoeg.' Ze wierp een blik op Sasha's verwonderde gezicht. 'De moeder van Judith en Dora is pas overleden.'

'O!' Sasha boog zich naar hen toe; haar gezicht werd verzacht door het flakkerende kaarslicht. 'Wat erg voor jullie.'

'Ze is vermoord,' zei Judith botweg. 'In ons huis.'

'Nee! Wat verschrikkelijk.'

'Ted en ik denken dat het haar vriendje was.'

'Alsjeblieft,' jammerde Dora.

Het viel Frieda op dat Judith, nu Ted er niet bij was, zijn boosheid en venijnige verbittering had overgenomen.

'Mag ik wijn?'

'Hoe oud ben je?'

'Vijftien. U gaat me toch niet vertellen dat ik geen wijn mag drinken omdat ik nog maar vijftien ben?' Ze haalde nijdig haar neus op. Haar blauwe ogen glommen en haar stem klonk scherp.

'Je moet morgen weer naar school en ik ken je nauwelijks. Een glas water kun je krijgen.'

Judith schokschouderde. 'Whatever. Hoewel ik daar geen trek in heb.'

'Neem maar wat rijst, Dora,' zei Sasha. Haar stem klonk zoetgevooisd. Ze is broeds, dacht Frieda. Ze is verliefd en verlangt naar een baby.

Dora schepte een theelepel rijst op haar bord en prikte er lusteloos naar. Sasha legde haar hand op die van het jonge meisje, waarop Dora haar hoofd op de tafel legde en, schokkend met haar smalle schoudertjes en haar hele magere lijfje, begon te huilen.

'Ach, meisje toch,' zei Sasha. 'Arm, arm kind.' Ze ging naast haar op haar knieën zitten en sloeg een arm om haar heen. Na enkele ogenblikken draaide Dora zich naar haar toe, drukte haar natte gezicht tegen Sasha's schouder en klampte zich als een drenkeling aan haar vast.

Met een lege blik staarde Judith het tweetal aan.

'Kan ik u even spreken?' fluisterde ze boven het gesnik uit tegen Frieda.

'Natuurlijk.'

'Buiten.' Judith gebaarde met haar hoofd in de richting van de tuin.

Frieda stond op en deed de achterdeur open. De lucht was nog steeds zacht na de warmte van de dag en ze rook de kruiden waar ze de bloembakken mee had gevuld. 'Wat is er?' vroeg ze.

Judith keek haar aan en wendde haar blik af. Ze leek ouder en tegelijkertijd jonger dan haar leeftijd: een volwassene en een kind in één. Frieda wachtte. Haar curry zou inmiddels wel in een klonterige vette brij zijn veranderd.

'Ik voel me niet goed,' zei Judith.

Het leek koeler te worden om hen heen. Frieda wist wat er zou komen. Dit was een gesprek dat Judith met haar moeder zou moeten voeren.

'Wat voel je dan?' vroeg ze.

'Ik ben een beetje misselijk.'

''s Ochtends?'

'Ja, vooral dan.'

'Judith, ben je zwanger?'

'Ik weet het niet. Zou kunnen.' Het kwam er stuurs en mompelend uit.

'Heb je een test gedaan?'

'Nee.'

'Dan moet je dat zo snel mogelijk doen. Ze zijn heel betrouwbaar.' Ze probeerde de uitdrukking op het gezicht van het meisje te peilen. 'Je kunt ze gewoon bij de drogist kopen,' voegde ze eraan toe.

'Dat weet ik.'

'Maar je bent bang omdat je het dan zeker weet.'

'Zoiets, ja.'

'Stel dat het zo is, weet je dan hoe ver je bent?'

Judith haalde haar schouders op. 'Ik ben nog maar een paar dagen over tijd.'

'Heb je maar één keer seks gehad?'

'Nee.'

'Heb je een vriendje?'

'Als je het zo kan noemen.'

'Heb je het hem verteld?'

'Nee.'

'Ook niet aan je vader?'

Ze lachte snuivend, het klonk spottend en ongelukkig. 'Nee!'

'Luister. Je moet allereerst uitzoeken of je zwanger bent, en als dat zo is zul je een beslissing moeten nemen. Er zijn mensen met wie je daarover kunt praten. Je hoeft het niet in je eentje te doen. Zijn er nog andere volwassenen die je vertrouwt? Een familielid of een leraar?'

'Nee.'

Frieda deed haar ogen half dicht. Ze liet de ernst van de situatie op zich inwerken. 'Oké. Je kunt de test hier doen als je dat wilt, en dan praten we erover.'

'Echt?'

'Ja.'

'Misschien moet je er toch over denken om het met je vader te bespreken.'

'U begrijpt het niet.'

'Hij zou weleens anders kunnen reageren dan je denkt.'

'Ik ben zijn kleine meisje. Ik mag me niet eens opmaken! Ik weet hoe hij zal reageren. Mama is dood, overal politie en nu dit. Dat overleeft hij niet. En Zach...' Ze zweeg en trok een grimas. Op haar gezicht tekenden zich de emoties af.

'Is Zach je vriendje?'

'Dit zal hij me nooit vergeven.'

'Hoezo? Er zijn er twee voor nodig, hoor, en jij bent degene die de consequenties moet dragen.'

'Ik ben eigenlijk aan de pil. Ik bén aan de pil. Alleen vergeet ik die soms.'

'Zit Zach bij jou op school?'

Ze trok een gezicht.

'Wat betekent dat?'

'Nee.'

Frieda staarde haar aan en Judith staarde terug.

'Hoe oud is Zach?'

'Wat heeft dat er nou mee te maken?'

'Judith?'

'Achtentwintig.'

'Aha. En jij bent vijftien. Dat is nogal een leeftijdsverschil.'

'Bedankt, maar ik kan zelf ook rekenen, hoor.'
'Je bent minderjarig.'
'Dat is alleen maar een stom regeltje dat oude mensen hebben verzonnen om te verhinderen dat jonge mensen doen wat zij deden toen ze zelf jong waren. Ik ben geen kind meer.'
'Vertel me eens, Judith. Wist je moeder van Zach en jou?'
'Ik heb het haar nooit verteld. Ik wist precies wat ze zou zeggen.'
'Dus ze had geen idee?'
'Waarom zou ze?' Judith tuurde naar de verlichte keuken. Dora zat met haar hand onder haar kin te praten en Sasha luisterde aandachtig. 'Alleen...' zei Judith.
'Alleen wat?'
'Alleen denk ik dat ze ontdekt heeft dat ik de pil gebruikte.'
'Waarom denk je dat?'
'Ik wist dat ze ze zou vinden als ik ze op een normale plaats zou bewaren. Daar had ze een neus voor – voor andermans geheimen. Als ik ze in de la bij mijn ondergoed of in mijn make-uptas of onder de matras had gelegd, had ze dat meteen in de gaten gekregen. Dat gebeurde met Teds wiet ook. Dus ik heb ze in een sok gestopt en die in de kast naast de badkamer gelegd. Die kast doet nooit iemand open, behalve om er iets in te proppen. Maar ik denk dat ze ze toch gevonden heeft. Misschien ben ik paranoïde, maar ik denk dat ze het pijltje heeft verschoven zodat het naar de juiste dag wees. Ik nam er altijd zomaar een zonder te kijken of het die van die dag was, maar iemand heeft het verschoven. Twee keer. Ik weet het zeker.'
'Misschien wilde ze je daarmee duidelijk maken dat ze het wist.'
'Kweenie. Dat lijkt me nogal stom. Waarom heeft ze het niet gewoon gezegd?'
'Omdat ze wist dat je boos zou worden en dicht zou klappen?'
'Misschien.' Judith draaide zich om. 'Dus u denkt dat ze het wist?'
'Het zou kunnen.'
'En dat ze wachtte tot ik erover zou beginnen?'

'Dat is niet ondenkbaar.'

'Maar dat heb ik niet gedaan.'

'Nee.'

'Het lijkt wel alsof ik haar helemaal niet gekend heb. Ik kan me haar gezicht niet eens meer herinneren.'

'Het is heel moeilijk.' Frieda nam een besluit. 'Luister, Judith. Er is een drogist hier in de buurt die tot heel laat open is. Ik ga een predictortest voor je halen, dan kun je het hier meteen doen.'

'Nu?'

'Ja.'

'Ik denk niet dat ik dat kan.'

'Dan weet je het tenminste. De onzekerheid is het ergst.' Haar oude mantra. Die had zijn beste tijd gehad. Het gespannen gezicht tegenover haar glinsterde in de duisternis. Frieda legde een hand op haar schouder en samen liepen ze terug naar de keuken.

'Je curry is helemaal koud geworden,' zei Sasha terwijl ze naar Frieda toe kwam en een troostende hand op haar arm legde.

'Niets aan te doen. Volgende keer gaan we naar een restaurant. Ik moet nu even weg.'

'Waarheen?'

'Even wat bij de drogist halen.'

'Ze denkt dat ze zwanger is, hè.' zei Sasha zachtjes.

'Hoe weet jij dat in godsnaam?'

'Ga je een predictortest halen?'

'Ja, als ze open zijn.'

Sasha wendde zich af en zei heel nonchalant: 'Ik heb er een in mijn tas die ze zo kan gebruiken.'

'O, Sasha!' Een reeks beelden flitste door Frieda's hoofd: Sasha die niet uit haar glas dronk, de tedere, moederlijke toon waarop Sasha tegen Dora praatte, Sasha's aarzeling eerder die avond, alsof ze haar iets wilde vertellen. 'Dát was wat je me kwam vertellen!'

'Ja.'

'Is het waar?'

'We hebben het er nog over.'

Judith was niet zwanger. Dat ze misselijk was en over tijd, zei Frieda, kwam waarschijnlijk door de schok en het verdriet. Toch moest ze eens goed na gaan denken, zei ze, in plaats van op de oude voet door te gaan. Ze was vijftien en had een relatie met een man die dertien jaar ouder was. 'Je moet met iemand praten,' zei Frieda.

'Ik praat toch met u?'

Frieda zuchtte. Haar hoofd bonkte van vermoeidheid. 'Iemand anders, bedoel ik.'

Ze zette thee voor Judith en maakte warme chocolademelk voor Dora, die zwakjes en met een behuild gezicht aan tafel zat. 'Ik zal een taxi voor jullie bellen,' zei ze. 'Jullie vader en tante zullen wel ongerust zijn.'

Judith snoof minachtend.

Toen ging de bel.

'Daar zul je Chloë hebben,' zei Frieda.

'Ik ga wel.' Sasha stond op, legde even een hand op Frieda's schouder en liep naar de voordeur.

Het was Chloë niet, maar Ted. Hij was duidelijk stoned.

'Is Chloë nog niet terug?' vroeg hij.

'Nee. Ik ben een taxi aan het bellen,' zei Frieda met haar hand over de hoorn. 'Dan kunnen jullie samen naar huis gaan.' Ze gaf de taxicentrale haar adres door en hing op.

'Ik dacht het niet. Echt niet. Papa is straalbezopen en tante Louise is zo kwaad dat ze door het huis loopt te stampen. Ik ga daar vannacht echt niet slapen.'

'Nou, ik ook niet,' zei Judith. Haar blauwe ogen gloeiden van angstige opwinding. 'En Dora ook niet, hè Dora?'

Dora staarde haar aan. Ze zag er ontredderd uit.

'De taxi is er binnen vijf minuten. Jullie gaan allemaal naar huis.'

'Nee,' zei Ted. 'Dat trek ik niet.'

'U kunt ons niet dwingen,' deed Judith er een schepje bovenop. Dora legde haar hoofd weer op de keukentafel en deed haar ogen dicht. Haar oogleden leken doorzichtig.

'Nee, dat kan ik inderdaad niet. Maar waar gaan jullie dan heen?'

'Maakt dat wat uit?'

'Ja. Jij bent achttien, dacht ik, en een jongen, dus jij kunt voor jezelf zorgen – theoretisch althans. Maar Judith is vijftien en Dora dertien. Kijk eens hoe ze eraan toe is. Hebben jullie geen vriendin bij wie jullie terecht kunnen?'

'Mogen we hier niet blijven?' vroeg Dora ineens. 'Mogen we niet één nachtje hier blijven? Ik voel me hier veilig.'

'Nee,' zei Frieda. Ze voelde Sasha's blik op zich rusten.

Het liefst had ze een bord tegen de muur gesmeten of met een stoel het raam ingeslagen zodat een frisse wind door de warme keuken zou waaien die de lucht van curry, zweet en verdriet zou verdrijven. Ze had nog een veel beter idee: wegrennen, de deur achter zich dichttrekken en vrij zijn in de voorjaarsavond, onder de sterren en de maan terwijl een zacht windje haar gezicht zou strelen. Dan moesten ze maar zonder haar met hun chaotische verdriet in het reine komen.

'Alstublieft,' zei Dora. 'We zullen heel stil zijn en geen rommel maken.'

Ted en Judith staarden haar zwijgend aan.

'Frieda,' zei Sasha waarschuwend. 'Niet doen, het is niet fair tegenover jou.'

'Eén nachtje,' zei Frieda. 'Niet langer, begrepen? En jullie bellen naar huis om het je tante en je vader te vertellen, als hij nog in staat is iets in zich op te nemen.'

'Ja!'

'Ik zal de taxi wegsturen, maar ik vraag of hij morgenochtend vroeg terugkomt om jullie naar huis te brengen. En jullie gaan allemaal naar school. Beloofd?'

'Beloofd.'

'Waar kunnen we slapen?' vroeg Dora.

Frieda dacht aan haar heerlijk rustige studeerkamer op zolder, die nu bezaaid lag met Chloë's troep. Ze dacht aan haar huiskamer met de boekenplanken, de bank bij de haard, het schaaktafeltje bij het raam. Alles zoals het moest zijn. Haar toevluchtsoord, ver van de wereld en alle problemen.

'Die kant op,' zei ze, en wees naar de gang.

‘Hebt u ook slaapzakken?’

‘Nee.’ Ze kwam overeind. Haar lichaam voelde zo zwaar dat bewegen alleen al een enorme inspanning kostte. Haar hoofd bonkte. ‘Ik zal wat dekbedden en lakens pakken en jullie kunnen de kussens van de bank en de stoel gebruiken.’

‘Laat mij dat maar doen.’ Sasha’s stem klonk ernstig. Ze keek Frieda bezorgd, haast gealarmeerd aan.

‘Mag ik in bad?’ vroeg Ted.

Frieda staarde hem aan. Er zat een nieuwe stop in haar tas. ‘Nee! Dat kan niet. Niet in bad gaan! De wastafel kun je gebruiken.’

Toen er weer werd aangebeld, ging Sasha naar buiten om de taxi af te bestellen. Vrijwel op hetzelfde moment kwam Chloë thuis. Zoals altijd wanneer ze haar vader had gezien verkeerde ze in een staat van baldadige opwinding. Ze sloeg haar armen om Ted heen, daarna stortte ze zich op Frieda en Sasha.

‘Weg hier,’ zei Frieda. ‘Ik ga de keuken opruimen, en dan naar bed.’

‘Wij ruimen wel op!’ riep Chloë vrolijk. ‘Laat dat maar aan ons over.’

‘Nee. Ga naar de andere kamer, ik doe het hier. Jullie gaan nu allemaal naar bed, jullie staan om zeven uur op, want jullie moeten vroeg weg. Geen lawaai maken. En als iemand mijn tandenborstel gebruikt, gooi ik hem of haar eruit, ook al is het midden in de nacht.’

Je lijkt van de radar te zijn verdwenen. Waar ben je? Laat van je horen! Sandy xxxxx

37

'Het is leuk, hè?' zei Riley.

'Wat?' vroeg Yvette.

'Neuzen in iemands spullen, in laden kijken, dagboeken lezen. Dingen die je altijd wilt doen, maar niet mag. Ik zou dit weleens in de flat van mijn vriendin willen doen.'

'Het is helemaal niet leuk,' zei Yvette. 'En zoiets moet je trouwens niet hardop zeggen, zelfs niet tegen mij.'

Riley was de dossierkast in de huiskamer van de Kerrigans aan het onderzoeken. De grote slaapkamer en de keuken hadden ze al gehad. Paul Kerrigan was maar een nacht in het ziekenhuis gebleven nadat hij in elkaar was geslagen en hij was niet thuis, maar zijn vrouw had hen binnengelaten, stil en met opeengeklemde kaken. Ze had hun geen koffie of thee aangeboden, en terwijl ze de bezittingen van het echtpaar door hun handen lieten gaan, ondergoed tegen het licht hielden, computers aanzetten, privécorrespondentie doornamen, de waterlijn in het bad en de mottengaatjes in de truien van Paul Kerrigan bekeken, hoorden ze haar met de deuren slaan en met pannen smijten. De vorige keer dat Yvette haar had ontmoet was ze verdwaasd geweest, vermoeid en triest. Nu leek woede de overhand te hebben gekregen.

'Hier,' zei ze, terwijl ze de kamer binnenkwam. 'Dit hadden jullie nog niet gezien, denk ik. Het lag in zijn fietstas in de kast onder de trap.'

Tussen duim en wijsvinger hield ze, met een van weerzin vertrokken gezicht, een doosje omhoog. 'Condooms,' zei ze, en liet het op tafel vallen alsof ze gebruikt waren. 'Voor zijn wekelijkse afspraakjes, neem ik aan.'

Yvette probeerde zo neutraal mogelijk te kijken. Ze hoopte dat Riley zijn mond zou houden en niet zou reageren. 'Dank u wel.' Ze pakte het doosje op en stopte het in de zak met bewijsmateriaal.

'Gebruikte hij die thuis dan niet?' vroeg Riley met welluidende stem.

'Ik heb een paar jaar geleden kanker gehad en ben door de chemotherapie onvruchtbaar geworden,' zei Elaine Kerrigan. Even kreeg haar verkrampte gezicht een ontredderde uitdrukking. 'Dus nee, hij gebruikte ze thuis niet.'

'Dus...' begon Yvette.

'Er is nog iets anders wat ik u moet zeggen. Paul kwam die dag nogal laat thuis.'

'U hebt het over de zesde april?'

'Ja. Ik was veel eerder thuis dan hij. Ik herinner het me omdat ik een citroenmeringue had gemaakt en bang was dat die zou inzakken. Gek, de dingen waar je je druk om maakt, hè? Hoe dan ook, hij kwam laat thuis. Over achten.'

'Waarom hebt u ons dit niet eerder verteld?'

'Je kunt je niet alles meteen herinneren.'

'Daar kan ik inkomen,' zei Yvette. 'U zult een nieuwe verklaring moeten afleggen.'

Ze keek even naar Riley. Hij stond te glimmen, bijna alsof hij een lach moest onderdrukken.

'Hij ging lang onder de douche toen hij thuiskwam,' vervolgde Elaine, 'en hij stopte zijn kleren meteen in de wasmachine. Hij had een lange dag op de bouwplaats gehad, zei hij, en wilde nog voor het eten het zand uit zijn kleren wassen.'

'Het is belangrijk dat u ons alles vertelt wat u weet,' zei Yvette. 'Ik begrijp dat u woedend op hem bent, maar ik wil toch even duidelijk nagaan of er geen verband is tussen wat u gevonden hebt en de nieuwe informatie die u ons nu geeft, die bijzonder ongunstig is voor uw man.'

'Ik ben inderdaad heel boos op Paul,' zei Elaine. 'En het doet me goed dat hij is afgetuigd. Het is bijna alsof ze dat voor mij hebben gedaan. Maar ik vertel u alleen maar wat ik me herinner. Dat is tenslotte mijn plicht, nietwaar?'

Bij het weggaan liepen ze de twee zonen van de Kerrigans tegen het lijf. Ze hadden het gezicht van hun vader en de ogen van hun moeder, en ze staarden Yvette en Riley aan met een blik die op Yvette haatdragend overkwam.

Ondertussen nam Chris Munster de flat onder handen waar Paul Kerrigan en Ruth Lennox elkaar tien jaar lang elke woensdagmiddag, de vakanties uitgezonderd, hadden getroffen. Hij maakte een inventarisatie. Plichtsgetrouw schreef hij alles op wat hij vond: twee paar sloffen, van hem, van haar; twee badjassen, idem dito; een plank met boeken in de slaapkamer – een bloemlezing van gedichten over de kindertijd, essays over honden, Winston Churchills *Geschiedenis van de Engelssprekende volkeren*, een bundel humoristische stukjes en een boekje met cartoons die Munster niet zo grappig vond – allemaal boeken die bedoeld waren om af en toe in te lezen. Het beddengoed was meegenomen om te worden onderzocht op sporen van lichaamsvocht, maar over een kleine stoel hing een vrolijk gekleurde doorgestikte sprei en op de vloer lag een lang, smal geweven kleed. De gordijnen waren geel geruit, heel vrolijk. In de blankhouten klerenkast hingen alleen twee overhemden (van hem) en een zomerjurk waarvan de rits kapot was.

In de schone, kale badkamer: twee tandenborstels, twee washandjes, twee handdoeken, scheerzeep, deodorant (van hem en van haar), flosdraad, mondwater. Hij zag voor zich hoe de twee zorgvuldig hun tanden poetsten en flosten, met mondwater gorgelden en zichzelf in de spiegel boven de wastafel nauwkeurig controleerden op eventuele sporen van hun samenzijn voor ze hun dagelijkse kloffie aantrokken en naar hun andere leven terugkeerden.

In de huiskamer met open keuken lagen vier kookboeken en wat keukengerei (potten, pannen, houten lepels, een paar bakvormen) en een paar borden, schalen en glazen. En vier bekers die Munster erg deden denken aan de bekers die hij bij de familie Lennox had zien staan. Die had ze waarschijnlijk tegelijkertijd gekocht. Er stond een fles witte wijn in de kleine koelkast en twee flessen rood op het aanrecht. Een dode hyacint helde opzij in zijn potje met uitgedroogde aarde. Op de vensterbank lagen twee rimpelige uien. Op de houten tafel midden in de kamer lag een gestreept tafelkleed. En verder: een paar puzzels van verschillende moeilijkheidsgraden, een pak speelkaarten, een digitale radio, een muurkalender waar niets opstond. Op de tweezitsbank lag een rood kussen met lovertjes.

Tien jaar leugens, dacht hij. En waarvoor?

'Kerrigan heeft dus geen alibi meer,' zei Karlsson.

'Misschien niet,' zei Yvette. 'Ik weet niet welke van mevrouw Kerrigans versies ik moet geloven.'

'Dus je kiest partij voor hem.' Aan zijn linkerkant klonk een geluid, een zacht gehik. Het kwam van Riley.

'Yvette kiest absoluut geen partij voor Kerrigan. Ze kan hem niet uitstaan.'

'En waar had hij condooms voor nodig?' zei Karlsson. 'Niet voor zijn vrouw.'

'En ook niet voor mevrouw Lennox,' zei Yvette. 'We weten dat zij een spiraaltje had.'

'Dan kan hij evengoed een condoom hebben gebruikt,' zei Riley.

'Hoezo?' vroeg Karlsson.

Nu voelde Riley zich duidelijk opgelaten. Dit hoefde hij Karlsson toch niet uit te leggen?

'U weet wel,' zei hij. 'Om te voorkomen dat hij via Ruth Lennox iets zou oplopen. Ze zeggen weleens dat als je met iemand naar bed gaat, je ook naar bed gaat met al hun partners en de partners van hun partners en...'

'Ja, we hebben het begrepen, hoor,' zei Yvette.

Karlsson moest ineens aan Sadie denken. Alsof het niet al erg genoeg was. Het zou toch niet? Meteen verdrong hij het idee.

Het was te erg om bij stil te staan. 'Zou het echt?'

'Nee,' zei Yvette resoluut. 'Als hij die condooms voor Ruth Lennox gebruikte, hadden ze in de flat gelegen en daar heeft Munster ze niet gevonden. Er moet nog een ander zijn geweest.'

'Dat klinkt aannemelijk,' zei Karlsson. 'De vraag is: wist Ruth Lennox daarvan?'

'Een andere vraag is waarom ze dat stripje pillen in de kast had liggen.'

'Waar ik ook over heb nagedacht,' zei Yvette, 'is die pop.'

'Ga door.'

'We gaan ervan uit dat die voor Ruth Lennox was bedoeld, als een soort waarschuwing. Dat zou betekenen dat iemand van hun verhouding op de hoogte was.'

'Ja?'

'Maar stel dat die pop voor Dora bestemd was? We weten dat ze de maanden voor haar moeders dood erg gepest werd op school. Misschien waren het wel kinderen die wisten dat ze ziek was en alleen thuis zou zijn.'

'Maar waarom?' Riley klonk verontwaardigd.

'Omdat kinderen wreed zijn.'

'Maar dat is afschuwelijk.'

'Ze zullen het als een spelletje hebben gezien,' zei Yvette. Iedereen hoorde haar bittere toon en ze kreeg een hoogrode kleur.

'Je zou weleens gelijk kunnen hebben,' zei Karlsson vlug, om het ongemakkelijke moment te overbruggen. 'Misschien zijn we te snel geweest met onze conclusies.'

'Het arme kind,' zei Riley. 'Of ze nou gepest werd of niet...'

'Die pillen zijn van Judith Lennox,' zei Frieda.

Ze was meteen de volgende morgen naar het politiebureau gegaan. Karlsson zag de wallen onder haar ogen en de spanning in haar gezicht. Ze wilde niet gaan zitten, maar bleef bij het raam staan.

'Dan is er één raadsel opgelost.'

'Ze is vijftien.'

'Het is niet zo ongewoon voor een vijftienjarige om seksueel actief te zijn,' zei Karlsson. 'En ze is tenminste voorzichtig.'

'Haar vriendje is een stuk ouder, ver in de twintig.'

'Dat scheelt nogal wat.'

'Judith denkt dat haar moeder erachter is gekomen dat ze de pil gebruikte.'

'O?'

'Ik vond dat je dat moest weten. Ik heb tegen Judith gezegd dat ik het aan jullie door zou geven.'

'Dank je.'

'Zijn naam is Zach Greene.' Ze zag dat Karlsson de naam op een blocnote noteerde.

'Wil je koffie?'

'Nee.'

'Gaat het wel?'

Ze dacht even over de vraag na en vroeg zich af of ze hem moest vertellen over Dean en haar angst dat hij in Olivia's huis geweest. 'Dat doet er niet toe,' zei ze uiteindelijk.

'Ik vind van wel.'

'Ik moet weg.'

'Je bent toch nog niet aan het werk?'

'Nee, nauwelijks.'

'Zou je dan alsjeblieft even willen gaan zitten om me te vertellen wat er aan de hand is?'

'Ik moet echt weg. Er zijn een paar dingen die ik moet doen.'

'Wat voor dingen?'

'Dat zou je niet begrijpen. Ik begrijp het zelf niet.'

'Misschien onderschat je me.'

'Nee.'

'Ik wil het houden.'

Sasha en Frieda zaten in een kleine koffiebar aan het Regent's Canal. Eenden loodsten hun konvooien van kroost tussen het afval en de takjes door die op het bruine water deinden.

'Je hebt het al besloten.'

'*Wíj* hebben het besloten.'

'Het gaat wel erg snel allemaal,' zei Frieda. 'Een maand geleden kende je hem nog amper.'

'Weet ik – kijk niet zo bezorgd. Ik wil dat je blij voor me bent.'

'Ik bén blij.'

'Ik heb mijn hele leven nog nooit iets zo zeker geweten, en ben nog nooit zo gelukkig geweest. Al kenden we elkaar nog maar een week, dan zou het niet anders zijn. Ik trek bij Frank in en ik krijg een kind. Mijn hele leven gaat veranderen.'

'Je verdient het om gelukkig te zijn,' zei Frieda gemeend. En ze dacht aan Sandy in Amerika. Wat was hij inmiddels ver weg. Soms kon ze zich zijn gezicht of zijn stem nauwelijks meer voor de geest halen.

'Dank je wel.'

'Ik kan alleen niet breien.'

'Je hoeft ook niet te breien.'

'En lieve babywoordjes zul je uit mijn mond niet horen.'

'Nee, dat kan ik me bij jou ook niet voorstellen.'

Ze lachten, maar werden meteen weer serieus. Sasha pakte Frieda's hand. 'Je bent mijn liefste vriendin,' zei ze, en haar grote ogen liepen vol met tranen.

'Je hormonen spelen nu al op.'

'Nee. Ik weet niet wat er van mij was geworden als ik jou niet had gehad.'

'Je had je prima gered.'

'Dat denk ik niet. Maar Frieda, gaat het wel goed met jou?'

'Waarom zou het niet goed met me gaan?'

'Ik maak me zorgen om je. We maken ons allemaal zorgen.'

'Dat is niet nodig.'

'Beloof me dat je het me vertelt als er iets met je is.'

Maar Frieda begon over iets anders. Die belofte kon ze niet doen.

38

Josef pakte de kaartjes van de tafel en keek ze door.

'Ik heb ook nog een paar telefoonnummers,' zei Frieda. 'Overgeschreven van de stickers op het raam van de telefooncel.'

'Dus ik bel het nummer,' zei Josef.

'Ik weet dat ik je nogal wat vraag, maar als ik zelf ga bellen zullen ze raar opkijken als ze de stem van een vrouw horen en moet ik het gaan uitleggen, en dan werkt het denk ik niet.'

'Frieda, dat zei je al.'

Ze nam een slok uit haar kopje. De thee was koud. 'Ik voel me een beetje schuldig dat ik jou vraag om een prostituee op te bellen. Meerdere prostituees zelfs. Ik ben je heel dankbaar dat je het wilt doen. Je hebt al zoveel voor me gedaan.'

'Te veel, misschien,' zei Josef met een glimlach. 'Dus ik ga bellen nu?' Frieda schoof haar mobieltje over de tafel naar hem toe. Hij pakte het op en nam een kaartje van de stapel. 'We nemen de Franse lerares.' Terwijl hij het nummer intoetste, vroeg Frieda zich af of hij dit al eens eerder had gedaan. In de afgelopen jaren had ze verschillende patiënten gehad die hadden verteld over hun contacten met prostituees of over hun fantasieën daarover. Toen ze nog studeerde was ze een keer op een feestje geweest waar een stripper optrad. Kon je dat er nou mee vergelijken of was dat iets totaal anders? Ze herinnerde zich dat een student met een rood hoofd tegen haar had geroepen dat ze zich niet zo druk moest maken: 'Wees niet zo serieus!' Josef schreef iets op het kaartje. De aanwijzingen klonken ingewikkeld. Even later gaf hij haar de telefoon terug.

'Spenzer Court.'

'Spenser,' zei Frieda.

'Ja. En het is bij Carey Road.'

Ze keek in het register van haar stratengids. 'Het is maar een paar straten hiervandaan,' zei ze. 'Dat kunnen we wel lopen.'

Een poort aan het einde van Carey Road gaf toegang tot gemeenteflats. Het eerste blok, dat Wordsworth Court heette, had op de begane grond garages en enorme ijzeren afvalcontainers. Frieda bleef even staan. Er lagen opengebarsten vuilniszakken, een karretje van de supermarkt, op z'n kant, en een televisie die waarschijnlijk naar beneden was gegooid. Aan de overkant duwde een gesluierde vrouw een kinderwagen voor zich uit.

'Weet je, ik begreep nooit iets van dit soort bebouwing,' zei Frieda, 'tot ik een keer in een plaatsje in de heuvels van Sicilië was en het plotseling tot me doordrong. Dat was de gedachte erachter. Zo'n Italiaans dorp waar de architect zijn vakantie had doorgebracht. Met allemaal van die pleintjes met spelende kinderen, markten met jongleurs en kleine straatjes waar mensen elkaar ontmoeten om te roddelen en 's avonds een wandelingetje te maken. Maar dat is hier een beetje anders uitgepakt.'

'Lijkt op Kiev,' zei Josef. 'Alleen daar is het ook nog twintig graden onder nul.'

Bij Spenser Court aangekomen liepen ze een trap op die bezaaid lag met dozen, en namen de galerij op de derde etage. Josef keek naar het kaartje in zijn hand en vervolgens naar de flat waar hij voor was blijven staan. Er zaten tralies voor het raam naast de deur, maar het glas was kapot en er was van binnenuit een gipsplaat tegenaan gezet.

'Is hier. Moeilijk om nu in stemming te zijn voor seks.'

'Zo is het overal. In Londen in elk geval.'

'Kiev ook.'

'We moeten haar heel rustig benaderen,' zei Frieda. 'Geruststellend.'

Ze drukte op de bel. Er bewoog iets achter de deur. Frieda keek

Josef aan. Ging er hetzelfde door hem heen? Een vreemd soort walging en schuldgevoel over wat er zich afspeelde in de stad waar ze woonde? Of was ze gewoon preuts en naïef? Ze wist heus wel hoe het eraan toeging in de wereld. Josef stond rustig te wachten. Na enig gemorrel ging de deur een paar centimeter open, en Frieda ving een glimp op van een gezicht achter de strak gespannen ketting: jong, heel smal, rode lippen, geblondeerd haar. Toen Frieda iets wilde zeggen ging de deur met een klap dicht. Ze wachtte tot de ketting werd losgemaakt en de deur verder openging, maar het bleef stil. Josef en zij keken elkaar aan. Frieda drukte nog een keer op de bel, maar er gebeurde niets. Ze bukte zich, klapte de brievenbus open en keek naar binnen. Ze kon niets zien.

'We willen alleen maar praten,' zei ze. Er kwam geen antwoord. Ze gaf Josef haar telefoon. 'Probeer haar eens te bellen. Zeg wie je bent.'

Hij keek haar niet-begrijpend aan.

'Wie ik echt ben?'

'Zeg dat je degene bent met wie ze een afspraak heeft gemaakt.'

Hij belde en wachtte.

'Boodschap inspreken?'

'Nee, doe maar niet. Ze denkt waarschijnlijk dat we van de politie of de immigratiedienst zijn, of iemand die kwaad wil.'

'Komt door jou.'

'Wat?'

'Komt door jou. Ze ziet een vrouw, denkt dat we haar iets aandoen.'

Frieda leunde tegen de reling en keek naar beneden. 'Je hebt gelijk,' zei ze. 'Het was een stom plan. Het spijt me dat ik je hier voor niets mee naartoe heb genomen.'

'Nee. Niet voor niets. Ik hou jouw telefoon. Jij geeft de kaart aan mij. Jij gaat terug naar koffiebar, neemt lekker thee en taart. Ik kom over een uur.'

'Dat kan ik niet van je vragen, Josef. Dat is niet juist. En het is niet veilig.'

Daar moest Josef om glimlachen. 'Niet veilig? Omdat jij mij niet beschermt?'

'Het voelt niet goed.'

'Ga nu maar.'

Terug in Carey Road pakte Frieda een paar bankbiljetten uit haar tas en gaf ze aan Josef. 'Vraag of ze een meisje kennen dat Lily Dawes heet. Lila. Zo noemde ze zich, geloof ik. Ik zou je een foto van haar mee willen geven, maar ik weet niet hoe ik daaraan moet komen. Geef sowieso twintig pond, en dan nog eens twintig als je iets te weten komt. Zou dat genoeg zijn? Ik heb geen idee.'

'Is oké, denk ik.'

'En wees voorzichtig.'

'Altijd.'

Frieda liep weg. Even later keek ze om en zag dat hij stond te telefoneren. Ze ging terug naar de koffiebar en bestelde nog een kop thee, waar ze niet van dronk. Het liefst zou ze haar hoofd op haar armen hebben gelegd en zijn gaan slapen. Ze zou moeten lezen of ergens over na moeten denken. Ze pakte haar schetsboek uit haar tas en was twintig minuten bezig met een schets van de grote platanen in Lincoln's Inn Fields. Maar ze kreeg ze niet goed op papier en nam zich voor om binnenkort terug te gaan en ze ter plekke te tekenen. Ze stopte haar schetsboek in haar tas en keek om zich heen. Aan een tafeltje bij de deur zat een stel. Toen haar blik die van de man kruiste, keek hij haar vijandig aan, waarna ze alleen nog maar voor zich uit staarde. Ze schrok toen ze op haar schouder werd getikt, alsof ze had zitten slapen, maar ze wist zeker dat dat niet zo was. Het was Josef.

'Is dat uur nu al om?' vroeg ze.

Hij keek even op het mobieltje voor hij het aan haar teruggaf. 'Anderhalf uur.'

'Wat is er gebeurd? Ben je iets te weten gekomen?'

'Niet hier,' zei Josef. 'Laten we naar een pub gaan. Jij geeft mij een borrel.'

Toen ze buiten stonden, zagen ze verderop een pub. Ze liepen er zwijgend naartoe. Binnen klonk het lawaai van een flipperkast waar een groepje jongens omheen stond.

'Wat wil je drinken?'

'Wodka. Grote wodka. En sigaretten.'

Frieda haalde een dubbele wodka, een pakje sigaretten, een doosje lucifers en een glas kraanwater voor zichzelf. Josef keek afkeurend naar zijn glas.

'Warm, net badwater,' zei hij. 'Maar *budmo*.'

'Wat?'

'Het betekent dat we altijd blijven leven.'

'Maar dat doen we niet.'

'Jij wel, dat geloof ik,' zei hij ernstig, en leegde zijn glas in één teug.

'Wil je er nog een?'

'Nee, nu eerst buiten roken.'

Buiten stak Josef een sigaret op en inhaleerde diep. Frieda moest denken aan lang vervlogen tijden, toen ze in de pauze bij het hek van de school had staan roken. Hij hield haar het pakje voor, maar ze schudde haar hoofd. 'En?'

Met een droevig gezicht zei hij: 'Ik heb met vier vrouwen gepraat. Een uit Afrika, misschien Somalië. Ze spreekt Engels als ik, maar veel, veel slechter. Ik begrijp weinig. Er was ook een man. Hij wilde meer dan twintig voor haar. Veel meer. Boze man.'

'O, god, Josef. Wat is er gebeurd?'

'Is normaal. Ik heb het uitgelegd.'

'Hij had wel een wapen kunnen hebben.'

'Een wapen was probleem geweest. Maar hij had geen wapen. Ik leg hem uit, en ik ga. Maar niet goed. Toen zag ik een meisje uit Rusland en een meisje ik weet niet waarvandaan. Roemenië misschien. Laatste meisje, het meisje dat ik net heb gezien, zij zegt een paar woorden en ik heb sterk vermoeden, en als ik Oekraïens met haar praat krijgt zij een schok.' Hij glimlachte, maar zijn ogen stonden hard.

'O, Josef, wat vreselijk voor je.'

Hij doofde zijn sigaret tegen de muur van de pub en stak een nieuwe op. 'Ach, het geeft niet. Ik denk dat jij verwacht dat ik zeg:

"O, dat kleine meisje kwam uit mijn dorp." Maar ik ben geen kind, Frieda. Niet alleen loodgieters en kappers komen uit mijn land hierheen.'

'Ik weet niet wat ik moet zeggen.'

'Ik zeg niet dat het goed werk is. Ik zie haar flat. Die is vies en vochtig en ik zie dat er drugs zijn. Dat is niet goed.'

'Vind je dat we iets moeten doen om te helpen?'

'Ach,' zei hij nogmaals. Het klonk afwijzend. 'Je begint hier en eindigt nergens. Ik weet dat het zo is. Het is erg om te zien maar ik weet dat het zo is.'

'Ik had dit moeten doen. Het is míjn probleem, niet het jouwe.'

Josef keek haar bezorgd aan. 'Niet goed voor jou, nu,' zei hij. 'Jij bent niet in orde. We zijn allebei triest over haar, over Mary. Maar jij bent ook beschadigd. Nog niet beter.'

'Met mij gaat het prima.'

Josef lachte. 'Dat zegt iedereen en het betekent niets. "Hoe gaat het ermee?" "Goed."'

'Het betekent dat je je geen zorgen hoeft te maken. En ik wil ook zeggen dat het me spijt dat ik je tijd heb verspild.'

'Verspild?'

'Ja. Het spijt me dat ik je helemaal heb meegetroond.'

'Nee. Niet verspild. De ene vrouw, de Roemeense. Ik denk Roemeense. Zij had drugs, denk ik. Je ziet het in de ogen.'

'Nou, niet altijd...'

'Ik zie het. Ik praat met haar over jouw Lily. Ik denk dat zij haar kent.'

'Hoezo dénk je dat?'

'Zij kent een Lila.'

'Wat zei ze over haar?'

'Ze kent haar een beetje. Maar die Lila, zij hoorde niet helemaal... Hoe zeg je dat als iemand een beetje meedoet maar niet helemaal?'

'Een meeloper?'

'Meeloper?' Josef dacht even na. 'Ja, misschien. Dit meisje Maria kende Lila een beetje. Lila is ook aan de drugs, denk ik.'

Frieda probeerde te laten bezinken wat Josef had gezegd. 'Weet zij waar we haar kunnen vinden?'

Josef haalde zijn schouders op. 'Zij heeft haar een tijdje niet gezien. Twee, drie maanden. Of minder, of meer. Zij zijn niet zoals wij met de tijd.'

'Wist ze waar Lily heen is gegaan?'

'Wist ze niet.'

'Dan is ze waarschijnlijk verhuisd,' zei Frieda. 'Ik zou niet weten waar ik moest gaan zoeken. Hartstikke goed, Josef. Maar ik denk dat het spoor hier doodloopt.' Ze zag een lachje op zijn gezicht verschijnen. 'Wat?'

'Die Lila,' zei hij. 'Zij heeft een vriend. Misschien een vriend met de drugs of de seks.'

'Wie is dat dan?'

'Shane. Hij heet Shane.'

'Shane,' zei Frieda. 'Had ze een nummer van hem, of een adres?'

'Nee.'

'Wist ze zijn achternaam?'

'Shane, zei ze. Alleen Shane.'

Ze dacht diep na en mompelde iets voor zich uit.

'Wat zeg je?'

'Niets, niets. Heel goed, Josef. Ongelooflijk dat je dat te weten bent gekomen. Ik had niet gedacht dat er iets uit zou komen. Maar wat moeten we ermee?'

Josef staarde haar met zijn bruine, droevige ogen aan. 'Niets.'

'Niets?'

'Ik weet dat je dit meisje moet redden. Maar dat kun je niet. Is voorbij.'

'Is voorbij,' herhaalde Frieda dof. 'Ja, misschien heb je gelijk.'

Die avond drukte Frieda de stop in haar bad. Ze had badolie gekocht en een kaars die ze zou branden. Al een hele tijd had ze zich voorgesteld dat ze in het donker in een warm schuimend bad zou gaan liggen met enkel het licht van een flakkerende kaars en de maan die door het raam scheen. Maar nu het moment daar was, merkte ze dat ze niet in de stemming was. Het zou gewoon een bad zijn. Ze trok de stop eruit en ging onder de douche staan om de dag van zich af te spoelen. Het bad moest maar wachten. Het zou haar beloning zijn, haar prijs.

39

Voor hij Paul Kerrigan ging verhoren, skypete Karlsson met Bella en Mikey terwijl hij naar hun ingelijste foto's op zijn bureau keek en naar het schokkerige beeld op zijn computer. Ze waren opgewonden en afgeleid. Ze zaten er niet op te wachten om met hem te praten en hun ogen dwaalden steeds af naar iets wat zich buiten beeld bevond. Bella vertelde over een nieuw vriendinnetje dat Pia heette en een hond had. Met een wang die bol stond van het snoep was ze moeilijk te verstaan. Mikey draaide telkens zijn hoofd weg om iemand die ook in de kamer was iets belangrijks duidelijk te maken. Karlsson kon niets bedenken om het over te hebben. Hij voelde zich eigenaardig onzeker. Als een oude oom die ze bijna nooit zagen vertelde hij over het weer en vroeg hoe het op school ging. Hij probeerde gekke gezichten te trekken, maar ze lachten niet. Al gauw beëindigde hij het gesprek en ging naar de verhoorkamer.

Kerrigans gezicht was opgezet. Zijn belagers hadden hem een paars-gele wang en een kapotte lip bezorgd. Bovendien had hij wallen onder zijn ogen en diepe groeven om zijn mond, die slap hing als van een oude man. Hij was ongeschoren, de kraag van zijn overhemd was groezelig en er stond een knoopje open waardoor een schokkend wit, zacht stukje buik zichtbaar werd. Met al zijn builen en bulten straalde hij een en al verslagenheid uit. De huid onder zijn neusvleugels was rood en hij zat alsmaar te hoesten en te proesten en zijn neus te snuiten. Opnieuw vroeg Karlsson hem naar zijn bezigheden op woensdag 6 april, de dag dat Ruth Lennox was vermoord. Hij had een grote witte zakdoek waarin hij zijn toegetakelde gezicht verborg.

'Sorry,' sputterde hij. 'Maar ik begrijp niet waarom u me dit nu weer vraagt. Ik kom net uit het ziekenhuis.'

'Ik vraag het omdat ik de zaken helder wil hebben, en dat zijn ze niet. Wat hebt u gedaan nadat u bij Ruth Lennox bent weggegaan?'

'Dat heb ik u al gezegd. Ik ben naar huis gegaan.'

'Hoe laat was dat?'

'Eind van de middag, begin van de avond. Ik heb met Elaine gegeten.' Hij vertrok zijn gezwollen gezicht. 'Ze had een toetje gemaakt,' zei hij langzaam en duidelijk, alsof de maaltijd zijn alibi was.

'U bent pas later die avond thuisgekomen, meneer Kerrigan.'

'Waar hebt u het over?'

'Uw vrouw heeft ons verteld dat u tegen achten thuiskwam.'

'Heeft Elaine dat gezegd?'

'Ja. En ze zei ook dat u eerst onder de douche ging en uw kleren in de wasmachine stopte.'

Paul Kerrigan knikte langzaam. 'Dat klopt niet, wat ze beweert,' zei hij.

'We willen weten wat u hebt gedaan tussen het tijdstip waarop Ruth Lennox de flat verliet en het tijdstip waarop u thuiskwam, vele uren later.'

'Ze is kwaad op me. Ze wil me straffen. Dat moet u toch begrijpen.'

'Bedoelt u dat ze liegt over het tijdstip waarop u thuiskwam?'

'Alles is verloren,' zei hij. 'Ruth is dood, mijn vrouw haat me en mijn zonen verachten me. En zij wil me straffen.'

'Weet u wat voor voorbehoedsmiddel Ruth Lennox gebruikte?' vroeg Karlsson.

Paul Kerrigan knipperde met zijn ogen. 'Voorbehoedsmiddel? Wat bedoelt u?'

'U bent tien jaar lang met haar naar bed gegaan. U moet dat toch weten?'

'Ja. Ze had een spiraaltje.'

'U zegt dus dat u weet dat ze een voorbehoedsmiddel gebruikte?'

'Ja, dat zeg ik.'

'Niettemin heeft uw vrouw condooms in uw fietstas gevonden.' Karlsson keek aandachtig naar Kerrigans opgezwollen, verhitte gezicht. 'Als uw vrouw onvruchtbaar is en Ruth Lennox een spiraaltje had, waar had u dan nog condooms voor nodig?'

Er viel een lange stilte. Karlsson wachtte geduldig en volkomen uitdrukkingsloos af.

'Het is nogal ingewikkeld,' zei Kerrigan ten slotte.

'Ik zou het toch maar proberen uit te leggen.'

'Ik hou van mijn vrouw. Dat zult u wel niet geloven. We hadden een goed huwelijk, tot voor kort. Ruth veranderde daar niets aan. Ik leidde twee parallelle levens die elkaar niet raakten. Als Elaine er niet achter was gekomen, had dit er allemaal niet toe gedaan. Ik wilde alleen maar mijn huwelijk veiligstellen.'

'U zou mij uitleggen hoe het zat met die condooms.'

'Ik krijg de woorden bijna niet over mijn lippen.'

'Het zal toch moeten.'

'Ik heb behoeften waar mijn vrouw niet aan kan voldoen.'

Karlsson werd bijna onpasselijk, maar hij moest doorzetten.

'Vandaar Ruth Lennox, neem ik aan.'

Kerrigan maakte een wanhopig gebaar. 'Eerst wel. Maar toen werd dat ook een soort huwelijk. Wel fijn, op een bepaalde manier. Maar ik had nog iets anders nodig.'

'En?'

'Er was nog iemand anders. Een tijdje.'

'Wie?'

'Moet u dat echt weten?'

'Meneer Kerrigan, maakt u zich geen zorgen over de vraag wat ik wel en niet moet weten. Geef gewoon antwoord op de vraag.'

'Ze heet Sammie Kemp. Samantha. Ze heeft als uitzendkracht bij ons op de administratie gewerkt. Zo hebben we elkaar leren kennen. Het was gewoon leuk.'

'Wist Ruth Lennox van uw relatie met Samantha Kemp?'
'Het was niet echt een relatie.'
'Wist zij ervan?'
'Ze vermoedde misschien iets.'
'U had ons dit eerder moeten vertellen.'
'Het heeft er helemaal niets mee te maken.'
'Heeft ze u erover aangesproken?'
'Wat had ze dan gedacht? Ze wist dat ik ontrouw was. Ze wist dat ik met mijn vrouw naar bed ging. Dus...'
Karlsson moest er bijna om lachen. 'Dat is wel een heel slimme manier om uzelf ervan te overtuigen. Maar ik vermoed dat Ruth Lennox daar anders over dacht.'
'Ze wist ook heus wel dat de dingen hun beloop moeten hebben.'
'Wilde u er een punt achter zetten?'
'Zij stond het niet toe,' zei Paul Kerrigan bitter, voor hij zich kon bedenken. Een rode gloed trok over zijn gezicht.
'Als ik het goed begrijp had u dus een verhouding met een andere vrouw, Samantha Kemp, en wilde u uw relatie met Ruth Lennox beëindigen, maar kon zij dat niet accepteren.'
'Ik wilde dat we het samen zouden doen. Zonder verwijten. We hadden tien mooie jaren gehad. Hoeveel mensen kunnen dat zeggen?'
'Maar Ruth Lennox zag dat anders. Was ze boos? Heeft ze gedreigd het aan uw vrouw te vertellen?'
'Dat zou ze nooit gedaan hebben.'
'Zullen we ons even beperken tot wat er gebeurd is, in plaats van te speculeren over wat zij zou hebben gedaan als ze niet vermoord was?'
'Ik was die woensdag bij Sam.'
'Bij Samantha Kemp?'
'Ja.'
'Erg jammer dat u ons dit niet eerder hebt verteld.'
'Ik vertel het u nu.'
'Dus u had na uw vaste middag met Ruth Lennox nog een afspraakje met Samantha Kemp.'

'Ja.'
'Waar?'
'In haar flat.'
'Ik heb haar contactgegevens nodig.'
'Zij staat hier helemaal buiten.'
'Nu niet meer.'
'Daar zal ze niet blij mee zijn.'
'Beseft u dat deze informatie alles verandert? U had een geheim dat u met maar één iemand deelde. Ruth Lennox en u moesten elkaar vertrouwen. Dat ging goed zolang u de verhouding allebei voort wilde zetten. Tien jaar lang zorgde u er allebei voor dat het niet zou uitkomen. Maar toen een van u wilde stoppen, werd het een probleem.'
'Zo is het niet gegaan.'
'Zij had macht over u.'
'U vergist zich. Ze heeft niet gedreigd dat ze ermee naar buiten zou treden en ik was bij Samantha Kemp vanaf het moment dat ik de flat verliet tot ik thuiskwam. Controleer het maar als u mij niet gelooft.'
'Maakt u zich geen zorgen, dat zullen we zeker doen.'
'Als dit alles was... ik heb nog meer te doen.'
Hij stond op en schraapte met zijn stoel over de grond. Karlsson staarde hem aan en wachtte tot hij zich weer op zijn stoel liet zakken.
'Ik heb niets misdaan, behalve dat ik stom ben geweest,' zei hij.
'U hebt tegen ons gelogen.'
'Maar dat was niet omdat ik Ruth zou hebben vermoord. Ik hield van haar.'
'Maar u was van plan haar te verlaten?'
'Niet op de manier die u bedoelt. Ik was me er gewoon van bewust dat het einde in zicht was.'
'Ze had uw huwelijk kapot kunnen maken.'
'Dat is haar ook gelukt, hè? Vanuit het graf.'
'Hoe had ze willen voorkomen dat u haar in de steek liet?'
'Ik heb u al gezegd dat dat niet aan de orde was. Ze was alleen

maar kwaad. U verdraait mijn woorden om ze op uw verdenkingen te laten aansluiten.'

'Volgens mij verzwijgt u nog steeds het een en ander. We komen er uiteindelijk wel achter.'

'Er is niets om achter te komen.'

'We zullen zien.'

'Ik meen het, er is echt niets. Onder deze puinhoop zit alleen maar nog meer puin.'

In een ruimte aan dezelfde gang was Yvette bezig met het verhoor van Zach Greene, het vriendje van Judith Lennox. Hij werkte parttime bij een softwarebedrijf in een voormalig pakhuis vlak bij Shoreditch High Street. Een lange magere man met kleine pupillen en bijna gele ogen. Hij had knokige polsen, lange vingers met nicotinevlekken en bruin gemillimeterd haar waarvan de zachte stoppeltjes zijn hoofd bedekten. Yvette zag dat er een V-vormig litteken van zijn kruin tot vlak boven zijn fijn gevormde linkeroor liep. Verder had hij een rozenmondje, sierlijke, bijna vrouwelijke wenkbrauwen, een piercing in zijn neus en net boven zijn overhemd was een tatoeage te zien. Alles was tegenstrijdig aan hem: hij zag er zacht en ruig uit, zwak en agressief, ouder dan zijn leeftijd maar ook veel jonger. Hij rook naar bloemen en tabak. Zijn overhemd was lichtgroen en aan zijn voeten had hij stevige legerkistjes. Hij was op een eigenaardige manier aantrekkelijk, maar ook een beetje griezelig, en Yvette voelde zich in zijn gezelschap een slons, een intens onzekere slons.

'Ik weet dat het verboden is, theoretisch.'

'Nee, het ís verboden, wettelijk verboden.'

'Hoe komt u er eigenlijk bij dat we met elkaar naar bed zijn geweest?'

'Dat zegt Judith Lennox. Als ze liegt, moet je het zeggen.'

'Waarom denkt u dat ik wist hoe oud ze is?'

'Hoe oud ben jij eigenlijk?'

'Achtentwintig.'

'Judith Lennox is vijftien.'

'Ze ziet er ouder uit.'

'Het is een groot leeftijdsverschil.'

'Jude is een jonge vrouw. Ze weet wat ze wil.'

'Het is een meisje.'

Met een kleine, bijna onmerkbare beweging haalde hij één schouder op. 'Macht, daar draait alles om, denkt u ook niet?' zei hij. 'De wet heeft als doel machtsmisbruik te voorkomen. In ons geval is dat niet aan de orde. Zoals ik het zie, zijn wij allebei volwassen en gelijkwaardig aan elkaar.'

'Dat neemt niet weg dat ze minderjarig is. Je bent schuldig aan een strafbaar feit.'

Heel even brak de angst door zijn onbewogen masker heen. Hij vertrok zijn gezicht. 'Ben ik daarom hier?'

'Je bent hier omdat haar moeder is vermoord.'

'Hoor eens, ik vind het echt heel erg, maar ik zie niet in wat ik ermee te maken heb.'

'Heb je mevrouw Lennox ooit ontmoet?'

'Ik heb haar gezien, niet ontmoet.'

'Ze wist niet van jou?'

'Jude dacht dat ze het niet zou begrijpen, en ik ging daar niet tegenin.'

'Je weet zeker dat je haar nooit hebt ontmoet?'

'Dat zou ik me echt wel herinneren.'

'En je denkt dat mevrouw Lennox niet wist van je bestaan?'

'Voor zover ik weet niet.'

'Vermoedde ze dat Judith iemand had?'

'Ik heb die vrouw nooit ontmoet. Waarom vraagt u het niet aan Jude?'

'Ik vraag het aan jou,' zei Yvette afgemeten. Weer zag ze dat lachje op zijn gezicht.

'Voor zover ik weet vermoedde ze niets. Maar moeders hebben soms dingen door, hè? Dus misschien had ze toch iets in de gaten.'

'Waar was je de avond dat ze werd vermoord, woensdag 6 april?'

'Wat? Denkt u nou echt dat ik haar zou vermoorden om te voorkomen dat mijn relatie met haar dochter ontdekt zou worden?'

'Het is strafbaar. Je kan ervoor de gevangenis indraaien.'

'Onzin. Ze is bijna zestien. Ze is geen klein meisje met een paardenstaart en geschaafde knieën. U hebt haar gezien. Ze is bloedmooi. Ik heb haar in een club leren kennen. Waar je trouwens achttien voor moet zijn, en je je moet identificeren als je ernaar binnen wilt.'

'Hoe lang is het al gaande tussen jullie?'

'Wat bedoelt u met "gaande"?'

'O, alsjeblieft, geef nou gewoon antwoord.'

Hij sloot zijn ogen. Yvette vroeg zich af of hij haar vijandige vibraties kon voelen.

'Ik heb haar negen weken geleden leren kennen,' zei hij. 'Niet zo lang, hè?'

'En ze gebruikt de pil?'

'Dat soort dingen moet u maar aan haar vragen.'

'Hebben jullie nog steeds iets met elkaar?'

'Dat weet ik niet.'

'Dat weet je niet?'

'Nee. Dat is de waarheid.' Even leek hij zijn masker te verliezen. 'Ze wilde me niet meer aanraken, kon het niet verdragen. Ik mocht haar niet eens omhelzen. Ik geloof dat ze zich verantwoordelijk voelt voor wat er is gebeurd. Kan dat?'

'Ja.'

'En daardoor voel ik me in zekere zin ook verantwoordelijk.'

'Ja, ja.'

'Nou ja, niet echt verantwoordelijk,' voegde hij er haastig aan toe.

'Nee.'

'Dus, nee, ik denk dat het uit is. Daar zult u wel blij om zijn. Ik sta weer aan de goede kant van de wet.'

'Dat zou ik niet willen zeggen,' zei Yvette.

Die avond werd er aangebeld bij de familie Lennox. Russell Lennox hoorde het op de bovenste verdieping en wachtte tot iemand anders zou opendoen. Maar Ted was niet thuis en hij meende dat Judith ook weg was – dat zou hij moeten weten, natuurlijk. Ruth had zoiets geweten. Dora was op haar kamer en lag waarschijnlijk al in bed. En bij grote uitzondering was Louise er nu eens niet met die eeuwige baby van haar, en werd er dus eindelijk even niet gestofzuigd of gebakken in de keuken. De bel ging nog een keer en Russell slaakte een zucht. Met zware tred liep hij naar beneden.

Hij herkende de vrouw die op de stoep stond niet en ze stelde zich ook niet meteen aan hem voor, maar staarde hem aan alsof ze op zoek was naar iemand. Ze was eerder rijzig en knokig dan mager, haar lange haar was losjes in een staart gebonden en om haar hals hing een bril aan een koordje. Ze had een lange patchwork rok aan met een bemodderde zoom.

'Ik vond dat ik maar eens langs moest komen.'

'Neem me niet kwalijk, maar wie bent u?'

Ze antwoordde niet, trok slechts haar wenkbrauwen op, bijna alsof ze het amusant vond. 'Je zou mij toch moeten herkennen,' zei ze ten slotte. 'Ik ben die andere vernederde partner.'

'O! U bedoelt...'

'Elaine Kerrigan,' zei ze, en ze stak een lange, slanke hand uit, die Russell pakte en waar hij zich vervolgens geen raad mee wist. 'En zeg alsjeblieft je.'

'Maar waarom ben je hier?' vroeg hij. 'Wat wil je van mij?'

'Wat ik wil? Jou zien, denk ik. Ik bedoel, kijken hoe je eruitziet.'

'En, hoe zie ik eruit?'

'Door de mangel gehaald,' zei ze, en plotseling welden er tranen op in Russells ogen.

'Dat ben ik ook.'

'Maar ik ben eigenlijk gekomen om je te bedanken.'

'Te bedanken? Waarvoor?'

'Voor het feit dat je mijn man in elkaar hebt geslagen.'

'Ik weet niet waar je het over hebt.'

'Je hebt hem een prachtig blauw oog bezorgd.'

'Je hebt het helemaal mis.'

'En een dikke lip, zodat hij niet normaal kan praten en ik niet naar zijn leugens hoef te luisteren.'

'Elaine...'

'Je hebt gedaan wat ik eigenlijk zelf had willen doen. Daarvoor wil ik je bedanken.'

Russell wilde er weer tegen ingaan, maar ineens ontspande zijn gezicht en brak er een glimlach door. 'Het was me een genoegen,' zei hij. 'Kom binnen. Je bent misschien wel de enige op de hele wereld met wie ik wil praten.'

40

Deze keer hoefde Frieda niet aan te bellen. Lawrence Dawes was samen met een andere man aan de voorkant van het huis aan het klussen. Hij stond op een ladder die door de andere man werd vastgehouden. Toen Frieda zich kenbaar maakte keek hij om, lachte en kwam voorzichtig naar beneden.

'Neem me niet kwalijk,' zei hij. 'Maar ik ben vergeten hoe u heet.'

Toen Frieda haar naam noemde knikte hij bevestigend. 'Ik ben vreselijk slecht met namen. Het spijt me echt, ik herinner me nog heel goed. Dit is mijn vriend Gerry. Hij helpt me met de tuin en ik help hem met de zijne en dan nemen we een borrel om het te vieren. Deze mevrouw is psychiater, dus ik zou maar een beetje op mijn woorden letten als ik jou was.'

Gerry was ongeveer even oud als Dawes, maar een heel ander type. Hij droeg een geblokte short die tot zijn knieën reikte en een overhemd met korte mouwen, ook geblokt, maar anders, waardoor de kleuren leken te flakkeren. Hij had dunne, pezige armen en benen die heel bruin waren. Zijn smalle grijze snorretje was niet helemaal symmetrisch.

'Bent u buren?' vroeg Frieda.

'Bijna,' zei Gerry. 'We delen dezelfde rivier.'

'Gerry woont een paar huizen stroomopwaarts,' zei Dawes. 'Hij kan mijn water vervuilen, maar ik dat van hem niet.'

'Brutale vlerk,' zei Gerry.

'We zijn met mijn rozen bezig,' zei Dawes. 'Die zijn nu echt uitgelopen en we proberen ze te leiden. Houdt u van rozen?'

'Ja, best wel,' antwoordde Frieda.

'We wilden net thee gaan zetten,' zei Dawes.

'O, ja?' vroeg Gerry.

'Altijd. We hebben of net thee gedronken of gaan net thee drinken, of allebei. Doet u met ons mee?'

'Even, dan,' zei Frieda. 'Ik wil u niet van het werk houden.'

Dawes bracht zijn ladder weg – 'Alles wat niet in de grond verankerd is wordt hier gestolen' – en toen liepen ze door het huis naar de achtertuin. Frieda ging op het bankje zitten en even later kwamen de twee mannen naar buiten met bekers, een theepot, een kannetje melk en een bord met chocoladebiscuitjes. Ze zetten alles op een houten tafeltje. Dawes schonk de thee in en gaf Frieda haar beker aan.

'Ik weet wat u denkt,' zei hij.

'Wat dan?' vroeg Frieda.

'U bent psychiater.'

'Nee, psychotherapeute.'

'U kunt hier niet komen of ik ben bezig met het huis. Ik sta in de tuin te spitten of ben rozen aan het snoeien. U denkt vast dat ik denk dat als mijn huis maar mooi genoeg is, mijn dochter terug zal willen komen.' Hij nipte van zijn thee. 'Dat lijkt me een nadeel van het soort werk dat u doet.'

'Wat?'

'Dat je nooit gewoon in een tuin van een kop thee kunt genieten en een ongedwongen gesprek kunt voeren. Iedereen denkt: "Als ik dat zeg, denkt ze dit en als ik dit zeg, denkt ze dat." Het lijkt me moeilijk voor u om eens even niet aan het werk te zijn.'

'Zo dacht ik nu helemaal niet. Ik zat echt van mijn thee te genieten en dacht helemaal niet aan u.'

'O, gelukkig,' zei Dawes. 'Waar dacht u dan wel aan?'

'Aan dat beekje achter in de tuin. Ik vroeg me af of ik het kon horen, maar dat is niet zo.'

'Als het meer heeft geregend hoor je het wel, zelfs binnen. Neem een koekje.'

Hij schoof het bord in Frieda's richting, maar ze schudde haar hoofd. 'Nee, dank u.'

'U ziet er niet goed uit,' zei Dawes. 'Volgens mij eet u niet genoeg, daar moeten we wat aan doen, vind je ook niet, Gerry?'

'Niet op ingaan,' zei Gerry. 'Hij is net mijn oude moeder. Van haar moest ook iedereen altijd z'n bord leegeten.'

Er viel een stilte die enkele minuten aanhield. Frieda meende het zachte gemurmel van het beekje te kunnen horen.

'Vertel eens, hoe bent u hier verzeild geraakt?' vroeg Dawes uiteindelijk. 'Hebt u weer een vrije dag?'

'Ik werk momenteel eigenlijk niet. Ik heb een poosje vrij genomen.'

Dawes schonk nog wat thee en melk in haar beker. 'Weet u wat ik denk?' zei hij. 'Ik denk dat u vrij hebt genomen omdat u rust moet nemen. In plaats daarvan bent u aan het rondrennen.'

'Ik maak me een beetje zorgen over uw dochter,' zei Frieda. 'Kunt u zich daar iets bij voorstellen?'

Dawes' gezicht betrok. 'Ik maak me al zorgen over haar sinds haar geboorte. Ik weet nog goed dat ik haar voor het eerst zag: ze lag in een wieg naast het bed van mijn vrouw op de ziekenzaal. Ik keek naar haar en zag dat kuiltje in haar kin dat ik ook heb, kijk.' Hij wees naar het puntje van zijn kin. 'Toen zei ik tegen haar, of tegen mezelf, dat ik haar altijd zou beschermen en ervoor zou zorgen dat haar nooit iets zou overkomen. Ik heb gefaald. Ik denk dat je kinderen nooit op die manier kunt beschermen, niet als ze ouder worden. Maar ik heb in alle opzichten gefaald, je kunt niet méér falen dan ik heb gedaan.'

Frieda keek naar de twee mannen. Gerry staarde naar zijn beker. Misschien had hij zijn vriend nog nooit zo open over zijn gevoelens horen praten.

'Ik ben gekomen,' zei Frieda, 'omdat ik u wil vertellen wat ik heb gedaan. Ik hoopte dat ik uw dochter zou vinden, maar ik ben niet erg opgeschoten. Ik heb iets gehoord van iemand die haar vluchtig heeft gekend.'

'Wie?'

'Ene Maria. Ik heb haar niet eens zelf gesproken, dus wat ik te weten ben gekomen is uit de tweede hand. Het schijnt dat Maria een zekere Shane noemde, die een soort vriend van uw dochter was. Althans, hij had iets met haar te maken. Ik weet zijn achternaam niet en ik weet verder ook niets van hem. Ik vroeg me af of die naam u iets zegt?'

'Shane?' zei Dawes. 'Was hij een vriendje van haar?'

'Dat weet ik niet. Ik heb alleen die naam. Misschien was hij haar vriend of was er een ander soort relatie. Het kan ook allemaal op een misverstand berusten. Dat meisje was nogal vaag, geloof ik.'

Dawes schudde langzaam zijn hoofd. 'Ik ken niemand die zo heet. Maar zoals ik de vorige keer al zei, de laatste jaren wist ik niets meer van haar vrienden. Ze leefde in een andere wereld. De enige namen die ik ken zijn die van haar schoolvriendinnen, en met geen van hen heeft ze contact gehouden.'

'Meneer Dawes...'

'Larry, alsjeblieft.'

'Larry, ik hoopte dat je me de namen van haar vriendinnen zou kunnen geven. Als ik met hen kan praten, kom ik misschien verder.'

Dawes keek even naar zijn vriend. 'Het spijt me,' zei hij. 'Je bedoelt het ongetwijfeld goed en het raakt me dat je je het lot van mijn dochter aantrekt. Tenslotte zijn de meeste mensen haar allang vergeten. Maar als je vermoedens hebt, waarom ga je daar dan niet mee naar de politie?'

'Omdat dat alles is wat ik heb: vermoedens, een gevoel. Ik ken mensen bij de politie en ik weet dat dat voor hen niet voldoende is.'

'Toch ben je nu al voor de tweede keer helemaal hiernaartoe gekomen, alleen maar vanwege een gevoel.'

'Ja,' zei Frieda. 'Het klinkt raar, maar het laat me niet los.'

'Het spijt me,' zei Dawes. 'Ik kan je niet helpen.'

'Het gaat alleen maar om een paar telefoonnummers.'

'Nee. Ik heb dit iets te vaak meegemaakt. Maanden heb ik gezocht en valse hoop gekoesterd. Als je iets concreets te weten komt, ga er dan mee naar de politie, of kom naar mij toe, dan zal ik doen wat ik kan. Maar ik kan het niet weer gaan oprakelen – dat kan ik gewoon niet meer aan.'

Frieda zette haar beker op het tafeltje en stond op. 'Ik begrijp het. Het is zo gek, je zou toch denken dat het tegenwoordig een koud kunstje is om iemand die vermist is terug te vinden.'

'Ja,' zei Dawes. 'Maar als die persoon echt niet gevonden wil worden, dan gebeurt dat ook niet.'

'Daar heb je gelijk in. Misschien ben ik vooral gekomen om mijn excuses aan te bieden.'

Dawes keek haar bevreemd aan. 'Excuses? Waarvoor?'

'Verschillende dingen. Ik heb geprobeerd je dochter te vinden, maar dat is niet gelukt. En ik heb oude wonden opengehaald. Daar heb ik een handje van.'

'Misschien komt dat door je werk, Frieda.'

'Ja, maar het is de bedoeling dat ik het pas doe als het me gevraagd wordt.'

Dawes' gezicht kreeg een grimmige uitdrukking. 'Je hebt iets ontdekt wat ik een tijdje geleden al ontdekt heb. Je kunt mensen beschermen, je om hen bekommeren, maar soms verwijderen ze zich alleen maar van je.'

Frieda keek naar de twee mannen, die als een gemoedelijk oud stel naast elkaar zaten. 'En ik heb jullie ook van je werk gehouden.'

'Dat is alleen maar goed voor hem,' zei Gerry glimlachend. 'Anders houdt hij nooit op met tuinieren, bouwen, repareren, schilderen.'

'Nou... bedankt voor de thee. Het was fijn om even met jullie in de tuin te zitten.'

'Ga je naar het station?' vroeg Gerry.

'Ja.'

'Ik moet ook die kant op. Ik loop met je mee.'

Gezamenlijk verlieten ze het huis. Gerry stond erop Frieda's tas te dragen, hoewel ze dat liever niet had. Hij beende naast haar in zijn vloekende, veelkleurige ruitjesoutfit en met zijn scheve snorretje. De leren damestas hing als een vreemd element over zijn schouder.

'Heb jij ook een tuin?' vroeg Gerry na enkele minuten.

'Nee, niet echt. Alleen een soort plaatsje.'

'Aarde, dat is zo heerlijk – met je handen in de aarde wroeten. Het genot je eigen groente te eten. Hou je van tuinbonen?'

'Jazeker,' antwoordde Frieda.

'Zo uit de tuin in de pan. Niets heerlijkers dan dat. Lawrence tuiniert omdat hij anders gaat zitten piekeren.'

'Over zijn dochter, bedoel je?'

'Hij was gek op haar.'

'Het spijt me dat ik pijnlijke herinneringen naar boven heb gehaald.'

'Dat hoeft niet, die heeft hij toch wel. Hij wacht nog steeds op haar en vraagt zich nog altijd af waar hij de fout in is gegaan. Maar je kunt maar beter bezig blijven. Graven en spitten, zaaien en oogsten.'

'Ik begrijp het.'

'Ja, dat zal vast. Maar je moet hem geen hoop geven als dat nergens toe leidt.'

'Dat was ook niet mijn bedoeling.'

'Het is de hoop die hem de das om doet. Vergeet dat niet, en wees een beetje voorzichtig.'

In de trein terug staarde Frieda uit het raam zonder iets te zien. Een gevoel dat er iets niet was afgemaakt en dat ze had gefaald knaagde aan haar, en over alles heen lag een waas van vermoeidheid.

Ze zou nog één telefoontje plegen. Dan had ze alles gedaan wat binnen haar mogelijkheden lag – zei ze bij zichzelf – om een meisje te redden dat ze nooit had ontmoet en met wie ze geen enkele band had, maar dat wel een verhaal had dat zich in haar hoofd had vastgezet.

'Agnes?' zei ze toen er werd opgenomen. 'Met Frieda Klein.'

'Heb je iets ontdekt?'

'Nee, helemaal niets. Ik wilde je alleen iets vragen.'

'Wat dan?'

'Lila ging schijnbaar om met een zekere Shane. Zegt die naam jou iets?'

'Shane? Nee, ik geloof het niet. Ik heb wel een paar van haar nieuwe vrienden ontmoet, meestal in The Anchor, die vreselijke tent waar ze altijd rondhingen. Het kan zijn dat er iemand bij was die Shane heette, maar dat kan ik me niet herinneren. Ik herinner me helemaal geen namen meer.'

'Bedankt.'

'Het gaat niet lukken, hè?'

'Nee, ik denk het niet.'

'Arme Lila. Waarom je zo je best hebt gedaan is me een raadsel. Van de mensen die haar kenden heeft niemand zoveel moeite gedaan als jij. Alsof je leven ervan afhing.'

Die laatste woorden troffen Frieda pijnlijk. Ze zweeg een moment. Toen zei ze: 'Zullen we nog één laatste poging wagen? Samen?'

Misschien heeft Chloë je verteld dat ik naar je huis heb gebeld en haar heb gesproken. Ze zei dat het goed met je ging, maar ze was er met haar gedachten niet echt bij. Ik hoorde allerlei geluiden op de achtergrond. Je weet misschien niet dat ik Reuben ook heb gebeld en hij zei dat het niet goed met je ging. Dat iedereen zich zorgen om je maakt, maar dat je niemand dichtbij laat komen. Wat is er in godsnaam aan de hand, Frieda? Moet ik nou echt op het vliegtuig stappen en op je deur komen bonken om een antwoord van je te krijgen? Sandy

41

‘Ik begrijp het niet.’

Gekleed in een slobberige joggingbroek en een grijze trui met capuchon en rafelige mouwen zat Agnes naast Frieda in de taxi. Ze zag er moe uit. Het regende en door de natte donkere ramen waren alleen de glinsterende lichten van andere auto’s en de massieve silhouetten van gebouwen te zien. Frieda had nu ook thuis kunnen zijn, bedacht ze, waar na weken van ontwrichting de rust eindelijk was weergekeerd. Ze had in haar nieuwe bad kunnen liggen, kunnen schaken of in haar studeerkamer met uitzicht op de regenachtige avondlucht een tekening kunnen maken.

‘Wat begrijp je niet?’ vroeg ze vriendelijk.

‘Ik lig heerlijk met een boek en een kop thee in bed en dan bel jij en voor ik het weet ben ik op weg naar een schimmige kroeg vol getatoeëerde mannen met dode ogen en meiden die high zijn van ik weet niet wat, alleen maar omdat Lila daar vroeger kwam. Waarom?’

‘Waarom ben je dan gekomen?’

‘Nou, ik weet wel waarom ík dit doe. Lila was een vriendin van me. Als er een kans is dat we haar vinden, moet ik die met beide handen aangrijpen. Maar waarom ga jíj? Wat kan het jou schelen?’

Frieda had genoeg van deze vraag, die ze zichzelf ook steeds stelde. Ze sloot haar ogen en drukte haar koele vingertoppen tegen haar warme, gevoelige oogbollen. Als een blaadje op een donkere vijver dreef het bleke gezicht van Ted Lennox voorbij, en dat van Chloë, die haar fel en verwijtend aankeek.

'Nou ja, we zijn er,' zei Agnes met een zucht. 'Ik had niet gedacht dat ik ooit nog een voet in die tent zou zetten.'

Nadat Frieda de taxichauffeur had gezegd dat hij moest wachten, stapten ze de regen in. Uit The Anchor kwamen dreunende bassen en bij de ingang dromde een groepje rokers samen. Hun sigaretten gloeiden op in de schemering en er hing een walm van rook om hen heen.

'Laten we dit nou maar snel afhandelen. Je wilt dus dat ik kijk of ik iemand herken die ik vroeger misschien met Lila heb gezien?'

'Ja.'

'Twee jaar geleden.'

'Ja.'

'Omdat we op zoek zijn naar een zekere Shane.'

'Ja.'

'Ben je wel helemaal fris in je hoofd, denk je?'

Ze baanden zich een weg tussen de rokers door en gingen de pub in, als je het tenminste een pub kon noemen. Frieda kwam zelden in dit soort gelegenheden, ze had een hekel aan de bierlucht, de harde muziek en de flitsende lampjes van de jukebox. Toen ze binnenkwamen voelde ze tientallen ogen op zich gericht: het was duidelijk geen pub waar je als buitenstaander zomaar binnenliep voor een biertje. Het was een donkere ruimte die ver naar achteren doorliep en waar mannen in groepjes aan tafeltjes zaten en bij de bar en in de hoeken stonden. Ook hingen er enkele vrouwen rond; Frieda zag hun korte rokjes en verkleumde witte dijen, de schoenen met naaldhakken en de make-up; ze hoorde hun schrille, opgeschroefde lach. Het was er warm en de lucht rook verschaald. Een kleine, gedrongen man met speeksel op zijn wang struikelde en viel haast voor hun voeten op de grond, drank morsend uit het glas dat hij in zijn hand hield.

'Moeten we iets te drinken nemen?' vroeg Agnes.

'Nee.'

Terwijl ze langzaam tussen de mensen door naar achteren liepen, keek Agnes met vurige ogen en een geconcentreerde frons naar de gezichten om haar heen.

'En?' vroeg Frieda.

'Ik weet het niet. Hij misschien.'

Ze maakte een schouderbeweging naar een tafeltje achterin. Een man en een vrouw die bij elkaar op schoot zaten, waren elkaar onbeschaamd aan het zoenen en betasten terwijl de man ernaast er onbewogen naar zat te kijken, alsof hij in de dierentuin was. Hij was broodmager, had geblondeerd haar, een bleke huid en een rij rode vlekjes die als hechtingen over zijn voorhoofd liepen.

'Oké.'

Frieda liep erheen en tikte hem op de schouder. Hij keek haar aan. Zijn pupillen waren enorm, waardoor hij iets onwerkelijks had.

'Kan ik je even spreken?' vroeg ze.

'Wie ben jij?'

'Ik ben op zoek naar Shane.'

'Shane.' Het was geen vraag, alleen maar een echo. 'Welke Shane?'

De twee naast hem hielden op met zoenen en maakten zich los uit hun omstrengeling. De vrouw boog zich naar voren en nam een slok uit een glas dat op het tafeltje stond. Haar gezicht drukte niets uit.

'De Shane die met Lila omging.'

'Ken geen Lila.'

'Shane ken je wel?'

'Ik heb een Shane gekend, maar die heb ik lang niet gezien. Die komt hier niet meer.'

'Hij heeft gezeten,' zei de vrouw naast hem op vlakke toon. Ze knoopte haar blouse dicht – scheef, zag Frieda. De man bij wie ze op schoot zat probeerde haar weer naar zich toe te trekken, maar ze duwde hem weg.

'Ken jij hem?'

'Ken jij Lila?' vroeg Agnes gretig, haast smekend.

'Was zij een van die meisjes die altijd om Shane heen hingen?'

'Waar heeft Shane voor gezeten?' vroeg Frieda.

'Ik geloof dat hij iemand een klap had gegeven,' zei de blonde man. 'Met een fles.'

'Zit hij nog steeds vast?'

'Dat weet ik niet. Dat moet je aan Stevie vragen. Die kent Shane.'

'Waar vind ik Stevie?'

'Pal achter je,' zei een stem. Frieda en Agnes draaiden zich om en stonden oog in oog met een gezette man met een kaalgeschoren hoofd en een merkwaardig zacht, meisjesachtig gezicht. 'Wat moeten jullie van Shane?'

'We zijn naar hem op zoek.'

'Waarom?'

'Hij heeft mijn vriendin gekend,' zei Agnes met licht trillende stem. Frieda legde geruststellend een hand op haar arm.

'Welke vriendin?'

'Lila. Lila Dawes.'

'Lila? Shane had zoveel vriendinnen.'

'Was hij een pooier?' vroeg Frieda. Haar stem klonk koel en helder in de veel te warme ruimte.

'Ik zou maar op mijn woorden letten,' zei Stevie.

'Zit hij nog steeds vast?'

'Nee, hij is na een paar maanden vrijgekomen. Wegens goed gedrag.'

'Weet je ook waar ik hem zou kunnen vinden?'

Stevie lachte, niet naar Frieda, maar naar de blonde man aan het tafeltje. 'Weet je wat onze Shane tegenwoordig doet? Hij werkt in een paardenopvangcentrum in Essex. Hij voert pony's die door hun baasje slecht zijn behandeld. Boffen die pony's even.'

'Waar in Essex?'

'Waarom wil je dat weten? Heb je een paard waar je van af moet?'

'Ik wil hem spreken.'

'Ergens langs een grote weg.'

'Welke grote weg?'

'De A12. Het heeft een stomme naam. Daisy. Of Sunflower.'
'Welke van de twee?'
'Sunflower.'
'Bedankt,' zei Frieda.
'Rot nou maar op.'

Jim Fearby was bijna bij de laatste naam op zijn lijstje aangekomen: Sharon Gibbs uit Zuid-Londen, negentien jaar oud, ongeveer een maand geleden voor het laatst gezien. Haar ouders hadden haar niet meteen als vermist opgegeven. Volgens het politierapport dat hij voor zich had liggen zwierf ze graag; misschien was zij zo iemand die niet gevonden wilde worden. Zelfs in de ambtelijke taal bespeurde Fearby onverschilligheid, hopeloosheid. Dit was waarschijnlijk weer een doodlopend spoor.

Toen hij echter voor zijn grote kaart stond en naar de vlaggetjes keek die hij erin had geprikt, laaide de opwinding in hem op die hem gedurende dit hele merkwaardige eenmansonderzoek gaande had gehouden. Want het leek hem duidelijk dat zich voor zijn ogen een patroon had gevormd. Maar als hij aan het eind van de dag in zijn kamer zat met zijn whisky en zijn peuken, waarvan de rook de ramen besloeg, met overal verfrommelde papieren, overvolle asbakken, bakjes van afhaalmaaltijden, half leeggedronken koffiebekers en stapels boeken die hij had doorgebladerd en terzijde had geschoven – dan nam die opwinding weer af.

Hij keek om zich heen en even zag hij alles door de ogen van een buitenstaander. Het was een bende, dat leed geen twijfel, maar een bende die van een obsessie getuigde. De muren hingen vol met foto's van meisjes en jonge vrouwen en gele plakkertjes met nummers erop. Hij leek wel een stalker, een psychopaat. Als zijn vrouw of zijn kinderen nu binnen zouden komen... Hij kon zich de uitdrukking van ontzetting en walging op hun gezicht voorstellen. Hij had slonzige kleren aan, moest zich nodig scheren, zijn haar was te lang en hij stonk naar drank en sigaretten. Maar als hij gelijk had en alle gezichten die hem vanaf zijn muren aankeken door een en dezelfde persoon waren vermoord, dan zou het allemaal de moeite waard zijn geweest en was hij een held. Zat hij ernaast, dan was hij natuurlijk een eenzame gek, een loser.

Maar zo moest hij niet denken, daarvoor was hij te ver gekomen en had hij te veel gedaan. Hij moest eenvoudigweg zijn oorspronkelijke intuïtie blijven volgen, doorzetten en geen twijfel toelaten. Zuchtend pakte hij zijn weekendtas, zijn autosleutels en sigaretten, en met een gevoel van opluchting trok hij de deur van zijn bedompte, rommelige huis achter zich dicht.

Brian en Tracey Gibbs woonden op de eerste verdieping van een flat in het zuiden van Londen, waar de dichte bebouwing van de stad begon uit te dunnen om plaats te maken voor de buitenwijken. Ze waren arm, zag Fearby meteen. De flat waarin hij werd binnengelaten was klein en zou wel een likje verf kunnen gebruiken. Door het krantenknipsel wist hij dat ze in de veertig waren, maar ze zagen er ouder uit, en hij voelde een steek van woede. Mensen uit de middenklasse die er warmpjes bijzaten hadden meer trucs waarmee ze zich aan de tand des tijds konden onttrekken, terwijl een stel als de Gibbsen er langzaam door werd vermalen. Brian Gibbs was mager en nam een verontschuldigende houding aan, maar zijn vrouw Tracey, die meer omvang had, stelde zich aanvankelijk agressiever op. Ze wilde Fearby aan zijn verstand brengen dat ze hun best hadden gedaan, dat ze goede ouders waren geweest die dit niet hadden verdiend. Hun enig kind. Het was hun schuld niet. Terwijl ze haar zegje deed zat haar man zwijgend en smalletjes naast haar.

'Wanneer hebt u haar voor het laatst gezien?' vroeg Fearby.

'Ongeveer zes weken geleden.'

'En wanneer hebt u haar als vermist opgegeven?'

'Drieënhalve week geleden. We wisten het eerst niet,' voegde ze er ter verdediging aan toe. 'Ze is geen kind meer. Ze woont bij ons maar gaat haar eigen gang. Er gingen dagen voorbij dat...' Ze stokte. 'U weet hoe dat gaat.'

Fearby knikte. Dat wist hij inderdaad.

'Hebt u misschien een foto van haar?'

'Daar.' Tracey wees naar een ingelijste foto van Sharon: een rond, bleek gezicht met donker glanzend haar, keurig kort geknipt, en een klein mondje waarmee ze naar de camera lachte. Fearby had de laatste tijd iets te vaak jonge vrouwen gezien die naar de camera lachten.

'Het komt toch wel goed met haar?' vroeg Brian Gibbs, alsof Fearby God was.

'Dat hoop ik,' antwoordde hij. 'Denkt u dat ze uit eigen beweging is weggegaan?'

'De politie denkt van wel,' klonk het bitter uit de mond van de moeder.

'U niet?'

'Ze kreeg verkeerde vrienden.'

'Wat voor vrienden?'

'De ergste was die Mick Doherty. Ik heb haar verteld wat ik van hem vond, maar ze wilde niet luisteren.'

Ze vouwde haar handen en kneep ze samen; Fearby zag dat haar trouwring in het vlees van haar vinger drong en dat haar nagellak schilferde. Ze zag er onverzorgd uit. Brian Gibbs droeg een oude trui met mottengaatjes. De beker waaruit Fearby zijn thee dronk vertoonde haarscheurtjes en de rand was beschadigd.

'Ik begrijp het,' zei hij, in een poging meelevend te klinken.

'Ik weet waar hij werkt. De politie vond het niet de moeite, maar ik kan u precies vertellen waar hij is.'

'Oké.'

Hij noteerde het adres. Het kon geen kwaad, dacht hij, nu hij toch niet meer zoveel te doen had.

42

Karlsson sloeg het dossier open. Yvette zat in haar notitieboekje te schrijven. Riley en Munster keken verveeld voor zich uit en Hal Bradshaw was aan het sms'en. Hij ving Karlssons felle blik op en legde zijn telefoon op tafel, maar niet zonder er steeds even naar te kijken. Karlsson deed zijn horloge af en legde het naast het dossier.

'We gaan het hier vijf minuten over hebben,' zei hij, 'langer kan ik niet verdragen. Daarna gaan we allemaal aan de slag en proberen we deze zaak op te lossen. Weten jullie wat ik het liefst zou willen? Ik zou willen dat Billy Hunt haar had vermoord en dat hij veilig en wel achter de tralies zat, en deze beerput vol overspel, drank, drugs en seks met minderjarigen ons bespaard was gebleven.'

'Misschien heeft Billy Hunt het wel gedaan,' zei Riley.

'Billy Hunt heeft het niet gedaan.'

'Zijn alibi deugt misschien niet. Misschien klopte de tijdsaanduiding van de beveiligingscamera niet.'

'Oké,' zei Karlsson. 'Ga dat maar uitzoeken. Als je zijn alibi onderuithaalt, ben je mijn held. Maar nu even terug naar de werkelijkheid. Weten jullie nog dat we dat lichaam voor het eerst zagen, dagen geleden? Toen vroeg ik me af wie zo'n lieve moeder van drie kinderen om het leven zou willen brengen. Inmiddels hebben we een rij verdachten die niet eens in deze ruimte zou passen. Met wie zullen we beginnen? Met Russell Lennox? Bedrogen echtgenoot, drankprobleem, neiging tot gewelddadigheid.'

'We weten niet zeker of hij Paul Kerrigan in elkaar heeft geslagen.'

'Nee, maar ik durf er iets onder te verwedden.'

'En hij wist niets van de verhouding van zijn vrouw,' zei Munster.

'Je bedoelt: hij *zéí* dat hij er niets van wist.'

'Zijn vingerafdrukken zaten naast die van Billy op het tandwiel,' bracht Yvette naar voren.

'Dat ding was van hem. Maar goed, het is nog steeds het meest waarschijnlijke scenario. Hij roept zijn vrouw ter verantwoording, pakt dat ijzeren ding. We zitten natuurlijk een beetje met zijn alibi. Laten we in elk geval druk op hem blijven uitoefenen. Hun kinderen waren op school, en het zijn kinderen. Maar neem nou Judith, met die vriend van haar die voor elke ouder een nachtmerrie zou zijn. Ruth komt erachter. Spreekt bij haar thuis met hem af. Dreigt naar de politie te gaan. Hij pakt het tandwiel op. Ik moet die Zach Greene niet. Helemaal niet, zelfs. Jammer genoeg geldt dat niet als bewijs. Iemand nog ideeën?' Hij keek de tafel rond. 'Dacht ik al. Maar hem moeten we ook wat meer onder druk zetten. Waar zei hij dat hij die middag was, Yvette?'

Yvette kreeg een rood hoofd. 'Dat heeft hij niet met zoveel woorden gezegd,' mompelde ze.

'Hoe bedoel je?'

'Ik heb het hem gevraagd, maar nu je het zegt, hij heeft me niet echt geantwoord. Hij bleef er maar over doorgaan dat ze allebei volwassen waren of zo. Hij leidde me af.'

Karlsson keek haar aan. 'Leidde je af?' herhaalde hij vriendelijk maar ijzig.

'Sorry, heel dom van mij. Ik ga er achteraan.'

Even hield Karlsson zijn blik op het dossier gericht. Hij wilde niet tegen haar uitvallen waar Riley en Bradshaw bij waren, maar dat kostte hem wel moeite.

'Wie hebben we nog meer? De Kerrigans. Hij wil van Ruth af. Of zij ontdekt zijn verhouding met het meisje van kantoor.

Werpt het hem voor de voeten. Hij pakt het tandwiel op.'

'Zou ze dat in haar eigen huis hebben gedaan?' zei Yvette. 'Lag het niet meer voor de hand om dat in de flat te doen?'

'Ze heeft hem misschien in de flat bedreigd,' zei Bradshaw. 'Ze kan gezegd hebben dat ze het zijn vrouw zou vertellen. Door in haar eigen omgeving de confrontatie met haar aan te gaan en haar te vermoorden, neemt hij wraak. Hij ontmaskert haar in haar eigen huis.'

Karlsson keek Bradshaw fronsend aan. 'Uw theorie was toch juist dat de moordenaar een loner was zonder vaste verblijfplaats, zonder familiebanden, en dat de moord een soort daad van liefde was?'

'Ah, ja,' zei Bradshaw. 'Maar in zekere zin was Kerrigan ook een loner, vervreemd van zijn gezin, en aangezien hij er een flat bij huurde had hij eigenlijk ook geen vast adres. Je zou kunnen zeggen dat de moord een laatste wanhopige uiting van liefde was, het einde van een liefde.'

Karlsson had zich nu het liefst over de tafel gebogen, Bradshaws smartphone gepakt en hem ermee op zijn kop geslagen. Maar hij hield zich in.

'En dan hebben we nog Kerrigans vrouw Elaine. De vernederde echtgenote. Komt erachter, gaat de confrontatie met Ruth aan, pakt het tandwiel op.'

'Maar ze wist niet van hun verhouding,' zei Yvette. 'Ze kende Ruth niet. En haar adres ook niet.'

'Misschien wist ze het wel,' zei Munster. 'Ze weten het altijd.'

'Ze?' Yvette keek hem vuil aan.

'Vrouwen.' Munster was geschrokken van Yvettes scherpe toon. 'Je weet wel, als hun man ontrouw is. Dat weten ze. Ergens diep vanbinnen. Tenminste, dat wordt wel gezegd.'

'Onzin,' zei Yvette resoluut.

'Hoe dan ook, we denken dat iemand het wist,' zei Karlsson. 'Iemand heeft die verknipte pop misschien als waarschuwing door de brievenbus van de familie Lennox geduwd.'

'Dat kan ook toeval zijn geweest.'

'In mijn wereld,' begon Bradshaw met een bescheiden lachje,

'is toeval slechts een ander woord voor...'

'Je hebt gelijk,' onderbrak Karlsson hem gedecideerd. 'Het zou toeval kunnen zijn. Lieverdjes bij Dora op school die het op haar gemunt hadden. Heb je nog een keer met haar gepraat, Yvette?'

Yvette knikte. 'Ze zegt dat ze ervan uitgaat dat de pop voor haar bedoeld was. En ze denkt dat hij rond het middaguur in de bus is gedaan. Ze raakte van streek en wilde er duidelijk liever niet meer over praten, blijkbaar gaat het beter op school sinds de dood van haar moeder. Iedereen wil opeens met haar bevriend zijn.' Ze trok een grimas waar walging uit sprak.

'Goed. Dus die pop is een aanwijzing, of niet. Misschien het hoofd van de school vragen of zij hier enig licht op kan werpen? Gaan we verder. De zonen?'

'Josh en Ben Kerrigan?' Yvette trok een gezicht. 'Die zijn allebei behoorlijk hautain en kwaad. Maar Josh schijnt in Cardiff te zijn geweest, hoewel hij nog niet met een concreet alibi op de proppen is gekomen, afgezien van zijn bewering dat hij in bed lag met zijn vriendin, die heeft bevestigd dat dat waarschijnlijk het geval was. Niets in zijn bankafschriften wijst erop dat hij zijn pas voor een treinkaartje heeft gebruikt. Maar dat zegt niet zoveel, zoals hij zelf ook al aangaf, want hij kan ook contant hebben betaald. Zijn jongere broer Ben was op school. Schijnt het. Zijn lerares kan zich niet herinneren dat hij in de klas zat, maar ze kan zich ook niet herinneren dat hij afwezig was en denkt dat ze dat nog wel zou weten.'

'Fantastisch.'

'En Louise Weller?' vroeg Yvette. 'Die was wel heel snel ter plaatse.'

'Ter plaatse?' Karlsson schudde zijn hoofd. 'Ze kwam om te helpen.'

'Het is een bekende uiting van schuldgevoel,' legde Bradshaw fijntjes uit. 'Daders bemoeien zich graag met het onderzoek.'

'Hè? Een moeder van drie kinderen die haar zus vermoordt?'

'Je kunt het niet uitsluiten,' zei Bradshaw.

'Ik ben hier degene die bepaalt wie er wordt uitgesloten en wie niet,' zei Karlsson vlug. 'Maar u hebt gelijk, we zullen nog eens met haar praten. En met de jongens van Kerrigan. Verder nog iets?'

'Samantha Kemp,' zei Riley.

'Wat?'

'De vrouw met wie Kerrigan een verhouding had.'

'Ja, ik weet wie ze is, maar...' Karlsson zweeg een moment. 'Je moet sowieso met haar praten, om na te gaan of Kerrigan die middag bij haar was, zoals hij beweert. Misschien heeft zij wel een jaloers vriendje.' Hij klapte het dossier dicht. 'Oké, dat was het. Yvette, jij controleert dat alibi. Chris, jij praat met Samantha Kemp. En haal in godsnaam iets te eten voor me.'

43

Yvette was nog steeds van slag toen ze het vertrek verliet. Dat Chris Munster meelevend naar haar keek maakte het alleen maar erger. Toen hij vroeg of ze koffie wilde, snauwde ze hem af en plofte neer achter haar bureau.

Eerst belde ze Zach op zijn werk in Shoreditch, maar de vrouw die opnam zei dat hij er die dag niet was: hij werkte niet alle dagen en was trouwens ook niet een van de betrouwbaarste personeelsleden. Ze belde zijn mobiel, maar werd meteen met de voicemail verbonden, en op zijn vaste nummer werd niet opgenomen. Met een zucht trok ze haar jasje aan.

Op weg naar buiten kwam ze Munster weer tegen.

'Waar ga je naartoe?' vroeg ze.

'Naar Samantha Kemp. Jij?'

'Naar Zach Greene, die eikel.'

'Wil je liever dat ik –'

'Nee, dat wil ik niet.'

Samantha Kemp was aan het werk voor een digitale fotoservice in de buurt van Marble Arch. Ze ontving Munster in een kamertje op de eerste etage dat bedoeld was voor bezoekers en dat uitkeek op een winkel waar sari's werden verkocht.

Toen ze binnenkwam was Munster verbaasd dat ze zo jong was. Paul Kerrigan was een gezette, grijzende man van middelbare leeftijd en Samantha Kemp was in de twintig en keurig gekleed in een zwarte rok met daarop een fris gestreken witte blouse. Er zat een ladder in haar panty, die van haar enkel naar haar mooi gevormde knie liep. Wollig zilverblond haar omlijstte haar bleke, ronde gezicht.

'Bedankt dat u even tijd voor me hebt kunnen maken. Het zal niet lang duren.'

'Waar gaat het over?'

Munster merkte dat ze nerveus was: ze streek telkens met haar handen langs haar rok.

'Klopt het dat u Paul Kerrigan kent?'

'Ja, ik werk weleens voor zijn bedrijf. Hoezo?' Er gleed een blos over haar bleke huid en zelfs toen de kleur wegtrok, bleven er vlekjes op haar wangen achter. 'Waar gaat dit over?'

'Kunt u zich uw bezigheden van woensdag 6 april herinneren?' Ze gaf geen antwoord. 'Nou?'

'Ik heb uw vraag wel gehoord. Ik begrijp alleen niet waarom u dat wilt weten. Waarom zou ik u iets over mijn privéleven moeten vertellen?'

'Meneer Kerrigan zegt dat u de middag en de avond van woensdag 6 april met hem hebt doorgebracht.'

'Met hem?'

'Ja.'

'Is dat een probleem?'

'Zegt u het maar.'

'Hij mag dan getrouwd zijn, maar dat lijkt me zijn pakkie-an, niet het mijne.'

'Woensdag 6 april.'

'Hij is niet gelukkig.'

'Dat doet er niet toe.'

'Hij is echt niet gelukkig.' Tot zijn ontsteltenis zag Munster dat ze op het punt stond te gaan huilen: haar grijsblauwe ogen stonden vol tranen. 'Ik troost hem alleen maar. En daar ga ik me niet schuldig over voelen.'

'De vraag is: hebt u hem woensdag de zesde april getroost?'

'Zit hij in de problemen?'

'Hebt u een agenda?'

'Ja,' zei ze. 'Ja, hij was die woensdag bij mij.'

'Dat weet u zeker?'

'Ja. Het was de dag na mijn verjaardag. Hij had een fles champagne meegenomen.'

'Hoe laat?'

'Hij kwam 's middags tegen vieren. We hebben champagne gedronken en toen...' Weer kreeg ze een hoogrode kleur. 'Om een uur of zeven, acht is hij vertrokken. Hij zei dat hij thuis moest eten.'

'Is er iemand die dit kan bevestigen?'

'Mijn huisgenote, Lynn. Ze kwam tegen zessen thuis en heeft nog champagne met ons gedronken. Haar gegevens zult u ook wel nodig hebben?'

'Graag.'

'Weet ze van ons? Zijn vrouw, bedoel ik? Zit hij in de problemen?'

Munster keek naar haar. Ze moest het toch weten, van Ruth Lennox. Maar hij kon het niet aan haar merken en hij wilde niet degene zijn die het haar vertelde. Paul Kerrigan moest zijn eigen vuile werk maar doen.

Zach Greene woonde vlak bij Waterloo, een paar straten ten zuiden van het station, aan een weg waar het middagverkeer zich had opgehoopt: taxi's, auto's, bestelwagens en bussen. In de aanwakkerende wind slalomden fietsers over hun stuur gebogen tussen de rijen auto's door. Een ambulance reed langs met gillende sirene.

Nummer 232 was een klein rijtjeshuis dat iets van de weg af lag, met een haveloze groene voordeur die via stenen treden te bereiken was. Yvette belde aan en bonsde even later hard op de deur. Ze wist al dat hij niet thuis zou zijn, dus het verbaasde haar dat ze voetstappen hoorde naderen en iemand met een ketting hoorde rammelen. Er verscheen een vrouw in de deuropening met een baby in een gestreept rompertje in haar armen.

'Ja?'

'Ik ben op zoek naar Zach Greene,' zei Yvette. 'Woont hij hier?'

'Hij is onze huurder. Hij woont in het appartement. U moet door de tuin.' Ze kwam op haar sloffen naar buiten en liep samen met Yvette de treden af om haar de weg te wijzen. 'Via dat paadje daar kom je achter de huizen uit, daar is een poort die niet goed sluit en die in ons tuintje uitkomt. Zijn appartement is daar, aan de zijkant.'

'Bedankt.' Yvette lachte naar de baby, die haar doodsbang aanstaarde en vervolgens begon te krijsen. Ze had nooit met baby's om kunnen gaan.

'Wilt u hem vragen of hij wat minder lawaai maakt? Gisteravond, toen ik deze hier eindelijk in slaap had gekregen, brak de hel bij hem los.'

Yvette opende de gammele poort aan de achterkant. Houten treden leidden van het huis naar een kleine tuin, waar een plastic driewieler op zijn kant lag. Een deur onder de trap gaf toegang tot het appartement. Yvette belde aan en wachtte. Toen ze daarna op de deur klopte, ging die knarsend een paar centimeter open.

Even bleef ze roerloos staan en spitste haar oren. In de verte hoorde ze verkeersgedruis, maar binnen bleef het stil.

'Hallo?' riep ze. 'Zach? Meneer Greene? Rechercheur Long hier.'

Niets. De wind liet een werveling van witte bloemblaadjes op haar neerdalen. Even dacht ze dat het sneeuwde. Sneeuw in april, maar er gebeurden wel vreemdere dingen. Ze duwde de deur verder open, zette haar voet op de versleten deurmat en ging naar binnen. Zach Greene hield duidelijk niet van opruimen. De vloer lag bezaaid met schoenen, stapels reclamedrukwerk, lege pizzadozen, een kluwen telefoonopladers en computersnoeren, een katoenen sjaal met kwastjes.

Ze zette nog een paar voorzichtige stappen.

'Zach? Ben je thuis?' Haar stem weerkaatste tegen de muren van de kleine ruimte. Rechts van haar was een keukentje met een kookplaat vol aangekoekte etensresten, een flinke verzameling bekers, een potje oploskoffie. Over de radiator hingen twee overhemden te drogen. Er hing een vage lucht van bederf.

Vreemd, dacht ze, dat je het weet als er iets niet klopt. Je ontwikkelt er een antenne voor. Het kwam niet alleen doordat de deur openstond en het er vreemd rook. De stilte was ook anders, alsof die nog vibreerde na een geweldsuitbarsting. Haar huid tintelde.

Nog een schoen, bruine canvas met gele veters, lag in de kier van een deur naar wat vermoedelijk Zachs slaapkamer was. Met haar vingertoppen duwde ze de deur iets verder open. In de schoen bleek een voet te zitten. Ook was er een stukje van een been te zien, met een donkere broekspijp die omhoog was geschoven boven een gestreepte sok, maar de rest was bedekt met een kleurige gewatteerde sprei. Ze bekeek het patroon van de sprei: vogels en zwierige bloemen in oosterse stijl die de grijsbruine benauwenis van het verslonsde flatje opfleurden.

Ze keek op haar horloge en hurkte neer. Toen ze de sprei voorzichtig wegtrok, voelde die vochtig en plakkerig aan, en nu ze er dichter op zat, besefte ze dat het kleurige patroon de vlekken had gecamoufleerd.

Het lichaam dat naast het bed op de grond lag moest dat van Zach zijn, maar het smalle gezicht, de goudkleurige ogen en het rozenmondje die haar de rillingen hadden bezorgd, waren verdwenen – tot moes geslagen. Yvette dwong zichzelf goed te kijken en zich niet in een reflex af te wenden. Aan de rand van het verwoeste gezicht waren zijn welgevormde oorlellen nog te zien. Overal was bloed. Mensen stonden er niet bij stil hoeveel bloed er warm en snel door hun aderen stroomde, tot ze de plassen rond een lijk zagen. Er lagen donkere poelen weeïg bloed dat al begon te stollen. Ze legde een vinger tegen zijn rug, onder zijn paarse overhemd; de huid was wit, hard en koud.

Toen ze met krakende knieën overeind kwam, zag ze Karlsson voor zich wanneer hij op een plaats delict aankwam, en ze probeerde een camera te zijn die alles registreerde. De modderige sporen in de gang, het scheefhangende schilderijtje boven het bed, het stollende bloed, het stijve vlees, de manier waarop zijn armen gespreid waren, alsof hij uit de lucht was komen vallen. Ze herinnerde zich dat de vrouw van boven had gezegd dat er herrie was geweest gisteravond.

Uiteindelijk pakte ze haar telefoon. Boven hoorde ze geluiden van de baby, die nog steeds brulde. Ze waren er heel snel, de ambulances en politieauto's. Binnen enkele minuten leek de flat te zijn omgevormd tot een geïmproviseerd laboratorium met felle lampen, allemaal gericht op het lichaam van Zach. Papieren overschoenen, plastic handschoenen, kwastjes voor de vingerafdrukken, flessen met chemicaliën, pincetten en zakjes voor bewijsmateriaal, meetlinten, thermometers. Riley praatte met de vrouw van boven. Munster stond bij de deur te telefoneren en naar lucht te happen. Zach was een object geworden, een specimen.

Te midden van al het rumoer zei Karlsson tegen haar: 'Chris praat met de ouders van Greene. Zou jij het kunnen opbrengen om Judith Lennox op de hoogte te brengen?'

Bij de gedachte aan de felle, eenzame dochter brak het zweet haar uit. 'Natuurlijk,' zei ze.

'Bedankt. En zo snel mogelijk, denk ik.'

Yvette wist dat het vreselijk zou zijn en dat was het ook. Ze hoorde zichzelf de woorden zeggen en zag het heel jonge, heel kwetsbare meisje instorten. Judith Lennox draaide zich abrupt om in de kleine ruimte en haar tengere gestalte beefde en schokte, alle afzonderlijke delen van haar lichaam kwamen ongecontroleerd in beweging: haar handen wapperden, haar gezicht vertoonde vreemde grimassen, haar hoofd zwaaide heen en weer op haar dunne hals en haar voeten schoven over de grond, zo onbedwingbaar was haar reflex om te bewegen. Ze waren in een kamer die het hoofd van de school hun had gewezen. Er stond een bureau naast het raam en op planken aan de muur lagen mappen in verschillende kleuren. Twee tieners, een jongen en een meisje, liepen langs het grote raam en keken onaangedaan naar binnen.

Yvette voelde zich onbeholpen. Moest ze het fragiele meisje in haar armen nemen, haar even tot bedaren brengen? Er klonk een gil die ongetwijfeld in de hele school te horen was en Yvette verwachtte dat de leslokalen leeg zouden lopen en alle leraren aan zouden komen stormen. Het meisje knalde tegen het bureau en vloog weer een andere kant op. Het deed Yvette denken aan een nachtvlinder die zijn zachte, poederachtige vleugels stuk stoot aan harde voorwerpen.

Ze stak haar hand uit en pakte Judith bij de zoom van haar blouse, die ze zacht hoorde scheuren. Het meisje bleef staan en staarde haar verwilderd aan. Ze droeg nog steeds oranje lippenstift, maar verder had ze het gezicht van een klein kind. Plotseling ging ze zitten, niet op een stoel: ze zakte in elkaar op de kale vloer.

'Wat is er gebeurd?' fluisterde ze.

'Daar proberen we achter te komen. Het enige wat ik je kan vertellen is dat hij om het leven is gebracht.' Ze dacht aan het verwoeste gezicht en slikte moeizaam. 'In zijn appartement.'

'Wanneer? Wannéér?'

'Het exacte tijdstip van zijn overlijden is nog niet vastgesteld.' Wat klonk dat stijf en vormelijk, ze geneerde zich voor haar harkerigheid.

'Maar wel pasgeleden?'

'Ja. Het spijt me dat ik je dit moet vragen, maar ik denk dat je het wel begrijpt. Kun je me zeggen wanneer je hem voor het laatst hebt gezien?'

'Ga weg.' Judith bedekte haar oren met haar handen en wiegde heen en weer op de grond. 'Ga alsjeblieft nu weg.'

'Ik begrijp dat het heel pijnlijk is.'

'Ga weg. Ga weg. Ga weg. Laat me met rust. Laat ons allemaal met rust. Rot op. Waarom gebeurt dit allemaal? Waarom? Ga weg, weg, weg.'

Yvette was één keer bij Frieda thuis geweest, maar had haar nooit in haar spreekkamer bezocht. Ze probeerde haar nieuwsgierigheid te bedwingen; ze wilde niet al te indringend naar Frieda kijken, deels omdat Frieda's blik haar altijd een ongemakkelijk gevoel bezorgde en deels omdat ze geschrokken was toen ze Frieda zag. Misschien was ze afgevallen, dat kon Yvette niet beoordelen, wel zag ze er strak uit en leek ze gespannen als een veer. Ze had donkere, bijna paarse wallen onder haar ogen. Haar huid zag bleek en haar ogen, die anders altijd fonkelden, stonden donker en hadden iets troebels. Ze zag er niet goed uit, stelde Yvette vast.

Toen Frieda naar haar rode leunstoel liep en Yvette zag dat ze een zekere mankheid probeerde te verhullen, dacht ze: dat is mijn schuld. Even zag ze weer voor zich hoe Frieda bewegingloos in het huis van Mary Orton had gelegen. De aanblik van het bloed. Toen moest ze aan Judith Lennox denken die als een gehavend nachtuiltje daar op school door de kamer had gevlogen en tegen haar had geschreeuwd dat ze weg moest, op moest rotten. Misschien moeten we gewoon concluderen dat ik een slechte rechercheur ben, dacht ze. Ze was niet eens in staat geweest een alibi uit Zach Greene los te krijgen.

Frieda gebaarde naar de stoel tegenover haar en Yvette ging zitten. Hier zaten Frieda's patiënten dus altijd. Ze stelde zich voor dat ze haar ogen zou sluiten en zou zeggen: *Help me alsjeblieft. Ik weet niet wat er mis is met mij. Vertel me alsjeblieft wat er mis is met mij...*

'Bedankt dat je tijd voor me hebt willen vrijmaken,' zei ze.

'Ik sta bij je in het krijt,' zei Frieda met een glimlach.

'O, nee! Ik ben...'

'Jij hebt ervoor gezorgd dat de aanklacht tegen mij werd ingetrokken.'

'Dat stelde niets voor. De idioten.'

'Toch ben ik je er dankbaar voor.'

'Ik wilde niet op het bureau afspreken, dit leek me beter. Ik weet niet of je het al gehoord hebt, maar Zach Greene is vermoord. Hij was het vriendje van Judith Lennox.'

Frieda leek zich nog verder in zichzelf terug te trekken. Langzaam schudde ze haar hoofd. 'Nee, dat had ik nog niet gehoord. Wat erg,' zei ze zacht, alsof ze hardop dacht.

'Ze is er vreselijk aan toe,' vervolgde Yvette. 'Ik kom net bij haar vandaan. De schoolpsycholoog en het hoofd waren er ook. Ik maak me zorgen over haar.'

'Waarom kom je hiermee bij mij?'

'Jij hebt haar ontmoet. Ik weet dat je je achter de schermen met de familie Lennox hebt bemoeid.' Ze stak een hand op. 'Dat kwam er verkeerd uit. Ik bedoel het niet zo knorrig.'

'Ga door.'

'Ik vroeg me af of je met haar zou willen praten. Bij haar langs zou willen gaan, gewoon om te kijken hoe het met haar gaat.'

'Ze is geen patiënt van mij.'

'Dat begrijp ik.'

'Ik ken haar amper. Haar broer is bevriend met mijn nichtje. Dat is de enige link die ik met ze heb. Ik heb het arme kind maar een paar keer ontmoet.'

'Ik wist niet hoe ik moest reageren. Dat zijn dingen die ze je niet leren op de opleiding. Maar ik kan ook een van onze eigen mensen vragen, natuurlijk.' Bij de gedachte trok ze een bedenkelijk gezicht. 'Die lul van een Hal Bradshaw zal haar maar al te graag vertellen wat ze voelt en waarom. Maar ik... eh, nou ja, ik dacht dat jij misschien zou kunnen helpen.'

'Vanwege ons roemruchte verleden?' vroeg Frieda ironisch.

'Betekent dat dat je het niet wilt?'

'Dat zeg ik niet.'

Oké. Ik stap niet in het vliegtuig en zal niet op je deur komen bonzen. Ik zal je vertrouwen. Maar je maakt het me wel heel moeilijk, Frieda. Sandy

44

De volgende ochtend bracht Jim Fearby een bezoek aan de familie van Philippa Lewis. Het gezin woonde in een nieuwe wijk in een dorp zo'n vijf kilometer ten zuiden van Oxford. Een vrouw van middelbare leeftijd – hoogstwaarschijnlijk Philippa's moeder Sue – smeet de deur dicht zodra hij had gezegd wie hij was. Hij had over de zaak gelezen in de plaatselijke krant. Het was het bekende verhaal: een meisje dat laat uit school naar huis loopt en daar nooit aankomt; hij had de wazige foto gezien. Ze leek aan het profiel te beantwoorden. Hij vinkte haar naam af en zette er een vraagteken achter.

In Warwick kreeg hij van de moeder van Cathy Birkin thee met taart, maar voor hij zijn eerste hap had doorgeslikt, wist hij dat hij deze naam van zijn lijst kon schrappen. Cathy was al twee keer eerder van huis weggelopen. De taart was wel erg lekker. Er zat gember in. Een pittig smaakje. Er begon zich nog een ander patroon af te tekenen. De moeders van de weggelopen meisjes vroegen hem altijd binnen en gaven hem thee met taart. Hij herinnerde zich de huizen en de meisjes bijna allemaal aan de hand van de taart die hij er gegeten had. De familie van het meisje uit Crewe, Claire Boyle: worteltaart. Maria Horsley in High Wycombe: chocoladetaart. Was het misschien omdat ze nog steeds wilden bewijzen dat ze hun best hadden gedaan en geen slechte ouders waren? De gembertaart was een beetje droog en bleef aan zijn gehemelte plakken. Er waren een paar slokken lauw geworden thee voor nodig om alles weg te krijgen. Terwijl hij at speelde zijn geweten op. Hij had het telkens weer uitgesteld. Hij kwam er praktisch langs, het was maar een kleine omweg.

Hij had bijna gehoopt dat George Conley niet thuis zou zijn, maar hij was er wel. Het kleine huizenblok waar hij was gaan wonen zag er netjes uit. Toen Conley opendeed gaf hij een miniem teken van herkenning, maar Fearby was niet anders gewend. In de gesprekken die hij door de jaren heen met Conley had gevoerd, had deze hem nooit recht aangekeken. Zelfs als hij aan het woord was, leek hij tegen iemand te praten die zich vlak naast of achter Fearby bevond. Eenmaal binnen werd Fearby getroffen door de warmte en de geur, die deel van elkaar leken uit te maken. Het was moeilijk te bepalen wat het precies was, en Fearby wilde het ook liever niet weten: zweet speelde een rol, en vocht. Plotseling kreeg hij een associatie met de zurige lucht die je rook als er 's zomers een vuilniswagen voor je reed.

Fearby woonde al jaren alleen en keek niet meer op van huizen waar het aanrecht nooit echt goed werd afgenomen, borden zich opstapelden, eten te lang bleef staan en kleren zich ophoopten op de grond, maar dit was anders. In de donkere, warme huiskamer moest hij tussen de vuile borden en glazen door laveren. Hij zag blikjes met een substantie erin die niet meer te herkennen was omdat die met een laag witgroene schimmel was bedekt. Op bijna alle borden, glazen en blikjes waren sigaretten uitgedrukt. Fearby vroeg zich af of er iemand was die hij hierover zou kunnen bellen. Zou er een instantie zijn die wettelijk bevoegd was om hier iets aan te doen?

De televisie stond aan en Conley ging ertegenover zitten. Hij keek niet echt naar het scherm. Het leek er meer op dat hij er gewoon voor zat.

'Hoe ben je aan deze woning gekomen?' vroeg Fearby.

'De gemeente,' antwoordde Conley.

'Komt er weleens iemand langs om je te helpen? Ik weet dat het moeilijk is. Je hebt zo lang vastgezeten, dan is het een hele omschakeling.' Conley bleef glazig voor zich uit kijken, dus Fearby deed nog een poging. 'Komt er iemand kijken hoe het met je gaat? En om een beetje schoon te maken?'

'Af en toe komt er een vrouw langs. Om te kijken hoe het gaat.'

'Heb je iets aan haar?'

'Ze is best aardig.'

'En de schadevergoeding? Hoe staat het daarmee?'

'Ik weet het niet. Ik heb Diana gesproken.'

'Je advocate,' zei Fearby. Hij moest bijna schreeuwen om boven de televisie uit te komen. 'Wat zei ze?'

'Ze zei dat het lang zou gaan duren. Heel lang.'

'Ja, dat heb ik ook gehoord. Je moet geduld hebben.' Hij wachtte even. 'Ga je weleens de deur uit?'

'Ik wandel een beetje. Er is hier een park.'

'Leuk.'

'Er zijn eenden. Ik neem brood mee. En vogelzaad.'

'Wat leuk, George. Is er iemand die ik voor je kan bellen? Als je me het nummer geeft, kan ik de gemeente voor je bellen. Misschien kunnen ze iemand sturen om je te helpen met schoonmaken.'

'Er is een vrouw. Die komt af en toe.'

Fearby zat op het randje van een bank die een tijd buiten leek te hebben gestaan en net naar binnen was gehaald. Hij kreeg last van zijn rug. Hij stond op. 'Ik stap weer eens op,' zei hij.

'Ik wilde thee zetten.'

Fearby keek naar een pak melk dat geopend op tafel stond. De inhoud was geel. 'Ik heb al thee gehad, maar ik kom gauw weer en dan kunnen we ergens iets gaan drinken of een wandelingetje maken. Wat vind je daarvan?'

'Goed.'

'Ik probeer uit te zoeken wie Hazel Barton heeft vermoord. Daar heb ik het erg druk mee.'

Conley reageerde niet.

'Ik weet dat het een vreselijke herinnering voor je is,' zei Fearby. 'Toen je haar vond, heb je je over haar heen gebogen, ik weet dat je haar wilde helpen. Je hebt haar aangeraakt, en dat hebben ze tegen je gebruikt. Maar heb je toen nog iets gezien? Iemand? Was er een auto? George, hoor je wat ik zeg?'

Conley keek om zich heen, maar bleef zwijgen.

'Oké,' zei Fearby. 'Nou, het was leuk om je te zien. Doen we nog eens.'

Voorzichtig baande hij zich een weg naar de gang.

Toen Fearby thuiskwam zocht hij op internet het telefoonnummer van de Sociale Dienst op. Hij draaide het nummer, maar ze waren al dicht. Hij keek op zijn horloge. Eigenlijk had hij Diana McKerrow willen bellen om te vragen hoe het met Conleys zaak ging, maar haar kantoor zou nu ook wel gesloten zijn. Hij wist hoe het werkte met schadevergoedingszaken. Die konden jaren duren.

Hij liep naar het aanrecht, spoelde een glas om en schonk er whisky in. Na de eerste slok verspreidde zich een weldadige warmte in zijn borstkas. Daar was hij aan toe. De muffe smaak die deze dag in zijn mond en op zijn tong had achtergelaten werd door de whisky weggebrand. Met het glas in zijn hand liep hij door zijn huis. Het was er niet zo erg als bij Conley, maar overeenkomsten waren er zeker. Allebei alleen, allebei op drift geraakt. Twee mannen die, elk op hun eigen manier, nog steeds in de ban waren van de zaak-Hazel Barton. De politie had verder geen verdachten, zeiden ze. Alleen George Conley, maar Fearby wist wel beter.

Opeens werd hij nerveus van de vuile glazen, de rondslingerende kleren en de stapels papieren en enveloppen. Er kwam zelden iemand bij hem over de vloer, maar de gedachte dat iemand deze kamer binnen zou komen en ook maar een deel zou ervaren van wat hij bij Conley had gevoeld, deed hem blozen van schaamte. Een uur lang ruimde hij kleren op, waste glazen en borden af, boende de tafel en het aanrecht schoon en ging rond met de stofzuiger. Toen hij klaar was, had hij het gevoel dat het ermee door kon. Het was nog niet genoeg, dat zag hij wel. Hij zou iets kopen voor aan de wand en een vaas met bloemen neerzetten. Misschien zou hij zelfs de muren een likje verf geven.

Hij haalde een bakje lasagne uit de diepvries en zette het in de oven. Op de verpakking stond dat het opwarmen in bevroren toestand vijftig minuten zou duren. Dat gaf hem de tijd. Hij ging naar zijn werkkamer. Dit was de enige ruimte in huis die altijd netjes, schoon en ordelijk was. Hij pakte de kaart van zijn bureau, vouwde hem open en legde hem op de grond. Uit de bovenste la pakte hij een velletje rode vlaggetjes. Hij pulkte er een af en plakte die voorzichtig op het dorpje Denham, iets ten zuiden van Oxford. Hij deed een stap naar achteren. Er zaten nu zeven vlaggetjes op de kaart en er tekende zich een duidelijk patroon af.

Fearby nipte van zijn whisky en stelde zich de vraag die hij zich al zo vaak had gesteld: hield hij zichzelf voor de gek? Hij had gelezen over moordenaars en de gewoonten die ze eropna hielden. Dat ze leken op roofdieren die in een bepaald territorium opereerden waarin ze zich veilig voelden. Maar hij had ook gelezen dat er een gevaar school in het herkennen van patronen in een willekeurige verzameling gegevens. Je vuurt zomaar een aantal kogels op een muur af, tekent een schietschijf rond de gaatjes die het dichtst bij elkaar liggen en het lijkt alsof je de kogels daarop gericht had. Aandachtig bekeek hij de kaart. Vijf vlaggetjes bevonden zich dicht bij de M40, drie bij de M1, op niet meer dan twintig minuten rijden van een afslag. Je kon er niet omheen, zo duidelijk was het. Toch was er een probleem. Toen hij al die kranten doornam en internet afstruinde op zoek naar vermiste meisjes was een van zijn belangrijkste criteria geweest dat ze in de buurt van een snelweg hadden gewoond, dus misschien had hij het patroon zelf gecreëerd. Toen dacht hij aan de gezichten van al die meisjes, en hun verhalen. Hij voelde dat hij goed zat. Hij rook het. Maar wat had je daaraan?

45

Karlsson nam plaats tegenover Russell Lennox. Yvette zette de recorder aan en ging naast hem zitten.

'U bent de vorige keer op uw rechten gewezen, die gelden nog steeds,' zei Karlsson, 'en u kunt zich ook laten bijstaan door een advocaat.' Lennox knikte flauwtjes. Hij maakte een verdwaasde indruk en leek nauwelijks aanspreekbaar. 'U moet hoorbaar antwoorden. Voor de band, of chip, of hoe dat ding ook heet.'

'Ja,' zei Lennox. 'Ik begrijp het. Het is goed.'

'Nou, het is me wel een gezin, dat van u,' zei Karlsson. Lennox gaf geen krimp. 'Het lijkt wel of niemand uit uw omgeving daar zonder kleerscheuren van afkomt.'

'We zijn een gezin waarvan de echtgenote en moeder is vermoord,' zei Lennox schor. 'Is dat waar u op doelt?'

'En nu ook het vriendje van uw dochter.'

'Ik wist niets van hem tot ik hoorde dat hij dood was.'

'Vermoord, zult u bedoelen. Zach Greene is vermoord met een stomp voorwerp. Net als uw vrouw.' Even viel er een stilte. 'Wat vond u van hem?'

'Wat bedoelt u?'

'Wat vond u ervan dat uw vijftienjarige dochter een relatie had met een man van achtentwintig?'

'Zoals ik al zei: ik wist daar niets van. Nu ik het wel weet, ben ik bezorgd over mijn dochter. Over haar welzijn.'

'De heer Greene is gisteren overdag overleden. Kunt u ons

vertellen waar u gisteren geweest bent?'

'Ik was thuis. Ik ben de laatste tijd veel thuis.'

'Was er iemand bij u?'

'De kinderen waren naar school. Ik was thuis toen Dora om ongeveer tien over vier uit school kwam.'

'Wat deed u zoal thuis?'

Lennox maakte een uitgeputte indruk, alsof zelfs praten een grote inspanning voor hem was. 'Waarom vraagt u mij niet gewoon of ik die man heb vermoord? Ik neem aan dat u mij daarom hebt laten komen.'

'Hebt u hem vermoord?'

'Nee, dat heb ik niet gedaan.'

'Goed. Vertelt u me dan nu wat u thuis hebt gedaan.'

'Een beetje gerommeld. Dingen uitgezocht.'

'Misschien kunt u iets noemen wat wij kunnen verifiëren. Hebt u bezoek gehad? Getelefoneerd? Bent u op internet geweest?'

'Ik heb geen bezoek gehad. Ik zal wel gebeld hebben en ben vast ook wel op internet geweest.'

'Dat kunnen we nagaan.'

'Ik heb nog tv gekeken.'

'Wat hebt u gezien?'

'De gebruikelijke shit. Het zal wel weer iets met antiek geweest zijn.'

'Iets met antiek,' zei Karlsson langzaam, alsof hij er tegelijkertijd over nadacht. 'We houden hier nu mee op.' Hij boog zich over de tafel en drukte op een knop van de recorder. 'U gaat nu weg en u gaat eens heel goed nadenken en misschien met een advocaat praten. Dan komt u terug met iets beters dan wat u ons net hebt voorgeschoteld. Intussen zullen wij natrekken met wie u gebeld hebt en waar u geweest bent.' Hij stond op. 'U moet aan uw kinderen, aan uw gezin denken. Hoeveel krijgen ze nog te verduren?'

Lennox wreef over zijn gezicht zoals iemand doet die zich afvraagt of hij zich geschoren heeft. 'Er is geen moment van de dag dat ik niet aan ze denk.'

Chris Munster zat in Karlssons kamer op hem te wachten. Hij was net terug uit Cardiff, waar hij Shari Hollander, de vriendin van Josh Kerrigan, had ondervraagd.

'En?'

'Ze herhaalde wat Josh Kerrigan al had gezegd: dat hij waarschijnlijk bij haar was. Aangezien ze sinds ze verkering hebben praktisch elke minuut van de dag met elkaar doorbrengen, kon ze het zich niet precies herinneren. Maar ze was er vrij zeker van dat ze geen groot deel van de dag of de nacht niet samen waren geweest.'

'Dat klinkt nogal vaag.'

'Hij heeft die dag zijn creditcard niet gebruikt voor vervoer naar Londen. Wel heeft hij een paar dagen eerder honderd pond opgenomen, dus daar kan hij mee betaald hebben.'

'Maar het ligt niet echt voor de hand dat hij het was. Dat dachten we eigenlijk al niet.'

'Dat zou ik niet willen zeggen.'

Karlsson keek met hernieuwde aandacht naar Munster. 'Hoe bedoel je?'

'Zijn vriendin zei iets wat u zal interesseren, denk ik.'

'Ga door.'

'Ze zei dat Josh woedend was op zijn vader. Ziedend, zei ze zelfs. Hij had een brief gekregen waarin stond dat zijn vader niet de brave huisvader was voor wie hij graag wilde doorgaan.'

'Hij wist het dus.'

'Meer zei ze niet.'

'Heel goed, Chris. We moeten nog een keer met hem praten. En wel meteen. En nu we toch bezig zijn, ook met dat broertje van hem.'

Josh Kerrigan had zijn haar laten knippen, of misschien, dacht Karlsson toen hij naar de scheve plukken keek, had hij zelf de schaar ter hand genomen. Zijn gezicht was er ronder door geworden en hij leek jonger. Onrustig zat hij in de verhoorkamer, trommelde met zijn vingers op tafel, draaide in zijn stoel en tikte met zijn voeten.

'Wat nu weer?' vroeg hij. 'Nog meer vragen over waar ik was?'

'We hebben Shari Hollander gesproken.'

'Zei ze dat ik bij haar was, zoals ik zelf al had gezegd?'

'Ze zei dat dat waarschijnlijk het geval was.'

'Nou, dan.'

'Ze zei ook dat je wist van de verhouding van je vader.'

'Wat?'

Ineens zag hij er gespannen uit.

'Is dat waar? Heb je een brief gekregen waarin stond dat je vader vreemdging?'

Even staarde hij Karlsson aan, toen wendde hij zijn blik af. Er gleed een donkere schaduw over zijn jonge gezicht waardoor hij ineens op zijn vader leek. 'Ja. Ik heb een brief ontvangen die naar de natuurkundefaculteit was gestuurd.'

'Een anonieme brief?'

'Ja. De afzender had kennelijk niet de moed zich aan mij bekend te maken.'

'Wie heeft hem gestuurd, denk je?'

Met een donkere blik keek hij Karlsson aan. 'Zij natuurlijk, wie anders?'

'Bedoel je Ruth Lennox?'

'Inderdaad. Hoewel ik daar op dat moment niets van wist.'

'Heb je de brief bewaard?'

'Ik heb hem verscheurd en de snippers weggegooid.'

'En wat heb je verder gedaan?'

'Geprobeerd het uit mijn hoofd te zetten.'

'Verder niets?'

'Ik ben niet op de trein naar Londen gestapt, als u dat soms bedoelt.'

'Heb je het er met je vader over gehad?'

'Nee.'

'Je moeder?'

'Ook niet.'

'Heb je een hechte band met je moeder?'

'Ik ben haar zoon.' Hij sloeg zijn blik neer, alsof hij zich geneerde en Karlsson niet recht aan durfde te kijken. 'Ben en ik kwamen voor haar altijd op de eerste plaats, zelfs toen ze kanker had dacht ze nergens anders aan. En pap ook,' voegde hij er hatelijk aan toe. 'Hij kwam voor haar ook op de eerste plaats.'

'Maar je hebt haar niet over die brief verteld?'

'Nee.'

'Heb je het je broer verteld?'

'Ben is nog een kind, over een paar weken doet hij eindexamen. Waarom zou ik het hem vertellen?'

'Héb je het hem verteld?'

Josh plukte aan een van zijn gekortwiekte lokken. 'Nee.' Maar het klonk stijf en ongemakkelijk.

'Luister, Josh. We gaan ook met je broer praten, en als zijn verslag niet strookt met het jouwe, zit je nog veel meer in de problemen. Dus je kunt er beter meteen mee voor de draad komen. Dat is voor Ben ook beter.'

'Oké. Ik heb het hem verteld. Ik moest het aan iemand kwijt.'

'Heb je dat telefonisch gedaan?'

'Ja.'

'Hoe reageerde hij?'

'Net als ik. En zoals iedereen zou reageren. Geschokt en boos.'

'Was dat alles?'

'Hij vond dat we het mijn moeder moesten vertellen. Dat vond ik niet.'

'Hoe eindigde het gesprek?'

'We zouden wachten tot ik naar huis kwam, met Pasen, en dan zouden we het erover hebben.'

'En is dat gebeurd?'

Op zijn gezicht verscheen een brede, sarcastische grijns. 'De gebeurtenissen hebben ons ingehaald.'

'En heb je het je moeder verteld?'

'Nee, dat zei ik al.'

'En Ben ook niet?'

'Dat zou hij nooit doen zonder het mij te vertellen.'

'Je bedoelt dus ook te zeggen dat jullie je vader er geen van beiden mee geconfronteerd hebben, hoe kwaad jullie ook op hem waren?'

'Zoals ik al zei, nee.'

'Hoe kwam het dat jullie klakkeloos geloofden wat er in die brief stond?'

Josh leek even van zijn stuk gebracht. 'Weet ik niet,' antwoordde hij. 'Dat was gewoon zo. Waarom zou iemand zoiets verzinnen?'

'Er is verder niets wat je mij wilt vertellen?'

'Nee.'

'Je blijft erbij dat je geen idee had wie de mysterieuze afzender was?'

'Ja.'

Karlsson wachtte af. Josh Kerrigans ogen flitsten heen en weer en bleven telkens even op hem rusten. Er werd op de deur geklopt en Yvette keek om de hoek. 'Ik moet je even spreken,' zei ze.

'We zijn hier klaar. Voorlopig.' Karlsson stond op. 'We gaan met je broer praten.'

Josh haalde zijn schouders op. Maar zijn ogen stonden angstig.

'Nee,' zei Ben Kerrigan. 'Nee, nee, nee. Ik heb het mijn moeder niet verteld. Had ik dat maar gedaan. Maar we hadden besloten te wachten tot Josh thuis was. Dus zat ik 's ochtends tegenover haar bij het ontbijt en kon niets zeggen. En hij...' Hij vertrok zijn gezicht.

'Ja?'

'Tegen hem heb ik ook niks gezegd. Ik wilde het wel. Ik had zin om hem op zijn bek te slaan. Ik ben blij dat hij in elkaar is geslagen. Hij is zo'n slappeling. En het is zo banaal, het is toch niet te geloven? Behalve dat die andere vrouw niet een of ander dom blondje was. Hoe haalde hij het in zijn hoofd. Tien jaar. Tien jaar lang heeft hij mijn moeder belazerd.'

'Maar je hebt het hem niet voor de voeten geworpen en je hebt je moeder niet verteld over die brief.'

'Nee, dat zei ik al.'

'Je kreeg ook niet de indruk dat je vader van die brief afwist?'

'Hij wist nergens van.' Zijn stem sloeg over van minachting. 'Hij dacht dat hij ermee weg zou komen, ongestraft.'

'En je moeder?'

'Ook niet. Ze vertrouwde hem. Ik ken haar. Voor haar is vertrouwen onvoorwaardelijk.'

'Waarom heb je deze informatie achtergehouden?'

'Waarom denkt u? We zijn niet achterlijk, hoor. We begrijpen ook wel dat u denkt dat deze moord een soort wraakoefening was.' Hij raakte van streek en zijn stem sloeg weer over.

'Oké.' Karlsson probeerde zijn blik vast te houden. 'We gaan het even rustig op een rijtje zetten. Je woonde hier, bij je ouders, toen Josh het je vertelde.'

'Ja.'

'Wat heb je gedaan toen je het hoorde?'

'Niks.'

'Helemaal niks?'

'Dat zeg ik toch steeds?'

'Heb je er met niemand anders dan Josh over gesproken?'

'Nee.'

'Maar je geloofde dat het waar was?'

'Ik wíst dat het waar was.'

'Hoe wist je dat?'

'Ik wist het gewoon.'

'Maar hoe kwam dat, Ben? Hoe kon je daar zo zeker van zijn?' Hij wachtte even af, en vroeg toen: 'Ben je nog meer te weten gekomen?' Hij zag Ben in een reflex ineenkrimpen voordat hij zijn hoofd schudde. 'Ben, ik vraag het je nog één keer: ben je zelf op onderzoek uit gegaan?' Hij zweeg en de ruimte tussen hen in vulde zich met stilte. 'Ben je door je vaders spullen gegaan, op zoek naar bewijs? Dat zou heel begrijpelijk zijn. Ben?'

'Nee.'

'Je was alleen thuis, met deze nieuwe, verschrikkelijke vermoedens, en je hebt niets ondernomen?'

'Hou op.'

'We komen er toch achter.'

'Oké. Ik heb wel iets gedaan.'

'Wat dan?'

'Een beetje rondgeneusd.'

'Waar?'

'U weet wel, in zijn zakken en zo.'

'Ja.'

'En zijn telefoon. Zijn papieren.'

'Zijn computer?'

'Die ook.'

'En wat heb je gevonden?'

'Weinig.'

'Ben, besef je wel hoe ernstig dit is?'

De jongen keek hem recht aan. Karlsson hoorde zijn jachtige ademhaling. 'Oké. Ik ben door al zijn fucking spullen gegaan. Natuurlijk. Wat had u gedaan? Ik had met Josh afgesproken dat ik de boel zou onderzoeken en toen heb ik al zijn vuile zakdoeken gezien, zijn bonnetjes en zijn e-mails en ik heb zijn mobiel gejat, zijn sms'jes gelezen en gekeken met wie hij gebeld had. Toen hebben we – Josh en ik – een paar nummers gebeld die we niet kenden, om te kijken wie het was. Er is niets uitgekomen. Maar ik kon niet meer stoppen. Als ik niets zou vinden, zou ik de rest van mijn leven op zoek blijven naar bewijs dat hij mijn moeder bedroog. In de wetenschap kun je ook alleen maar bewijzen dat iets waar is, niet dat het niet zo is.'

'Maar heb je iets gevonden?' vroeg Karlsson op milde toon.

'Ik heb naar zijn geschiedenis gekeken.'

'Op zijn computer, bedoel je?'

'Ik wist eigenlijk niet waar ik naar op zoek was. Ik zag dat hij foto's van Ruth Lennox had gegoogeld. Toen wist ik het. Dat doe je, je zoekt zo iemand op, om te zien of er foto's van haar op het net staan.'

'Dus toen wisten je broer en jij dat jullie vader een verhouding had met een zekere Ruth Lennox.'

'Ja. En toen zijn we natuurlijk op haar naam gaan zoeken. O, hij dacht dat hij het zo slim had aangepakt. Maar hij begrijpt niks van computers.'

'Wat hebben jullie gevonden?'

'Een e-mail van haar. Verstopt in een hele saaie map, "verzekeringen privé" of zo. Maar één mail.' Het klonk honend.

'Wat stond erin?'

'Er stond niet "Liefste Paul, wat neuk je toch lekker", als u dat soms bedoelt,' zei Ben woest. 'Er stond alleen dat zij hem weer wilde zien en dat hij zich geen zorgen hoefde te maken, want alles zou goedkomen.' Hij trok een grimas. 'Best lief, en praktisch. Toen dacht ik aan mijn moeder die zo ziek was en toch nog voor ons zorgde, en ik bedacht dat die andere vrouw ook van mijn vader hield en ik vond het zo fucking oneerlijk allemaal.'

'Van wanneer was die e-mail?'

'Van 29 april 2001.'

'En je houdt vol dat je het niet tegen je moeder hebt gezegd?'

'Ik heb het niet gezegd.'

'Maar je hebt wel een verminkte pop in de brievenbus van de familie Lennox gestopt.'

Ben kreeg een vuurrood hoofd. 'Ja. Ik was het niet van plan, maar toen zag ik die stomme pop bij een vriend in een mand vol speelgoed liggen, van zijn kleine zusje. En in een opwelling heb ik hem gepakt en ben ik erin gaan zitten snijden om haar te laten zien wat we van haar vonden. Ik moest iets doen.'

'Maar ze heeft je presentje nooit gekregen. Haar zieke dochter was thuis en dacht dat die pop voor haar was bedoeld.'

'O, shit.'

'Dus Josh en jij wisten waar ze woonde?'

'Ja.'

'Ben je er verder nog geweest?'

'Nee, niet echt.'

'Niet echt?'

'Ik ben af en toe tegenover het huis gaan staan. Om haar te zien.'

'Heb je haar gezien?'

'Nee. Haar kinderen wel, denk ik. Ik werd er niet goed van, dat kan ik u wel vertellen. Ik voelde me vergiftigd.'

'Is er nog iets wat je me niet hebt verteld?'

Ben schudde mistroostig zijn hoofd. 'Josh zal woedend op me zijn. Ik heb moeten zweren dat ik niets zou zeggen.'

'Dat krijg je, als je de wet overtreedt. Dan worden mensen boos op je.'

46

Frieda had Judiths e-mailadres van Chloë gekregen en haar een berichtje gestuurd om haar te laten weten dat ze de volgende dag om vier uur 's middags op haar zou wachten bij de ingang van Primrose Hill, een paar minuten lopen van haar school. Het weer was omgeslagen, er stond een onstuimige wind en uit het laaghangende grijze wolkendek kon het elk moment gaan regenen.

Ze zag Judith al een tijdje voor Judith haar in de gaten kreeg. Ze liep met een kluwen vriendinnen die steeds verder uitdunde en kwam ten slotte in haar eentje naar het hek geslenterd. Door de kolossen van laarzen aan haar voeten leken haar benen nog spichtiger en werd haar tred onevenwichtig en een beetje struikelend. Uit de oranje sjaal die ze als een tulband om haar hoofd had gewonden, staken woeste lokken. Ze maakte een getergde indruk, haar ogen schoten alle kanten op en ze sloeg steeds een hand voor haar mond alsof ze zichzelf het zwijgen wilde opleggen.

Bij het park aangekomen zag ze Frieda op een bankje zitten en versnelde ze haar pas. Er flitsten allerlei emoties over haar gezicht: verbazing, boosheid en angst, die zich vervolgens verhardden tot een vijandig masker. Haar blauwe ogen fonkelden.

'Wat doet *zij* hier?'

'Zij is hier omdat je niet met mij, maar met haar moet praten. Met rechercheur Long. Yvette.'

'Waar heb je het in godsnaam over? Ik hoef met geen van jullie tweeën te praten. Ik wil het ook niet. Ik wil dat iedereen oprot. Laat me toch met rust.' Haar stem brak. Een schorre snik perste zich door haar mond naar buiten en ze stond te tollen op haar benen, alsof ze elk moment kon vallen.

Frieda stond op en gebaarde naar de bank. 'Je staat onder zo'n zware druk, je moet wel het gevoel hebben dat je bijna uit elkaar barst.'

'Geen idee waar je het over hebt. Ik wil hier helemaal niet zijn. Ik wil naar huis. Of in ieder geval hier weg,' voegde ze eraan toe.

Maar ze kwam niet in beweging en zag er zo jong, zo onzeker en angstig uit dat het Frieda niet had verbaasd als ze in tranen was uitgebarsten. Toen, alsof haar benen haar niet langer konden dragen, liet ze zich naast Yvette op de bank zakken, trok haar benen op en sloeg haar armen er beschermend omheen.

'Wil je Yvette vertellen waarom je zo bang bent?'

'Waar heb je het over?' fluisterde Judith.

'Je kunt hem niet beschermen.'

'Wie?'

'Je vader.'

Judith sloot haar ogen. Haar gezicht werd slap en opeens leek ze een vrouw van middelbare leeftijd, overmand door vermoeidheid.

'Soms denk ik wel dat ik wakker zal worden en dat het allemaal een droom is geweest. Dat mam er gewoon nog is en dat we over stomme dingen ruziën, zoals hoe laat we thuis moeten zijn en make-up en huiswerk. En dat al die vreselijke dingen niet zijn gebeurd. Ik wou dat ik nooit een vriend had gehad, dat ik Zach nooit was tegengekomen. Ik word niet goed als ik aan hem denk. Ik wil weer zijn zoals ik was voordat dit allemaal gebeurde.' Ze deed haar ogen open en keek Frieda aan. 'Komt het door mij dat hij dood is?'

'Vertel jij het maar.'

Toen barstte Judith eindelijk in tranen uit. Ze boog naar voren, sloeg haar handen voor haar gezicht en wiegde heen en weer. De tranen liepen langs het raster van haar vingers naar beneden en haar lichaam schokte, ze snikte en kreunde. Yvette keek naar haar en legde aarzelend een hand op haar schouder, maar Judith haalde heftig naar haar uit en duwde haar weg. Het duurde een paar minuten voor het snikken minder werd en uiteindelijk ophield. Ze tilde haar hoofd op uit de zeef van haar handen; haar gezicht was vlekkerig van het huilen en de uitgelopen mascara had strepen op haar wangen achtergelaten. Ze was haast onherkenbaar geworden. Frieda haalde een zakdoekje uit haar tas en gaf die aan haar. Nog steeds snuffend depte Judith haar gezicht ermee af.

'Ik had hem verteld over Zach,' fluisterde ze ten slotte.

'Ja?'

'Heeft hij hem vermoord?'

'Dat weet ik niet.' Frieda gaf haar nog een zakdoekje aan.

'Maar het is goed dat je het verteld hebt,' zei Yvette resoluut. 'We waren er toch achter gekomen. Je hoeft je niet verantwoordelijk te voelen.'

'Waarom niet? Het is mijn schuld. Ik ben met hem naar bed geweest.' Haar gezicht werd een grimas. 'En toen heb ik het mijn vader verteld. Hij wilde me alleen maar beschermen. Wat gaat er nu met hem gebeuren? Wat gaat er met ons gebeuren? Dora is nog maar een kind.'

'Yvette heeft gelijk, Judith. Jij bent hier niet verantwoordelijk voor.'

'Het is goed dat je het hebt verteld,' zei Yvette, en ze stond op.

'Hij heeft meteen door dat jullie het van mij hebben gehoord.'

'Hij had jou nooit in deze positie mogen brengen,' zei Yvette.

'Waarom gebeurt dit allemaal met ons? Ik wil dat het weer wordt zoals vroeger, toen alles nog normaal was.'

'We brengen je naar huis,' zei Frieda.

'Ik kan hem niet onder ogen komen, niet nu. Dat kan ik echt niet. Die arme lieve pap. O, god.' Er klonk nog een laatste beverige snik.

Frieda nam een besluit. 'Je gaat met mij mee,' zei ze, en ze dacht aan haar rustige, ordelijke huisje dat de laatste tijd door het verdriet en de chaos van andere mensen in een heksenketel was veranderd. 'Jij, Ted en Dora. We bellen ze nu op.' Ze knikte naar Yvette. 'En jij zult met Karlsson moeten praten.'

Toen Karlsson van Yvette te horen kreeg wat Judith had verteld, staarde hij haar een moment sprakeloos aan.

'Die idioot,' zei hij uiteindelijk. 'En wie zorgt er nu voor zijn gezin? Wat een puinhoop. Russell Lennox wist van Judith en Zach. Josh en Ben Kerrigan wisten van hun vader en Ruth Lennox. Al die geheimen. Hoe moet dit eindigen?' Zijn telefoon ging. Hij griste hem van zijn bureau, luisterde en zei: 'We komen eraan.

Dat was Tate van de technische recherche. We zijn uitgenodigd voor een rondleiding in de flat van Zach.'

'Maar...'

'Heb je soms iets beters te doen?'

James Tate was een kleine, gedrongen man met een donkere huid en grijzend haar. Hij had een ietwat gebiedende toon en een vileine humor. Karlsson kende hem al jaren. Hij was nauwkeurig en objectief, en zeer goed in zijn werk. Toen ze aankwamen stond hij al op hen te wachten. Hij knikte kort en deelde papieren overschoenen en dunne latex handschoenen uit voor ze de plaats delict betraden.

'Had je het me niet door de telefoon kunnen zeggen?' vroeg Karlsson.

'Ik dacht dat je het wel zelf zou willen zien. Dit hier, bijvoorbeeld.'

Hij wees naar de deurbel. 'Mooie duidelijke afdrukken.'

'Komen ze...'

'Niet zo haastig.' Hij opende de deur naar het halletje. 'Bewijsstuk nummer twee.' Hij wees naar de modderige voetafdrukken op de grond. 'Schoenmaat eenenveertig. We hebben een duidelijk profiel. En drie: sporen van een worsteling die hier heeft plaatsgevonden. Dit schilderijtje hangt scheef.'

Karlsson knikte. Yvette, die achter hen aan langs het rommelige keukentje naar de slaapkamer liep, had het vreemde gevoel dadelijk weer opnieuw op het lichaam te zullen stuiten.

'Vier: bloedspatten. Hier, hier en hier. En daar nog heel veel meer natuurlijk, waar het lichaam heeft gelegen. Bewijsstuk vier, of zijn we al bij vijf? In die vuilnisbak daar,' – hij wees – 'hebben we een hele vieze theedoek gevonden, met veel bloed. Die is meegenomen voor DNA-onderzoek. Heeft iemand gebruikt om zich mee af te vegen.'

'En dat is...'

'Bewijsstuk zes: vingerafdrukken met sporen van bloed van het slachtoffer, daar op die muur. Wat denk je ervan?'

'Wat ik denk? Wat wéét je?'

'Er komt een heel plausibel scenario uit naar voren. Iemand – een man met schoenmaat eenenveertig – is binnengekomen. Waarschijnlijk is hij door het slachtoffer binnengelaten, maar dat weten we niet zeker. Er is in elk geval geen deur of raam geforceerd. In de gang ontstond een worsteling die in de slaapkamer werd voortgezet, waarna het slachtoffer is doodgeslagen met een wapen dat nog niet is gevonden. De dader zat waarschijnlijk onder het bloed en heeft dat met de theedoek weggeveegd, die hij daarna in de vuilnisbak heeft gegooid. Vermoedelijk voelde hij zich inmiddels niet meer zo goed. Hij leunde tegen de muur, en liet daar enkele zeer bruikbare vingerafdrukken op achter. Toen is hij vertrokken.' Tate keek hen stralend aan. 'Voilà.'

'En van wie zijn de vingerafdrukken?'

'Van Russell Lennox.' Tates triomfantelijke gezicht betrok. 'Ben je niet onder de indruk?'

'O, sorry. Ik vind het geweldig. Alleen, je hebt slordig en slordig, maar dit slaat alles.'

'Daar weet jij alles van, Mal. Moordenaars raken door de stress vaak in een bijna psychotische toestand. Ze lijden aan geheugenverlies. Ik heb portefeuilles en jasjes gevonden op plaatsen delict.'

'Je hebt gelijk,' zei Karlsson. 'Een eenduidig resultaat zou heel welkom zijn.'

'Graag gedaan,' zei Tate.

47

Toen Frieda met de drie kinderen van Lennox bij haar huis aankwam, was het daar niet bepaald het rustige toevluchtsoord dat ze hun had toegewenst. Het leek eerder een slagveld. De gang lag bezaaid met schoenen in alle soorten en maten en bij de trapleuning waren jassen neergegooid; een spoor van tassen, de inhoud verspreid over de grond, leidde naar de zitkamer. Harde muziek schalde door het huis. Er hing een zware etenslucht waarin uien, knoflook en kruiden te herkennen waren. Frieda moest even stil blijven staan en een paar keer diep ademhalen. Ze had het gevoel dat ze met de kinderen aan een toneelstuk meedeed. Ze hoorde luide stemmen en gerinkel van glazen, alsof er een feestje aan de gang was. Toen ze de kamer binnenkwam, keken Chloë en Josef op. Ze zag een fles wijn op tafel staan, glazen en een bakje met noten.

'Niets aan de hand,' riep Chloë. 'Reuben is aan het koken. Het leek me fijn voor je om eens een keer niet voor het eten te hoeven zorgen. Hij maakt een van zijn specialiteiten, zei hij. O, hallo, Ted!' Ze bloosde en lachte naar hem.

De deur ging open en Reuben keek met een stralend, hoogrood gezicht de kamer in. Dronken, dacht Frieda. Als een tor.

'Hallo, Frieda. Ik dacht dat we allemaal wel aan een copieuze maaltijd toe waren, en aangezien jij niet naar mij toe komt, dacht ik...' Toen zag hij het groepje kinderen dat verdwaasd en angstig in een hoekje stond. 'Sorry. Ik had jullie niet gezien. Jullie zijn die arme kinderen die hun moeder hebben verloren.'

'Ja,' zei Judith zwakjes. Dora begon te snotteren.

'Heel rot,' zei Reuben. 'Heel, heel, heel rot.' Hij zwaaide lichtelijk op zijn benen. 'Ik vind het heel erg rot voor jullie.'

'Dank u.'

'Maar ik heb genoeg eten voor een weeshuis. Hoe meer zielen, hoe meer vreugd. We kunnen aan tafel.' Hij maakte een zwierige buiging en knipoogde naar Frieda.

'Ik geloof niet dat dit het juiste moment is,' zei Frieda gedecideerd. 'We hebben een beetje rust nodig, sorry.'

Zijn gezicht betrok. Hij keek haar kwaad aan en trok zijn wenkbrauwen op, klaar om de strijd aan te binden.

'Nou niet zo gemeen doen, Frieda!' riep Chloë verontwaardigd. 'Hij is úren bezig geweest in de keuken. Jij vindt het toch niet erg, Ted?' Ze legde een hand op zijn schouder en hij keek haar versuft aan.

'Neu. Het is wel oké,' zei hij lusteloos. 'Het maakt me allemaal niks uit.'

'Ik denk niet...' begon Frieda.

'Super!'

Josef had de tafel al gedekt met vreemde borden die Frieda nooit gebruikte. Die moest hij ergens achter in de kast hebben gevonden. De aanblik van die borden versterkte haar gevoel dat ze een gast was in haar eigen huis, een vreemdeling in haar eigen leven. Hij vulde de glazen met water uit een kan. Even later droeg Reuben met theedoeken als ovenwanten een grote blauwe ovenschotel de kamer binnen. Frieda wist al wat het was. Het was Reubens specialiteit, het gerecht waar hij altijd weer op terugviel, zijn troostvoedsel zo lang ze hem kende: een zeer pikante, kruidige chili con carne met véél carne. Toen hij triomfantelijk het deksel oplichtte en Frieda het vlees en de donkerrode kidneybonen zag, moest ze bijna kokhalzen.

'Dit gerecht maakte ik als student altijd,' zei hij tegen Chloë. 'Jij moet ook een paar gerechten leren maken voor als je gaat studeren. En jij ziet een beetje pips, als ik zo vrij mag zijn,' zei hij tegen Judith. 'Rood vlees, dat heb jij nodig!'

'Je hebt niet toevallig ook een salade gemaakt?' vroeg Frieda.

Reuben liep de kamer uit en kwam terug met een klein bakje groene sla. Hij schepte de chili op de borden en deelde die rond. Toen hij klaar was schonk hij de wijn in.

Chloë nam een grote hap en kromp in elkaar. 'Heet, zeg,' bracht ze hijgend uit, en ze nam een slok water.

'Water maakt het alleen maar erger,' zei Reuben. 'Je kunt beter wijn nemen.'

Josef schoof een lading op zijn vork, bracht die naar zijn mond en begon te kauwen. 'Lekker,' zei hij. 'Je voelt het in borst.'

Frieda zat een beetje met haar eten te spelen. Met haar vingers pakte ze een blaadje sla en stopte het in haar mond. Ted dronk wijn alsof het water was en vulde zijn glas zonder te vragen bij. Dora staarde alleen maar naar haar bord, en even later richtte ze haar grote smekende ogen op Frieda.

Judith prikte met haar vork in de vette hoop eten die ze voor zich had. 'Het is heel lekker, maar ik geloof dat ik even moet gaan liggen,' zei ze. 'Mag ik op jouw bed?'

'Natuurlijk.'

'Ik heb de laatste tijd wraakfantasieën over die lul van een Bradshaw,' zei Reuben met opgewekte, welluidende stem toen Judith de kamer verliet.

'Wie is dat?' vroeg Chloë, met een ongeruste blik in Teds richting.

'Dat is de lul die mij en Frieda heeft belazerd en ons voor de hele goegemeente voor schut heeft gezet. Ik heb een paar fantasieën die telkens terugkeren. Eén is dat ik langs een meer loop en Bradshaw zie verdrinken. Ik kijk toe terwijl hij naar de bodem zinkt. Een andere is van een auto-ongeluk en dat Bradshaw op het asfalt ligt dood te bloeden terwijl ik erbij sta te kijken. Ik weet al wat je gaat zeggen, Frieda.'

'Wat ik ga zeggen is dat je je mond moet houden.'

'Je gaat zeggen dat dat soort fantasieën niet gezond zijn. Niet the-ra-peu-tisch.' Hij benadrukte het laatste woord alsof het iets walgelijks was. 'Nou, wat denk je?'

'Dat je hem van de verdrinkingsdood zou redden zou volgens

mij een betere wraakfantasie zijn. Of dat je zijn bloed zou stelpen. En ik denk dat je te veel wijn ophebt en dat dit hier niet de juiste avond voor is.'

'Dan is er geen lol aan,' zei Reuben.

'Nee,' viel Ted hem bij. Zijn wangen waren vlekkerig en hij keek vurig uit zijn ogen. 'Geen lol aan. Wraak hoort bloedig te zijn.'

'Wraak moet zoet zijn?' zei Dora. 'Dat hebben we net op school gehad.'

'Stelpen?' zei Josef. 'Wraak, zoet?' Ook dronken, concludeerde Frieda.

'Ik ben met Josef een echte wraakactie aan het voorbereiden,' zei Reuben.

Frieda keek naar Josef, die net een grote hap had genomen en verwoed zat te kauwen om hem zo snel mogelijk te kunnen doorslikken.

'Niet echt voorbereiden,' zei Josef. 'Meer praten.'

'Bouwvakkers weten hoe je bepaalde dingen moet doen,' vervolgde Reuben, die blijkbaar niet merkte dat er een bijna tastbaar waas van wanhoop in de kamer hing. 'Josef weet hoe je ergens binnen kan komen. En dan verstop je garnalen achter de gordijnrails en de radiatoren. Als die gaan rotten, is de stank niet te harden. Bradshaw zal het er niet meer uithouden. Je kunt natuurlijk nog subtieler te werk gaan. Een verbindingsstuk losmaken van de waterleiding die onder de vloer door loopt. Een heel klein beetje losdraaien, zodat er een heel klein lek ontstaat. Daar kun je aardig wat schade mee aanrichten.'

'Gaaf zeg,' zei Ted met een harde, ruige stem. Zijn ogen fonkelden vervaarlijk.

'We hebben het hier alleen over een fantasie,' zei Frieda. 'Toch?'

'Of nog iets ergers,' zei Reuben. 'Ik zou de remmen van zijn auto onklaar kunnen maken, met de hulp van Josef uiteraard. Of zijn kantoor in de hens zetten. Of zijn vrouw bedreigen.'

'Dan ga je de gevangenis in. En Josef ook, en die wordt daarna ook nog eens het land uit gezet.'

Reuben trok nog een fles wijn open en begon iedereen bij te schenken.

'Ik ga Dora naar bed brengen,' zei Frieda. 'En als ik terugkom, wil ik dat jullie weggaan. Josef en jij gaan naar huis.'

'Ik neem nog wat,' zei Reuben. 'Wil jij ook nog, Ted?'

'Reuben, het is nu wel mooi geweest.'

Maar toen Frieda even later terugkwam, begon Reuben er weer over. Ze wist wat het betekende als hij in zo'n bui was: dan werd hij prikkelbaar en gevaarlijk, als een stier met een zere kop.

'Ik vind je hypocriet, Frieda. Ik ben een voorstander van wraak. Het is een gezonde reactie. Ik wil dat we allemaal om de beurt zeggen op wie we wraak zouden willen nemen, en hoe. Voor mij is dat dus Hal Bradshaw. Die zou ik graag voor de rest van zijn leven naakt boven op een berg zetten, waar hij dagelijks door een aasgier wordt bezocht die zijn lever opeet.' Hij grijnsde sinister. 'Of zoiets.'

'En als hij die lever dan opheeft?' vroeg Chloë.

'Die groeit elke dag weer aan. En op wie zou jij wraak willen nemen?'

Chloë keek Reuben ineens ernstig aan. 'Toen ik negen was, was er een meisje, Cath Winstanley heette ze. In de vierde en de eerste helft van de vijfde klas was ze de hele dag met niets anders bezig dan andere kinderen te beletten met mij te spelen of te praten. En als er een nieuw meisje in de klas kwam, zorgde Cath ervoor dat ze meteen vriendinnen met haar werd en zij niet met mij zou spelen.'

'Dat wist ik helemaal niet,' zei Frieda.

'Mama wist het wel. Ze zei dat het wel weer over zou gaan, en dat is ook gebeurd. Uiteindelijk.'

'Wat zou je haar aan willen doen?' vroeg Reuben. 'Alles mag. Dit is een wraakfantasie.'

'Ik zou willen dat zij zou doormaken wat ik heb doorgemaakt,' antwoordde Chloë. 'En op het eind zou ik in een rookwolkje voor haar verschijnen en tegen haar zeggen: "Zo was het dus voor mij."'

‘Zo zou wraak moeten zijn,’ zei Frieda zacht.

‘Maar je hebt het overleefd,’ zei Reuben. ‘En jij, Josef?’

Josef lachte mistroostig. ‘Ik zal zijn naam niet zeggen. De man met mijn vrouw. Hem wil ik straffen.’

‘Uitstekend,’ zei Reuben. ‘Wat voor straf had je in gedachten? Iets middeleeuws misschien?’

‘Ik weet het niet,’ zei Josef. ‘Dat mijn vrouw zo tegen hem doet als tegen mij, hoe zeg je dat? Praten, praten, praten... tegen hem.’

‘Vitten,’ zei Reuben.

‘Ja, vitten.’

‘Godallemachtig, Reuben,’ zei Frieda. ‘En jij ook, Josef.’

‘Wat is probleem?’ vroeg Josef.

‘Laat maar,’ zei Frieda.

‘En jij, Ted? Als je de moordenaar van je moeder zou vinden? Dat moet toch weleens in je opkomen.’

‘Eruit. Naar huis, nu,’ zei Frieda.

‘Nee,’ zei Ted hard, bijna schreeuwend. ‘Natuurlijk denk ik daaraan. Als ik de moordenaar van mijn moeder zou vinden, zou ik... zou ik...’ Met zijn vuist om zijn glas geklemd keek hij de tafel rond. ‘Ik haat hem,’ zei hij zacht. ‘Wat doe je met iemand die je haat?’

‘Stil maar, Ted,’ zei Chloë. Ze probeerde de hand te pakken waarmee hij zijn glas omklemde.

‘Bravo,’ zei Reuben. ‘Heel goed, gooi het er maar uit. En nu jij, Frieda. Wie is het doelwit van jouw grenzeloze wraak?’

Frieda voelde een golf misselijkheid in zich opkomen die vanuit haar maag opsteeg tot hoog in haar borstkas. Het leek wel of ze op het randje van een afgrond stond met alleen nog maar haar hielen op de grond en haar tenen al boven de duisternis, en ze voelde de verleiding, altijd maar die verleiding om zich naar voren te laten vallen, de diepte in naar... Ja, waar naartoe?

‘Nee,’ zei ze. ‘Ik ben niet goed in dit soort spelletjes.’

‘Kom op, Frieda, het is geen monopoly.’

Maar toen Frieda’s gezicht zich verhardde en ze hem kwaad aankeek, deed Reuben er het zwijgen toe.

'Het bad,' zei Josef, in een onhandige poging alles weer goed te maken. 'Is goed?'

'Heel goed, Josef. Het is echt de moeite waard geweest.' Ze zei maar niet dat ze er nog niet in had gelegen.

'Heb ik toch geholpen,' zei hij. Hij stond te tollen op zijn benen.

Eindelijk waren ze weg. De zachte voorjaarsschemering had plaatsgemaakt voor een echte avond. De wolken waren weggeblazen en een flinterdun maantje hing boven de daken. In de kamers van Frieda's huis was de spanning voelbaar. Zelfs Chloë's levendigheid was weggeëbd. Judith, die naar beneden was gekomen toen ze de voordeur hoorde dichtslaan, zat met opgetrokken benen op een stoel in de kamer en hield haar hoofd met de wilde bos haar tegen haar knieën gedrukt. Als iemand iets tegen haar zei of haar probeerde te troosten, schudde ze woest haar hoofd. Dora lag op een stretcher in Frieda's studeerkamer met een kop lauw geworden chocolademelk waar zich een rimpelig vel op had gevormd. Ze speelde een spelletje snakes op haar mobieltje. Haar dunne vlechten lagen langs haar gezicht. Frieda ging even bij haar zitten, zonder iets te zeggen. Dora draaide haar gezicht naar haar toe en zei met een stem die haast verongelijkt klonk: 'Ik wist het, van Judith en die oudere man.'

'O, ja?'

'Een paar dagen geleden, toen papa dronken was, hoorde ik hem er iets over schreeuwen tegen tante Louise. Komt het wel goed met Judith?'

'Ja, maar het heeft tijd nodig.'

'Heeft papa...?'

'Dat weet ik niet.'

Frieda ging naar beneden. Buiten, op het binnenplaatsje, beende Ted met een sigaret in zijn mond en een enorme koptelefoon op zijn smoezelige hoofd heen en weer. Ze konden elkaar geen van allen helpen en ze konden ook geen hulp van elkaar aanvaarden. Ze wachtten maar af terwijl Chloë met kopjes thee door het huis redderde en hier en daar een bemoedigend klopje op een neerhangende schouder gaf.

Toen Frieda aan Ted vroeg of er niet iemand was die ze moest bellen, keek hij haar nors aan en zei: 'Wie dan bijvoorbeeld?'

'Je tante?'

'Dat is zeker een grapje.'

'Hebben jullie verder geen familie?'

'U bedoelt onze oom in Amerika? Daar hebben we nu niet zoveel aan, hè? Nee, we hebben elkaar en verder alleen m'n vader, en als hij er niet is hebben we niemand.'

Ze bleef een tijdje bij hem zitten in de koele, weldadige avondlucht. Ze had niets meer in de hand in haar leven, alles onttrok zich aan haar regie: haar huis, waar ze zich altijd veilig had gevoeld, beschut tegen de gewelddadige chaos van de buitenwereld, haar relatie met deze jonge mensen, die zich tot haar hadden gewend alsof zij antwoorden had die niet bestonden, haar betrokkenheid bij de politie die ze toch maar weer schoorvoetend was aangegaan, haar bijna obsessieve belangstelling voor de schimmige wereld van het vermiste meisje Lila. Bovenal had ze het gevoel dat ze luisterde naar een stem die alleen zij kon horen, de echo van een echo van een echo. En dan was er nog Dean Reeve, die over haar waakte. Ook op hem had ze geen vat. Ze dacht aan Sandy, die pas halverwege zijn dag was, en wenste dat die van haar voorbij was.

48

De volgende morgen maakte Frieda iedereen vroeg wakker om bij Number 9 te gaan ontbijten. Het was een zootje ongeregeld waar ze mee aan tafel zat, een groepje wazig kijkende, nerveuze tieners voor wie de kindertijd dichterbij was dan de volwassenheid. Hun moeder was vermoord, hun vader zat in een politiecel en ze wachtten tot het vonnis zou worden geveld.

Ze zette hen op de bus, bleef wachten tot die wegreed en ging terug naar huis. Ze voelde zich leeg en dof, maar ze had dingen te doen. Josef was een muur aan het metselen in een tuin in Primrose Hill en Sasha was op haar werk. Dus nam Frieda de trein op Liverpool Street Station en terwijl ze door Londen reden, kwamen ze langs de net gebouwde stadions en sporthallen van het Olympisch Park. Ze deden haar denken aan speelgoed dat was achtergelaten door een reusachtige peuter. In Denham stapte ze uit en nam een taxi bij de standplaats voor het station.

Een paardenopvangcentrum genoemd naar een bloem. Frieda had zich er een landschap met golvende velden en bossen bij voorgesteld. De taxi reed langs een stel grote, half afgebroken loodsen en door een woonwijk. Toen de chauffeur stopte en zei dat ze er waren, dacht Frieda dat het het verkeerde adres was, maar toen zag ze het bord PAARDEN- EN EZELOPVANGCENTRUM SUNFLOWER. De chauffeur vroeg of hij op haar moest wachten, maar omdat het wel even kon duren, gaf hij haar een kaartje waar zijn nummer op stond.

Terwijl de taxi wegreed, keek ze om zich heen. Bij de ingang stond een grindstenen huis. In de voorgevel zaten diepe scheuren en een raam op de bovenverdieping was met een plaat hardboard dichtgetimmerd. Het huis leek verlaten. Op de muur naast de ingang hing een briefje met de tekst: BEZOEKERS MELDEN BIJ DE RECEPTIE. Ze liep een binnenplaats op met stallen die uit betonblokken waren opgetrokken, maar zag nergens een receptie. Er lagen hopen paardenmest en balen stro en aan de zijkant stond een verroeste tractor waarvan de voorwielen geen banden hadden. Behoedzaam stak Frieda de binnenplaats over, de bruine modderige plassen ontwijkend.

'Is daar iemand?' riep ze.

Er klonk een schrapend geluid en even later dook in de deuropening van een stal een tienermeisje op. Ze droeg rubberlaarzen, een spijkerbroek en een knalrood T-shirt en had een schop in haar hand. Met de rug van haar hand veegde ze langs haar neus. 'Ja?'

'Ik ben op zoek naar een zekere Shane.'

Het meisje haalde haar schouders op.

'Die zou hier werken, is me verteld.'

Het meisje schudde haar hoofd. 'Nee.'

'Vroeger, misschien?'

'Ik ken niemand die zo heet.'

'Hoe lang werk je hier al?'

'Een paar jaar. Af en toe.'

'En je kent iedereen hier?'

Het meisje rolde met haar ogen. 'Natuurlijk,' zei ze, en verdween weer de stal in. Frieda hoorde de schop over de betonnen vloer schrapen. Ze liep terug naar de weg, keek op haar horloge en vroeg zich af wat ze zou doen. Ze moest aan het gesprek in de pub denken. Zou ze het verkeerd begrepen hebben? Hadden ze dat alleen maar gezegd omdat ze haar weg wilden hebben? Ze begon te lopen. Er was geen stoep, alleen een strook gras, en de auto's die haar met veel wind en lawaai passeerden maakten dat ze zich kwetsbaar voelde. Toen ze de gebouwen achter zich had gelaten, kwam ze bij een verweerd houten hek dat een afscheiding vormde tussen de weg en een weiland.

Ze leunde op het hek en keek om zich heen. Een groot weiland strekte zich zo'n vierhonderd meter voor haar uit, tot aan de drukke A12, waar auto's en vrachtwagens overheen denderden. Het weiland zag er armoedig uit, met hier en daar een doornstruik en in het midden een grote dode eik. Er stonden paarden en een paar ezels te grazen. Ze oogden oud en haveloos, maar stonden vredig aan het gras te knabbelen, en het had iets rustgevends om ernaar te kijken. Het stelde misschien niet veel voor, maar het kon nog zoveel slechter. Het was een onbestemde omgeving: geen stad, geen platteland, maar iets rommeligs ertussenin. Het terrein maakte een verwaarloosde, ongeliefde, halfvergeten indruk. Misschien had er ooit bebouwing gestaan die was gesloopt, waarna het gras en de doornstruiken waren teruggekomen. Op een dag zou iemand zijn oog op deze grond laten vallen, dicht bij de snelweg, niet ver van Londen, en er een industrieterrein van maken of een tankstation neerzetten. Maar tot het zover was, zou hier niet veel veranderen. Het had wel iets, vond Frieda.

Ze zocht in haar zak naar het kaartje dat de taxichauffeur haar gegeven had. Ze moest het maar vergeten, teruggaan naar Londen, aan het werk gaan en haar gewone leven weer oppakken. De gedachte bracht meteen een gevoel van opluchting in haar teweeg. Toen ze haar telefoon wilde pakken, stopte er een auto bij de ingang van het opvangcentrum. Er stapte een man uit. Hij was lang, had een licht gebogen houding, een wilde, bijna witte haardos en een haakneus. Hij droeg een donkere broek, een kreukelig jasje en een dunne, losjes geknoopte donkere das. Hij maakte een waakzame, barse indruk en met zijn bleke, halfgesloten ogen staarde hij haar grimmig aan. Ze waren ruim dertig meter van elkaar verwijderd, te ver om normaal te kunnen praten. Toen Frieda bij het hek vandaan kwam en een paar stappen zijn kant op liep, kwam hij ook op haar af. Zijn gezichtsuitdrukking veranderde niet: het leek alsof hij niet naar haar keek, maar dwars door haar heen.

'Werkt u hier?' vroeg de man.

'Nee, ik ben op zoek naar iemand, maar hij is er niet.' Ineens kwam er een gedachte in haar op. 'Heet u soms Shane?'

'Nee,' antwoordde de man. 'Zo heet ik niet.' En hij liep de binnenplaats op. Plotseling bleef hij staan en draaide zich om. 'Wat wilt u van hem?'

'Dat is een beetje moeilijk uit te leggen.'

De man kwam weer naar haar toe. 'Probeer het toch maar.'

'Ik ben op zoek naar een meisje,' zei Frieda, 'en ik dacht dat een zekere Shane mij zou kunnen helpen. Er is me verteld dat hij hier werkt, maar ze kennen hem niet.'

'Shane,' zei de man peinzend. 'De naam zegt me niets, maar kom toch maar even mee.'

Verbaasd trok Frieda haar wenkbrauwen op. 'Waarom zou ik?'

'Ik ben ook op zoek naar iemand.' Hij sprak langzaam en klonk terneergeslagen.

'Neem me niet kwalijk, maar ik ken u niet. U bent een vreemde voor me, en ik weet niet met wie u hebt afgesproken of wat u hier doet. Ik ben klaar hier, ik ga naar huis.'

'Heel even maar.' Hij keek haar indringend aan. 'Mijn naam is Fearby, trouwens. Jim Fearby. Ik ben journalist.'

Er schoof een wolk voor de zon en een schaduw gleed over het landschap. Het leek wel alsof ze in een droom verzeild was geraakt waarin alles klopte maar tegelijkertijd toch helemaal niet. 'Frieda Klein.'

'Maar wie bént u?'

'Dat weet ik niet.' Ze zweeg toen ze haar eigen woorden hoorde. 'Ik ben gewoon iemand die iemand wil helpen.'

'O. En hoe heet dat vermiste meisje?'

'Lila Dawes.'

'Lila Dawes?' Hij fronste. 'Nee, die naam ken ik niet. Maar kom even mee.'

Ze liepen de binnenplaats op waar het meisje nu aan het vegen was. Ze was duidelijk verbaasd toen ze Frieda weer zag.

'Ik zoek iemand die Mick Doherty heet,' zei Fearby.

'Daar, verderop,' zei het meisje. 'Hij is bezig met de omheining.'

'Waar?'

Het meisje slaakte een zucht. Ze liep voor hen uit naar het weiland en wees in de verte. Aan de overkant, vlak bij de snelweg, zagen ze iemand bewegen.

'Is het veilig om door het weiland te lopen?' vroeg Fearby.

'Ze bijten niet, hoor.'

Een klein hek gaf toegang tot het weiland. Fearby en Frieda liepen zwijgend naar de overkant. Toen er twee paarden op hen af kwamen keek Fearby even naar Frieda.

'Ze denken dat we eten hebben,' zei Frieda.

'En wat doen ze als ze merken dat dat niet zo is?'

Een klein, schamel paardje drukte zijn neus tegen Frieda aan. Ze aaide hem over zijn hoofd. Wanneer was ze voor het laatst zo dicht bij een paard geweest? Twintig jaar geleden? Langer? Ze voelde zijn warme adem. De zoete, vochtige grondlucht had iets troostends. Toen ze bijna aan de overkant waren, zagen ze een man die met een buigtang bezig was een draad aan een nieuwe hekpaal vast te maken. Hij keek naar hen. Het was een rijzige man met lang rossig haar dat in een staart was samengebonden. Hij droeg een spijkerbroek en een zwart T-shirt. Eerst leek het een T-shirt met lange mouwen, maar toen zag Frieda dat zijn armen bedekt waren met een netwerk van tatoeages. In beide oren had hij een ringetje.

'Bent u Mick Doherty?' vroeg Fearby.

De man keek hem fronsend aan. 'Wie bent u?'

'We zijn niet van de politie. Ik ben op zoek naar een meisje, Sharon Gibbs. Ze wordt vermist. Ik ben uw naam tegengekomen, u schijnt haar gekend te hebben.'

'Nooit van gehoord.'

'Ik denk van wel. U bent Mick Doherty?'

'Klopt.'

'We zijn alleen maar in haar geïnteresseerd.' Het ontging Frieda niet dat hij 'we' zei, maar ze maakte geen bezwaar. Deze merkwaardige man sprak op een vermoeide toon waar echter wel gezag in doorklonk. 'Maar als dit niets oplevert, zullen we onze bevindingen aan de politie moeten melden. Dat is vast geen probleem, maar...' Fearby liet een stilte vallen.

'Ik heb niets gedaan, u kunt me niks maken.'

Fearby bleef zwijgen.

'Ik weet niet wat u wilt.' Zijn blik gleed naar Frieda. 'Maar u verdoet uw tijd.'

'Sharon Gibbs.'

'Oké. Ik ken haar wel. Nou en?'

'Wanneer hebt u haar voor het laatst gezien?'

'U zegt dat ze vermist wordt?'

'Ja.'

'Hoe lang al?'

'Ruim drie weken.'

Doherty draaide een klem vast op de paal. 'Ik heb haar in geen maanden gezien. Misschien wel langer. Ik ben weg geweest.'

'U bent weg geweest.'

'Klopt.'

'Waar was u dan?'

'In de gevangenis. Niet lang. Ze hebben me erin geluisd, zeker weten. Vanaf januari heb ik gezeten. Tot vorige week. En toen kreeg ik dit klotebaantje. Ik mag de stront van die verdomde ezels opruimen.'

'En hebt u Sharon gezien sinds u vrij bent?'

'Waarom zou ik haar gezien hebben? Ze is m'n vriendin niet, als u dat soms bedoelt. Het is gewoon een grietje.'

'Gewoon een grietje dat in het verkeerde gezelschap verzeild is geraakt, meneer Doherty.' Fearby richtte zijn indringende blik op de man. 'En ze heeft ouders die erg ongerust over haar zijn.'

'Dat is niet mijn probleem. U bent bij mij aan het verkeerde adres.'

Plotseling kreeg Frieda een ingeving. 'Wordt u ook wel Shane genoemd?'

'Hoezo?'

'Rossig haar, Ierse naam.'

'Ik kom uit Chelmsford.'

'Maar u wordt ook wel Shane genoemd.'

Er verscheen een sarcastisch lachje op Doherty's gezicht. 'Soms wel. U weet wel, *begorrah*.'

'Vertel eens over Lila Dawes.'

'Wat?'

'U kent een meisje dat Lila Dawes heet. Ook vermist.' Ze voelde Fearby naast zich verstijven, alsof er een elektrische schok door hem heen ging.

'Twee vermiste meisjes,' zei hij zacht. 'En u kende ze allebei.'

'Wie zegt dat ik Lila heb gekend?'

'Lila. Verslaafd aan crack. Zij ging met u om, meneer Doherty – Shane – rond het tijdstip waarop ze verdween. Twee jaar geleden.'

'Jullie zijn niet van de politie, toch? Dan hoef ik dus ook niets te zeggen. Behalve...' Hij legde het ijzerdraad neer. Frieda zag speeksel in zijn mondhoeken en gesprongen adertjes op zijn huid. Hij balde telkens zijn vuisten waardoor de tatoeages op zijn armen in beweging kwamen en zijn blik dwaalde om haar heen alsof hij iets achter haar probeerde te zien. 'Behalve dat jullie nu op kunnen rotten.'

'Hazel Barton, Roxanne Ingatestone, Daisy Crewe, Philippa Lewis, Maria Horsley, Lila Dawes, Sharon Gibbs.'

Het klonk als een litanie, een bezwering. Frieda's adem stokte in haar keel. Zonder een geluid te maken bleef ze roerloos staan. Even had ze het gevoel een donkere tunnel te zijn binnengegaan die naar een nog diepere duisternis voerde.

'Waar heb je het in jezusnaam over, ouwe?'

'Over vermiste meisjes,' zei Fearby. 'Ik heb het over vermiste meisjes.'

'Oké. Ik heb Lila gekend.' De herinnering deed hem grinniken. 'Geen idee waar ze gebleven is.'

'Volgens mij weet je het wel,' zei Frieda. 'En als dat zo is, kun je het me maar beter vertellen want ik kom er toch achter.'

'Ze komen en ze gaan. En een pleziertje met haar gaf altijd meer ellende dan je lief was.'

'Ze was gewoon een tienermeisje dat de ongelooflijke pech had jou tegen het lijf te lopen.'

'Ach, wat sneu nou. En ja, Sharon heb ik ook wel gekend. Maar die anderen niet.'

'Had je al eerder gezeten?' vroeg Fearby.

'Ik heb het nou wel gehad met die vragen van jullie.'

'Data wil ik, meneer Doherty.'

Iets in Fearby's toon bracht hem even van zijn stuk en maakte zijn sarcasme plaats voor een zekere behoedzaamheid. 'Anderhalf jaar geleden heb ik in Maidstone gezeten.'

'Waarvoor?'

'Iets met een meisje.'

'Iets met een meisje.' Fearby herhaalde de woorden alsof hij ze proefde. 'Hoelang had je gekregen?'

Doherty haalde alleen zijn schouders op.

'Hoelang?'

'Vier maanden, ongeveer.'

Frieda voelde dat Fearby een berekening maakte. Op zijn gezicht waren denkrimpels verschenen en een diepe frons liep over zijn voorhoofd.

'Oké,' zei hij ten slotte. 'We zijn klaar.'

Fearby en Frieda liepen terug door het weiland. Twee paarden volgden hen op de voet, hun hoeven dreunden als een trom op de droge grond.

'We moeten praten,' zei Fearby toen ze bij zijn auto aankwamen. Ze knikte. 'Kunnen we ergens heen? Woon je hier in de buurt?'

'Nee. Jij?'

'Ik ook niet. Hoe ben je hier gekomen?'

'Met een taxi vanaf het station.'

'We kunnen een cafeetje zoeken.'

Frieda ging naast hem in de auto zitten; de gordel werkte niet en het stonk er naar sigaretten. Op de achterbank lagen papieren. Pas toen ze in een kleine, smoezelige koffiebar in Denham High Street aan een tafeltje bij het raam zaten, elk met een beker thee met te veel melk voor zich, begonnen ze weer te praten.

'Begin jij maar,' zei Fearby. Hij zette een dictafoon op tafel, sloeg een spiraalblocnote open en haalde een pen uit zijn jaszak.

'Wat doe je nou?'

'Aantekeningen maken. Vind je dat goed?'

'Nee. En wil je dat ding afzetten?'

Fearby keek haar aan alsof hij haar voor het eerst zag. Toen verscheen er een klein lachje op zijn verweerde gezicht. Hij zette het apparaat af en legde zijn pen neer.

'Vertel me wat je hier kwam doen.'

Frieda stak van wal. Eerst was ze zich ervan bewust dat het een irrationeel verhaal was, dat ze gedreven werd door een paranoïde instinct dat ze had overgehouden aan een recent trauma en dat haar aanleiding had gegeven tot een onverklaarbare en vergeefse zoektocht naar een meisje dat ze helemaal niet kende. Ze hoorde zichzelf vertellen over de kleine, levendige anekdote die haar tot deze zoektocht had aangezet, de doodlopende sporen, de trieste ontmoetingen met Lila's vader en met de vrouw uit Josefs vaderland door wie ze Shane op het spoor was gekomen. Maar gaandeweg drong het tot haar door dat Fearby niet ongelovig reageerde, niet deed alsof ze van Lotje getikt was, zoals andere mensen hadden gedaan. Hij knikte en boog zich naar haar toe; zijn ogen klaarden op en zijn barse gezicht werd milder.

'Zo, nu weet je alles,' zei ze toen ze haar verhaal had verteld. 'Wat vind je ervan?'

'Zo te horen zijn we op zoek naar dezelfde man.'

'Dat zul je me uit moeten leggen.'

'Tja. Ik denk dat we dan bij George Conley moeten beginnen.'

'Waarom komt die naam me bekend voor?'

'Hij is veroordeeld voor de moord op een meisje, Hazel Barton heette ze. Je hebt waarschijnlijk van hem gehoord omdat hij een paar weken geleden is vrijgekomen na jaren in de bak te hebben gezeten voor een misdrijf dat hij niet heeft gepleegd. Arme kerel, in de gevangenis was hij misschien beter af. Maar dat is weer een ander verhaal. Hazel was het eerste meisje, en de enige van wie het lichaam is gevonden. Ik denk dat Conley de moordenaar heeft gestoord, terwijl alle anderen... Maar nu ga ik te snel. En in feite was Hazel niet de eerste – er waren al anderen geweest. Vanessa Dale bijvoorbeeld, maar dat realiseerde ik me destijds niet, omdat Vanessa de dans is ontsprongen. Ik heb haar op weten te sporen. Dat had ik eerder moeten doen, toen haar geheugen beter was, of liever gezegd: toen ze nog een geheugen had. Maar ik wist het niet. Het heeft jaren geduurd voor ik begreep hoe het verhaal echt in elkaar zat en hoe groot en duister het was. Intertijd was ik een eenvoudig verslaggevertje met vrouw en kinderen, en deed ik het lokale nieuws. Maar goed...'

'Ho,' zei Frieda. Fearby keek op en knipperde met zijn ogen. 'Sorry, maar ik kan er geen touw aan vastknopen.'

'Ik probeer het je juist uit te leggen. Luister. Het houdt allemaal verband met elkaar, je moet alleen de lijnen volgen.'

'Maar ik zie geen lijnen.'

Hij leunde achterover en roerde rinkelend in de lauwe thee. 'Ik leef er al te lang mee, denk ik.'

'Bedoel je soms dat de meisjes wier namen je opnoemde toen we bij Doherty waren allemaal iets met elkaar te maken hebben, en dat Lila Dawes daar misschien ook bij hoort?'

'Ja.'

'Maar hoe dan?'

Fearby kwam abrupt overeind. 'Dat kan ik je niet vertellen, dat moet ik je laten zien.'

'Laten zien?'

'Ja. Ik heb het allemaal opgeschreven. Ik heb kaarten en overzichten en dossiers. Het is er allemaal.'

'Waar?'

'Bij mij thuis. Ga je mee, wil je het zien?'

Frieda dacht even na. 'Goed,' zei ze.

'Oké.'

'Waar woon je? In Londen?'

'Londen? Nee, Birmingham.'

'Birmingham?'

'Ja. Is dat een probleem?'

Frieda dacht aan haar huis dat op haar wachtte, en aan haar vrienden die niet wisten waar ze was, aan haar kat die geen brokjes meer in zijn bakje had. Ze dacht aan Ted, Judith en Dora. Maar door de merkwaardige ontmoeting met deze al even merkwaardige oude man was ze geïntrigeerd geraakt. Ze zou Sasha bellen om te vragen of zij de honneurs voor haar waar wilde nemen.

'Nee,' zei ze. 'Dat is geen probleem.'

49

In de warmte van de auto voelde Frieda zich wegzakken. Ze had een paar slapeloze nachten achter de rug, meer dan anders, waarin ze bij vlagen door wrange, gewelddadige dromen werd gekweld, en nu was ze doodop en waren haar ogen branderig van vermoeidheid. Toch verzette ze zich ertegen omdat Fearby als een morsige roofvogel naast haar zat; ze kon zich niet permitteren in zijn nabijheid weerloos te zijn. Maar het lukte niet om wakker te blijven. Toen ze zich eindelijk liet gaan, haar ogen dichtvielen en haar lichaam ontspande, kwam het nog in haar op hoe merkwaardig het was dat ze iemand vertrouwde die ze helemaal niet kende.

Fearby verliet de M25 en draaide de M1 op. Dit was een weg die hij kende; op de een of andere manier klopte het dat ze hier samen reden. Hij schoof een cd met Ierse folk in de cd-speler, draaide het volume zo laag dat de muziek nog net te horen was, en keek opzij. Hij kon haar niet peilen. Ze moest halverwege de dertig zijn, misschien iets ouder: van een afstand zag ze er jonger uit met haar slanke, rechte figuur en haar soepele manier van bewegen, maar van dichtbij was haar gezicht ingevallen, had ze wallen onder haar ogen en een gespannen, haast gekwelde uitdrukking op haar bleke gezicht. Hij had haar niet gevraagd wat ze deed. Frieda Klein, het klonk Duits, joods. Hij keek naar haar handen die losjes gevouwen in haar schoot lagen. Ze droeg geen ringen en haar nagels waren kort en niet gelakt. Ze droeg ook geen make-up of sieraden. Zelfs in haar slaap straalde ze iets strengs en zorgelijks uit.

Hoe dan ook – en zijn hart sprong op – hij had gezelschap, een medestandster, voor even in elk geval. Hij was er zo aan gewend om alleen te werken dat hij de buitenwereld soms moeilijk van zijn obsessieve binnenwereld kon onderscheiden. Zij zou hem daarbij helpen: ze had een heldere blik, en wat ook de drijfveren voor haar eigen zoektocht mochten zijn, hij had haar koele scherpzinnigheid gevoeld. Hij lachte bij zichzelf: ze liet zich niet de wet voorschrijven.

Ze mompelde iets en haar hand kwam omhoog. Haar ogen gingen open en even later zat ze rechtop en streek een lok haar uit haar verhitte gezicht.

'Ik was in slaap gevallen.'

'Dat geeft niet.'

'Ik val nooit in slaap.'

'Je had het kennelijk nodig.'

Ze leunde naar achteren en keek door de voorruit naar de auto's die hun tegemoetkwamen.

'Is dit Birmingham?'

'Ik woon niet in de stad, maar in een dorp, een voorstadje eigenlijk, een paar kilometer verder.'

'Waarom niet?'

'Pardon?'

'Waarom woon je niet in de stad?'

'Ik woonde hier al met mijn gezin. Mijn vrouw is weggegaan, maar ik ben er nooit aan toe gekomen om te verhuizen.'

'Dus je hebt er niet echt voor gekozen.'

'Nee, ik denk het niet. Hou je niet van het platteland?'

'Ik vind dat je erover na moet denken waar je wilt wonen, dat je er bewust voor moet kiezen.'

'Ja, ja,' zei Fearby. 'Ik ben nogal passief. Jij hebt dus wel bewust gekozen, neem ik aan?'

'Ik woon midden in Londen.'

'Omdat je dat wilt?'

‘Ik kan me er terugtrekken, me verschuilen. Buiten de deur gaat het leven wel door.’

‘Mijn huisje is onzichtbaar voor me, ik zie het niet meer. Het is gewoon een plek om naartoe te gaan. Ik ben altijd journalist geweest. Wat doe jij?’

‘Ik ben psychotherapeute.’

Fearby keek verwonderd. ‘Dát had ik nou niet geraden.’

Hij scheen niet helemaal door te hebben hoever hij zijn huis had laten verslonzen. De kiezels op de oprit waren bijna helemaal overwoekerd door zevenblad, paardenbloemen en graspollen. De vensterbanken waren verrot en er zat een laag vuil op de ramen. Uit alles sprak verwaarlozing, overal lag stof, alles was vettig en vuil. In de keuken lagen stapels vergeelde kranten op een tafel die duidelijk niet gebruikt werd om aan te eten. Toen Fearby de koelkast opendeed om melk te pakken die er niet bleek te zijn, zag Frieda er alleen een paar blikken bier in staan. Het was het huis van een man alleen die geen bezoek verwachtte.

‘Geen thee, dus,’ zei hij. ‘Whisky?’

‘Ik drink overdag niet.’

‘Vandaag is niet zomaar een dag.’

Hij schonk twee groezelige glazen in en gaf er een aan Frieda.

‘Op onze vermiste meisjes,’ zei hij, en hij tikte met zijn glas tegen het hare.

Frieda nam een minuscuul slokje van het bijtende vocht, alleen om hem gezelschap te houden. ‘Je zou me laten zien wat je ontdekt hebt.’

‘In mijn werkkamer.’

Toen hij de deur opendeed wist ze niet wat ze zag. Haar ogen probeerden te wennen aan de combinatie van bezetenheid en orde, en even moest ze denken aan Michelle Doyce, een vrouw die ze door Karlsson had leren kennen en die haar huis in Deptford gevuld had met de nauwkeurig geordende brokstukken van de levens van anderen.

Het was schemerig in Fearby’s werkkamer door de hoge stapels papier die de ramen half bedekten: kranten, tijdschriften en computeruitdraaien. Ook de vloer lag bezaaid met stapels, waardoor het bijna onmogelijk was de grote tafel te bereiken die hij als bureau gebruikte en die ook zuchtte onder grote hoeveelheden papier, oude notitieboekjes, twee computers, een printer, een ouderwets kopieerapparaat, een groot fototoestel zonder lens en een draadloze telefoon. Er stonden ook nog twee gebutste schoteltjes vol met peuken, een paar glazen en lege whiskyflessen. Aan de rand van de tafel hingen tientallen gele en roze plakkertjes waar nummers of woorden op waren geschreven.

Toen Fearby zijn bureaulamp aanknipte, lichtte een gekopieerde foto van het gezicht van een jonge vrouw op. Er was een stukje van een van haar voortanden afgebroken. Dat deed Frieda aan Karlsson denken, die mijlenver weg was en ook een stukje van zijn tand miste.

Maar het waren niet zozeer de enorme bergen papier en al die spullen die haar troffen, maar het contrast met de minutieuze orde die in de kamer heerste. Op de prikborden hingen tientallen foto's van jonge vrouwen. Ze waren duidelijk verdeeld in twee categorieën. Links hingen er een stuk of twintig, rechts zes. Ertussenin hing een kaart van Groot-Brittannië waar een grote hoeveelheid vlaggetjes in was geprikt, van Londen naar het noordwesten. Aan de muur ertegenover zag Frieda een grote tijdbalk waar in een keurig handschrift data en namen bij waren geschreven. Fearby stond naar haar te kijken. Hij trok de laden van een dossierkast open, waarin mappen hingen met namen erop. Hij pakte er een aantal dossiers uit en legde ze op de hachelijk balancerende stapel op tafel.

Frieda wilde gaan zitten, maar er was alleen een draaistoel waar een stapel boeken op lag.

'Zijn dat de meisjes?' vroeg ze, wijzend.

'Hazel Barton.' Zachtjes, haast eerbiedig, raakte hij de foto aan. 'Roxanne Ingatestone. Daisy Crewe. Philippa Lewis. Maria Horsley. Sharon Gibbs.'

De jonge, levenslustige gezichten lachten Frieda toe.

'Denk je dat ze dood zijn?'

'Ja.'

'Lila is misschien ook dood.'
'Doherty kan het niet geweest zijn.'
'Waarom niet?'
'Kijk.' Hij wees naar zijn tijdbalk. 'Hier is Daisy verdwenen, en Maria – toen zat hij vast.'
'Hoe kun je er zo zeker van zijn dat er maar één dader is?'
Fearby sloeg het eerste dossier open. 'Ik zal je alles laten zien,' zei hij. 'En dan vertel je me wat je ervan denkt. Het kan wel even duren.'

Om zeven uur belde Frieda Sasha, die beloofde naar Frieda's huis te gaan en daar te blijven tot ze thuiskwam. Ze klonk bezorgd, zelfs een beetje panisch, maar Frieda hield het gesprek kort. Ook belde ze Josef, om hem te vragen of hij de kat wilde voeren en misschien de planten op haar plaatsje water wilde geven.
'Waar ben jij, Frieda?'
'Niet ver van Birmingham.'
'Wat is daar?'
'Een plaatsje, Josef.'
'Maar waarom?'
'Het voert te ver om je dat nu allemaal uit te leggen.'
'Je moet terugkomen, Frieda.'
'Waarom?'
'Wij maken ons allemaal zorgen.'
'Ik ben geen klein kind.'
'Wij maken ons zorgen,' herhaalde hij.
'Hou daarmee op.'
'Je bent niet in orde. Vinden wij allemaal. Ik kom je halen.'
'Nee.'
'Ik kom nu.'
'Dat kan niet.'
'Waarom niet?'
'Omdat ik je niet ga vertellen waar ik ben.'
Ze beëindigde het gesprek, maar haar telefoon ging vrijwel meteen weer. Het was Reuben; vermoedelijk stond Josef naast hem met zijn tragische oogopslag. Ze zuchtte, schakelde haar te-

lefoon uit en stopte hem in haar tas. Ze had ook nooit een mobieltje willen hebben.

'Sharon Gibbs,' zei Fearby, alsof er niets gebeurd was.

Om halfelf was hij klaar. Fearby ging naar buiten om te roken en Frieda struinde zijn kasten af op zoek naar iets eetbaars. Ze had geen honger, maar voelde zich leeg en kon zich niet herinneren wanneer ze voor het laatst had gegeten. Niet vandaag, gisteravond ook niet.

Net als de koelkast waren de kasten vrijwel leeg. Ze vond een pakje snelkookrijst en groentebouillonblokjes die allang over de datum waren. Daar moest ze het maar mee doen. Toen de rijst in de bouillon stond te koken kwam Fearby weer binnen en keek hij haar aan.

'Nou, wat denk je?' vroeg hij.

'Ik denk dat we ofwel twee misleide figuren zijn die elkaar toevallig bij een opvangcentrum voor ezels tegen het lijf zijn gelopen – of dat je gelijk hebt.'

De opluchting was van zijn gezicht af te lezen.

'Maar Doherty of Shane of hoe hij zich ook noemt zit er niet achter,' zei hij.

'Nee. Maar vind je het niet merkwaardig dat hij ze allebei heeft gekend? Ik hou niet van toevalligheden.'

'Ze leidden eenzelfde soort leven – twee jonge vrouwen die buiten de boot waren gevallen.'

'Misschien kenden ze elkaar?' bracht Frieda naar voren. Ze haalde de rijst van het gas en de stoom streek langs haar gezicht dat door de zorgen en de vermoeidheid klef aanvoelde.

'Dat zou ook kunnen. Maar hoe komen we daar achter?'

'Ik heb wel een idee.'

Toen ze de rijst hadden gegeten – voornamelijk Fearby, Frieda had er maar een paar kleine hapjes van genomen – zei Frieda dat ze de trein naar huis wilde nemen. Volgens Fearby was het veel te laat. Na enig geharrewar over hotels en treinen haalde Fearby een oude slaapzak uit de kast en maakte Frieda van de bank in de huiskamer een soort bed voor zichzelf. Daarop bracht ze een vreemde, koortsachtige nacht door waarin de grens tussen waken en slapen leek te zijn vervaagd en ze niet meer wist wanneer haar gedachten op dromen leken en haar dromen op gedachten, maar al die dromen en gedachten waren naar. Ze voelde, dacht of droomde dat ze op reis was, maar het was ook een soort hordeloop en ze wist dat ze pas na de laatste horde, pas als ze alle problemen had opgelost, zou mogen slapen. Ze dacht aan de foto's van de meisjes die in Fearby's kamer aan de muur hingen, en hun gezichten vermengden zich met die van Ted, Judith en Dora Lennox, die haar alle drie aanstaarden.

Vanaf een uur of halfvier lag ze klaarwakker en helder naar het plafond te turen. Om halfvijf stond ze op. Ze ging naar de badkamer, liet het bad vollopen en ging erin liggen. Ze staarde naar de langzaam oplichtende randen van het rolgordijn. Met de handdoek die er het minst gebruikt uitzag droogde ze zich af, waarna ze de vuile kleren van gisteren weer aantrok. Toen ze de badkamer uit kwam schonk Fearby net koffie in twee bekers.

'Ik kan je niet echt een ontbijt aanbieden,' zei hij. 'Ik kan wel om zeven uur brood en eieren gaan kopen.'

'Koffie is prima,' zei Frieda. 'En dan moeten we gaan.'

Fearby stopte een notitieboekje, een map en een kleine digitale recorder in een schoudertas en binnen een halfuur reden ze weer op de snelweg, deze keer in zuidelijke richting. Een hele tijd zeiden ze geen van beiden iets. Frieda keek uit het raam, toen richtte ze haar blik op Fearby. 'Waarom doe je dit eigenlijk?' vroeg ze.

'Dat heb ik je al gezegd,' zei hij. 'Aanvankelijk voor George Conley.'

'Maar die heb je vrij gekregen,' zei Frieda. 'Dat is iets wat weinig journalisten voor elkaar krijgen.'

'Het was niet genoeg, vond ik. Hij is alleen maar op grond van een vormfout vrijgesproken. Toen hij werd vrijgelaten en iedereen stond te juichen en te klappen en alle media er waren, had ik het gevoel dat het niet af was. Ik moest het hele verhaal boven tafel zien te krijgen, om te bewijzen dat Conley onschuldig is.'

'Wilde Conley dat zelf ook?'

'Ik heb hem opgezocht. Hij is een gebroken man. Ik denk niet dat hij in staat is te verwoorden wat hij wil.'

'Iemand die jouw huis ziet zou van jou ook kunnen zeggen dat je een gebroken man bent.'

Frieda dacht dat hij woest zou worden of in de verdediging zou gaan, maar hij glimlachte. 'Zou kunnen zeggen? Dat is al tegen me gezegd, hoor. Om te beginnen door mijn vrouw en mijn collega's. Mijn éx-collega's.'

'Is het dat waard?' vroeg Frieda.

'Ik ben niet uit op dankbaarheid. Ik moet het gewoon weten. Heb jij dat ook niet? Toen je de foto's van die meisjes zag, wilde je toen ook niet weten wat er met ze gebeurd is?'

'Is het weleens bij je opgekomen dat er misschien geen enkel verband is tussen die foto's aan de muur, behalve dat het allemaal arme, trieste en verdwenen meisjes zijn?'

Fearby wierp haar een blik toe. 'We hadden toch afgesproken dat je aan mijn kant stond?'

'Ik sta aan niemands kant,' zei Frieda met een frons, maar ze ontspande zich meteen weer. 'Soms denk ik dat ik niet eens aan mijn eigen kant sta. Onze hersenen zijn erop gericht om patronen te zien. Daarom denken we dieren te zien in wolken. Maar het zijn gewoon wolken.'

'Ben je daarom helemaal meegegaan naar Birmingham? En rijden we daarom nu weer helemaal terug naar Londen?'

'Mijn werk houdt in dat ik luister naar de patronen die mensen in hun leven menen te herkennen. Soms zijn het destructieve patronen, soms dienen ze er hun eigen belang mee, soms juist niet en is het een vorm van straf, maar soms kloppen ze ook gewoon niet. Ben je nooit bang dat ineens zal blijken dat je ernaast zit?'

'Misschien is het allemaal niet zo ingewikkeld. George Conley werd veroordeeld voor de moord op Hazel Barton. Maar hij had het niet gedaan. Dat betekent dat iemand anders het gedaan heeft. Waar moeten we trouwens zijn in Londen?'

'Ik zal het adres op je routeplanner intoetsen.'

'Nu zul je wat beleven,' zei Fearby. 'Die van mij praat met de stem van Marilyn Monroe. Nou ja, van iemand die Marilyn Monroe nadoet. Dat zal een vrouw niet zo aanspreken, ik bedoel het idee dat je met Marilyn Monroe op stap bent. Sterker nog, ik denk dat er vrouwen zijn die dat heel irritant vinden.'

Frieda toetste het adres in en de volgende anderhalf uur werden ze naar de M1 en de M25 geleid door een stem die helemaal niet op die van Marilyn Monroe leek. Maar in één opzicht had hij gelijk. Ze vond het heel irritant.

Lawrence Dawes was thuis. Frieda vroeg zich af of hij weleens níét thuis was. Hij keek verrast. 'Ik dacht dat je het had opgegeven,' zei hij.

'Ik heb nieuws voor je,' zei Frieda. 'Wíj hebben nieuws voor je.'

Dawes liet hen binnen en even later zat Frieda weer met een beker thee aan de tafel in zijn achtertuin.

'We hebben Shane gevonden,' zei ze.

'Wie?'

'Die man die met je dochter omging.'

'Omging? Op wat voor manier?'

'Je wist al dat je dochter met drugs te maken had. Hij zat ook in die wereld, maar dan op een professionele manier.' Dawes reageerde niet. Hij zag er niet uit als iemand die goed nieuws verwachtte. 'Shane is een bijnaam. Zijn echte naam is Mick Doherty.'

'Mick Doherty. Denk je dat hij iets met de verdwijning van mijn dochter te maken heeft?'

'Dat zou kunnen. Ik weet alleen niet hoe. Toen ik Doherty opzocht, in Essex, heb ik Jim leren kennen. We bleken allebei naar hem op zoek te zijn, maar om verschillende redenen.'

'Hoe bedoel je?'

'Ik was bezig met een onderzoek naar de verdwijning van een jonge vrouw genaamd Sharon Gibbs,' zei Fearby. 'Ik had gehoord dat ze die Doherty had gekend. Toen ik Frieda tegenkwam, bleek dat we allebei met hem wilden praten, maar over verschillende vrouwen die vermist worden. Dat was wel heel toevallig.'

Zo peinzend en gekweld had Frieda Dawes nog nooit zien kijken. 'Ja, ja. Ik begrijp het,' zei hij, bijna in zichzelf.

'Je had nooit van Shane gehoord,' zei Frieda. 'Maar nu weten we dat hij in werkelijkheid Mick Doherty heet. Zegt dat jou iets?'

Dawes schudde langzaam zijn hoofd. 'Ik geloof niet dat ik die naam ooit heb gehoord.'

'En Sharon Gibbs?'

'Nee, het spijt me. Die naam zegt me ook niets. Ik wou dat ik jullie kon helpen, maar helaas, het is niet anders.' Hij keek beurtelings naar Frieda en Fearby.

'Jullie zullen me wel een slechte vader vinden. Weet je, als ik me voorstelde dat iemand mijn dochter iets had aangedaan, zag ik mezelf altijd als een man die hemel en aarde zou bewegen om haar te vinden. Maar het was geen meisje van vijf dat vermist raakte. Het was een jonge vrouw die opgroeide, het huis uit ging en haar eigen leven wilde leiden. Ze is geleidelijk verdwenen. Soms denk ik de hele dag aan haar en dat doet pijn. Hier.' Hij drukte een hand tegen zijn hart. 'Op andere dagen ga ik gewoon aan de gang. Tuinieren, klussen. Het leidt me af, maar misschien moet ik er juist wel aan denken, want niet aan haar denken is toch een vorm van onverschilligheid.' Hij zweeg even. 'Die man, hoe heette hij ook alweer?'

'Doherty,' zei Fearby.

'Jullie denken dat hij iets met Lila's verdwijning te maken heeft?'

'Dat weten we niet,' zei Fearby, en hij keek even naar Frieda.

'Er is een verband,' zei Frieda. 'Maar hij kan niet verantwoordelijk zijn voor beide verdwijningen. Doherty zat in de gevangenis toen Sharon Gibbs verdween. Ik krijg geen hoogte van hem. Jim heeft zich verdiept in een aantal verdwijningszaken en Sharon Gibbs past in dat patroon. Maar het geval van jouw dochter lijkt anders. Toch is er een verband via Doherty. Hij lijkt het scharnierpunt in deze twee zaken te zijn, maar ik weet nog niet op wat voor manier.'

‘Wat is er anders aan het geval van Lila?’ vroeg Dawes.

Frieda stond op. ‘Ik zal de kopjes binnenbrengen en afwassen, en dan zal Jim je vertellen wat hij heeft ontdekt. Misschien is er iets wat een belletje bij je doet rinkelen. En anders moeten we aanvaarden dat we weer op een dood punt zijn beland.’

Dawes begon te protesteren, maar Frieda sloeg er geen acht op. Ze pakte het gebloemde plastic dienblad dat tegen de tafelpoot stond en zette de bekers, het melkkannetje en de suikerpot erop. Toen liep ze het huis in en ging rechtsaf naar het kleine keukentje. Tijdens het afwassen zag Frieda door het raam boven de gootsteen de twee mannen in de tuin zitten. Ze zag hen praten, maar hoorde niet wat er gezegd werd. Dawes was waarschijnlijk iemand die makkelijker praatte met een man. Ze stonden op en liepen verder de tuin in. Dawes wees naar bepaalde planten, zag ze, en liep met Fearby naar het achterste gedeelte van de tuin, waar het ondiepe, heldere riviertje de Wandle langzaam op weg was naar de Theems.

Er stonden nog vier bekers in de gootsteen, en op het formica aanrecht nog een paar vuile borden en glazen. Frieda waste en spoelde ze af en zette alles in het afdruiprek. Ze keek om zich heen en vroeg zich af of mannen anders omgingen met verlies. Het contrast met het huis van Fearby was groot. Hier was alles netjes, schoon en geordend terwijl Fearby’s huis vies en verwaarloosd was. Toch hadden ze ook iets gemeen. Een vrouw, dacht Frieda, zou van haar huis een soort heiligdom hebben gemaakt ter nagedachtenis aan degene die verdwenen was, maar daar was bij Fearby en Dawes geen sprake van. Hoewel totaal verschillend, getuigde hun leefomgeving van een zeer geordende geest die al die verschrikkelijke gedachten over het verlies en de emoties die ze opriepen op afstand wilde houden. Fearby had zijn huis volgestouwd met de gezichten van andere vermisten. En dit huis? Het leek wel alsof de man die hier woonde altijd alleen was geweest. Dat ze stond af te wassen in zijn keukentje gaf haar al het gevoel een vrouwelijke indringer te zijn.

Ze droogde haar handen aan een theedoek die keurig aan een haakje hing, en liep naar buiten. De twee mannen draaiden zich tegelijkertijd om en lachten haar toe, alsof er in die paar minuten dat ze weg was geweest een band was gesmeed.

'We hebben elkaars doopceel gelicht,' zei Fearby.

'Ik heb de indruk dat we eenzelfde soort slavenbaan hebben gehad,' zei Dawes.

'Maar jij was vertegenwoordiger, geen journalist,' zei Frieda.

Dawes glimlachte. 'Ik heb ook veel te veel op de weg gezeten.'

'Maar je bent net op tijd gestopt?' vroeg Fearby.

'Wat bedoel je?'

'Worden er op kantoor nog kopieerapparaten gebruikt?'

'Absoluut,' zei Dawes.

'Ik dacht dat al het papier inmiddels was uitgebannen.'

'Dat is een fabeltje. Er wordt meer papier gebruikt dan ooit. Nee hoor, Copycon loopt nog steeds goed. Ik krijg tenminste nog elke maand mijn pensioen.' Hij lachte, maar toen leek hij zichzelf tot de orde te roepen. 'Kan ik nog iets voor jullie doen?'

'Nee, ik geloof het niet.'

'Zeg eens eerlijk, denken jullie dat mijn dochter nog leeft?'

'We weten het niet,' zei Frieda zacht.

'De onzekerheid is het zwaarst,' zei Dawes.

'Het spijt me. Elke keer rijt ik hier oude wonden open, terwijl ik weinig nieuws voor je heb.'

'Nee,' zei Dawes. 'Ik ben dankbaar dat er iemand is die moeite doet om mijn dochter te vinden. Kom gerust langs, je bent altijd welkom.'

Na nog enkele woorden te hebben gewisseld stonden Frieda en Fearby weer op straat.

'Arme man,' zei Frieda.

'Je kwam wel precies op tijd naar buiten. Hij was me net tot in detail aan het uitleggen dat hij met een buurman een muur aan het bouwen is.'

Frieda glimlachte. 'Als je het over de duivel hebt,' zei ze, en ze wees. Daar kwam Gerry aan, met twee grote zakken specie in zijn armen waarachter hij bijna helemaal verdween. Frieda zag dat een van de zakken lekte, waardoor hij een bruin spoor achterliet.

'Hallo, Gerry.'

Hij bleef staan, zette de zakken neer en streek met een vuile hand langs zijn voorhoofd. Zijn snor was nog steeds ongelijk. 'Ik word hier te oud voor,' zei hij. 'Ik wil niet onaardig klinken, maar wat kom je nu weer doen?'

'We wilden Lawrence een paar dingen vragen.'

'Ik hoop dat er een goede reden voor was.'

'Ik vond van wel, maar...'

'Je bedoelt het goed, dat merk ik duidelijk. Maar hij heeft al zo geleden. Laat hem toch met rust.' Hij bukte zich om de zakken op te tillen en strompelde verder, een spoor van aarde achterlatend.

'Hij heeft gelijk,' zei Frieda nuchter.

Fearby ontgrendelde zijn auto. 'Zal ik je naar huis brengen?'

'Het station is om de hoek, ik loop wel en dan neem ik de trein. Dat is voor ons allebei makkelijker.'

'Heb je nu al genoeg van me?'

'Ik denk aan jouw terugreis. Hoor eens, Jim, het spijt me dat ik je op sleeptouw heb genomen, helemaal hiernaartoe. Het heeft niet veel opgeleverd.'

Hij lachte. 'Doe niet zo raar. Ik heb wel voor minder het halve land doorkruist. En zelfs toen was ik blij met wat het opleverde.' Hij stapte in. 'Je hoort nog van me.'

'Vind je het niet verbijsterend dat die meisjes gewoon hebben kunnen verdwijnen?'

'Niet verbijsterend,' zei hij. 'Tergend.'

Hij sloeg het portier dicht, maar deed het meteen weer open.

'Wat is er?' vroeg Frieda.

'Hoe kan ik je bereiken? Ik heb geen nummer, geen e-mailadres, geen adres.'

Toen ze telefoonnummers hadden uitgewisseld knikte hij naar haar. 'We spreken elkaar gauw.'

'Ja.'

'We zijn er nog niet.'

50

Langzaam liep Frieda naar het station. Het was een grijze maar warme, bijna drukkende dag en ze voelde zich vies in de kleren die ze sinds gisteren aanhad. Ze stond zichzelf toe aan haar bad te denken – Josefs geschenk aan haar – dat in haar schone, beschutte, eindelijk weer lege huis op haar wachtte.

Ze zette haar telefoon aan en meteen lichtte het venstertje op: gemiste oproepen, voicemailberichten, sms'jes. Reuben had zes keer gebeld, Josef nog vaker. Jack had haar een lange sms gestuurd vol afkortingen die ze niet begreep. Er waren twee berichten van Sasha. Judith Lennox had gebeld. Ook Karlsson had geprobeerd haar te bereiken. Toen ze haar voicemail belde, hoorde ze zijn ernstige, ongeruste stem die haar vroeg terug te bellen zodra ze dit bericht hoorde. Ze staarde naar haar telefoon en het was alsof ze een kakofonie van stemmen hoorde, stemmen die wilden dat ze contact opnam, haar verwijten maakten, haar smeekten of, en dat waren de ergste, over haar inzaten. Ze stopte haar mobieltje terug in haar zak. Ze had daar nu echt geen tijd voor, en geen energie. Bovendien had ze er geen zin in. Het kwam later wel.

Toen ze eindelijk thuiskwam en de post van de mat raapte, zag ze dat er ook een paar brieven bij waren die persoonlijk waren afgeleverd.

Een was van Reuben; ze herkende zijn handschrift meteen. 'Waar ben je verdomme?' stond er. 'Bel me NU.' Hij had niet de moeite genomen zijn naam eronder te zetten. De andere kwam van Karlsson, en die was iets formeler: 'Beste Frieda, ik kon je telefonisch niet bereiken, dus ben ik op goed geluk bij je langsgegaan. Ik wil je graag zien – als vriend, en als iemand die bezorgd over je is.'

Frieda trok een grimas en propte de briefjes in haar tas. Ze liep naar binnen. Het was er koel en luw, bijna als in een kerk. Het was lang geleden dat ze alleen thuis was geweest en haar gedachten had geordend op haar zolderkamer met uitzicht op de lichtjes van Londen – wel in het centrum van de stad, maar zonder gevangen te zijn in de koortsachtige drukte, de chaos en de wreedheid die er heerste. In een poging zich weer thuis te voelen liep ze van de ene naar de andere kamer, wachtend tot de rust op haar zou neerdalen. Ze had het gevoel dat ze in een storm had geleefd en haar hoofd was nog vol van de gezichten waarvan ze die nacht had gedroomd of wakker had gelegen. Al die verdwenen meisjes.

Het kattenluik klepperde en de lapjeskat stevende op haar af en streek spinnend langs haar benen. Ze krabbelde hem onder zijn kin en deed nog wat voer in zijn bakje, hoewel Josef duidelijk langs was geweest om hem eten te geven. Ze ging naar boven, naar haar blinkende nieuwe badkamer, deed de stop in het bad en draaide de kranen open. In de spiegel ving ze een glimp op van zichzelf: haar haar plakte tegen haar voorhoofd en haar gezicht was bleek en gespannen. Soms was ze een vreemde voor zichzelf. Ze draaide de kranen weer dicht en trok de stop eruit. Vandaag ging ze niet in bad. In plaats daarvan nam ze een douche, waste haar haar, boende haar lichaam schoon en knipte haar nagels, maar het hielp niet. Een gedachte schoot door haar hoofd. Abrupt kwam ze onder de douche vandaan, wikkelde een badlaken om zich heen en liep naar de slaapkamer. Het raam stond op een kier en de dunne gordijnen bewogen in de wind. Ze hoorde stemmen buiten, en verkeersgedruis.

Toen haar mobiel begon te brommen, haalde ze hem uit de zak van haar jasje met de bedoeling hem uit te zetten, want ze was nog niet klaar voor de wereld. Maar toen ze zag dat het Karlsson was, nam ze op.

'Ja?'

'Frieda, godzijdank. Waar ben je?'

'Thuis. Ik ben net binnen.'

'Je moet nu hierheen komen.'

'Gaat het over de zaak-Lennox?'

'Nee.' Zijn stem klonk grimmig. 'Ik vertel het je wel als je er bent.'

'Maar...'

'Zou je nou eens één keer in je leven geen vragen willen stellen?'

Karlsson wachtte haar buiten op. Hij liep te ijsberen en rookte openlijk een sigaret. Dat was geen goed teken.

'Wat is er aan de hand?'

'Ik wilde je spreken voor Crawford je te pakken had.'

'De commissaris? Wat betekent...'

'Zijn er dingen die ik moet weten?'

'Hè?'

'Waar was je vannacht?'

'In Birmingham. Hoezo?'

'Kan iemand dat bevestigen?'

'Ja. Maar ik begrijp niet...'

'En die vriend van jou, dokter McGill?'

'Reuben? Ik heb geen idee. Wat is er gebeurd?'

'Ik zal je zeggen wat er is gebeurd.' Hij doofde zijn sigaret en stak een nieuwe op. 'Het huis van Hal Bradshaw is vannacht afgefikt. De brand was aangestoken.'

'Wát? Ik geloof mijn oren niet. Was er iemand thuis?'

'Hij was op een of ander congres. Zijn vrouw en dochter waren thuis, maar konden op tijd wegkomen.'

'Ik wist niet dat hij een gezin had.'

'Had je het anders niet gedaan?' vroeg Karlsson met een lachje.

'Wat een afschuwelijke opmerking.'

'Ik was ook verbaasd. Ik bedoel, dat iemand met hem heeft willen trouwen, niet dat zijn huis in de hens is gezet.'

'Zoiets moet je niet zeggen. Zelfs niet als slechte grap. Maar waarom ben je naar buiten gekomen om me dit te vertellen?'

'Bradshaw is in alle staten, hij roept de heftigste dingen. Dat jij het hebt gedaan, of een van je vrienden.'

'Dat slaat nergens op.'

'Hij beweert dat er bedreigingen tegen hem zijn geuit.'

'Door mij?'

'Door mensen uit je nabije omgeving.'

Frieda zag Reuben en Josef voor zich tijdens dat vreselijke etentje en de blik vol haat waarmee Reuben over zijn wraakfantasieën had verteld. De moed zonk haar in de schoenen. 'Dat zouden ze nooit doen,' zei ze resoluut.

'Er is nog meer, Frieda. Hij heeft met de pers gepraat. Hij heeft nog net geen namen genoemd, maar je hoeft geen Einstein te zijn om een en een bij elkaar op te tellen.'

'Ik begrijp het.'

'Ze zitten binnen op je te wachten.' Heel even legde hij zijn hand op haar arm. 'Ik ben er ook bij. Je staat er niet alleen voor.'

De commissaris, een stevige man met borstelige wenkbrauwen en dun haar waar zijn roze schedel doorheen schemerde, had een hoogrood hoofd. Hij had het veel te warm in zijn uniform. Bradshaw droeg een spijkerbroek en een T-shirt en had zich niet geschoren. Toen Frieda binnenkwam staarde hij haar aan en schudde langzaam zijn hoofd alsof hij met haar te doen had, maar ook zo kwaad was dat hij er maar liever het zwijgen toe deed.

'Het spijt me echt verschrikkelijk wat er gebeurd is,' zei Frieda.

'Ga zitten,' zei de commissaris en hij wees naar een kleine stoel.

'Ik blijf liever staan.'

'Zoals u wilt. Dokter Bradshaw heeft me alles over u verteld en ik ben verbijsterd, totaal verbijsterd over het feit dat we ooit met u in zee zijn gegaan.' Hij wendde zich tot Karlsson. 'En ik moet zeggen dat je me bent tegengevallen, Mal, dat je het hebt laten gebeuren dat je vriendin een psychopaat vrij rond heeft laten lopen.'

'Het was helemaal geen psychopaat,' zei Karlsson vriendelijk. 'Ze is erin geluisd.'

De commissaris sloeg geen acht op hem.

'Een collega belagen. Een jonge vrouw die ze nooit had ontmoet aanvallen en tegen de grond werken, alleen maar omdat ze voor haar vriend opkwam. Die arme Hal stalken. Om nog maar te zwijgen over het doden van een schizofrene jonge vrouw.'

'Uit zelfverdediging die volkomen gerechtvaardigd was,' zei Karlsson. 'Ik zou maar een beetje op mijn woorden letten.'

Crawford keek Frieda aan. 'Wat hebt u hierop te zeggen?'

'Waar gaat het nu over? Word ik van brandstichting beschuldigd?'

'Mevrouw Klein, toch,' prevelde Bradshaw. 'U zou professionele hulp moeten zoeken, dat denk ik echt.'

'Ik heb daar niets mee te maken.'

'Mijn vrouw was thuis,' zei Bradshaw. 'En mijn dochter.'

'Dat maakt het helemaal erg,' zei Frieda.

'Waar was u?' vroeg Crawford.

'Ik was in Birmingham, en ik kan u in contact brengen met iemand die dat kan bevestigen.'

'En uw vrienden?' vroeg Bradshaw.

'Wat bedoelt u?'

'Ze hebben zich aan uw kant geschaard, tegen mij.'

'Het is inderdaad zo dat een paar vrienden van mij vinden dat u zich onprofessioneel en onethisch hebt gedragen... '

'Hoor wie het zegt,' zei de commissaris.

'... maar zoiets zouden ze nooit doen.'

Karlsson schraapte luidruchtig zijn keel. 'Ik denk dat dit nergens toe leidt,' zei hij. 'Frieda heeft een alibi. Er is geen greintje bewijs, we hebben alleen Bradshaws beweringen, die door sommigen lasterlijk zouden worden genoemd. Bovendien heb ik zo een verhoor af te nemen, want Russell Lennox wordt aangeklaagd voor de moord op Zach Greene.'

Bradshaw stond op en ging dicht bij Frieda staan. 'U komt hier niet mee weg,' zei hij zacht.

'Laat haar met rust,' zei Karlsson.

Frieda liep terug naar huis. Ze probeerde niet na te denken en alleen haar ene voet voor de andere te zetten, zich langzaam tussen de groeiende mensenmassa voort te bewegen en de warme dag te ervaren. Ze moest tot zichzelf zien te komen voor ze zich weer om de familie Lennox kon bekommeren. Binnen afzienbare tijd zouden de kinderen ook geen vader meer hebben om op terug te vallen.

51

'Ben je er klaar voor?' vroeg Karlsson. Yvette knikte. 'We hebben hem lang genoeg laten sudderen en volgens mij is het een uitgemaakte zaak. Je zult niet veel hoeven doen. Alleen mij goed in de gaten houden zodat ik niets stoms doe. Maar zelfs ik zou dit niet meer kunnen verprutsen.'

Hij knikte naar haar en ze gingen de verhoorkamer binnen. Russell Lennox zat aan een tafel met naast hem zijn advocate, een vrouw van middelbare leeftijd in een donker broekpak. Ze heette Anne Beste. Karlsson kende haar niet, maar besteedde weinig aandacht aan haar. Wat zou zij nog kunnen uitrichten? Yvette zette de recorder aan, deed een stap naar achteren en leunde tegen de muur. Karlsson wees Lennox op zijn rechten, opende het dossier en nam het forensisch bewijs dat in Zach Greenes flat was aangetroffen zorgvuldig door. Al pratend keek hij zo nu en dan naar Lennox en Anne Beste, om te zien wat voor uitwerking zijn woorden hadden. Aan Lennox' vermoeide, uitdrukkingsloze gezicht veranderde niets. Anne Beste zat zo geconcentreerd te luisteren dat ze een frons op haar gezicht had, en ze keek af en toe naar haar cliënt. Ze zeiden geen woord.

Toen hij klaar was klapte Karlsson het dossier zachtjes dicht. 'Is er een onschuldige verklaring te geven voor de sporen die u blijkt te hebben achtergelaten op plaats delict?' Russell Lennox haalde zijn schouders op. 'Neem me niet kwalijk, maar u moet iets zeggen. Vanwege het apparaat.'

'Moet ik het uitleggen?' vroeg Lennox. 'Het is toch aan u om aan te tonen dat ik het gedaan heb?'

'En dat lukt me aardig, moet ik zeggen,' zei Karlsson. 'Ik heb nog één vraag: kunt u op enigerlei wijze aantonen waar u op de dag van de moord bent geweest?'

'Nee,' antwoordde Lennox. 'Dat heb ik u al gezegd.'

'Dat hebt u inderdaad al gezegd.' Karlsson liet even een stilte vallen. Toen hij weer het woord nam, klonk zijn stem kalm, bijna geruststellend. 'Luister, meneer Lennox, ik weet wat u hebt doorgemaakt, maar vindt u niet dat uw kinderen genoeg hebben geleden? Ze moeten dit nu achter zich kunnen laten en verdergaan met hun leven.'

Lennox staarde zonder een woord te zeggen naar het tafelblad.

'Goed,' zei Karlsson. 'Laat me u – u beiden – vertellen wat er gaat gebeuren. Wij verlaten zo de kamer en dan krijgt u, meneer Lennox, vijf minuten om de zaak met uw advocate te overleggen. Dan kom ik terug en wordt u officieel in staat van beschuldiging gesteld voor de moord op Zachary Greene. Ik moet u erop wijzen dat u niets hoeft te zeggen, maar het kan uw verdediging schaden als u nu iets verzwijgt waar u later voor de rechter op terugkomt. Alles wat u wel zegt kan als getuigenis dienen. Maar wat ik u vooral wil zeggen is dat het voor ons allemaal, maar vooral voor uzelf en nog veel meer voor uw gezin, de hoogste tijd is om deze zaak af te ronden.'

Op de gang keek Karlsson Yvette aan en lachte grimmig.

'Maakt het wat uit wat hij zegt?' vroeg ze.

'Het gaat allemaal wat sneller als hij bekent,' zei Karlsson. 'Maar het is lood om oud ijzer.'

'Zal ik koffie halen?'

'Laten we nog even wachten.'

Na een paar ongemakkelijke minuten keek Karlsson op zijn horloge, klopte op de deur en ging naar binnen. Anne Beste stak haar hand op.

'We zijn nog niet zover.'

Karlsson stapte weer de gang op en deed de deur dicht. Wat had dat te betekenen? Was er iets misgegaan? Zouden ze een fout hebben gemaakt?

Er waren al bijna tien minuten verstreken toen ze weer in de verhoorkamer zaten. Anne Beste trommelde kordaat met de vingers van haar linkerhand op het tafelblad. Ze wierp een blik op Lennox, die haar bijna onmerkbaar toeknikte.

'Meneer Lennox is bereid toe te geven dat hij verantwoordelijk is voor de dood van Zachary Greene. Het was doodslag.'

Karlsson keek naar Lennox. 'Wat is er gebeurd?' vroeg hij.

'Ik ben naar hem toe gegaan,' zei Lennox. 'Toen Judith het me verteld had. Ik moest wel, ik was wanhopig. Ik wilde alleen maar met hem praten, maar we kregen ruzie en ik had mezelf niet meer in de hand. En toen was hij dood.'

Karlsson slaakte een zucht. 'Het is wel ongelooflijk stom geweest. Beseft u eigenlijk wel wat u gedaan hebt?'

Lennox scheen hem nauwelijks te horen. 'Hoe moet het nu met de kinderen?' vroeg hij.

Yvette wilde iets zeggen, maar zweeg toen Karlsson haar een blik toewierp.

'Weet u waar ze nu zijn?' vroeg Karlsson.

Lennox leunde achterover in zijn stoel. Zijn gezicht zag grauw van ellende. 'Ze logeren allemaal bij die therapeute.'

'Bij Frieda?' zei Karlsson. 'Wat moeten ze daar?'

'Dat weet ik niet.'

'Meneer Lennox,' zei Yvette. 'U begrijpt toch wel dat de zaak hiermee niet is afgedaan?'

'Hoe bedoelt u?'

'Er zijn twee moorden gepleegd: de moord op Zach Greene, die u hebt bekend.'

'Het was doodslag,' zei Anne Beste vlug.

'En de moord op uw vrouw.'

Lennox keek haar even aan en sloeg zijn blik weer neer.

'Mijn cliënt heeft zijn medewerking verleend en heeft nu niets meer te zeggen,' zei Anne Beste.

Karlsson stond op. 'Morgen praten we verder. Zoals mijn collega al zei, meneer Lennox, is de zaak nog niet afgedaan.'

52

Toen Frieda opendeed stonden Karlsson, Yvette en een vrouw die ze niet kende voor haar deur. De vrouw wrong zich naar binnen. Ted, Judith, Dora en Chloë zaten met bekers, borden, telefoons en een laptop om de tafel in de huiskamer.

'O, schatten van me, arme, arme schatten,' zei Louise. De drie kinderen krompen ineen, maar dat scheen ze niet te merken. Chloë legde een hand op de schouder van Ted.

'Wat is er gebeurd?' vroeg Frieda aan Karlsson, die haar snel op fluistertoon bijpraatte. Toen ze hoorde wat er aan de hand was, keek ze naar de jonge mensen rond de tafel. Haar gezicht stond ernstig.

'We willen hier blijven.' Judith richtte zich tot Frieda. 'Alsjeblieft? Alsjeblieft, Frieda.'

'Ze zijn hier welkom,' zei Frieda tegen Karlsson. 'Als ik kan helpen.'

Louise kwam met haar handen in haar zij voor haar staan, alsof ze met haar op de vuist wilde gaan. 'Nee. Geen sprake van. Ze gaan met mij mee naar huis. Dat hebben ze nodig. Kinderen, bedank deze mevrouw maar voor alles wat ze heeft gedaan.' Ze keek Frieda fel aan. 'Ze horen thuis bij hun familie,' zei ze op halfluide fluistertoon. Toen wendde ze zich weer tot de kinderen. 'We gaan naar huis, naar míjn huis, bedoel ik. En deze mevrouw van de politie gaat met ons mee.'

'Nee!' riep Chloë. 'Frieda, kun je hier niets aan doen?'

'Nee, dat kan ik niet.'

'Maar het is verschrikkelijk en...'

'Chloë, rustig nou.'

Karlsson vroeg aan Yvette: 'Kun je dit aan, denk je? Het zal niet makkelijk worden.'

'Dat komt wel goed.' Yvette was bleek geworden. 'Daar zijn wij politievrouwen toch voor? Voor de afdeling emoties?'

'Nou, dat dacht ik toch niet,' zei Karlsson.

Na de chaotische drukte waarin tassen moesten worden ingepakt, naar jassen werd gezocht en Chloë uitvoerig werd omhelsd, begaven ze zich naar de auto van Louise. Met de drie kinderen op de achterbank en Yvette voorin was de auto propvol. Ted staarde door het raampje naar buiten.

'Dit voelt niet goed,' zei Frieda.

'Het is het begin van de rest van hun leven,' zei Karlsson. 'Ze moeten er maar aan wennen. Sorry, dat klonk niet zoals ik het bedoelde. Maar wat kunnen we eraan doen? Ze hebben geen moeder meer en nu zijn ze ook hun vader kwijt, voorlopig althans. Ze hebben een gezin nodig, en dat kun jij hun niet bieden.'

'Maar het is zo belangrijk hoe ze het te horen krijgen over hun vader,' zei Frieda. 'En hoe er daarna naar ze geluisterd wordt.'

'Heb je geen vertrouwen in Yvette? Oké, geef maar geen antwoord. Jij bent er waarschijnlijk de aangewezen persoon voor.'

'Dat zeg ik niet.'

'Ik kan het jou niet vragen,' zei Karlsson. 'Het spijt me. Misschien maakt Yvette er een puinhoop van. Waarschijnlijk doet ze dat. Maar ze zal haar uiterste best doen, en ze is in elk geval wel bij ons in dienst.' Hij fronste. 'Kan ik je nog even spreken?'

Frieda wierp een blik op Chloë.

'Wat?' Chloë's stem klonk hoog en hard.

'Zo dadelijk moet ik je iets vertellen,' zei Frieda. 'Het gaat over de vader van Ted en Judith. Maar eerst gaan Karlsson en ik even naar buiten. Is dat oké?'

'Nee! Dat is niet oké. Dat zijn mijn vrienden en ik heb recht op...'

'Chloë.' Frieda's zachte, vermanende toon legde haar nichtje het zwijgen op. Ze trok haar jasje aan en ging naar buiten.

'Zullen we een stukje lopen?'

'Daar ben ik wel aan gewend,' antwoordde Karlsson.

Frieda nam hem mee het straatje met de kinderkopjes uit en sloeg rechts af. In Tottenham Court Road bleven ze staan en keken naar de auto's en bussen die voorbijraasden.

'Wist je,' zei Frieda, 'dat je als je van het platteland naar een grote stad als Londen verhuist vijf of zes keer meer kans hebt schizofreen te worden?'

'Hoe komt dat?' vroeg Karlsson.

'Dat is niet bekend. Maar als je hier om je heen kijkt, is het niet zo vreemd, toch? Stel dat we de grote steden zouden afschaffen en weer in dorpen gingen leven, dan zou het aantal mensen dat die ziekte krijgt in één klap met een derde afnemen.'

'Dat klinkt nogal drastisch.'

Frieda liep in zuidelijke richting en ging toen rechtsaf een stil straatje in.

'Ik heb je gemist vandaag,' zei Karlsson.

'Maar we hebben elkaar toch gezien? Met Hal Bradshaw en de commissaris?'

'O, dat,' zei Karlsson achteloos. 'Dat was een farce. Nee, toen Lennox bekende verwachtte ik je daar met je priemende blik te zien staan.'

'Maar ik was er niet. En je hebt het blijkbaar heel goed gedaan. Hoe is het verlopen?'

Terwijl ze in westelijke richting verder liepen, vertelde Karlsson in het kort wat er die dag gebeurd was.

'Leg je hem doodslag ten laste?'

'Ik denk het wel. Hij hoort dat ze een relatie hebben. Stormt erheen, woedend. De woede van een vader. Daar zal een jury wel clementie voor tonen.'

'Het doet er waarschijnlijk niet toe,' zei Frieda, 'maar het was niet zo dat hij het net te weten was gekomen toen hij Zach om het leven bracht. Volgens Dora wist hij het al een tijdje.'

Karlsson fronste zijn wenkbrauwen. 'O ja? Dat zei hij anders niet. Ik weet eigenlijk niet of ik dit wel wil weten. Nou ja, het zal inderdaad weinig uitmaken. Hij is nog steeds een woedende vader. En het gedragspatroon blijft hetzelfde: een ruzie die uit de hand loopt en ontaardt in geweld. Zelfde verhaal.'

Frieda bleef staan. 'Ja. Zelfde verhaal.'

'Als je dat zo zegt, krijg ik meteen bedenkingen.'

'Nee. Ik herhaalde alleen wat jij zei.'

'We weten dat Lennox geneigd is tot geweld. Kijk wat er met Paul Kerrigan is gebeurd. We zijn er vrij zeker van dat dat zijn werk is geweest, en dat geldt zelfs voor die handelaar in gestolen goederen. Dus waarom niet ook het vriendje dat zijn dochter van hem afnam?'

Het licht van de straatlantaarn viel op Frieda's smalle, trieste gezicht.

'Die arme kinderen,' zei ze zacht. 'Bij die vreselijke tante.'

'Ja.'

'En de moord op hun moeder?'

Karlsson haalde zijn schouders op. 'Ik ga daar nog een keer met Lennox over praten,' zei hij. 'Alles wijst naar hem, maar het is allemaal zo met elkaar verweven. Er speelt zoveel boosheid en verdriet in deze zaak, en er zijn zoveel mensen die het konden weten en het misschien ook wisten. Het was een geheim dat moeilijk helemaal af te schermen was, hoe voorzichtig ze ook waren.'

'Vertel.'

'De zonen van Kerrigan wisten ervan,' zei Karlsson. 'Het blijkt dat Ruth Lennox – de aardige, opgewekte mevrouw Lennox – een beetje giftig werd toen ze ontdekte dat Paul Kerrigan haar ging verlaten. Zij moet hun die gemene brief hebben geschreven. Iemand heeft dat gedaan in elk geval.'

'O,' zei Frieda. 'Dat verandert alles.'

'Ze wisten van de relatie en ze wisten met wie hun vader die relatie had. Ze hebben haar opgespoord, de jongste heeft zelfs een heel akelige boodschap bij de familie Lennox in de brievenbus gestopt.'

'Wat stond erop?'

'Het was geen boodschap in woorden. Het was een lappenpop waarvan het kruis was opengesneden.'

'Een soort waarschuwing, dus.'

'Misschien, maar het liep anders, want hij werd door de verkeerde persoon gevonden. Wat er nog bijkomt is dat een geheim zich verspreidt als het eenmaal is uitgelekt. Daar doe je niets tegen. Aan wie hebben ze het verteld? Ze zweren dat ze het mevrouw Kerrigan niet hebben verteld, maar ik weet niet of ik dat moet geloven. Die jongens zijn gek op hun moeder.'

53

Ze zette haar mobieltje weer aan en scrolde door haar adresboek.
'Agnes?'
'Ja.'
'Met Frieda. Sorry dat ik je stoor.'
'Ik zit in een vergadering. Is het...'
'Het duurt niet lang. Heb jij Sharon Gibbs gekend?'
'Sharon Gibbs? Ja. Maar niet zo goed. We waren niet bevriend. We woonden bij elkaar in de buurt en ze zat bij mij op school, een klas lager. Lila kende haar wel. Ik geloof dat ze in dezelfde kringen verkeerden toen we elkaar uit het oog verloren.'
'Bedankt. Dat wilde ik weten.'
'Maar...'
'Ga maar terug naar je vergadering.'
Frieda zat op haar bed naar het opbollende gordijn te kijken en hoorde buiten de geluiden van alledag. Ze zag het gezicht van Sharon Gibbs voor zich, zoals het haar tussen al die andere gezichten op Fearby's muur had toegelachen. En weer hoorde ze zijn stem: *Hazel Barton, Roxanne Ingatestone, Daisy Crewe, Philippa Lewis, Maria Horsley, Lila Dawes, Sharon Gibbs.*
Toen haar mobieltje ging wilde ze het uitschakelen, maar het was Fearby.
'Sharon en Lila kenden elkaar,' zei ze.
Even bleef het stil.
'Ja, dat kan kloppen,' zei hij.

'Hoe bedoel je?'
'Herinner je je dat gesprek dat ik met Lawrence Dawes had?'
'Ja. Jullie leken het goed met elkaar te kunnen vinden.'
'We hadden het erover dat ons werk niet zoveel verschilde.'
'Kopieerapparaten verkopen en nieuws vergaren. Tja, daar is weinig verschil tussen.'
'Denk nou even na, Frieda. Snap je het niet? We waren allebei altijd onderweg.'
'Allebei altijd onderweg,' herhaalde Frieda toonloos. Plotseling werd ze overmand door een immense vermoeidheid. Haar kussen was dik, zacht en aanlokkelijk.
'Ik ben journalist, dus wat heb ik gedaan? Ik ben naar Copycon gegaan, het bedrijf waar hij voor werkte. Ik heb de regiomanager gesproken.'
'Heb je gezegd wie je was?'
'In dit soort situaties moet je voorzichtig te werk gaan,' zei hij vaag. 'Je moet zorgen dat de mensen je iets willen vertellen. En dat heeft hij gedaan.'
'Wat dan?'
'Hij heeft me verteld welke regio Lawrence bediende tot hij een paar maanden geleden met pensioen ging.'
Frieda voelde zich klam en onwel worden. Het zweet parelde op haar voorhoofd.
'Zijn eigen dochter?' zei ze. 'En al die anderen? Dat is toch niet mogelijk?'
'Het klopt allemaal, Frieda.'
'Waarom wist ik dat niet?'
'Hoe had je dat moeten weten?'
'Omdat... Weet je het zeker?'
'Nee. Maar ik wéét het gewoon.'
'Waar ben je nu?'
'Bij Victoria Station.'
'Mooi. We moeten naar Karlsson.'
'Karlsson?'
'Een politieman. Een tamelijk hoge.'
'Ik weet niet of we er nu al mee naar de politie moeten gaan, Frieda.'

'We kunnen er niet mee wachten. Stel dat hij weer toeslaat?'

'Ze hebben meer nodig, wat wij hebben is niet genoeg. Geloof me, ik weet hoe het werkt.'

'Ik ook,' zei Frieda. 'Karlsson luistert wel naar ons. Ik kan het je niet uitleggen, maar hij staat bij mij in het krijt.' Ze dacht aan het briefje dat hij haar had geschreven. 'En hij is een vriend van me.'

Fearby klonk nog steeds onzeker. 'Waar wil je afspreken?'

'Bij het politiebureau.' Ze keek op haar wekkerradio. 'Over drie kwartier. Om drie uur. Goed?'

'Ik kom zo snel mogelijk.'

Ze gaf hem het adres en verbrak de verbinding. Haar vermoeidheid was verdwenen. Ze voelde zich energiek en alert. Alleen bonkte er iets achter haar ogen, alsof de migraine die ze als tiener had gehad weer kwam opzetten. Lawrence Dawes. Ze had in zijn mooie, verzorgde tuin gezeten. Ze had thee met hem gedronken. Ze had hem de hand geschud en in zijn verweerde gezicht gekeken. Ze had de pijn in zijn stem gehoord. Hoe was het mogelijk dat ze het niet had gevoeld? Ze verborg haar gezicht in haar handen en laafde zich aan de duisternis.

Toen trok ze snel een wijde, linnen broek aan en een zachte, katoenen blouse, wreef haar haar droog en deed het in een losse staart, en nadat ze haar sleutels in haar tas had gegooid verliet ze het huis.

Fearby stond haar op te wachten. Toen ze op hem af liep, viel het haar op hoe vreemd hij eruitzag met zijn lange witte haar, zijn doorgroefde gelaat met die felle ogen. Hij zag er nog slonziger uit dan de vorige keer, alsof hij op straat had geslapen. Het leek alsof hij in zichzelf stond te praten en toen hij haar zag maakte hij gewoon zijn zin af.

'... dus ik heb wat dossiers in de auto liggen, maar de rest kunnen we later ophalen en er zijn ook nog wat aantekeningen die ik nog niet heb uitgetypt...'

'We gaan naar binnen,' zei Frieda. Ze pakte hem bij zijn puntige elleboog en trok hem mee, de draaideur in.

Karlsson zat in vergadering, maar toen hij hoorde dat dokter Frieda Klein beneden op hem wachtte, liep hij de kamer uit en rende de trap af. Ze stond kaarsrecht midden in de receptieruimte en haar gezicht straalde een vastberadenheid uit die hem aan vroeger deed denken. Naast haar stond een man die op een vale roofvogel leek. Hij had een paar plastic tassen bij zich waar dossiers uitpuilden en in zijn andere hand had hij een bandrecorder. Het kwam niet in Karlsson op dat hij en Frieda samen waren. Er liepen wel vaker geobsedeerde figuren het politiebureau binnen die de stoïcijnse dienstdoende agent achter de balie van bizarre complotten op de hoogte kwamen stellen.

'Kom mee naar mijn kamer,' zei hij.

'Dit is Jim Fearby. Hij is journalist. Jim, dit is hoofdinspecteur Malcolm Karlsson.'

Karlsson stak een hand uit, maar Fearby had er geen over. Hij volstond met twee knikjes en keek Karlsson indringend aan.

'We moeten je spreken,' zei Frieda.

'Gaat het over Hal Bradshaw?'

'Dat is nu even niet belangrijk.'

'Dat is wel degelijk belangrijk.'

Karlsson dirigeerde hen zijn kamer in en trok twee stoelen bij. Frieda ging zitten, Fearby zette zijn tassen op de stoel en bleef erachter staan.

'Hal Bradshaw heeft het vrij duidelijk gemaakt dat...'

'Nee,' beet Fearby hem toe, het eerste woord dat Karlsson hem hoorde zeggen. 'Luister naar haar.'

'Meneer Fearby...'

'Het wordt je binnen een minuut duidelijk,' zei Frieda. 'Dat hoop ik althans.'

'Vertel dan maar.'

'Wij geloven dat een man genaamd Lawrence Dawes, die in de buurt van Croydon woont, verantwoordelijk is voor de ontvoering en de moord op minstens zes jonge vrouwen, onder wie zijn eigen dochter.'

Er viel een stilte. Karlsson bleef roerloos zitten. Zijn gezicht vertoonde geen enkele emotie.

'Karlsson? Heb je me gehoord?'

Toen hij eindelijk reageerde, was het op een toon waar intens ongenoegen uit sprak. 'Frieda. Wat heb je uitgespookt?'

'Ik heb geprobeerd een vermist meisje op te sporen,' zei Frieda met vaste stem.

'Waarom weet ik daar niets van? Is er een moordonderzoek gaande dat op de een of andere manier aan mijn aandacht is ontsnapt?'

'Ik zei je toch dat ze je niet zouden geloven?' zei Fearby.

'Je moet naar me luisteren.' Frieda fixeerde Karlsson met haar heldere blik. 'Er is geen moordonderzoek omdat niemand het verband heeft gelegd. Behalve Jim Fearby.'

'Maar hoe ben jij hierbij betrokken geraakt?'

'Het kwam door iets wat die neppatiënt van Hal Bradshaw zei.'

'Die jongen die je belazerd heeft?'

'Dat doet er niet toe. Dat kan me niets meer schelen. Maar er was een detail dat me opviel en dat in mijn hoofd bleef zitten. Het liet me niet meer los. Ik moest erachter zien te komen wat het betekende.'

Karlsson keek naar Frieda en naar de morsige figuur naast haar. Hij voelde een steek van medelijden.

'Ik weet dat het onzinnig klinkt,' vervolgde ze. 'Eerst dacht ik dat ik gek werd en dat het alleen maar een projectie was van mijn eigen gevoelens. Maar ik heb het verhaal nagetrokken. Ik heb de man die Hal op me af had gestuurd opgezocht, en de andere drie die eraan hadden meegedaan ook. Ik sprak met Rajit, die het verhaal van zijn vriendin had gehoord. Ik zocht haar op en zij vertelde dat ze het van een oude vriendin had, een zekere Lila. En toen kwam ik erachter dat Lila vermist werd.'

Karlsson stak zijn hand op. 'Waarom heb je niets gezegd? Waarom ben je niet naar me toe gekomen, Frieda?'

'Ik weet wat iedereen altijd zegt: er verdwijnen zo vaak mensen en meestal willen ze niet gevonden worden. Maar ik had het gevoel dat hier iets anders aan de hand was. Ik leerde een vriendin van Lila kennen en toen sprak ik een man met wie Lila omging voor ze verdween. Een naar type. Sluw, gewelddadig, een engerd. Daar kwam ik Jim tegen.'

'Die ook op zoek was naar Lila?' vroeg Karlsson.

'Nee, ik was op zoek naar Sharon,' zei Fearby.

'Sharon?'

'Een meisje dat ook verdwenen is.'

'Op die manier.'

'En al die anderen natuurlijk. Maar vanwege Sharon was ik daar.' Opeens lachte hij. 'En toen kwam ik Frieda tegen.'

Karlsson keek naar Fearby. Hij deed hem denken aan de dronkenlappen die soms de nacht in een politiecel doorbrachten. Zo rook hij ook, er hing een penetrante lucht van whisky en tabak om hem heen. Frieda zag hem kijken.

'Je zou van Jim Fearby gehoord moeten hebben,' zei ze. 'Hij is de journalist die ervoor heeft gezorgd dat George Conleys veroordeling werd herzien.'

Karlsson keek weer naar Fearby, maar nu met andere ogen. 'Was u dat?'

'Nu begrijpt u zeker wel dat ik gemengde gevoelens heb over de politie.'

'En waarom bent u nu hier?'

'Frieda wilde dat ik meeging. Ze zei dat u zou helpen.'

'Dat je zou luisteren, heb ik gezegd,' zei Frieda.

'Wij denken dat de vader van Lila verantwoordelijk is.' Fearby liep om het bureau heen en ging naast Karlsson staan, die hem zwaar hoorde ademen. 'Voor de verdwijning van zijn dochter en Sharon, en de anderen.'

'Lawrence Dawes,' zei Frieda.

'Die in Croydon woont?'

'Ja.'

'Jullie verwachten dus dat ik geloof dat jullie met z'n tweeën hebben ontdekt dat deze man verantwoordelijk is voor een aantal moorden waarvan de politie niet eens weet dat ze gepleegd zijn?'

'Ja.' Fearby keek Karlsson fel aan.

'De meisjes zijn verdwenen,' zei Frieda. Ze probeerde zich zo duidelijk en logisch mogelijk uit te drukken. 'En omdat ze niet bij elkaar in de buurt woonden en hun lichamen niet zijn gevonden, werden ze niet met elkaar in verband gebracht.'

Karlsson slaakte een zucht. 'En hoe komen jullie erbij dat die Lawrence Dawes de moordenaar is?'

Fearby kwam achter het bureau vandaan en begon in zijn tassen te rommelen. 'De echte kaarten heb ik bij mij thuis, maar deze heb ik voor u gemaakt. Zodat u het kunt zien.'

Hij zwaaide met een vel papier waarop hij, heel slordig, het gebied tussen Londen en Manchester had getekend, met sterretjes op de plaatsen waar de meisjes waren verdwenen.

'Ja, hoor, het is wel goed, meneer Fearby.'

'Je gelooft ons niet,' zei Frieda zacht.

'Luister. Probeer het eens vanuit mijn standpunt te bezien. Of dat van de commissaris.'

'Nee, dat doet er niet toe. Al geloof je ons niet, ik wil je toch vragen ons te helpen.'

'Hoe dan?'

'Ik wil dat je Lawrence Dawes verhoort. En dat zijn huis wordt doorzocht, alle kamers. En de kelder. Ik denk dat er een kelder is. En zijn tuin ook. Ik weet zeker dat het iets oplevert.'

'Ik kan niet zomaar een team naar een huis sturen alleen maar op basis van vage verdenkingen.'

Frieda had aandachtig naar hem gekeken terwijl hij aan het woord was. Nu kroop ze in haar schulp en haar gezicht veranderde in een uitdrukkingsloos masker. 'Je staat nog bij me in het krijt.'

'Pardon?'

'Je staat bij me in het krijt.' Ze hoorde haar harde, koele toon. Die kwam niet overeen met hoe ze zich voelde. 'Door jou ben ik bijna vermoord. Dus sta je bij mij in het krijt. Daar spreek ik je nu op aan.'

'O, op die manier.'

Karlsson kwam overeind. Hij probeerde niet te laten merken hoe kwaad en ontdaan hij was en keerde Frieda en Fearby zijn rug toe toen hij zijn jasje aantrok en zijn telefoon in zijn zak liet glijden.

'Je doet het dus?' vroeg Frieda.

'Ik sta inderdaad bij je in het krijt, Frieda. Bovendien zijn we vrienden. Dus ik vertrouw je, hoe onzinnig je verhaal ook lijkt. Maar je begrijpt wel dat dit ook helemaal mis kan gaan?'

'Ja.'

'Voor mij, bedoel ik.'

Frieda keek hem aan. Ze kon wel huilen toen ze zijn uitdrukking zag. 'Ja, dat begrijp ik.'

'Oké.'

'Ik kan niet mee...'

'Nee.'

'Laat je het me weten?'

Hij keek haar in de ogen. 'Ja, Frieda. Ik laat het je weten.'

Toen ze de kamer uit gingen, kwam er een bekende figuur op hen af.

'O, shit,' siste Karlsson.

'Malcolm,' zei de commissaris, rood van woede. 'In mijn kamer, nu.'

'Ik ben op weg naar meneer Lennox. Kan het niet wachten?'

'Nee, het kan niet wachten. Er is een rapport gekomen.' Hij wees met een trillende vinger. 'Haar contract was beëindigd. Er is het gedoe met Hal. Je weet hoe ik erover denk. Wat doet zij in godsnaam nog hier?'

'Ze is een belangrijke...'

'Besef je eigenlijk wel hoe dit overkomt?'

Karlsson antwoordde niet.

'Heb je haar betaald?' Crawford gaf Karlsson een duw, en even dacht Frieda tot haar ontsteltenis dat Karlsson en zijn baas met elkaar op de vuist zouden gaan. Ze kromp ineen toen ze zich realiseerde wat voor een risico hij met haar had genomen.

'Commissaris, u moet toch ook weten dat dokter Klein ons heel erg heeft geholpen en–'

'Heb jij haar betaald?'

'Nee, ik ben niet betaald.' Frieda stapte naar voren. Haar stem klonk kil. 'Ik ben hier als privépersoon.'

'Waarom in godsnaam?'

'Om hoofdinspecteur Karlsson in te lichten over een privékwestie. Uit hoofde van onze vriendschap.'

Crawfords wenkbrauwen gingen omhoog. 'Ik zou maar uitkijken, Mal,' zei hij. 'Ik zit erbovenop.' Toen kreeg hij Fearby in het oog. 'En wie is dít?'

'Dat is mijn collega Jim Fearby,' zei Frieda. 'We wilden net weggaan.'

'Laat me jullie daar niet van weerhouden.'

Bij de deur wendde Fearby zich tot Frieda. 'Dat ging goed, uiteindelijk.'

'Het ging helemaal niet goed,' zei Frieda mat. 'Ik heb mijn vriendschap met Karlsson misbruikt en ik heb gelogen tegen de commissaris.'

'Als we ons doel ermee bereiken,' zei Fearby, 'doet dat er allemaal niet toe.'

'En als we ons doel niet bereiken?'

'Dan ook niet.'

Op weg naar buiten kwamen ze een vrouw tegen die naar binnen ging. Ze was lang, van middelbare leeftijd, had lang bruin haar en droeg een lange patchwork rok. Frieda werd getroffen door de verbeten uitdrukking op haar gezicht.

54

'Ik wil Malcolm Karlsson spreken,' zei de vrouw luid en snel.

'Hoofdinspecteur Karlsson heeft het nogal druk op het moment. Hebt u...'

'Of Yvette Long. Of die andere.'

'Kunt u mij zeggen waar het over gaat?'

'Mijn naam is Elaine Kerrigan. Het gaat over de moord op Ruth Lennox. Ik wil een verklaring afleggen.'

Yvette ging tegenover Elaine Kerrigan zitten. Het viel haar op dat ze een blos van opwinding op haar anders zo bleke wangen had en dat haar ogen straalden. De bril die aan een kettinkje om haar hals hing was vettig en haar haar zat in de war.

'U wilde een verklaring afleggen?'

'Dat klopt.'

'Over de moord op Ruth Lennox?'

'Inderdaad. Zou ik misschien eerst een glas water kunnen krijgen?'

Yvette ging de kamer uit en liep Karlsson tegen het lijf. Hij zag er slecht uit. Ze raakte zijn elleboog aan en vroeg: 'Gaat het wel?'

'Waarom zou het niet gaan?'

'Zomaar. Ik ben daar...' ze knikte, '... met Elaine Kerrigan.'

'Wat is er aan de hand?'

'Dat weet ik niet. Ik ga een glas water voor haar halen. Ze is nogal overstuur.'

'O ja?'

'Ben jij klaar met Russell Lennox?'

'Ik hou er nu voor een paar uur mee op. Ik laat hem maar even in zijn vet gaarkoken, dat kan geen kwaad denk ik.' Zijn gezicht werd grimmig. 'Ik moet nu eerst iets anders doen.'

'Wat dat?'

'Dat begrijp jij niet, als ik het je vertel verklaar je me voor gek. Soms doe ik dat zelf ook.'

Ze konden nu alleen nog maar wachten. Fearby had gezegd dat hij nog een paar afspraken in Londen had en was weggereden, Frieda achterlatend met niets omhanden. Uiteindelijk ging ze doen wat ze altijd deed als ze onzeker of verdrietig was en geplaagd werd door duistere gedachten: lopen. Ze liep in de richting van King's Cross, doorkruiste kleine straatjes om het verkeerslawaai te ontlopen, en toen ze de weg naar Camden Town in sloeg, moest ze weer denken aan het huis waar de familie Lennox – in de rommel, maar niet ongelukkig – had gewoond en waar nu niemand meer was. Russell zat in de cel; Ted, Judith en Dora waren bij hun tante, ver hiervandaan. Daar was het in elk geval netjes.

Ze kwam bij het kanaal. De woonboten langs het pad hadden potten met planten en kruiden op het dek staan. Op een paar boten lagen honden in de zon en er was er een met een grote kooi waar een papegaai in zat, die Frieda met zijn kraaloogjes volgde. Sommige boten waren opengesteld voor publiek, er werden bananenbrood, geknoopverfde sjaals, kruidenthee en kringloopsieraden verkocht. Ze werd ingehaald door fietsers; joggers renden haar voorbij. De zomer was in aantocht. Ze voelde het aan de warme lucht, zag het aan de ijle helderheid van het licht en het sappige jonge groen aan de bomen. Het zou niet lang duren voor Sandy terugkwam en dan zouden ze niet een paar dagen, maar wekenlang samen zijn.

Al deze gedachten gingen door haar hoofd, maar voelen kon ze ze niet. Het heldere licht en de blije mensen hadden iets onwerkelijks, ze leken ver weg, alsof Frieda zich in een andere wereld bevond, een wereld waarin jonge vrouwen uit hun leven werden weggerukt door een man met een vriendelijk, lachend gezicht. Hij had zijn dochter Lila vermoord, Frieda was ervan overtuigd, toch was zijn verdriet over haar verdwijning oprecht op haar overgekomen. Ze kwam langs een muur waarop met krijt een enorme bek vol scherpe tanden was getekend en er liep een koude rilling over haar rug, de warme middag ten spijt.

Ze liep langs het kanaal tot ze bij Regent's Park aankwam. Aan de overkant stonden monumentale panden, haast kleine kasteeltjes. Wie woonden er in dat soort huizen? Snel doorkruiste ze het park, zich nauwelijks bewust van de kwetterende kinderen, de verliefde stelletjes en de jonge man bij de siertuin die met zijn ogen dicht op een matje vreemde trage oefeningen stond te doen.

Eindelijk kwam ze via allerlei zijstraatjes bij haar huis aan. Toen ze de deur opendeed, ging de telefoon en ze rende ernaartoe, voor het geval het Karlsson zou zijn.

'Frieda? Godzijdank. Waar ben je...'

'Reuben, ik heb nu geen tijd, ik wacht op een telefoontje. Ik beloof dat ik je zo snel mogelijk terugbel, oké?'

'Wacht, heb je het gehoord van Bradshaw?'

'Sorry.'

Ze gooide de hoorn erop. Hoe lang zou Karlsson erover doen om naar het huis van Lawrence Dawes te gaan? Wanneer zou hij bellen? Nu? Vanavond? Morgen?

Ze roosterde een paar sneetjes brood, smeerde er jam op en at ze in de huiskamer op. De telefoon ging telkens weer over en het antwoordapparaat nam de boodschappen op: Chloë, klagend; Sasha, ongerust; Reuben, woedend; Sandy – o, god, Sandy. Ze had hem nog niet eens verteld wat er allemaal gaande was. Ze was een andere wereld binnengegaan, een wereld van angst en duisternis, en het was niet eens in haar opgekomen om hem in vertrouwen te nemen. Ze nam niet op, en hoorde hem weer vragen contact met hem op te nemen, *alsjeblieft*. Josef, zat; Olivia, nog zatter.

Toen de avond viel had Karlsson nog niet gebeld. Frieda ging in haar studeerkamer aan haar bureau zitten, vanwaar ze uitkeek op de uitwaaierende stad, die nu oplichtte en onder een heldere hemel lag te fonkelen. Op het platteland zou vanavond een schitterende sterrenhemel te zien zijn. Ze pakte haar potlood, sloeg haar schetsboek open en zette een paar weifelende lijnen die aan golfjes deden denken. Ze dacht aan het beekje achter de tuin van Lawrence Dawes.

Misschien zou ze nu eindelijk eens dat bad moeten nemen. Ze was in geen tijden zo moe geweest, maar ze had geen slaap. Sterker nog, ze had het gevoel dat de slaap nooit meer zou komen en ze gedoemd was altijd in deze droge, knisperende waaktoestand te blijven, waarin elke gedachte scherp was als een mes.

Toen ging de telefoon weer.

'Ja?'

'Frieda.'

'Karlsson? Wat hebben jullie gevonden?'

'Niets.'

'Dat is onmogelijk.'

'Een zeer verbijsterde en aangeslagen vader en een huis waarin niets te vinden is wat er ook maar in de verste verte op zou kunnen duiden dat hij iets op zijn kerfstok heeft.'

'Ik begrijp het niet.'

'Nee? Ik had heel erg met hem te doen.'

'Er klopt iets niet.'

'Frieda, volgens mij moet je hulp zoeken.'

'Weet je zeker dat er niets was?'

'Luister. Je moet je handen hiervan aftrekken. En ik moet de commissaris tot bedaren brengen, want die is hier erg ongelukkig mee, kan ik je vertellen. Hij wil dat ik voor een of andere commissie verschijn.'

'Dat vind ik heel naar voor je, maar...'

'Zet er een streep onder.' Hij klonk akelig vriendelijk. 'Ga niet langer je gevoel achterna, hou ermee op mensen te redden die niet gered willen worden, hou je verre van die maffe oude journalist. Pak je oude leven weer op, het leven waar je door ons toedoen van bent afgedwaald. Probeer te herstellen.'

Nadat ze hadden opgehangen zat Frieda nog lange tijd uit het raam van haar zolderkamer naar de caleidoscoop van lichtjes te kijken.

> Lieve Sandy, ik denk dat ik in de problemen zit – in de wereld en in mijn hoofd of mijn hart...

Nadat ze lang naar de woorden op haar scherm had gestaard drukte ze de delete-toets in.

Karlsson en Yvette zaten tegenover Elaine Kerrigan. Ze had een onverzettelijke uitdrukking op haar gezicht en herhaalde op vlakke toon: 'Ik heb haar vermoord.'

'Ruth Lennox?'

'Ja.'

'Vertelt u mij eens hoe het is gegaan,' zei Karlsson. 'Wanneer ontdekte u dat uw man een verhouding had?'

'Wat doet dat ertoe? Ik heb haar vermoord.'

'Hebben uw zonen het u verteld?'

'Ja.' Ze nam een slokje water. 'Ze hebben het me verteld, toen ben ik daarheen gegaan en heb ik haar vermoord.'

'Waarmee?'

'Met een ding,' antwoordde ze. 'Ik weet het niet meer. Ik kan me er niets van herinneren, behalve dat ik haar vermoord heb.'

'Vertel ons het hele verhaal,' zei Yvette. 'We hebben alle tijd. Begin maar bij het begin.'

'Ze beschermt haar kinderen,' zei Karlsson.

'Denk je dat een van hen het gedaan heeft?'

'Dat denkt zij in ieder geval wel.'

'En jij?'

'Wie zal het zeggen. Misschien hebben ze het allemaal samen gedaan, zoals in dat boek.'

'Ik dacht dat je Russell Lennox verdacht?'

'Deze hele zaak komt me mijn strot uit. Veel te veel ellende. Kom, we gaan koffie drinken en dan ga jij naar huis. Jij bent ook wel weer eens aan een beetje nachtrust toe.'

55

Frieda belde Fearby en vertelde hem wat er gebeurd was, of eigenlijk wat er níét gebeurd was. Na een korte stilte zei hij dat hij nog in Londen was en meteen naar haar toe zou komen. Frieda gaf hem haar adres en probeerde hem aan zijn verstand te brengen dat het niet nodig was, dat er niets meer te zeggen viel, maar hij had al opgehangen. Het leek wel of hij na een paar minuten al voor de deur stond, en even later zat hij met een glas whisky in de hand tegenover haar. Hij vroeg of ze hem precies wilde vertellen wat Karlsson had gezegd. Frieda reageerde ongeduldig.

'Het doet er niet toe,' zei ze.

'Hoe bedoel je?'

'Ze zijn naar het huis van Lawrence Dawes gegaan. Ze hebben alles overhoop gehaald en niets gevonden.'

'Hoe reageerde Dawes?'

'Daar heb ik echt niet naar gevraagd. De politie valt zomaar ineens bij hem binnen om zijn huis te doorzoeken en beschuldigt hem min of meer van moord op zijn dochter. Ik neem aan dat hij geschokt en ontdaan was.' Frieda was zo moe dat het pijn deed. 'Ik kan het niet geloven. Ik heb daar met hem in de tuin gezeten en hij heeft me verteld wat hij heeft doorgemaakt en dan stuur ik de politie op hem af. Karlsson is ook woedend op me. En terecht.'

'Hoe nu verder?' vroeg Fearby.

'Hoe nu verder? We gaan helemaal niet verder. Sorry, maar

ben je nou echt niet in staat de realiteit onder ogen te zien?'

'Vertrouw je je intuïtie niet meer?'

'Mijn intuïtie heeft ons in dit parket gebracht.'

'Niet alleen de jouwe,' zei Fearby. 'Ik volgde een spoor en toen kwamen we erachter dat we op hetzelfde spoor zaten. Betekent dat dan niets voor je?'

Met een zucht leunde Frieda achterover in haar stoel. 'Ken je dat, dat je een wandeling door de natuur maakt, je loopt over een pad en plotseling realiseer je je dat het helemaal geen pad is, dat het alleen maar een pad léék, en dat je verdwaald bent?'

Fearby schudde glimlachend zijn hoofd. 'Ik ben niet zo'n wandelaar.'

'Sharon Gibbs leidt waarschijnlijk ergens haar eigen, best gelukkige leventje en wil niet gevonden worden. Maar hoe het ook zij, volgens mij is er voor ons niets meer te doen.'

Weer schudde Fearby zijn hoofd, maar hij was niet misnoegd of boos. 'Ik ben hier te lang mee bezig geweest om me door zoiets te laten ontmoedigen. Ik moet gewoon mijn dossiers nog een keer doornemen en nog meer onderzoek doen. Na al het werk dat ik erin heb zitten, gooi ik er nu niet het bijltje bij neer.'

Frieda keek hem ontzet aan. Was hij een beetje zoals zij? Keken de mensen naar haar zoals zij nu naar hem keek? 'Wat moet er gebeuren voor jij het opgeeft?'

'Ik geef het niet op,' antwoordde Fearby. 'Dat kan ik niet, na wat George Conley heeft moeten doorstaan na de moord op Hazel Barton.'

'Maar wat heeft het je niet gekost? Je huwelijk, je carrière.'

'Als ik het nu opgeef krijg ik heus mijn baan niet terug, en mijn vrouw ook niet.'

Plotseling kwam het Frieda voor alsof ze verstrikt was geraakt in een rampzalige therapeutische sessie en niet meer wist wat ze moest zeggen. Moest ze Fearby ervan proberen te overtuigen dat hij zijn leven had opgeofferd voor een illusie? Geloofde zij dat eigenlijk zelf? 'Je hebt al zoveel bereikt,' zei ze. 'Je hebt George Conley vrij gekregen. Dat is genoeg.'

Fearby keek haar verbeten aan. 'Ik moet achter de waarheid

komen. Dat is het enige wat telt.' Hij zag Frieda kijken en een verlegen lachje gleed over zijn gezicht. 'Beschouw het maar als een soort hobby. Anderen hebben een volkstuintje of gaan golfen.'

Toen Fearby aanstalten maakte om weg te gaan, was het voor Frieda alsof ze in de trein naast elkaar hadden gezeten, in gesprek waren geraakt en nu, aangekomen op het station, ieder huns weegs zouden gaan zonder ooit nog contact te hebben. Bij de deur gaven ze elkaar een hand.

'Ik hou je op de hoogte,' zei hij. 'Of je het nu wilt of niet.'

Toen Fearby weg was bleef Frieda nog een tijdje tegen de deur geleund staan. Het leek alsof ze op adem moest komen, wat niet lukte omdat haar longen niet goed werkten. Met moeite bracht ze de concentratie op om langzaam en diep te ademen.

Ten slotte liep ze de trap op en ging naar de badkamer. Ze wachtte steeds op het juiste moment, maar dat kwam niet. Er was altijd nog iets te doen. Ze dacht aan Josef, haar chaotische maar lieve vriend, en al het werk dat hij hierin had gestopt. Uit vriendschap voor haar. Ze had goede vrienden, maar ze had geen beroep op hen gedaan, zelfs niet op Sandy. Ze kon goed luisteren, maar praten kon ze niet; ze hielp, maar vroeg niet om hulp. Vreemd dat uitgerekend Fearby met zijn verslonsde huis, zijn immense archief en zijn op de klippen gelopen leven degene was met wie ze zich de laatste dagen echt verbonden had gevoeld.

De bel ging en even overwoog ze niet open te doen. Maar toen wendde ze zich met een diepe zucht af van het bad en liep de trap af.

'Een pakket voor u,' zei een man die half verscholen ging achter een grote kartonnen doos. 'Frieda Klein?'

'Ja.'

'Hier tekenen, graag.'

Frieda zette haar handtekening en nam de doos mee naar de huiskamer. Toen ze hem openmaakte, sloeg haar een walm tegemoet waarvan de intense zoetheid haar aan een rouwkamer of de lobby van een hotel deed denken. Voorzichtig tilde ze een enorme bos witte lelies uit de doos die met een paars lint bijeen werden gehouden. Ze had altijd de pest gehad aan lelies: ze waren haar te weelderig en de intense geur deed haar naar adem happen. Maar wie was de afzender?

Tussen de bloemen zat een kleine envelop met een kaartje erin.

We konden hem er niet mee weg laten komen.

De wereld vernauwde zich, de lucht om haar heen werd kil. *We konden hem er niet mee weg laten komen.*

Er kwam gal in haar keel naar boven en het zweet brak haar uit. Ze zocht steun met haar hand en dwong zichzelf diep in en uit te ademen. Ze wist van wie deze bloemen afkomstig waren. Van Dean Reeve. Hij had haar al eens narcissen gestuurd, met de boodschap dat het haar tijd nog niet was geweest, en nu kreeg ze deze weelderige, romige lelies. Hij had Hal Bradshaws huis in brand gestoken. Voor haar. Ze drukte een hand tegen haar wild bonkende hart. Wat moest ze doen? Met wie kon ze dit delen? Wie zou haar geloven, wie zou haar kunnen helpen?

Ze had een haast misselijkmakend gevoel dat ze iets moest doen, of met iemand moest praten. Daar geloofde ze toch in? In praten met mensen? Maar met wie? In het verleden was Reuben de eerste geweest aan wie ze had gedacht. Maar hun relatie was veranderd. Met Sandy kon ze niet praten, die zat in Amerika en dit waren dingen die je niet over de telefoon kon bespreken. Sasha dan? Of zelfs Josef? Daar had je toch vrienden voor? Nee. Het zou niet goed zijn. Ze kon het niet verklaren, maar ze voelde dat ze daarmee hun vriendschap zou verraden. Ze had iemand nodig die er helemaal buiten stond.

Toen kreeg ze een idee. Ze liep naar buiten en smeet de bloemen in de container. Terug in huis graaide ze in haar schoudertas, maar vond niet wat ze zocht. Ze ging naar boven, naar haar studeerkamer, en trok een la van haar bureau open. Als ze haar tas uitmestte, bewaarde ze wat ze niet weggooide in deze la. Ze liet oude ansichtkaarten, bonnetjes, brieven, foto's en uitnodigingen door haar handen gaan en toen vond ze het. Het visitekaartje. Toen Frieda eens voor een medische tuchtcommissie had moeten verschijnen, was daar één vriendelijk gezicht bij geweest. Thelma Scott was zelf therapeute en had onmiddellijk iets in

Frieda gezien wat Frieda niet had willen laten zien. Ze had Frieda haar kaartje gegeven en gezegd dat ze altijd langs kon komen als ze behoefte had om te praten. Frieda was er zeker van geweest dat ze nooit op dat aanbod zou ingaan, was er zelfs een beetje boos over geweest, maar had het kaartje toch bewaard. Met trillende handen toetste ze het nummer in.

'Hallo? Ja? Neem me niet kwalijk dat ik op dit tijdstip bel. Je weet waarschijnlijk niet meer wie ik ben. Mijn naam is Frieda Klein.'

'Natuurlijk weet ik nog wie je bent.' Haar stem klonk evenwichtig, geruststellend.

'Ik weet niet hoe ik dit moet zeggen, je bent het vast vergeten, maar je bent een keer bij me langs geweest en toen zei je dat ik altijd mocht komen praten als ik daar behoefte aan had. Ik vroeg me af of dat binnenkort een keer zou kunnen. Als het niet uitkomt is het ook helemaal geen punt. Dan vind ik wel iemand anders om mee te praten.'

'Kun je morgen?'

'Ja, ja, dat kan, maar er is geen haast bij. Ik wil je niet onder druk zetten.'

'Overmorgen, vier uur dan?'

'Vier uur. Ja, dat is goed. Fijn. Tot dan.'

Frieda kroop in bed. Het grootste deel van de nacht bracht ze wakend door, in de ban van gezichten en beelden, angsten en een duistere, pulserende dreiging. Toch moest ze ook geslapen hebben, want ze werd wakker van een geluid dat ze aanvankelijk niet kon plaatsen, waarna langzaam tot haar doordrong dat het haar mobieltje was. Toen ze hem gevonden had, zag ze dat het Fearby was. Ze nam niet op. Ze kon het niet opbrengen. Ze ging weer liggen en bij de gedachte aan Fearby flitste er plotseling een levendig, ziekmakend beeld door haar heen van hoe het was om krankzinnig te zijn, echt krankzinnig, en je eigen verborgen betekenissen te zien in de chaotische wereld om je heen. Ze dacht aan de bange, trieste mensen die bij haar aanklopten en de nog bangere, nog triestere mensen die niet meer te helpen waren, de mensen die stemmen hoorden die hun vertelden over samenzweringen en die in alles een groot huiveringwekkend, beangstigend patroon zagen.

Frieda keek op de klok. Het was iets na zevenen. Fearby moest hebben gewacht tot hij haar met goed fatsoen kon bellen. Ze stond op en nam een koude douche, zo koud dat het pijn deed. Ze trok een spijkerbroek en een T-shirt aan en zette koffie. Alles was haar te veel. Stel dat Fearby een boodschap had achtergelaten? Ze wilde zelfs zijn stem niet horen, maar nu de gedachte eenmaal in haar was opgekomen, kon ze er niet meer omheen. Ze ging naar boven, pakte haar telefoon en belde haar voicemail. Hij had vast niets ingesproken. Maar dat had hij wel gedaan.

Het bericht begon met een nerveus kuchje, alsof hij een toespraak moest houden die hij niet had voorbereid.

'Eh... Frieda, met mij, Jim. Het spijt me van gisteren. Ik had je wel even kunnen bedanken voor alles wat je hebt gedaan. Ik weet dat ik een beetje gestoord over kan komen. En geobsedeerd. Maar ik zei dus dat ik je op de hoogte zou houden. Ook al wil je dat waarschijnlijk niet. Ik ben nog in Londen. Ik heb alles nog eens doorgenomen, de dossiers van de meisjes. En ik had een idee. We hebben niet op de juiste manier naar ze gekeken. We hebben de motor niet gehoord. Ik ga toch nog een keer kijken. Dan kom ik naar je toe om verslag uit te brengen. Om een uur of twee. Laat het me weten als dat je niet uitkomt. Een heel verhaal, sorry. Dag.'

Bijna wenste Frieda dat ze zijn bericht niet had gehoord. Ze had het gevoel dat ze er weer werd ingezogen. Het was duidelijk dat Fearby het nooit los zou laten. Net als mensen die geobsedeerd waren door de vrijmetselarij of de moord op Kennedy zou hij het nooit opgeven en nooit van gedachten veranderen. Even voelde ze de aanvechting om hem terug te bellen en te zeggen dat hij niet moest komen, maar toen bedacht ze zich. Hij kon nog één keer komen en dan zou zij luisteren naar wat hij te zeggen had, er met haar gezonde verstand op reageren en dan was het klaar.

Ze bracht de dag in net zo'n waas door als de nacht. Het kwam in haar op om een boek te gaan lezen, maar ze wist dat ze haar aandacht er niet bij zou kunnen houden. Op dit uur van de dag maakte ze gewoonlijk een tekening van iets eenvoudigs, een glas water of een kaars. Ze had zelfs geen zin om naar buiten te gaan, niet overdag, met al die mensen en dat verkeerslawaai. Ze besloot haar huis schoon te maken. Dat was een goed idee. Iets wat je gedachteloos kon doen. Ze vulde een emmer met warm water en schoonmaakmiddel, haalde de planken leeg en nam ze af. Ze lapte de ramen en dweilde de vloeren. Ze zette de meubels in de was. Hoe langer ze bezig was, hoe meer ze het troostrijke gevoel kreeg dat er in haar huis niemand woonde, nooit iemand gewoond had, en dat er zelfs nooit iemand geweest was.

Af en toe ging de telefoon, maar ze nam niet op. Ze wist niet of de tijd heel langzaam of juist heel snel was gegaan, maar toen ze op de klok keek was het vijf voor twee. Ze ging zitten en wachtte. Er zou geen koffie worden gedronken, en al helemaal geen whisky. Hij zou zijn verhaal doen, zij zou reageren en dan kon hij gaan. En dan zou ze het achter zich laten en kon ze morgen met Thelma Scott gaan praten en schoon schip maken, want zo kon het niet doorgaan.

Eén minuut over twee. Niets. Ze liep naar de voordeur, deed hem open en stapte naar buiten. Alsof dat iets zou uitmaken. Ze ging weer zitten. Tien over, nog steeds niets. Kwart over, niets. Om tien voor halfdrie belde ze Fearby, maar ze kreeg meteen zijn voicemail.

'Ik vroeg me af of je nog kwam. Ik moet zo weg. Nou ja, niet nu meteen. Tot halfvijf ben ik thuis.'

Ze bedacht dat hij misschien een van de mensen was geweest die gebeld hadden. Er stonden veertien boodschappen op haar antwoordapparaat. Het bekende clubje: Reuben, Josef, Sasha, Paz, Karlsson, Yvette, en iemand die belde over een mogelijke patiënt. Ze luisterde haar voicemail af. Niets. Het halfuur daarna nam ze de telefoon drie keer op. De eerste was een zogenaamde enquête, toen belde Reuben, daarna Karlsson. Elke keer zei ze dat ze niet kon praten. Om drie uur sloeg de verwarring toe. Had ze het tijdstip verkeerd onthouden? Ze had Fearby's bericht gewist nadat ze het had beluisterd. Was het mogelijk dat ze hem niet goed had verstaan? Dat ze er met haar hoofd niet helemaal bij was geweest, stond vast. Had hij echt twee uur gezegd? Ja, ze wist het zeker. Hij had zelfs gezegd dat ze terug moest bellen als het niet kon op die tijd. Zou hij gewoon verlaat zijn, vastzitten in het verkeer? Misschien had hij besloten niet te komen, of had hij een black-out en was naar huis gereden. Of was haar scepsis tot hem doorgedrongen. Ze belde hem nog een keer. Niets. Hij kwam niet.

Uiteindelijk gaf ze het op. Ze deed wat brokjes in het etensbakje van de kat en liep naar Number 9 om koffie te gaan drinken. Op de terugweg kwam iemand haar tegemoet. De zware maar doelgerichte manier van lopen kwam haar bekend voor.

'Yvette?' zei ze, toen ze tegenover elkaar stonden. 'Wat is er? Wat doe jij hier?'

'Ik moet je spreken.'

'Wat is er aan de hand?'

'Mag ik even binnenkomen?'

Samen liepen ze naar binnen. Yvette deed haar jas uit en ging zitten. Ze had een zwarte spijkerbroek aan met een gat in de knie, en een mannenoverhemd dat ook betere tijden had gekend. Ze was duidelijk niet in functie.

'Nou, vertel. Gaat het over de zaak-Lennox?'

'Nee, daar heb ik even vrij van genomen, van dat gekkenhuis, niet te geloven. Maar goed, daarom ben ik hier niet.'

'Waarom dan wel?'

'Om je te zeggen dat ik aan jouw kant sta.'

'Hè?'

'Ik sta aan jouw kant,' herhaalde Yvette. Ze leek bijna in tranen.

'Bedankt. Maar wie staat er aan de andere kant?'

'Iedereen. De commissaris. Die lul van een Hal Bradshaw.'

'O, dat.'

'Ik wilde het je laten weten. Ik weet dat je er niets mee te maken had, en zelfs als dat wel zo was, dan stond ik nog aan jouw kant.' Er verscheen een verwrongen, emotioneel lachje op haar gezicht. 'Onder ons gezegd en gezwegen.'

Frieda staarde haar aan. 'Je houdt het voor mogelijk dat ik het gedaan heb,' zei ze ten slotte.

Yvette kreeg een rood hoofd. 'Nee! Dat bedoelde ik niet. Maar het is algemeen bekend dat jij en dokter McGill kwaad op hem waren. Je had alle reden om het doen. Hij heeft je belazerd. Alleen maar uit jaloezie.'

'Ik kan je verzekeren,' zei Frieda zacht, 'dat ik niet eens in de buurt van Hal Bradshaws huis ben geweest.'

'Natuurlijk niet.'

'Het was een gruwelijke daad. En ik weet ook zeker dat Reuben zoiets nooit zou doen, hoe kwaad hij ook was.'

'Bradshaw heeft nog iets gezegd.'

'Wat dan?'

'Je weet hoe hij is, Frieda. Dat insinuerende.'

'Vertel het me nou maar gewoon.'

'Hij zei dat hij een paar gevaarlijke vijanden had, die hun vuile werk door anderen lieten doen.'

'En daarmee bedoelde hij mij?'

'Ja, maar ook dat hij zelf machtige vrienden heeft.'

'Dat is dan fijn voor hem,' zei Frieda.

'Kan het je niets schelen?'

'Niet echt,' zei Frieda. 'Maar wat ik zou willen weten is waarom het jou wel iets kan schelen.'

'Je bedoelt, wat heb ik ermee te maken?'

Ze keek Yvette strak aan. 'Je bent niet altijd mijn grootste vriendin geweest.'

Yvette wendde haar blik niet af. 'Ik droom weleens van je,' zei ze zachtjes. 'Niet het soort dromen dat je zou verwachten, dat je bijna vermoord wordt of zo. Ze zijn veel vreemder. Ik droomde bijvoorbeeld dat we samen op school zaten – hoewel we net zo oud waren als in het echt – en we naast elkaar zaten in de klas. Ik probeerde indruk op je te maken door heel netjes te schrijven, maar het lukte niet, de inkt liep uit en ik kreeg de letters niet goed. Ze waren scheef en kinderlijk en liepen van de regel af, terwijl die van jou perfect waren. Wees maar niet bang, ik verwacht niet dat je me mijn dromen uitlegt. Dat kan ik zelf wel, zo stom ben ik niet. In een andere droom waren we op vakantie en kwamen we bij een meer met bergen eromheen die eruitzagen als schoorstenen. Ik was in de zenuwen, want we stonden op het punt om het water in te duiken en ik kon niet zwemmen. Ik kan trouwens echt niet zwemmen, ik vind het vreselijk om kopje-onder te gaan. Maar dat durfde ik niet tegen je te zeggen omdat ik bang was dat je me zou uitlachen. Ik zou verdrinken, maar in elk geval ging ik dan niet af in jouw bijzijn.'

Frieda wilde iets zeggen, maar Yvette stak haar hand op. Ze zag nu vuurrood. 'Je geeft me het gevoel dat ik in alle opzichten tekortschiet,' zei ze, 'en dat je dwars door me heen kijkt en alles ziet wat ik verborgen wil houden. Je weet dat ik eenzaam ben en niets van relaties terecht breng. En je weet...' Haar wangen gloeiden. 'Je weet dat ik als een puber verkikkerd ben op mijn baas. Van de week was ik aangeschoten, toen moest ik er steeds maar aan denken wat jij ervan zou vinden als je me zo zou zien.'

'Maar Yvette...'

'Waar het op neerkomt is dat ik je bijna dood heb laten gaan, en als ik wakker lig en geen dromen heb, vraag ik me af of ik dat uit een soort boosheid heb gedaan. En wat denk je dat dat met mijn zelfbeeld doet?'

'Je bent dus eigenlijk gekomen om iets goed te maken?' vroeg Frieda zacht.

'Zo zou je het kunnen zeggen.'

'Dank je wel.'

Frieda stak haar hand uit en Yvette pakte hem vast, en even keken de twee vrouwen elkaar in de ogen terwijl ze hand in hand tegenover elkaar aan tafel zaten.

56

Frieda droomde over Sandy. Hij lachte naar haar en stak haar zijn hand toe, tot het tot Frieda doordrong, in haar droom, dat het Sandy helemaal niet was – het was het gezicht van Dean, zijn zachte glimlach. Met een schok werd ze wakker en ze moest een paar minuten diep ademhalen voor het akelige gevoel was geweken.

Uiteindelijk stond ze op, nam een douche en ging naar de keuken. Chloë was al op. Ze had een volle beker thee voor zich op tafel staan en bladerde in iets wat op een groot album leek. Ze zag er verfomfaaid uit, met ongekamde haren en vegen mascara van de vorige dag op haar gezicht. Het leek alsof ze nachten niet had geslapen. Ze was als een verwaarloosd kind: haar moeder maakte een ingewikkelde crisis door en had amper tijd voor haar, haar vrienden waren haar afgenomen en haar tante was er niet voor haar toen ze haar het hardst nodig had. Ze keerde Frieda haar smoezelige, betraande gezicht toe en staarde haar met doffe ogen aan.

Frieda ging tegenover haar zitten. 'Gaat het wel?'

'Het gaat.'

'Zal ik ontbijt voor je maken?'

'Nee, ik heb geen honger. O god, Frieda, ik moet er steeds maar aan denken.'

'Dat is heel logisch.'

'Ik wilde je niet wakker maken.'

'Hoe voel je je?'

'Ik lag in bed en stelde me steeds maar voor hoe zij zich nu voelen. Alles zijn ze kwijt. Hun moeder, hun vader, hun geloof dat ze vroeger gelukkig waren. Hoe zullen ze ooit weer een normaal leven kunnen leiden?'

'Dat weet ik niet.'

'En hoe is het met jou?'

'Ik heb ook niet zo goed geslapen. Er ging van alles door mijn hoofd.' Frieda liep naar de gootsteen en vulde de waterkoker. Ze keek naar haar nichtje dat, steunend met haar kin op haar hand, dromerig naar de bladen van het album staarde.

'Wat heb je daar?'

'Ted heeft zijn tekenmap laten liggen. Hij moet hem terug hebben, maar ik heb hem eerst even doorgekeken. Hij is echt heel erg goed, ik wou dat ik een tiende, een honderdste van zijn talent had. Ik wou...' Ze stokte en beet op haar lip.

'Chloë, het is wel heel zwaar voor je, hè?'

'Wees maar niet bang,' zei ze bruusk. 'Hij ziet mij als een gewone vriendin. Een schouder om op uit te huilen. Niet dat hij dat ooit doet.'

'En jouw gevoelens zijn waarschijnlijk ook ingewikkeld vanwege alles wat hij heeft doorgemaakt,' zei Frieda.

'Hoezo?'

'Ik bedoel, het heeft iets heel aantrekkelijks, een jongen die zulke tragische dingen meemaakt.'

'Je bedoelt dat ik kick op zijn ellende?'

'Nee, zo bedoel ik het niet.'

'Het is allemaal voorbij,' zei Chloë. Met tranen in haar ogen staarde ze naar de map die voor haar lag.

Frieda keek over haar schouder mee en zag een prachtige tekening van een appel, heel precies, een zelfportret met bolle vormen, alsof hij in een lachspiegel had gekeken, en een minutieus getekende boom. 'Hij is inderdaad goed,' zei ze.

'Wacht,' zei Chloë. 'Er is er nog een die ik je wil laten zien.' Ze bladerde verder tot ze bijna aan het eind was. 'Kijk.'

'Wat is dat?'

'Kijk eens naar de datum. Woensdag 6 april, halftien 's ochtends. Dat is het stilleven dat hij moest maken voor zijn proefexamen. Dit heeft hij getekend op de dag dat zijn moeder werd vermoord. Ik kan wel janken als ik ernaar kijk, als je bedenkt wat er te gebeuren stond.'

'Hij is wel prachtig,' zei Frieda, en toen fronste ze en hield haar hoofd scheef. Achter haar klikte de waterkoker. Het water had gekookt. Maar daar had ze geen aandacht voor. Niet nu.

'Inderdaad,' zei Chloë, 'het...'

'Wacht eens even,' zei Frieda. 'Beschrijf dit eens. Vertel me wat het voorstelt.'

'Waarom?'

'Doe nou even.'

'Oké. Ik zie een horloge en een sleutelbos en een boek, een soort stekker en...'

'Ja?'

'Er staat iets tegen dat boek aan.'

'Wat is het?'

'Dat weet ik niet.'

'Beschrijf het eens.'

'Een rechte vorm, maar met kartels, het lijkt wel een soort metalen liniaal.'

Frieda concentreerde zich zo intens dat ze er hoofdpijn van kreeg.

'Zou het dat zijn?' zei ze uiteindelijk. 'Of lijkt het daar alleen maar op?'

'Waar heb je het over?' vroeg Chloë. 'Wat maakt het uit? Het is gewoon een tekening.' Ze klapte de map dicht. 'Ik neem hem mee naar school,' zei ze. 'Om aan Ted terug te geven.'

'Die gaat niet naar school,' zei Frieda. 'En trouwens, ik heb die map vandaag nodig.'

Karlsson stond voor haar zonder haar aan te kijken. 'Ik had jou niet verwacht,' zei hij ten slotte.

'Dat weet ik. Ik ben zo weer weg.'

'Je begrijpt het niet, Frieda. Je hoort hier niet te zijn. De commissaris wil jou hier niet hebben. En de situatie met Hal Bradshaw wordt er ook niet beter op als je hier op het bureau rondhangt. In zijn ogen ben je al een pyromaan en een stalker.'

'Dat weet ik, ik zal hierna ook niet meer komen,' zei Frieda rustig. 'Ik wil het moordwapen zien.'

'Is dat een gunst die je me vraagt? Ik heb mijn schuld aan jou ingelost, Frieda. En ik zit tot aan mijn nek in de problemen, maar daar zal ik je niet mee vermoeien.'

'Het spijt me heel erg,' zei Frieda. 'Maar ik moet het echt zien. Dan ga ik meteen weer weg.'

Even staarde hij haar aan, toen haalde hij zijn schouders op en ging haar voor naar de kelder. Daar trok hij een metalen la open.

'Hier,' zei hij. 'Geen vingerafdrukken graag. En laat jezelf maar uit als je klaar bent.'

'Dank je wel.'

'Trouwens, Elaine Kerrigan heeft de moord op Ruth Lennox bekend.'

'Wat?'

'Maak je geen zorgen, ik geloof dat Russell Lennox op het punt staat hetzelfde te doen. En de zonen van Kerrigan idem dito. Straks zit het hier tjokvol met mensen die willen bekennen en weten we het nog steeds niet.'

Toen ging hij weg.

Frieda trok plastic handschoenen aan, tilde het grote tandwiel uit de la en zette het op de tafel die midden in de ruimte stond. Het zag eruit als een onderdeel van een reusachtige klok, maar het had als een soort kunstwerk op de schoorsteenmantel van de familie Lennox gestaan.

Ze sloeg de map van Ted open, bladerde naar de tekening van woensdag 6 april en legde die ook op tafel. Ze keek zo ingespannen van de tekening naar het tandwiel dat alles wazig begon te worden. Ze deed een paar stappen naar achteren. Ze liep om de tafel heen, om het tandwiel vanuit alle mogelijke hoeken te bekijken. Daarna ging ze op haar hurken zitten en keek van onderaf. Heel voorzichtig kantelde ze het voorwerp, draaide het zo dat het tot een streep werd afgevlakt.

En toen vond ze waar ze naar op zoek was geweest. Bezien vanuit een bepaalde hoek, gekanteld en enigszins gedraaid, werd het zware ding gereduceerd tot een rechte, gekartelde lijn. Dezelfde rechte lijn met kartels die Ted de ochtend van de zesde april had getekend voor zijn proefexamen.

Frieda's gezicht werd uitdrukkingsloos. Uiteindelijk slaakte ze een zucht, legde het tandwiel terug in de metalen la, schoof de la dicht, trok haar handschoenen uit en liep naar buiten.

57

Louise Weller woonde met haar gezin in Clapham Junction, in een smal, uit rood baksteen opgetrokken rijtjeshuis aan een lange, rechte laan met platanen en verkeersdrempels. Voor het erkerraam op de begane grond hingen kanten gordijntjes tegen de inkijk, en de voordeur was donkerblauw met een koperen klopper in het midden. Frieda liet de klopper drie keer neerkomen en deed een stap naar achteren. De voorjaarslucht was koeler geworden en een paar welkome regendruppels tikten op haar warme huid.

De deur ging open en Louise Weller stond voor haar met een baby tegen haar borst geklemd. De gang achter haar was donker en schoon. Frieda rook de geur van schoonmaakmiddel en drogend wasgoed. Ze herinnerde zich dat Karlsson had gezegd dat Louises echtgenoot ziek was, en ze nam aan dat hij in een van de kamers boven lag te luisteren naar wat er beneden gebeurde.

'Ja? O, u bent het. Wat komt u doen?'

'Mag ik even binnenkomen alstublieft?'

'Het komt niet zo goed uit. Benji is aan zijn voeding toe.'

'Ik kom niet voor u.'

'Ze moeten nu niet gestoord worden. Ze hebben regelmaat nodig, en een beetje rust.'

'Het duurt maar heel even,' zei Frieda beleefd en ze liep langs Louise de gang in. 'Zijn ze hier?'

'Waar zouden ze anders moeten zijn? Het is alleen een beetje vol, zoals u zult begrijpen.'

'Ik bedoel, zijn ze thuis?'

'Ja. Maar ik wil geen gedoe.'

'Ik wil Ted graag even spreken.'

'Ted? Waarom? Ik weet niet of dat wel gepast is.'

'Ik zal het kort houden.'

Louise staarde haar aan, toen haalde ze haar schouders op. 'Ik zal hem roepen,' zei ze stijf. 'Maar ik weet niet of hij u wil spreken. U kunt in de zitkamer op hem wachten.'

Ze deed een deur open en liet Frieda binnen in de voorkamer met de erker. Het was er te warm en er stonden veel te veel meubels, met overal bijzettafeltjes en rechte stoelen. Bij de radiator stond een poppenwagen met daarin een pop met vlasblond haar en blauwe ogen. Frieda kreeg bijna geen adem.

'Frieda?'

'Dora!'

Het meisje had een intens bleek, haast groenig gezicht en koortsuitslag in haar mondhoek. Haar haar zat niet, zoals anders, in vlechten maar hing futloos langs haar gezicht. Ze droeg een ouderwetse witte blouse en deed Frieda denken aan een figuur uit een victoriaans melodrama: meelijwekkend, verlaten, geagiteerd.

'Kom je ons halen?' vroeg Dora.

'Nee, ik moet Ted spreken.'

'Mogen we alsjeblieft met jou mee naar huis?'

'Het spijt me, maar dat gaat niet.' Frieda aarzelde toen ze de schriele gestalte en het beklemde, droevige gezichtje in zich opnam.

'Waarom niet?'

'Jullie tante heeft de voogdij. Zij zorgt nu voor jullie.'

'Alsjeblieft. Laat ons hier niet achter.'

'Ga eens even zitten,' zei Frieda. Ze nam Dora's hand – een zakje met botjes – in de hare en keek haar in de ogen. 'Ik vind het heel rot voor jullie, Dora,' zei ze. 'Ik vind het heel erg van je moeder en van je vader en ik vind het ook vreselijk dat jullie hier zijn, en niet bij iemand van wie jullie houden – hoewel ik er zeker van ben dat je tante op haar manier wel van jullie houdt.'

'Nee,' fluisterde Dora. 'Nee, ze houdt niet van ons. Ik krijg steeds op mijn kop vanwege de rommel en ze geeft me het gevoel dat ik in de weg loop. Ik mag niet eens huilen van haar, dan zegt ze meteen dat ik flink moet zijn.'

'Ik hoop,' zei Frieda langzaam, haar intuïtie volgend, 'ik hoop dat je het op een dag zult begrijpen. Het moet nu een verschrikkelijke nachtmerrie voor je zijn, maar geloof me, deze ellende gaat echt voorbij. Ik zeg niet dat het geen pijn meer zal doen, maar de pijn zal draaglijk worden.'

'Wanneer komt papa terug?'

'Dat weet ik niet.'

'Ze wordt maandag begraven. Kom jij ook?'

'Ja, ik zal er zijn.'

'Kom je dan bij mij zitten?'

'Je tante...'

'Als tante Louise het over haar heeft, trekt ze zo'n afschuwelijk gezicht. Alsof ze een vieze smaak in haar mond heeft. En Ted en Judith zijn heel kwaad op haar. Maar...' ze zweeg.

'Ga door,' zei Frieda.

'Ik weet dat mama een vriend had. Ik weet dat het niet goed is wat ze gedaan heeft en dat ze papa bedrogen heeft. Ik weet dat ze tegen ons allemaal heeft gelogen. Maar zo denk ik niet aan haar terug.'

'Hoe denk je dan aan haar terug?'

'Als ik ziek was, kwam ze altijd bij me zitten en las me urenlang voor. En 's morgens, als ze me wekte, bracht ze me thee in mijn lievelingsbeker en legde ze haar hand op mijn schouder tot ik echt wakker was, en dan gaf ze me een kus op mijn voorhoofd. Als ze 's ochtends gedoucht had rook ze altijd lekker fris naar citroen.'

'Wat een mooie herinnering,' zei Frieda. 'Wat herinner je je nog meer?'

'Toen ik gepest werd was ze de enige met wie ik kon praten. Ze gaf me het gevoel dat ik me niet hoefde te schamen. Op een keer, toen het echt heel erg was, mocht ik thuisblijven en nam ze zelf een vrije dag en zijn we uren in de tuin bezig geweest en hebben we de rozen gesnoeid. Ik weet niet waarom, maar daarna voelde ik me veel beter. Ze vertelde dat ze zelf ook gepest was op school, en dat ik gewoon mezelf moest blijven, dat ik goed was zoals ik was.'

Ze zweeg. Er stonden tranen in haar ogen.

'Ze moet een hele lieve moeder zijn geweest,' zei Frieda. 'Ik wou dat ik haar gekend had.'

'Ik mis haar zo erg dat ik dood wil. Ik wil dóód.'

'Ja,' zei Frieda. 'Dat begrijp ik, Dora.'

'Maar waarom heeft ze...'

'Luister, Dora. Mensen zitten ingewikkeld in elkaar. Ze kunnen heel verschillende gezichten hebben. Ze kunnen je pijn doen en toch aardig zijn, goed, sympathiek. Probeer de herinneringen aan je moeder vast te houden. Zo was ze voor jou en dat was echt. Ze hield van je. Ze had dan wel iets met een andere man, maar dat had niets te maken met haar gevoelens voor haar kinderen. Laat niemand je dat afnemen.'

'Tante Louise zegt...'

'Fuck tante Louise!'

Ted stond in de deuropening. Zijn haar was vet en slierterig en zijn gezicht zag er grauw en ongezond uit, met donkere wallen onder zijn ogen en een vurig eczeem in zijn hals. Op zijn kin begonnen de eerste baardstoppels te ontspruiten. Hij had dezelfde kleren aan als de dag daarvoor en Frieda vroeg zich af of hij wel naar bed was geweest, laat staan een oog had dichtgedaan. Toen hij naderbij kwam rook ze zweet en tabak, de muffe lucht van iemand die zich al een tijd niet heeft gewassen.

'Wat doe jij hier? Kon je niet zonder ons?'

'Hallo, Ted.'

Ted knikte naar Dora. 'Je moet bij Louise komen.'

Dora kwam overeind zonder Frieda's hand los te laten. 'Kom je ons nog een keer opzoeken?' vroeg ze dringend.

'Ja.'

'Beloofd?'

'Beloofd.'

Dora liep de kamer uit en Frieda bleef achter met Ted. Ze stak zijn tekenmap in de lucht. 'Je map. Die kwam ik brengen.'

'Dacht je soms dat ik die gemist had? Ik heb wel wat anders aan mijn hoofd.'

'Dat weet ik. Hoofdinspecteur Karlsson heeft me verteld dat je vader heeft bekend dat hij Zach Greene om het leven heeft gebracht en dat hij wordt verdacht van de moord op je moeder.'

Hevig grimassend wendde hij zich van haar af. Zijn smalle, smoezelige gestalte straalde totale ontreddering uit.

'Ik heb ook gehoord dat Elaine Kerrigan bekend heeft, maar ik denk dat zij haar zonen wil beschermen.'

'Jezus,' mompelde hij.

'Ik heb je iets te zeggen, maar misschien moeten we even naar buiten gaan,' stelde Frieda voor.

'Er valt niks te zeggen.'

'Alsjeblieft.'

Ze gingen naar buiten. Frieda meende een gezicht te zien achter een van de bovenramen, maar misschien verbeeldde ze het zich. Ze wachtte met praten tot ze een smaller straatje waren in geslagen, dat langs een verlaten speeltuin en een grijs kerkje voerde.

'Ik heb je tekeningen gezien,' zei ze. 'Je kan er wat van.'

'Dat zei m'n moeder ook altijd. "Je hebt talent, Ted." Kwam je me dat vertellen?'

'Ik heb het stilleven gezien dat je voor je proefexamen hebt gemaakt. De ochtend dat je moeder stierf.'

Ted reageerde niet. Zwijgend liepen ze voort. Het was alsof iedereen weg was en zij als enigen waren overgebleven.

'Er stond een vreemd voorwerp op dat ik eerst niet herkende,' zei Frieda. Haar stem klonk droog en schor. Ze schraapte haar keel. 'Je hebt het vanuit een ongewone hoek getekend, dus duurde het even voor ik zag wat het was. Ik ben naar het politiebureau gegaan om het te vergelijken.'

Ted was langzamer gaan lopen. Hij sleepte met zijn voeten alsof ze te zwaar voor hem waren.

'Om het tandwiel zo te kunnen afbeelden moet je het naar

achteren en naar opzij kantelen. Dan krijg je een afgevlakte vorm die aan een liniaal doet denken.'

'Ja,' zei Ted, maar het klonk als een huivering. 'Toen ik klein was, hadden we van die boekjes met raadsels. Daar was ik dol op. *Ik zie, ik zie...*'

Frieda legde een hand op zijn schouder en hij keek haar aan. 'Je vader wist dat je dat tandwiel die ochtend mee naar school had genomen. Toen dat het moordwapen bleek te zijn, wist hij dat het daar alleen maar geweest kon zijn als jij het weer mee naar huis had genomen.'

'Hij heeft er niks over gezegd,' zei Ted met doffe stem. 'Ik dacht dat het goed zou gaan, dat niemand er ooit achter zou komen.'

'Had je ontdekt dat je moeder vreemdging?'

'Ik vermoedde het al heel lang,' zei Ted mistroostig. 'Die dag ben ik haar gevolgd, op de brommer. Ik zag haar naar die flat gaan. Een man liet haar binnen. Ik ben weggegaan en heb eindeloos rondgereden, in een soort trance. Ik kon niet meer denken, was misselijk. Ik dacht dat ik over mijn nek zou gaan. Uiteindelijk ben ik naar huis gegaan en net toen ik dat kloteding op de schoorsteen wilde zetten, kwam ze binnen.' Zijn hand schoot omhoog en hij streek over zijn gezicht. 'Toen ik klein was vond ik niemand zo geweldig als zij. Ze was zo lief, gaf me zo'n veilig gevoel. Elke avond kwam ze me instoppen en ze rook altijd hetzelfde. We keken elkaar aan en toen wist ik dat zij wist dat ik het ontdekt had. Ze zei niets, maar glimlachte vreemd naar me. En toen heb ik met dat ding naar haar uitgehaald en raakte ik haar vol op de zijkant van haar gezicht. Ik kan het geluid nog horen. Een doffe klap. Heel even leek het alsof er niets was gebeurd. We bleven elkaar aankijken en ze had nog steeds dat rare lachje op haar gezicht, en toen... toen was het alsof ze voor mijn ogen explodeerde. Alles zat onder het bloed en het was mijn moeder niet meer. Ze lag op de grond en haar gezicht was tot moes geslagen en ik stond daar met dat tandwiel en het was allemaal...'

'En toen ben je weggerend.'

'Naar het park, daar heb ik overgegeven. Ik was ontzettend

misselijk en dat ben ik nog steeds. Elk moment van de dag. Die vieze smaak is niet meer weg te krijgen.'

'En toen heeft Judith je een alibi gegeven?'

'Ik wilde bekennen. Wat moest ik anders? Maar toen bleek het moordwapen te zijn verdwenen en zei iedereen dat het een uit de hand gelopen inbraak was geweest, en Judith smeekte me te zeggen dat we die middag samen hadden doorgebracht. Dat heb ik toen maar gedaan. Ik had het niet van tevoren uitgedacht.'

'Ted, begrijp je dat je vader de moord op Zach wél heeft gepland? Het was geen doodslag. Het was moord. Toen Judith hem had verteld dat ze verkering met Zach had en dat ze de dag dat je moeder stierf bij hem was geweest, wist hij dat jij geen alibi meer had. Want Zach zou zeggen dat Judith die middag bij hem was.'

'Hij heeft Zach vermoord om mij te redden,' zei Ted zacht.

'Als hij niet zou worden verdacht, zou jouw alibi overeind blijven. Zou hij wel verdacht worden, dan kon hij zeggen dat ze ruzie hadden gekregen en het uit de hand was gelopen.'

'Wat gaat er nu met hem gebeuren?'

'Ik heb geen idee, Ted.'

'Gaat hij nu zeggen dat hij mam ook heeft vermoord, voor mij?'

'Dat denk ik wel, als het niet anders kan. Op het moment is alles een beetje vertroebeld door de actie van Elaine Kerrigan.'

'Ga je het tegen de politie zeggen?'

'Nee,' zei Frieda bedachtzaam. 'Ik denk het niet.'

'Waarom niet?'

Frieda bleef staan en draaide zich naar hem om. Met haar donkere ogen keek ze hem aan. 'Omdat jij dat zelf gaat doen.'

'Nee,' fluisterde hij. 'Dat kan ik niet... Het is nooit mijn bedoeling geweest om... Ik kan het niet.'

'Hoe zijn de afgelopen weken voor je geweest?' vroeg Frieda.

'Een hel,' zei hij, nauwelijks hoorbaar.

'Zo zal het de rest van je leven zijn als je nu niet de waarheid vertelt.'

'Maar dat kan ik niet. Mijn moeder. Ik heb mijn eigen moeder vermoord.' Hij zweeg abrupt, praatte toen moeizaam verder.

'Ik heb mijn moeder vermoord. Ik zie haar gezicht voor me.' Geëmotioneerd herhaalde hij de woorden: 'Ik zie haar gezicht, haar tot moes geslagen gezicht. De hele tijd.'

'Er zit niets anders op. Niet dat het er beter van zal worden. Je zult altijd iemand blijven die zijn moeder heeft vermoord. Dat zul je tot je dood met je meedragen. Maar je moet opening van zaken geven.'

'Ga ik dan de gevangenis in?'

'Maakt dat iets uit?'

'Ik wou dat ik haar kon zeggen...'

'Wat zou je tegen haar willen zeggen?'

'Dat ik van haar hou. Dat het me spijt.'

'Dat kun je tegen haar zeggen.'

Ze waren in een boog gelopen en nu sloegen ze de straat weer in waar Louise Weller woonde. Ted bleef staan en slaakte een diepe, hortende zucht.

'We hoeven niet eerst naar binnen,' zei Frieda. 'We kunnen ook meteen naar het politiebureau gaan.'

Hij staarde haar aan, zijn jonge gezicht vertrokken van angst. 'Ga je met me mee?'

'Ja.'

'Ik kan het denk ik niet alleen.'

Frieda had al heel vaak door Londen gelopen, maar nog nooit zo'n vreemde, wezenloze wandeling gemaakt. Het leek alsof iedereen voor hen opzij ging en hun voetstappen klonken luid in het vervagende grijze licht. Toen ze Ted na een tijdje een arm gaf, kwam hij vlak naast haar lopen, als een kind met zijn moeder. Ze dacht aan Judith en Dora in dat donkere, keurige, benauwende huis. Hun vader zat in de cel en hun broer – deze onthutste, uit het lood geslagen jongen – was op weg daar naartoe. Iedereen zat gevangen in zijn eigen angst en verdriet.

Eindelijk waren ze er. Ted maakte zich van haar los. Het zweet parelde op zijn voorhoofd en hij keek verdwaasd uit zijn ogen. Frieda legde haar hand tegen zijn onderrug.

'We zijn er,' zei ze, en samen gingen ze naar binnen.

Karlsson had net opnieuw tegenover Russell Lennox plaatsgenomen toen Yvette haar hoofd om de deur stak en gebaarde dat hij moest komen.

'Wat is er?'

'Ik wilde je het meteen laten weten: Frieda is hier, met de zoon van Lennox.'

'Met Ted?'

'Ja. Ze zegt dat hij je iets moet vertellen, iets belangrijks.'

'Oké. Zeg maar dat ik eraan kom.'

'En Elaine Kerrigan houdt nog steeds vol dat zij het gedaan heeft.'

Karlsson liep de verhoorkamer in. 'Ik ben zo terug,' zei hij tegen Russell Lennox. 'Uw zoon schijnt me te willen spreken.'

'Mijn zoon? Ted? Nee. Nee, dat kan niet. Nee...'

'Wat is er, meneer Lennox?'

'Ik heb het gedaan. Ik zal u alles vertellen. Ik heb mijn vrouw vermoord. Ik heb Ruth vermoord. Ga zitten, zet die band aan. Ik wil een bekentenis afleggen. Ga niet naar mijn zoon. Ik heb het gedaan, niemand anders. Ik was het. U moet mij geloven. Ik heb mijn vrouw vermoord. Ik zweer het. Ik heb het gedaan.'

Ted keek op en richtte zijn branderige ogen op Karlsson. Voor het eerst voelde Karlsson rust van hem uitgaan, een doelgerichte vastberadenheid. De jongen ademde diep in en zei op heldere, luide toon: 'Ik ben gekomen om een bekentenis af te leggen. Ik heb mijn moeder vermoord. Van wie ik heel veel hield...'

58

Toen Frieda thuiskwam zaten Josef en Chloë in de keuken te kaarten, waar veel bij werd geschreeuwd en de kaarten met een klap op tafel werden gesmeten. Terwijl ze erover nadacht hoe ze haar nichtje het nieuws moest vertellen, kwam de vraag in haar op waarom Chloë bij haar thuis was en niet op school, en bedacht ze ook dat haar huis, ooit een plek waar ze zich kon terugtrekken uit de drukte, een zoete inval was geworden, een plaats van wanorde en verdriet. Als dit allemaal achter de rug was, moest ze misschien alle sloten laten vervangen. Ze keek naar Josef. 'Zouden Chloë en ik een momentje kunnen krijgen?'

Josef keek haar niet-begrijpend aan. 'Momentje?'

'Ja,' zei Frieda. 'Zou je ons even alleen willen laten?'

'Ja, ja,' zei Josef. 'Ik moet toch naar Reuben. Pokeren met de jongens.'

Hij tilde de kat van zijn schoot, drukte hem tegen zijn brede borst en liep de keuken uit.

Frieda deed Chloë haar verhaal en zag een scala van emoties over het gezicht van het jonge meisje trekken: verwarring, geschoktheid, verdriet, ongeloof, woede. Toen Frieda klaar was viel er een stilte. Chloë's ogen schoten heen en weer.

'Wil je me nog iets vragen?' vroeg Frieda.

'Waar is hij nu?'

'Op het politiebureau.'

'In een cel?'

'Dat weet ik niet. Ze zouden eerst een verklaring afnemen, maar hij moet daar wel blijven.'

'Hij is nog maar een kind.'

'Hij is achttien. Hij is meerderjarig.'

Weer viel er een stilte. Frieda zag dat Chloë's ogen vochtig waren. 'Zeg het maar.'

'Jij had voor hem moeten zorgen.'

'Dat heb ik ook gedaan, vind ik.'

'Hoe bedoel je?'

'Hij moest bekennen wat hij had gedaan.'

'Ook al betekent dat dat zijn hele leven naar de kloten is?'

'Het is juist de enige manier waarop dat misschien kan worden voorkomen.'

'Dat vind jij,' zei Chloë bitter. 'Dat is jouw fucking professionele mening. Ik heb hem naar je toe gebracht. Ik heb hem naar je toe gebracht omdat jij hem zou kunnen helpen.'

'Het is niet zo eenvoudig om iemand te helpen. Het is–'

'Hou je mond. Hou je mond hou je mond hou je mond. Ik wil niets meer horen over je verantwoordelijkheid nemen en op je eigen fucking benen staan. Je hebt hem verraden en je hebt mij ook verraden. Dát heb je gedaan.'

'Hij heeft zijn moeder vermoord.'

'Dat was helemaal zijn bedoeling niet!'

'Daar zal ook echt wel rekening mee worden gehouden.'

'Ik ga.'

'Waar naartoe?'

'Naar huis. Mam mag dan misschien geschift zijn en het is er een puinzooi, maar ze stuurt mijn vrienden tenminste niet naar de gevangenis.'

'Chloë...'

'Ik vergeef het je nooit.'

Het was voorbij, zei ze bij zichzelf. Haar rol was uitgespeeld. De koortsachtigheid van de afgelopen weken zou afnemen, de onwezenlijkheid vervagen zoals een hevige bloeduitstorting vervaagt tot iets wat nog een beetje pijn doet, maar voor anderen niet meer waarneembaar is. De moord op Ruth Lennox was opgelost. Haar kinderen bevonden zich alle drie in hun eigen gevangenis. Chloë was vertrokken. Frieda had haar vriendschap met Karlsson verraden. De wilde zoektocht naar een meisje dat ze nooit gekend had was voorbij en leek nu al een droom. Ze vroeg zich af of ze Fearby met zijn starende ogen en zijn zilvergrijze haar ooit nog zou zien.

Ze ruimde haar huis op, zette alles terug op zijn plaats, nam de tafels en het aanrecht af en zette het schaaktafeltje bij het raam in de bijenwas. Die middag zou ze naar Thelma Scott gaan en een emmer neerlaten in de donkere put van haar gedachten, maar daarna zou ze misschien nog een oude schaakpartij naspelen, de houten stukken tikkend over het bord verplaatsen, zodat de stilte weer op haar neer kon dalen. Ze zou Sandy moeten bellen. In alle consternatie had ze hem uit haar hoofd gezet. De twee dagen in New York waren onwerkelijk en ver weg. Eindelijk stond ze zichzelf toe terug te denken aan de manier waarop hij haar die nacht in zijn armen had gehouden en de dingen die hij tegen haar had gezegd. De herinnering.

Herinnering. Op weg naar boven bleef Frieda plotseling staan. Er was iets in haar opgekomen dat haar hart in haar keel deed kloppen. Wat was het? Fearby. Het had met Fearby te maken, en met zijn laatste bericht aan haar voor hij uit haar leven was verdwenen. Frieda ging op de trap zitten en probeerde zich voor de geest te halen wat hij precies had gezegd. Het meeste was niet belangrijk, wel was duidelijk dat hij een idee had gehad en dat hij het de moeite waard had gevonden om erachteraan te gaan. Hij had gezegd dat hij de dossiers van de meisjes nog eens had doorgenomen. Dat kon ze zich nog goed herinneren. Maar hij had nog iets anders gezegd. Dat ze op de verkeerde manier naar hen hadden gekeken. Ja, en dat hij nog een keer ging kijken.

Was er nog iets? Ja: ze hadden de motor niet gehoord – wat bedoelde hij daar in godsnaam mee? Het klonk als een maffe metafoor voor de werking van het brein. Frieda pijnigde haar hersens af. Nee, meer had hij niet gezegd, behalve dat hij bij haar langs zou komen om verslag uit te brengen. Dat was alles. Veel was het niet. De dossiers van de meisjes. Ze hadden op de verkeerde manier naar hen gekeken. Wat bedoelde hij daarmee? Hoezo op de verkeerde manier? Was er een verband dat ze over het hoofd hadden gezien? Hij had 'we' gezegd. Hoe hadden Fearby en zij naar de meisjes gekeken? Ze dacht aan de rest van het bericht. Hij zou nog een keer gaan kijken. Nog een keer. Wat betekende dat? Ging hij terug naar de familie van een van de meisjes? Dat zou kunnen.

Maar toen bedacht Frieda zich. Zijn bericht had drie elementen gehad. De meisjes. 'We' hadden niet op de juiste manier naar hen gekeken, en hij had de motor niet gehoord. En ging nog een keer kijken. Dat betekende – moest toch betekenen – dat hij ergens heen ging waar zij samen waren geweest.

Het paardenopvangcentrum van Doherty? Nee, dat sloeg nergens op. Dan zou hij gezegd hebben dat hij met iemand zou gaan praten. Zijn bericht suggereerde een plaats. Het kon alleen maar betekenen dat hij terugging naar Croydon. Om nog een keer te gaan kijken. Maar wat had dat voor zin? De politie was daar al geweest. Ze hadden huiszoeking gedaan. Waar zou hij in hemelsnaam nog een keer naar moeten kijken? Nogmaals dacht ze na over zijn bericht, alsof het een apparaat was dat ze uit elkaar had gehaald en waarvan de onderdelen nu naast elkaar op tafel lagen. De meisjes. We hebben op de verkeerde manier naar hen gekeken. Nog een keer gaan kijken. Dat eerste gedeelte was wel duidelijk. De meisjes. Het derde gedeelte leek ook duidelijk. Nog een keer gaan kijken. Dat moest op Croydon slaan. Het probleem was het middelste gedeelte. We hadden verkeerd naar hen gekeken. We. Dat begreep ze wel, dat waren Fearby en Frieda. Hoe hadden Fearby en Frieda naar hen moeten kijken? Hen. De motor. Ze hadden de motor niet gehoord. Welke motor in godsnaam?

En ineens had Frieda het gevoel dat ze vanuit een donkere tunnel in het licht stapte, een licht zo duizelingwekkend helder dat ze nauwelijks iets kon zien.

Hen. Stel dat hij met 'hen' niet de meisjes had bedoeld? Stel dat die motor helemaal geen metafoor was, tenslotte sprak Fearby nooit in metaforen. Hij maakte lijsten, richtte zich op zaken, feiten, details, data. Het was de motor die Vanessa Dale had gehoord op de dag dat ze werd aangevallen, vlak voor Hazel Barton werd vermoord. Terwijl de doodsbange Vanessa Dale de handen van haar belager om haar keel had gevoeld, had ze een motor horen loeien.

Dat betekende dat haar belager niet alleen was geweest. Er had iemand in een auto op hem zitten wachten en diegene had de motor laten loeien. Hij was niet alleen. Er waren twee moordenaars geweest.

59

Alles had een glasharde helderheid gekregen, kil en scherpomlijnd. Ze zocht het nummer van Thelma Scott op en toetste het in.

'Dokter Scott? Met Frieda Klein. Ik moet afzeggen.'

Er viel een stilte.

'Kun je even praten?'

'Nee, eigenlijk niet. Er is iets wat ik moet doen. Iets wat niet kan wachten.'

'Frieda, gaat het wel goed met je?'

'Nee, ik geloof het niet, op dit moment. Maar er is iets wat nu even belangrijker is dan al het andere.'

'Ik vraag het omdat je niet goed klinkt.'

'Het spijt me heel erg, maar ik moet nu weg.'

Frieda hing op. Wat had ze nodig? Sleutels, jasje, haar gehate telefoontje. Meer niet. Toen ze haar jasje aantrok ging de bel. Het was Josef, bestoft van zijn werk.

'Ik moet weg. Ik heb geen tijd. Ook niet om te praten.'

Josef pakte haar bij de arm. 'Frieda, wat is er aan de hand? Iedereen belt iedereen. Waar is Frieda? Wat doet zij? Je belt nooit, antwoordt nooit.'

'Ik weet het, ik weet het. Ik zal alles uitleggen. Maar niet nu. Ik moet naar Croydon.'

'Croydon? De meisjes?'

'Ik weet het niet. Misschien.'

'Alleen?'

'Ik ben een flinke meid, hoor.'

'Ik breng je.'

'Ben je gek.'

Josef keek haar streng aan. 'Ik breng je, anders hou ik je hier en bel Reuben.'

'O ja? Moet je proberen,' zei Frieda fel.

'Ja.'

'Oké, breng me er dan maar heen. Is die van jou?'

Achter Josef stond een aftandse witte bestelbus.

'Voor werk.'

'Kom, we gaan.'

Het was een lange rit, eerst naar Park Lane, toen naar Victoria en via de Chelsea Bridge naar Zuid-Londen. Frieda had de kaart open op haar schoot liggen, zodat ze Josef aanwijzingen kon geven en ondertussen bedacht ze wat ze zou gaan doen. Battersea. Clapham. Tooting. Moest ze Karlsson bellen? Maar wat moest ze zeggen? Haar verdenkingen uiten jegens een man wiens achternaam ze niet eens kende? Van wie ze niet wist waar hij woonde? Over een meisje naar wie verder niemand op zoek was? En na die laatste vervelende confrontatie? Ze waren inmiddels in een buurt van Londen beland waar de straatnamen haar nauwelijks bekend voorkwamen. De aanwijzingen werden ingewikkelder, maar uiteindelijk liet Frieda Josef een eindje voorbij het huis van Lawrence Dawes stoppen.

'Zo,' zei Josef verwachtingsvol.

Frieda dacht even na. Lawrence en zijn vriend Gerry. Hen. Ze wist niet hoe Gerry verder heette en ook niet waar hij woonde. Eén ding wist ze echter wel. Stroomopwaarts. Dat had Lawrence gezegd. Hij woonde stroomopwaarts, dat betekende aan dezelfde kant van de straat, en ze herinnerde zich dat de rivier, toen ze met haar rug naar het huis in zijn tuin had gestaan, naar links stroomde. Gerry's huis moest zich dus rechts van dat van Lawrence bevinden, en waarschijnlijk niet pal ernaast, want dan had Lawrence wel gezegd dat ze directe buren waren. En had hij het niet over vluchtelingen gehad die naast hem woonden? Ze stapte uit. Twee huizen verder, daar zou ze beginnen. Josef stapte eveneens uit.

'Ik red me wel,' zei Frieda.

'Ik kom mee.'

Lawrence Dawes woonde op nummer 8. Frieda en Josef liepen het paadje naar nummer 12 op en Frieda belde aan. Er werd niet opengedaan. Ze belde nog een keer.

'Niemand thuis,' zei Josef.

Ze liepen terug naar de straat en probeerden het bij nummer 14.

'Waarvoor is dit?' zei Josef met een vragend gezicht, maar voordat Frieda kon antwoorden werd de deur opengedaan door een oude vrouw met grijs haar.

Even was Frieda in verwarring. Ze had nog niet bedacht wat ze zou zeggen. 'Goedemiddag,' zei ze. 'Ik moet hier iets afgeven voor een vriend van een vriend. Hij heet Gerry en is in de zestig. Hij moet in een van deze huizen wonen, maar ik weet niet welk.'

'Het zou Gerry Collier kunnen zijn,' zei de vrouw.

'Begin zestig?' vroeg Frieda. 'Bruin haar, beetje grijzend?'

'Ja, dat is Gerry. Die woont verderop, op nummer 18.'

'Reuze bedankt,' zei Frieda.

De vrouw deed de deur dicht. Frieda en Josef liepen terug naar het busje en stapten in. Frieda keek naar het huis. Het was een twee-onder-een-kapwoning met twee verdiepingen. Grijze, grindstenen gevel, aluminium raamkozijnen. Een barokke voortuin met een wit, stenen muurtje en een overdaad aan gele, blauwe, rode en witte bloemen.

'Wat nu?' zei Josef.

'Wacht even,' zei Frieda. 'Ik moet even denken. We kunnen...'

'Ssst, kijk,' fluisterde Josef.

De deur van nummer 18 was opengegaan en Gerry Collier kwam naar buiten. Hij droeg een grijs windjack en liep met een plastic boodschappentas in zijn hand de andere kant op.

'Misschien moeten we hem volgen,' zei Frieda.

'Die man volgen?' zei Josef. 'Nee, niet goed.'

'Je hebt gelijk. Hij gaat waarschijnlijk boodschappen doen. We hebben een paar minuten. Josef, kun jij me helpen bij hem in te breken?'

Josef keek verwonderd en begon te grijnzen. 'Inbreken in een huis? Jij, Frieda?'

'En wel nu meteen.'

'Het is geen grapje?'

'Het is echt, écht geen grapje.'

'Oké, Frieda. Jij vraagt. Ik vraag het jou later.' Hij pakte zijn gereedschapstas en haalde er een zware moersleutel en twee grote schroevendraaiers uit. Ze stapten uit en liepen naar de voordeur van nummer 18.

'We moeten snel zijn,' zei Frieda. 'En stil. Voor zover mogelijk.'

Subtiel streek Josef met zijn vinger langs het slot. 'Wat is het belangrijkst, snel of stil?'

'Snel.'

Josef duwde een schroevendraaier in de kier tussen de deur en de deurpost. Hij trok eraan en de kier werd iets breder. Vervolgens zette hij de andere schroevendraaier dertig centimeter lager in de deur. Hij keek naar Frieda. 'Goed?'

Ze knikte. Geluidloos vormde hij met zijn mond de woorden een, twee, *drie*, en trok de schroevendraaiers met een ruk naar zich toe terwijl hij hard tegen de deur duwde. Er klonk een geluid van splijtend hout en de deur zwaaide open.

'Waarheen nu?' fluisterde Josef schor.

Frieda kende het huis van Lawrence Dawes. Waar zouden ze moeten zijn? Ze wees naar beneden. Josef zette zijn tas neer en liep zachtjes voor Frieda uit de gang door, langs de linkerkant van de trap. Hij bleef staan en knikte naar rechts. Onder de trap was een deur. Na een knikje van Frieda deed Josef hem voorzichtig open. Frieda zag het begin van een trap die naar een donkere ruimte voerde. Er hing een bepaalde lucht, iets zoetigs wat ze niet kon thuisbrengen. Josef tastte langs de muur tot hij de schakelaar vond, en deed het licht aan.

Frieda schrok, want onder aan de trap, half in de schaduw, zat iemand met zijn rug tegen de stenen muur geleund. Hij of zij keek niet op. Josef siste dat Frieda moest wachten, maar ze liep gedecideerd de trap af. Al na een paar treden wist ze wie het was. Ze herkende het jasje, het witte haar, de gebogen houding. Toen ze beneden kwam keek Jim Fearby met starre, gele nietsziende ogen naar haar op. Ook zijn mond hing open, alsof hij verbaasd was, en er liep een grote bruine streep langs de zijkant van zijn gezicht. Frieda wilde zich over hem heen buigen om na te gaan of hij dood was, maar ze bedacht zich. Het had geen zin. Een golf van misselijkheid steeg in haar op, maar werd al snel ingehaald door een intense, schrijnende droefenis toen ze naar deze lieve, aan zijn lot overgelaten man keek die uiteindelijk toch gelijk had gekregen.

Josef kwam naar beneden. Net toen Frieda iets tegen hem wilde zeggen hoorde ze, dieper de kelder in, daar waar die onder de straat door liep, een zacht gekerm als van een dier in nood. Ze keek om en zag iets bewegen. Terwijl ze er langzaam heen liep, tekende zich in het schemerdonker een gestalte af. Een mens, een vrouw, jong nog, stond met gespreide armen en benen tegen de muur. Frieda zag vervilt haar, grote knipperende ogen, een dichtgeplakte mond. Toen ze haar genaderd was zag ze dat de vrouw met snoeren om haar polsen, enkels, middel en hals was vastgebonden. Ze kermde zacht. Frieda legde een vinger tegen haar lippen. Toen ze probeerde het snoer om een van haar polsen los te krijgen, kwam Josef naast haar staan. Hij haalde iets uit de zak van zijn jasje. Ze hoorde het klikken van een tang en een hand was bevrijd. De andere hand volgde, de hals, het middel en toen viel de vrouw voorover. Frieda ving haar op, uit angst dat ze haar enkels zou breken. Josef ging op zijn hurken zitten, en toen de laatste draden waren doorgeknipt zakte de vrouw door haar knieën.

'Ga hulp halen,' zei Frieda tegen Josef.

Josef pakte zijn mobiel.

'Boven, voor bereik,' zei hij.

'999,' zei Frieda.

'Weet ik.'

Frieda keek naar het gezicht van de vrouw. 'Sharon?' Weer kermde ze even. 'Ik haal nu het plakband van je mond. Het komt allemaal goed, maar je moet stil zijn. Gerry is er nu niet, maar we moeten opschieten.' Weer dat geluid. 'Het komt goed. Dit doet even pijn.' Frieda kreeg greep op het uiteinde van het plakband en trok het los. De huid eronder was bleek en rauw en rook naar bederf. Sharon jankte als een dier. 'Het is goed,' zei Frieda sussend. 'Zoals ik zei. Hij is weg.'

'Nee,' zei Sharon en ze schudde haar hoofd. 'Andere man.'

'Fuck,' zei Frieda, en ze draaide zich om en rende de trap op. 'Josef!'

Terwijl ze rende, hoorde ze gebonk en gekletter, alsof er meubels naar beneden werden gegooid, en boven aan de keldertrap zag ze silhouetten bewegen en hoorde ze geschreeuw. Ze kon niet goed zien wat er gebeurde en gleed uit. De vloer was nat en plakkerig. Er volgde een chaotische opeenvolging van indrukken: figuren die van en naar elkaar toe bewogen, flitsend metaal, kreten, een plonzend geluid, klappen zo hard dat ze de vloer voelde deinen. Haar blik vernauwde zich, alsof ze door een lange smalle koker naar de wereld keek. Ook haar gedachten vernauwden zich. Ze leken te vertragen, de tijd leek te vertragen en ze wist dat ze overeind moest blijven, anders zou alles voor niets zijn geweest. Ze merkte dat ze iets in haar hand hield, ze wist niet wat het was of hoe het daar gekomen was, maar het was een zwaar voorwerp en ze sloeg ermee zo hard als ze kon. Ineens werd alles helderder, alsof iemand het licht langzaam opdraaide. Lawrence Dawes lag op zijn buik in de gang, in een donkerrode plas die steeds groter werd. Josef leunde hijgend en kreunend tegen de muur en Frieda stond tegenover hem tegen de andere muur geleund. Toen drong het tot haar door dat het plakkerige spul waar haar handen en kleren mee besmeurd waren bloed was.

60

'Frieda? Frieda, *Frieda.*' Josef leek geen woord Engels meer te kunnen uitbrengen, en bleef haar naam maar herhalen.

Frieda liep naar hem toe. Plotseling voelde ze zich licht, helder en kalm en stroomde de energie door haar lichaam. Ze zag dat hij een enorme jaap in zijn gezicht had die tot in zijn hals doorliep, en één arm hing er raar bij. Onder het vuil zag de huid van zijn gezicht lijkbleek.

'Stil maar, Josef,' zei ze. 'Dank je wel, lieve vriend.'

Toen hurkte ze bij Lawrence Dawes neer. Waar ze hem geraakt had op zijn hoofd was een bebloede plek te zien, maar ze zag dat hij ademde. Ze keek naar het zware voorwerp dat ze nog steeds vasthield: het was een van Josefs moersleutels die uit zijn tas moest zijn gevallen. Er zat een rode veeg op.

'Hier,' zei ze tegen Josef. 'Als hij bijkomt, geef je hem nog een klap. Ik ben zo terug.'

Ze rende naar de keuken en begon laden open te trekken. Gerry Collier was een zeer ordelijk man: alles had zijn plaats. Ze vond een la vol touwtjes, breed plakband en pennen, en ze pakte een opgerolde waslijn. Die kon ze gebruiken. Ze ging terug naar de gang, bukte zich, bracht de handen van Lawrence Dawes naar elkaar toe en wond er snel de waslijn omheen, waarna ze ook zijn voeten ermee vastbond en hem knevelde.

Met vaste hand haalde ze haar telefoon uit haar zak en toetste het alarmnummer in. Ze zei dat de politie moest komen, veel politie, en ambulances; ze gaf het adres, herhaalde het voor de zekerheid en zei dat ze zich moesten haasten. Toen stopte ze haar telefoon terug in haar zak. Naast zich hoorde ze Josef moeizaam ademen, en toen ze zich naar hem omdraaide zag ze zijn van pijn vertrokken gezicht. Ze pakte de moersleutel uit zijn hand en legde lichtjes een hand op zijn schouder.

'Ik laat je nog heel even alleen,' zei ze, en gaf hem een kus op zijn klamme voorhoofd.

Ze rende de keldertrap af. Beneden bleef ze even staan, legde haar duimen op Fearby's oogleden en drukte ze toe. Ze streek zijn haar uit zijn gezicht en toen wendde ze zich tot Sharon Gibbs, die nog steeds op de grond op haar knieën lag, met haar hoofd op haar armen. Ze maakte rasperige geluidjes, als een gewond dier. Ze had een bh aan die haar kleine borsten nauwelijks bedekte en een vuile broek met een koord; haar voeten waren bloot en gehavend. In het schemerdonker zag Frieda dat ze onder de bloeduitstortingen zat en brandwondjes die eruitzagen alsof ze door sigaretten waren veroorzaakt.

Ze hurkte naast haar neer en pakte haar bij de elleboog. 'Kun je staan?' vroeg ze. 'Ik zal je helpen. Hier.' Ze trok haar jasje uit en legde het om Sharons knokige schouders. Haar ribben en sleutelbeenderen staken uit. Ze rook naar verval en bederf. 'Kom maar, Sharon,' zei Frieda zacht. 'Het is voorbij, je bent veilig. Kom, we gaan hier weg.'

Het meisje ondersteunend leidde Frieda haar langs Fearby de trap op, weg uit de kelder die haar martelkamer was geweest, naar het daglicht dat al begon te tanen. Sharon slaakte een kreet toen het licht haar verblindde en ze helde naar voren, viel bijna en hoestte wat braaksel op. Het lukte Frieda haar het gehate huis uit te krijgen. Buiten, in de frisse lucht, liet ze het meisje op de treden bij de voordeur zakken.

Josef kwam aangestrompeld. Frieda deed haar katoenen sjaal af en wond die om zijn hals, waar het bloed nog steeds langs liep.

'Stil maar,' zei Frieda. 'Deze man doet je geen kwaad, hij heeft je gered, Sharon. Hij heeft ons allebei het leven gered.'

'Ik kwam voor Lila,' jammerde Sharon. 'Ik wilde Lila zien.'

'Het is goed nu. Praat nog maar niet.'

'Is ze dood?'

'Ja. Ze is dood, daar ben ik zeker van. Ze moet hebben ontdekt hoe het zat met haar vader en daarom heeft hij haar vermoord. Maar jij leeft nog, Sharon, en je bent veilig.'

Daar stond ze, met die twee mensen naast zich. De geur van kamperfoelie kwam uit de naburige tuin overgewaaid en drie huizen verder zag Frieda de oude vrouw in haar voortuin bezig met de tuinslang. Het was een mooie, prille zomeravond. Ze tuurde de straat af, niet alleen in afwachting van de blauwe zwaailichten van de politie en de ambulances, maar ook gespitst op de terugkeer van Gerry Collier. Het was maar enkele minuten geleden dat Josef en zij hem hadden zien weggaan, maar het leken wel uren, dagen – het leek een andere wereld. De voordeur achter hen was uit zijn scharnieren gerukt en in de kelder lag Jim Fearby, eindelijk ontheven van zijn taak.

En daar kwamen ze, hun sirenes en lichten sloegen de zachte avond aan gruzelementen. Eerst was er het geluid en toen de zwenkende blauwe gloed, waarna de politieauto's en ambulances met piepende remmen tot stilstand kwamen. Er volgde een invasie van mannen en vrouwen, dwingende stemmen, orders en kreten, mensen die zich over hen heen bogen, brancards, zuurstofmaskers. Buurtbewoners verzamelden zich op straat en het was alsof ze het middelpunt waren geworden van een wereld die hen langzaam insloot.

Er stond een man voor haar die haar iets vroeg. Ze begreep de vragen die hij stelde niet, maar wist wat ze moest zeggen.

'Mijn naam is Frieda Klein.' Ze hoorde haar eigen stem, rustig en helder. 'Ik ben degene die gebeld heeft. Dit is Josef, hij is gewond. En hier zit Sharon Gibbs, die al weken wordt vermist. Ze is in de kelder gevangen gehouden door Lawrence Dawes, die gekneveld in de gang ligt. Wees voorzichtig met haar. U hebt geen idee wat zij achter de rug heeft. Er is nog een tweede man, Gerry Collier. Hij is nog voortvluchtig. Daar moeten jullie achteraan.'

'Gerry Collier, zegt u?'

'Ja. Hij is de eigenaar van dit huis. En er is nog iemand binnen,

Jim Fearby. Voor hem zijn jullie te laat gekomen.'

Er hingen gezichten boven haar, wazig en anoniem, met monden die open- en dichtgingen en grote, starende ogen. Iemand zei iets, maar ze was nog niet uitgesproken.

'Er liggen lijken in de tuin begraven.' Ze wist niet meer of ze rustig sprak of was gaan schreeuwen, alsof ze op de kansel stond. 'Of in de kelder.'

Sharon Gibbs, die nog steeds in elkaar gedoken bij de deur zat, werd opgetild en languit op een brancard gelegd. Haar enorme ogen keken smekend vanuit haar benige, smoezelige gezicht naar Frieda op. Lawrence Dawes werd naar buiten gedragen, met de waslijn nog steeds om zijn handen en voeten gebonden. Hij knipperde met zijn ogen en liet ze een moment op Frieda rusten. Even keken ze elkaar recht in de ziel, toen wendde hij zijn hoofd af.

'Kan iemand Karlsson op de hoogte brengen?' vervolgde Frieda.

'Karlsson?'

'Hoofdinspecteur Karlsson.'

Een vrouw legde een deken over Josefs schouders en wikkelde Frieda's bloederige sjaal af die hij nog steeds om zijn hals had. Hij richtte zich in zijn volle lengte op, verdwaasd en een beetje wankelend. Frieda omhelsde hem – voorzichtig, om zijn bungelende arm te sparen – en legde haar hoofd tegen zijn borst. Ze voelde zijn hart bonzen en rook zijn zweet en zijn bloed. 'Het komt weer goed met je,' zei ze. 'Je hebt het goed gedaan, Josef.'

'Ik?'

'Ja. Ik zal je zonen schrijven en het ze vertellen. Ze zullen heel trots op je zijn.'

'Trots?'

'Ja, trots.'

'Maar jij...'

'Ik kom je heel gauw opzoeken.' Ze keek naar de vrouw die bij hem stond. 'Waar brengen jullie hem heen?'

'St. George's.'

Toen Josef weg was werd Fearby's lichaam naar buiten gedragen. Zijn gezicht was afgedekt, maar Frieda zag zijn dunne witte haar onder het laken uit steken. Aan het andere eind staken zijn voeten naar buiten; zijn schoenen waren oud en versleten en één veter hing los.

De ambulances reden weg en plotseling was ze alleen. Op straat dromden mensen samen en in het huis scheen een onnatuurlijk fel licht en klonken stemmen en lawaai. Maar hier, op dit kleine stukje grond, was ze eindelijk alleen. Achter haar gaapte de deuropening als een gore, hete mond waar een misselijkmakende stank uit kwam.

'Frieda Klein?'

Voor haar was een man verschenen. Hij stond in haar licht.

'Ja.'

'Ik moet u dringend spreken. Ik ben nog een paar minuten bezig. Wilt u hier op mij wachten, alstublieft?'

Hij liep weg. Haar mobiel ging. Ze keek – Sandy – maar nam niet op. Ze schakelde het toestel uit.

Zonder te beseffen wat ze deed stond ze op en ging het huis binnen. Niemand hield haar tegen, ze leken haar niet eens op te merken. Door de achterdeur liep ze naar buiten. De tuin had dezelfde vorm en omvang als die van Lawrence Dawes, en stond vol met bloemen. Stralende, zoetgeurende bloemen: pioenrozen, rozen, vingerhoedskruid, hoge lupines; misschien werden ze gevoed door de lichamen, dacht ze. Misschien zagen ze er daardoor zo krachtig uit, zo stralend en mooi van kleur. Ze liep over het gazon naar achteren, langs een goed onderhouden moestuin, tot ze bij het ondiepe riviertje uitkwam, de Wandle. Ze kon de kiezels op de bodem zien liggen en er schoten een paar kleine donkere visjes langs. Achter haar was het rumoer van de wereld, hier hoorde ze alleen het sijpelende water, een zacht gemurmel. Een zwaluw scheerde laag langs haar heen en steeg weer op in de avondlucht.

Ze wist dat ze naar huis moest gaan. Er kwam iets bij haar naar boven wat ze ooit als kind in een boek had gelezen. Als je in het oerwoud verdwaalt, moet je water zien te vinden en dat volgen, stroomafwaarts, want het voert uiteindelijk naar een grotere rivier of de zee. Dit beekje zou haar naar huis brengen.

Ze trok haar sandalen uit, rolde de pijpen van haar spijkerbroek op en stapte het water in. Het was fris, maar niet koud, en het kwam tot haar enkels. Voorzichtig liep ze over de stenige bedding tot ze achter de tuin van Lawrence Dawes uitkwam. Daar hadden ze samen thee gedronken en had hij haar dit riviertje laten zien. Ze hoorde zijn stem, mild en vriendelijk: *'Toen ze nog klein waren maakten we altijd bootjes van papier, die we op het water zetten en weg lieten drijven. Ik zei dan dat ze binnen drie uur de Theems zouden bereiken en als het tij goed was werden meegenomen naar zee.'*

Frieda stapte de andere oever op, waar een smal, overwoekerd paadje liep, en stak haar natte voeten in haar sandalen. Het was er groen, met overal wild groeiend onkruid: brandnetels, fluitenkruid, en het rook er naar gras, rottende bladeren en vocht. Ze begon te lopen.

Het verborgen riviertje versmalde zich tot een lint van bruin water. Frieda hield de snelheid van het water aan en zag belletjes omhoogkomen en op het oppervlak uiteenspatten. Ze zag Fearby's gezicht voor zich. Zijn dode ogen die haar aanstaarden. Wat waren zijn laatste gedachten geweest? Wat had ze graag gewild dat hij lang genoeg in leven was gebleven om te beseffen dat hij had gewonnen. Ze zag Josefs gezicht. Hij zou zijn leven voor haar geven, maar zij zou dat van haar voor niets in de waagschaal leggen, behalve dat er een vloek op leek te rusten.

Iets verderop, in tegengestelde richting, verdween de Wandle voorgoed onder de grond, in een netwerk van bronnen die zich onderaards vertakten. Maar aan deze kant liep het stroompje naar het noorden, en het paadje erlangs was hier bijna overwoekerd met prikkende brandnetels en laaghangende takken die langs haar gezicht streken. Het kwam Frieda voor alsof ze zich door een tunnel van groen licht voortbewoog. Ze rook iets zoets en smerigs; ergens in de buurt moest een kadaver van een dier of een vogel liggen. Dit kleine riviertje had in het verleden hard gewerkt, heel veel stront en vergif en verderf afgevoerd, als een verkalkte ader waar het afval in verstopt was geraakt. Er hadden hier watermolens gestaan en leerlooierijen, en er waren velden met lavendel en vijvers vol met witte waterkers geweest, afval en chemicaliën en bloemen. Allemaal verdwenen, afgebroken, of begraven onder beton en woonwijken. Links van haar rezen achter het struikgewas een verlaten pakhuis, een klein industrieterrein, een parkeerplaats en een vuilnisbelt uit de schemering op. Maar het riviertje stroomde snel en helder verder en leidde haar het labyrint uit.

De stroom werd breder en trager. In het wervelende water doemden gezichten voor haar op. Gezichten van jonge vrouwen. Waterplanten in plaats van haar. Ze riepen om hulp. Maar het was te laat. Alleen Sharon Gibbs was gered: weer hoorde Frieda haar dierlijke gekerm en rook ze haar afstervende vlees. Ratten met gele tanden hadden haar in de duisternis bezocht – wat was er met haar gebeurd, wat had ze gevoeld? Thee in de tuin, glimlachend. Frieda had zijn hand geschud – wat had die hand gedaan? Zijn dochter. Lily. Lila. Een wild kind. Al die wilde kinderen. Verloren jonge vrouwen. Hoeveel waren er nog meer die ronddoolden in hun eigen onderwereld?

Ze zag Teds jonge gezicht en dat van Dora en Judith: moederloze, vaderloze kinderen die hunkerden naar liefde en geborgenheid. Verwoeste levens. Uit elkaar gerukte gezinnen. Wat had ze gedaan? Hoe moest ze verder met de schade die ze had aangericht, met de last die ze de rest van haar leven zou moeten dragen?

Inmiddels was de rivier gekanaliseerd tussen oevers van beton en tot bedaren gebracht. Plotseling was het pad een weggetje geworden dat langs een gestutte, bakstenen muur liep. Even scheen het haar toe dat ze in een dorpje op het platteland was, in een ver verleden. Er was een grijs kerkje met groepjes graven eromheen. Op een van de stenen zag ze de naam van een tienerjongen, omgekomen tijdens de Eerste Wereldoorlog. Frieda meende een gestalte uit de grond te zien oprijzen, maar het waren nevelflarden. Ze wist niet hoe laat het was. Ze wilde haar telefoon niet aanzetten om te kijken. Het deed er ook niet toe. Ze zou de hele avond kunnen blijven lopen, tot het nacht werd. Ze zou dagen kunnen blijven lopen en nooit meer stoppen. De pijn in haar benen en haar longen deed haar goed; liever dat dan pijn in haar hart.

Maar waar was de rivier? Hij was verdwenen. Ze hadden hem haar afgenomen. Ze verstapte zich, voelde scherpe steentjes onder de zolen van haar sandalen. Een park strekte zich voor haar uit, een laan met grote bomen. Ze liep erheen en even later zag ze een stenen bruggetje. Ze had het water teruggevonden en werd naar een vijver geleid. Libellen in de schemering. Op een bank lag een kindersandaal. Maar het water voerde naar een weg, en daar verdween het weer. Er scheurde een auto langs met dreunende bassen, gevolgd door een in zwart leer gestoken motorrijder die laag over zijn stuur hing, en Frieda raakte verdwaald in een groezelige strook huizen en flats. Maar ze hield de stroomrichting aan en even later kwam het water weer vrolijk kabbelend tevoorschijn, alsof het een plagerijtje was geweest. Na nog wat gebouwen, cottages en een oude molen versmalde de weg zich weer tot een overwoekerd pad. Zodra ze de verborgen doorgang in liep, verdween de bebouwing uit het zicht. Je kon er dertig meter vandaan zijn en geen idee hebben dat het er was. Je kon je hier verbergen, zien zonder gezien te worden. Als een geest.

Er waren te veel geesten, te veel dode mensen in haar leven. Ze had al een menigte achter zich gelaten. Haar eigen jongere, levenslustige zelf. Hoopvol maar onwetend was ze aan het leven begonnen. Haar vader. Soms zag ze hem voor zich, niet alleen in haar dromen, maar ook tussen de mensen die ze op straat tegenkwam. Ze moest hem iets vertellen, maar kon zich niet meer herinneren wat. Het werd steeds donkerder om haar heen. In haar hoofd wemelden de kleuren van de pijn.

Een oude, verlaten opslagplaats die in een lelijke kleur blauw was geschilderd en bedekt was met graffiti. Ingeslagen ruiten. Daar kon je je verstoppen. Misschien lag het daar ook vol met doden, of mensen die vermist werden. Je kon niet overal gaan kijken. Er komt geen einde aan, er zijn altijd nog anderen, en ze was zo moe. Geen zachte, lome moeheid, maar een die scherp was en dwingend. Een vermoeidheid als een mes, een malende molensteen. Sharon Gibbs leefde nog, maar Lila was dood. De anderen waren ook dood. Beenderen in de rijke aarde waar een bloementuin mee werd gevoed.

Het pad verbreedde zich tot een landweg. De rivier stroomde traag en bruin. Als ze nu zou gaan liggen, zou ze dan ooit nog opstaan? Als Sandy hier was, zou ze het hem dan vertellen? Als Sasha hier was, zou ze dan eindelijk huilen? Of slapen. Wanneer zou ze weer slapen? Slapen was loslaten. De doden loslaten, de geesten, jezelf.

Kranen. Grote distels. Een verlaten landje met rare kleine schuurtjes vlak langs het water. Een magere vos met een dunne, armetierige staart. Snel als een schaduw tussen de schaduwen. Ze hield van vossen. Vossen, kraaien, uilen. Er flitste een vogel voorbij en Frieda besefte dat het een vleermuis moest zijn. Eindelijk was het nacht. Hoe lang was dat geleden? Haar rivier wees haar nog steeds de weg; de maan kwam op en iedereen die ze kende was heel ver weg. Reuben, Sasha, Olivia, Chloë, Josef, Sandy, Karlsson. Haar patiënten waren teruggebracht tot één ineengedoken figuur in een stoel, die erom vroeg van zichzelf verlost te worden. In een hoek stond Dean Reeve door het raam naar binnen te kijken; ze hoorde zijn voetstappen als er niemand in de buurt was, en hij liet de ziekelijke geur van lelies en de dood achter. Niemand was zo echt als hij.

Ze wist eigenlijk niet meer waarom ze de ene voet voor de andere zette en de andere voor de ene, waarom ze maar doorging met in- en uitademen; het was alsof haar lichaam de wil had die haar geest was kwijtgeraakt. Ze was uitgeput. Haar bron was drooggevallen.

Maar toen verbreedde de rivier zich en kwam het pad uit op een open plek met een hek, waarnaast een ijzeren bel in een metalen kast hing. Hier mondde de Wandle, die haar had geleid, uit in haar eigen kleine estuarium, om zich eindelijk in de grote zeestraat, de Theems, te verliezen. Vanaf een stenen wandelpad keek Frieda naar de lichtjes van de stad. Ze was niet meer verdwaald, want ergens tussen die trillende lichtjes hoorde ze thuis.

61

Dit was geen nacht om te slapen. Gedachten verschroeiden Frieda's brein; beelden pulseerden achter haar ogen. Rechtop in haar leunstoel staarde ze naar de lege haard en zag de verzorgde tuin in Croydon. Daar gingen nu de spaden de leemachtige grond in en werd het huis overhoop gehaald. Ze zag de twee mannen voor zich, Dawes en Collier, zoals ze in de tuin hadden gezeten. Ze werd misselijk en sloot haar ogen, maar de beelden bleven. Ze meende de stank van de lelies nog steeds te kunnen ruiken.

Uiteindelijk kwam ze overeind en ging naar boven. Ze drukte de stop in het bad – Josefs bad – draaide de kraan open en goot badschuim in het water. Ze trok haar vuile kleren uit en poetste haar tanden, maar vermeed de spiegel boven de wastafel hing. Haar benen voelden zwaar en haar huid prikte. Ze was helemaal op. Even later stapte ze in het geurende, gloeiend hete bad en liet zich onder water glijden. Misschien kon ze zo blijven liggen tot het dag werd, met haar haar zwevend in het water en haar bloed bonkend in haar oren.

Ten slotte kwam ze eruit. Het was nog donker, maar aan de horizon was een vage streep licht verschenen. Een nieuwe dag. Ze kleedde zich aan en ging naar beneden. Ze had dingen te doen.

Eerst moest ze iemand bellen, dat had ze dagen geleden al moeten doen. Hij nam niet meteen op, maar even later klonk zijn slaperige stem.

'Sandy?'

'Frieda? Hè? Gaat het goed met je?'

'Ik geloof het niet. Het spijt me.'

'Wacht even.' Er verstreek een moment. Ze zag voor zich hoe hij rechtop ging zitten en het licht aandeed. 'Waarom zeg je dat het je spijt?'

'Het spijt me gewoon. Heel erg. Ik had het je moeten vertellen.'

'Wat had je me moeten vertellen?'

'Kun je komen?'

'Ja, natuurlijk.'

'Nu meteen, bedoel ik.'

'Ja.'

Dat was een van de redenen waarom ze van hem hield: dat hij zo'n besluit nam zonder te aarzelen, zonder allerlei bezorgde vragen te stellen die ze toch niet kon beantwoorden, en dat hij wist dat ze zoiets alleen maar zou vragen als de nood hoog was. Hij zou meteen opstaan, een vlucht boeken, iets regelen met zijn collega's en voor de dag om was zou hij bij haar zijn, omdat ze eindelijk een beroep op hem had gedaan.

'Dank je wel,' zei ze eenvoudig.

Ze dronk een kop extreem sterke koffie, voerde de kat, en terwijl ze de planten in haar tuintje water gaf snoof ze de indringende geur op van hyacinten en kruiden. Toen trok ze haar jas aan en ging ze de deur uit. Het was een frisse, vochtige ochtend; het zou een warme, stralende dag worden. De lieflijkheid van de lente. De winkels waren nog gesloten, maar ze kon het verse brood van het bakkertje op de hoek al ruiken. In de flats en huizen gingen hier en daar lampen aan; de ijzeren rolluiken van de kiosken en winkeltjes werden omhooggehaald; een bus zwenkte langs met één passagier erin die uit het raam staarde. Ze passeerde een postbode die zijn rode karretje achter zich aan trok. De grote stad kwam weer tot leven.

Bij Muswell Hill haalde Frieda haar stratenboek tevoorschijn en even later sloeg ze een brede laan in met mooie, vrijstaande huizen. Nummer 27. Vanbuiten was de schade niet meteen te zien, alleen waren de bakstenen wat donkerder, was het houtwerk hier en daar geblakerd en op de eerste verdieping was een ruit gesprongen. Toen ze dichterbij kwam, sloeg de bijtende lucht haar op de keel. Na een korte aarzeling stapte ze de voortuin in, waar een grindpad was en een bak met rode tulpen die de brand had doorstaan. Vanwaar ze stond kon ze door het grote erkerraam in de voorkamer kijken, waar de ravage enorm was. Ze stelde zich voor hoe het vuur door de ordelijke kamers had geraasd en tafels, stoelen, schilderijen, deuren had verzwolgen en de muren met een laag roet had bedekt. Dit was Deans werk geweest. Hij had heel rustig een met benzine doordrenkte doek door de brievenbus geduwd en er een lucifer op laten vallen. *We konden hem er niet mee weg laten komen.* In zekere zin had Bradshaw gelijk gehad: het was haar schuld.

Aan de linkerkant van het huis was een zijdeur die, toen ze ertegenaan duwde, een doorgang naar de achtertuin bleek te zijn. Ze liep het groen in en kwam oog in oog te staan met de overblijfselen van wat eens een kas was geweest en een keuken. Net toen ze zich wilde omdraaien werd haar aandacht ergens door getrokken.

Hal Bradshaw was daar. Hij stond gebogen over een berg verkoolde resten. Hij hurkte en pakte iets op wat ooit een boek was geweest, hield het omhoog en liet het weer vallen. Hij had een verkreukeld pak aan en rubberlaarzen, en bewoog zich voorzichtig tussen de asresten door die als donkere bloemblaadjes om hem heen opdwarrelden als hij zijn voeten verplaatste. Frieda zag zijn vermoeide, verslagen gezicht.

Hij leek haar aanwezigheid gevoeld te hebben, want ineens richtte hij zich op. Hun blikken kruisten elkaar en hij verstrakte. Voor haar ogen veranderde hij in de Hal Bradshaw die ze kende: beheerst, alwetend, afgeschermd.

'Nou,' zei hij, terwijl hij naar haar toe kwam. 'Geen half werk, hè? Komt u de schade opnemen?'

'Ja.'

'Waarom?'

'Ik moest het zien. Wat zocht u?'

'O.' Hij lachte vreugdeloos, hief zijn beroete handen op en liet ze weer vallen. 'Mijn leven, of zo. Jarenlang bouw je iets op en dan ineens – woesj, is alles weg. Nu vraag ik me af wat het eigenlijk voorstelde.'

Frieda stapte tussen de resten en pakte een verkoold boek op, dat tussen haar vingers verkruimelde. Ze zag de woorden tot as en stof vergaan.

'Het spijt me heel erg,' zei ze.

'Is dit een bekentenis?'

'Een spijtbetuiging.'

Op weg naar de metro zette Frieda haar telefoon aan en bekeek de berichten. Het waren er heel veel, zowel van bekenden als van onbekenden. Wat haar wachtte was commotie, vragen en commentaar, de verblindende aandacht die ze zo vreesde, maar nu was ze nog even alleen. Niemand wist waar ze was.

Maar er was één iemand die ze moest bellen.

'Karlsson. Met mij.'

'Godzijdank. Waar ben je?'

'Op weg naar Tooting, naar het ziekenhuis.'

'Dan zie ik je daar. Gaat het wel goed met je?'

'Dat weet ik niet. En met jou?'

Hij kwam haar in de hal tegemoet, beende met grote passen op haar af toen hij de draaideur uit kwam, legde even een hand op haar schouder en keek haar doordringend aan, alsof hij iets zocht.

'Luister eens...' begon hij.

'Mag ik eerst iets zeggen?'

'Typisch jij.' In een poging te glimlachen vertrok hij zijn mond. Hij zag er uitgeput en ontredderd uit.

'Het spijt me.'

'Het spijt jou?'

'Ja.'

'Maar je had het bij het rechte eind. Afschuwelijk genoeg had je het bij het rechte eind.'

'Maar ik heb ook stomme dingen gedaan. Tegenover jou. En dat spijt me.'

'Jezus, je hoeft toch niet...'

'Jawel.'

'Oké.'

'Ben je er geweest?'

'Ja.'

'Zijn de verdwenen meisjes gevonden?'

'Ja. Maar het team is nog wel even bezig.'

'Hoeveel?'

'Dat is nog niet te zeggen.' Hij slikte moeizaam. 'Een aantal.'

'En hebben jullie Ge...'

'Uiteraard. Gerald Collier zwijgt in alle talen. Maar hij hoeft niets te zeggen. Ze lagen in zijn kelder.'

'Arme Fearby,' zei Frieda zacht. 'Híj heeft het ontdekt, moet je weten, niet ik. Ik had het opgegeven, hij niet. Hij gaf nooit op.'

'Een alcoholistische ex-journalist.' Karlsson klonk bitter. 'En een getraumatiseerde therapeute. Jullie tweeën hebben een aantal misdrijven opgelost waarvan wij niet eens op de hoogte waren. We gaan het nu natuurlijk heel efficiënt aanpakken allemaal. Nu het te laat is. We identificeren de stoffelijke resten, informeren de arme nabestaanden en gaan alles na wat die twee verdomde klootzakken hebben uitgespookt en waar ze zo lang mee zijn weggekomen. Onze computersystemen worden opgeschoond, er komt een onderzoek naar hoe dit heeft kunnen gebeuren. We zullen leren van onze fouten, dat zeggen we althans tegen de pers.'

'Zijn eigen dochter,' zei Frieda. 'Zij was degene naar wie ik op zoek was.'

'Nou, je hebt haar gevonden.'

'Ja.'

'Ik ben bang dat je heel veel vragen zult moeten beantwoorden.'

'Ik weet het. Ik kom straks naar het bureau, is dat goed? Eerst wil ik naar Josef toe. Heb jij hem al gezien?'

'Josef?' Een klein lachje gleed over Karlssons sombere gezicht. 'O, ja. Die heb ik gezien.'

Josef had een kamer voor zich alleen. Hij zat rechtop in bed in een veel te grote pyjama, met een verband om zijn hoofd en een arm in het gips. Naast zijn bed stond een verpleegster met een klembord in haar handen. Hij fluisterde iets tegen haar waar ze om moest lachen.

'Frieda!' riep hij. 'Mijn vriendin Frieda.'

'Josef, hoe gaat het met je?'

'Mijn arm is gebroken,' zei hij. 'Slechte breuk, zeggen ze. Maar schoon, dus het komt goed. Later kun jij op mijn gips schrijven. Of tekenen.'

'Doet het pijn?'

'Pillen helpen tegen pijn. Ik heb al toast gegeten. Dit is Rosalie, zij komt uit Senegal. Dit is mijn goede vriendin Frieda.'

'Je goede vriendin die je bijna het leven heeft gekost.'

'Is niets,' zei hij. 'Hoort erbij.'

Er werd geklopt en Reuben kwam binnen, gevolgd door Sasha, die een bos bloemen bij zich had.

'Ik ben bang dat bloemen niet zijn toegestaan,' zei Rosalie.

'Hij is een held,' zei Reuben resoluut. 'Hij moet bloemen hebben.'

Sasha kuste Josef op zijn stoppelige wang, sloeg daarna een arm om Frieda heen en keek haar met grote bezorgde ogen aan.

'Niet nu,' zei Frieda.

'Ik heb water voor je meegebracht.' Reuben haalde een klein flesje uit zijn zak en keek Josef betekenisvol aan.

Josef nam een slok, huiverde en hield het flesje Frieda voor. Ze schudde haar hoofd en ging op een stoel bij het raam zitten, dat uitzicht bood op een muur en een smalle strook bleekblauwe lucht. Ze zag een condensatiestreep van een vliegtuig, maar het kon Sandy's toestel nog niet zijn. Ze voelde dat Sasha haar in de gaten hield, hoorde Reubens stem en Josefs luidruchtige antwoorden. Een arts-assistent kwam binnen en ging weer weg. Een andere verpleegster diende zich aan, met een kar; zolen knerpten op het zeil. Deuren die opengingen, deuren die dichtzwaaiden. Een duif streek op de smalle vensterbank neer en staarde haar met een kraaloog aan. Sasha zei iets tegen haar en ze gaf antwoord. Reuben vroeg iets. Ze zei ja, nee, later zou ze hem alles vertellen. Niet nu.

Sandy nam haar in zijn armen en drukte haar tegen zich aan. Ze voelde zijn rustige hartslag en zijn adem beroerde haar haar. Warm, stevig, sterk. Toen deed hij een stap naar achteren en keek haar aan. Pas toen ze zijn uitdrukking zag, begon het tot haar door te dringen wat ze had doorgemaakt. Het vergde een grote inspanning om zich niet van zijn medelijden en schrik af te wenden.

'Wat heb je gedaan, Frieda?'

'Dat is de grote vraag.' Ze probeerde te lachen, maar dat ging niet. 'Wat heb ik gedáán?'

62

Frieda had de vreemde gewaarwording op het toneel te staan maar de verkeerde rol te spelen. De stoel tegenover haar, waarin Thelma Scott zat, was eigenlijk haar stoel, en Frieda deed zich voor als een patiënt. Thelma keek haar vriendelijk en meelevend aan, met een gezicht dat uitdrukte dat ze zich vrij moest voelen om te zeggen wat ze wilde, dat alles hier geoorloofd was. Frieda kende die uitdrukking, want zo keek ze zelf ook als er een patiënt tegenover haar zat. Het was haast gênant dat Thelma dat nu op haar uitprobeerde. Dacht ze soms dat ze daar zomaar in zou trappen?

Frieda hield haar eigen spreekkamer bewust sober, met gedekte kleuren en een paar neutrale plaatjes aan de muur die ze daar met zorg op had uitgekozen. De spreekkamer van Thelma Scott was heel anders. Op de muren zat druk behang, met een patroon van verstrengelde blauwe en groene ranken waar hier en daar een vogel op was neergestreken. Overal stonden kleine siervoorwerpen en snuisterijen: miniatuurflesjes, porseleinen figuurtjes en kopjes, een glazen vaas met roze en gele rozen, pillendoosjes, een set borden beschilderd met wilde bloemen. Maar er was niets persoonlijks in de kamer, niets waaruit iets over Thelma Scotts leven of persoonlijkheid kon worden afgeleid, behalve dat ze van snuisterijen hield. Frieda had een hekel aan snuisterijen en kreeg zin om alles in een vuilniszak te stoppen en die aan de straat te zetten.

Nog steeds zat Thelma haar vriendelijk en welwillend aan te kijken. Frieda wist hoe het was om daar te zitten en te wachten op de eerste stap waarmee de reis zou beginnen. Ze had zelf weleens vijftig minuten lang tegenover een patiënt gezeten die geen woord uitbracht. En soms huilden ze alleen maar.

Wat kwam ze hier doen? Wat viel er eigenlijk te bespreken? Klaarwakker om twee, drie, vier uur 's nachts had ze alles al de revue laten passeren, alle keuzes, hoe het anders had kunnen gaan, de weg die ze gekozen had en de wegen die ze niet was in geslagen. Door haar toedoen was Russell Lennox' poging om zijn zoon te beschermen mislukt en zat Ted nu in een cel. De gedachte aan hem in de gevangenis en alles wat hem daar misschien te wachten stond was onverdraaglijk, maar hij had een ernstig geweldsmisdrijf begaan tegen nota bene zijn eigen moeder. Zijn enige hoop was dit onder ogen te zien en de consequenties te dragen. Het rechtssysteem zou misschien mild voor hem zijn. Met een goede verdediging zou hem een veroordeling wegens moord bespaard kunnen blijven.

Volgens sommigen zou Ted misschien een betere kans hebben gehad als hij op vrije voeten was gebleven. De mens heeft het vermogen te overleven door het verleden te begraven en zichzelf te dwingen alles te vergeten. Ted had misschien zijn eigen vorm van boetedoening gevonden. Alleen geloofde Frieda daar niet in. Je moest de waarheid onder ogen zien, hoe pijnlijk die ook was, en dan de draad weer oppakken. Je kon het verleden begraven, maar niet doen verdwijnen; uiteindelijk zou het zich naar de oppervlakte wringen en voor je opdoemen. Maar zo dacht zij erover, moest Ted daar nu de gevolgen van dragen?

En Dora en Judith, moesten zij ook de gevolgen dragen? Bij de gedachte aan hen kwam de herinnering terug aan de begrafenis die ze nog maar twee dagen geleden had bijgewoond. Er was muziek geweest, er waren gedichten voorgedragen en honderden mensen waren aanwezig, maar vanwaar ze zat, achteraan, had ze vooral de meisjes gezien, ieder aan een kant van hun tante, die zich met een verbeten rechtschapenheid over hen ontfermd had. Ze hadden allebei hun haar afgeknipt: Dora had nu een strenge pony en Judiths weelderige krullen waren verdwenen. Ze maakten een krachteloze, verslagen indruk en zagen er ontredderd uit. Judith had Frieda gezien en even waren haar bijzondere ogen tot leven gekomen. Toen had ze zich afgewend.

De waarheid: Jim Fearby had ervoor geleefd en er alles voor opgeofferd: zijn gezin, zijn loopbaan, zijn leven. Was het tijdens die laatste momenten, toen Lawrence Dawes en Gerry Collier hem hadden vermoord, nog tot hem doorgedrongen dat hij de waarheid had ontdekt? Was het het waard geweest? En was het haar schuld geweest? Ze had Fearby willen helpen en hij was omgebracht. Ze was met hem op stap geweest, ze hadden gepraat en plannen gemaakt. Ze had haar vriendschap met Karlsson misbruikt met als doel hem erin te betrekken, maar tegenover Fearby was ze tekortgeschoten. Fearby had het verband met Dawes gelegd, maar had Frieda niet moeten begrijpen dat Dawes niet alleen kon hebben gehandeld? Fearby was zonder haar in die onderwereld afgedaald en zij had hem niet kunnen redden.

Sharon Gibbs was wel gered en teruggebracht naar haar ouders, dat was in elk geval iets. Als Frieda en Josef dat huis niet waren binnengedrongen, had Sharon Gibbs hetzelfde lot ondergaan als de anderen, die in de kelder begraven lagen. Frieda werd achtervolgd door hun namen en door de foto's van hun gezichten die Fearby haar had laten zien. Kiekjes van gelukkige jonge meisjes die geen idee hadden wat er vóór hen lag. Hazel Barton en Roxanne Ingatestone en Daisy Crewe en Philippa Lewis en Maria Horsley en Lila Dawes. En er was nog een zevende meisje. De politie had nog een lichaam in de kelder gevonden, de stoffelijke resten van een jonge vrouw. Identiteit onbekend. Op de een of andere manier had Fearby haar over het hoofd gezien, en het politieregister bevatte veel te veel vermiste meisjes. Karlsson had gezegd dat ze via het DNA misschien iets zouden vinden, als ze geluk hadden. Al die verdwenen meisjes. Maar het was vooral het onbekende meisje aan wie Frieda steeds moest denken. Het was alsof ze in een afgrond staarde waar ze zich in verloor.

Frieda wilde zich ook schuldig voelen over wat ze Josef had aangedaan, maar dat lag moeilijker. Aanvankelijk vermoedde ze dat achter zijn vrolijke, stoïcijnse houding een posttraumatisch stresssyndroom schuilging. Dat kon zich veel later manifesteren, volgens de literatuur. Maar eigenlijk was er geen spoor van te bekennen. Hij genoot van de aandacht, en toen Karlsson zei dat hij misschien in aanmerking kwam voor een onderscheiding wegens betoonde moed, kon hij zijn geluk helemaal niet meer op. Zijn verslag van de gebeurtenissen was elke keer gedetailleerder en zelfs Frieda kon geen tekenen van emotionele verwarring in zijn gedrag ontdekken.

En dan was Dean Reeve er nog. Hij was als een obsceen soort minnaar, iemand die alles wilde zien wat ze deed, wilde voelen wat zij voelde, haar wilde vergezellen naar plaatsen waar niemand anders wilde komen. De herinnering, de stank van Hal Bradshaws geblakerde huis achtervolgde haar. Had Dean Reeve dat gedaan om Bradshaw te straffen, of had hij háár willen straffen? Had hij op zijn unieke manier haar vijandigheid jegens Bradshaw aangevoeld en er vervolgens vorm aan gegeven zoals zij zelf nooit zou hebben gedaan? Zo ben jij, was zijn boodschap aan haar. Zo ben jij echt en jij en ik zijn de enigen die dat werkelijk onder ogen zien. Ik ben je tweelingbroer, je andere ik.

Wat een ravage was het, wat een puinhoop had ze ervan gemaakt.

Frieda keek op. Ze was bijna vergeten waar ze was. Thelma keek haar recht in de ogen.

'Het spijt me,' zei Frieda. 'Ik heb er geen woorden voor.'

Thelma knikte langzaam. 'Dat lijkt me een goed begin.'